まえがき

税法学習は、税理士への真の第一歩！

本書を手にしたみなさんの多くは、税理士試験の会計科目（簿記論、財務諸表論）の受験をされた方や無事合格された方だと思います。よくぞ、ここまで来られました！

そして、いよいよ税法科目の学習をはじめようとされる方にあらためて伝えておきたいことがあります。それは、税理士とは「税法のプロフェッショナルであり、法律家である」ということです。

ですから、税法の学習は税理士への真の第一歩を踏み出したことになります。

ここからまた気を引き締めていけば、税理士試験の合格も間近です。

さて、ネットスクールでは税理士試験を目指す方への資格支援の学校として、画期的なことを行いました。それは、本来、高額な受講料を払ってのみ手にすることのできる講座使用教材を書店やネットショップで市販することでした。

これにより、独学者にも平等に合格を目指す機会を提供することができましたし、また、独学者が同じ教材を使用して講座学習に切り替えられるという利便性を高めることができました。

一方で、講座使用教材を誰もが購入できるということは、講座の付加価値の希薄化を招き、さらには講座のノウハウの流出というリスクも抱えてしまうことになりかねません。

しかしそれでも、人生を賭けてチャレンジする受験生にとってよりよい教材は生命線であり、その気持ちを想像したときに、講座使用教材を市販することについて一縷の迷いも生じることはありませんでした。さらに言えば、講座のノウハウとして主要な要素である講師からの説明を側注として書き添えることで、独学でもより理解の深まる教科書に仕上げることに注力いたしました。

合格するための状況は我々が整えます。

みなさんは、この本で勇気を持って始め、本気で学んでください。

そうすれば、みなさん自身ばかりではなく、みなさんの周りの人たちをも幸せにできる、そんな人生が開けてきます。

さあ、この一歩、いま踏み出しましょう！

税理士WEB講座
講師一同

目次
Contents

税理士試験　教科書
消費税法III　応用編

合格に必要な知識を効果的に習得するために

本書の構成・特長

このセクションで何を学習するのか、また、その学習の要点についてまとめています。

単元の重要度、理論対策、計算対策が示されていますので、学習の優先順位、学習する内容が一覧できます。

側注には、主に講師からの補足説明を記載し、理解の深度と学習のモチベーションが高まるよう工夫しています。

本試験対策として必要な学習項目をセクションごとに整理し、効率よく学習を進められます。

学習内容の全体像を掴むために、まず概要から説明をスタートします。

Section 2 課税売上割合が著しく変動した場合

Section 1で学習した調整対象固定資産に関する仕入れに係る消費税額の調整の2つの規定のうち、ここでは、課税売上割合が著しく変動した場合の仕入れに係る消費税額の調整規定について見ていきましょう。

1 著しく変動する場合の概要　重要　理論　計算

仕入税額控除を考える際、課税売上割合は重要な要素を占めています。課税売上割合の多寡により控除税額が大きく異なるからです。

課税売上割合は、通常同一の事業を継続的に営んでいれば一定であると考えられていますが、**何らかの理由で課税売上割合が極端に変動する場合**があります*01)。

固定資産は長期にわたって使用されるため、このような課税売上割合の極端な変動があった課税期間において税額控除を完結させてしまうことは、**売上げとの対応関係を反映しているとはいえない**こととなります。

*01) 例えば、不動産販売業以外の事業者がある課税期間に事業用の土地の売却を行った場合等が該当します。

〈具体例〉

X1 4/1　X2 4/1　X3 4/1　第3年度*02)の課税期間　X4 4/1

*02) 第3年度の課税期間については、3で学習し

学習をはじめる前に

著者からのメッセージ

本書の著者であり、WEB講座の講師でもある山本和史先生から、本書を学習する前の心構えとしてメッセージがございます。本書を最大限に有効活用するためにも、まずはこのメッセージをお読みください。

プロフィール
講師　山本和史（やまもとかずふみ）
講師歴38年。わかりやすい講義をモットーとし、長年の講師歴の中で培った受験生の陥りやすい誤りを未然に防ぐ授業を展開し受験生を合格へと導く。

◆学習アドバイス

この「応用編」は、「基礎導入編」、「基礎完成編」と学習してきた内容を基に特殊論点を学習していきます。税理士試験に毎年出題されている内容の学習となりますので頑張っていきましょう。

本書は上記にも書きましたが、「基礎導入編」及び「基礎完成編」で学習した内容を基に学習を進めて行きますので、本書の復習を行う際は「基礎導入編」及び「基礎完成編」も合わせて復習するようにしてください。

本書では、各単元に「理論」、「計算」と見出しを付しています。「理論」が付されている単元では、別冊の「理論集」を使用し理論暗記を行うようにし、「計算」が付されている単元では、別冊の「問題集」で計算練習をそれぞれ行われるようにしてください。

では、具体的に学習方法について説明していきたいと思います。この「応用編」の教材も「基礎完成編」と同じく消費税法の理論対策と計算対策を行っていきますので定期的に週4日程度学習する日を設けて学習してください。週4日のうち2日は新しい単元を学習する日、残り2日は今まで学習した内容を復習する日とします。

新しい単元を学習する日は1時間程度この「教科書」で新しい単元を学習し、その後1時間程度別冊の「問題集」を解答し知識の定着を図ってください。

また、復習する日は、1日を理論対策、残り1日を計算対策としてください。理論対策の日は、この「教科書」と別冊の「理論集」を使用し各理論の内容を理解した上で暗記を行うようにしてください。そして、「基礎完成編」から理論の暗記を行っていますので、この「応用編」の学習時期は、新しい理論を覚えるだけでなく、過去に覚えた理論の再暗記を行い理論の定着を図るようにしてください。

次に、計算対策の日は、「基礎導入編」及び「基礎完成編」と同じくその週に新しく学習した単元の「問題集」を再度解答し学習した内容が自分のものになっているかどうか確認するようにしてください。この「応用編」の学習時期は、「基礎導入編」及び「基礎完成編」の学習内容も合わせて復習していくことから計画的に学習時間を確保するようにしてください。

”講師がちゃんと教える”　だから学びやすい！分かりやすい！

ネットスクールの税理士WEB講座

【開講科目】簿記論、財務諸表論、法人税法、消費税法、相続税法、国税徴収法

ネットスクールの税理士 WEB 講座の特長

◆自宅で学べる！　オンライン受講システム

臨場感のある講義をご自宅で受講できます。しかも、生配信の際には、チャットやアンケート機能を使った講師とのコミュニケーションをとりながらの授業となります。もちろん、講義は受講期間内であればお好きな時に何度でも講義を見直すことも可能です。

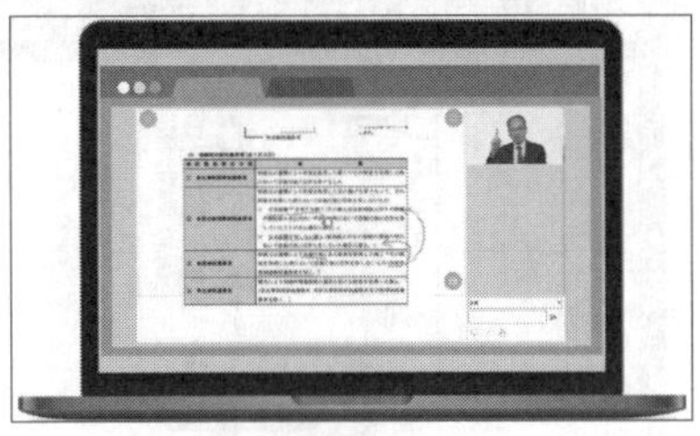

▲講義画面イメージ▲

★講義はダウンロード可能です★

オンデマンド配信されている講義は、お使いのスマートフォン・タブレット端末にダウンロードして受講することができます。事前に Wi-Fi 環境のある場所でダウンロードしておけば、通信料や通信速度を気にせず、外出先のスキマ時間の学習も可能です。

※講義をダウンロードできるのはスマートフォン・タブレット端末のみです。

※一度ダウンロードした講義の保存期間は1か月間ですが、受講期間内であれば、再度ダウンロードして頂くことは可能です。

ネットスクール税理士 WEB 講座の満足度

◆受講生からも高い評価をいただいております

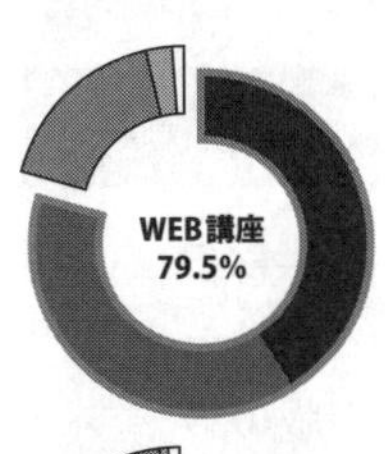

- ▶Zoom 面談は、孤独な自宅学習の励みになりましたし、試験直前にお電話をいただいたときは本当に感動しました。（消費／上級コース）
- ▶合格できた要因は、質問を 24 時間受け付けている「学び舎」を積極的に利用したことだと思います。（簿財／上級コース）
- ▶質問事項や添削のレスポンスも早く対応して下さり、大変感謝しております。（相続／上級コース）
- ▶講義が 1 コマ 30 分程度と短かったので、空き時間等を利用して自分のペースで効率よく学習を進めることができました。（国徴／標準コース）

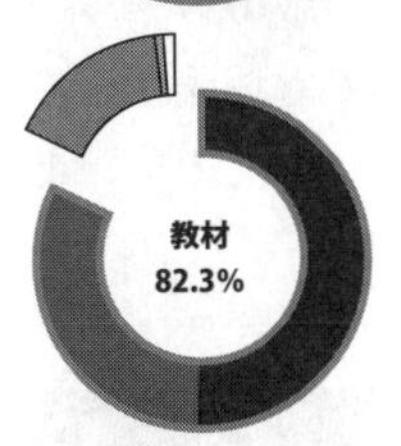

- ▶理論教材のミニテストと「つながる会計理論」のおかげで、今まで理解が難しかった論点が頭の中でつながった瞬間は感動しました。（財表／標準コース）
- ▶テキストが読みやすく、側注による補足説明があって理解しやすかったです。（全科目共通）

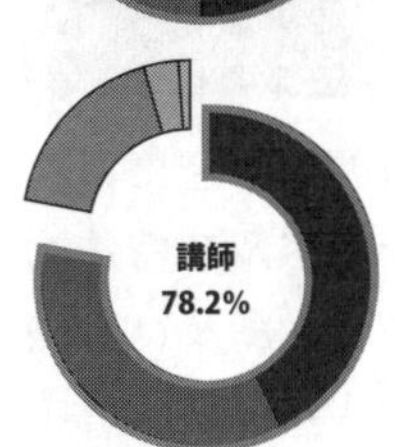

- ▶財務諸表論の穂坂先生の理論講義がとてもわかり易く良かったです。（簿財／上級コース）
- ▶先生方の学習面はもちろん精神的にもきめ細かいサポートのおかげで試験を乗り越えることができました。（法人／上級コース）
- ▶堀川先生の授業はとても面白いです。印象に残るお話をからめて授業を進めて下さるので、記憶に残りやすいです。（国徴／標準コース）
- ▶田中先生の熱意に引っ張られて、ここまで努力できました。（法人／標準コース）

※ 2019 ～ 2023 年度試験向け税理士 WEB 講座受講生アンケート結果より

各項目について5段階評価

不満⬅ | 1 | 2 | 3 | 4 | 5 | ➡満足

税理士 WEB 講座の詳細はホームページへ　**ネットスクール株式会社 税理士 WEB 講座**

https://www.net-school.co.jp/　ネットスクール 税理士講座　検索

※税理士講座の最新情報は、ホームページ等をご確認ください。

ネットスクールの書籍シリーズのご案内

税理士試験合格に向けた学習

教科書・問題集　Ⅰ基礎導入編

基礎導入編は“教科書（テキスト）”と“問題集”の内容を１冊にまとめた構成となっており、『教科書編』ではインプットを、『問題集編』ではアウトプットを繰り返すことにより、効率的に学習を進めることができます。何事も最初が肝心となりますので、まずは本書で消費税法学習の土台を作りあげていきましょう。

教科書／問題集　Ⅱ基礎完成編

基礎導入編での学習が終わったら、基礎完成編に移ります。基礎導入編と同様に、税理士試験で頻繁に出題される重要論点の基礎的事項を学習していきます。

基礎完成編も基礎導入編と同様に、教科書でインプットしたことを必ず問題集（教科書と別売りとなります）を使ってアウトプットし、学習した知識を定着させましょう。

理論集

理論学習に特化したテキストで、効果的で無駄のない理論学習を行えます。

また、重要理論については音声＆デジタル版のＷダウンロードサービスを付帯し、移動中や外出先でも理論学習を行えるようにしております（別途有料サービス）ので、あわせてご利用ください。

教科書／問題集　Ⅲ応用編

基礎完成編での学習が終わったら、応用編の学習に移ります。試験対策として重要となる応用的な内容及び特殊論点を学習していくことになりますが、基礎導入編及び基礎完成編で学習した内容を基に学習を進めていただければ、無理なく学習を進めることができますので、復習する際は、基礎導入編及び基礎完成編も併せて復習するようにしましょう。

多数の“合格者の声”が信頼と実績の証です！

ネットスクールWEB講座 合格者の声

ネットスクールで見事！合格を勝ち取った受講生様からのお言葉を紹介いたします。

イトウ　ハルカ様（20代女性／学生）　第72回試験／消費税法合格

私は他の予備校と併用する形で受講させていただいたのですが、画面を通しての講義でも質問などに親身に対応してくれてとても勉強しやすかったです。また、常に前向きな言葉をかけてくださる所にもとてても勇気をもらいました。

勉強方法については、学生で本業の学業も手を抜くことができないため、試験勉強は、毎日何時から何をするかの計画を立てて勉強しました。また、直前期は毎日総合問題を解き、問題解答のフォームやルーティーンを定着させるようにしました。直前期は複数の予備校の直前対策問題を解くようにしましたが、ネットスクールの教材は、特に予想問題が主要論点を抑えつつ初見の問題もあったため何度も活用させていただきました。

YouTubeの解答速報を拝見し、丁寧な解説と勇気をもらえるような言葉を伝えてくれるネットスクールに興味を持ち、複数の科目を受講しましたが、丁寧な解説、教材、出題予想で本当に助かりました。受講してよかったです。

Y・K様（30代男性／一般会社勤務）　第72回試験／相続税法合格

相続税法の受験は3回目となりますが過去2回不合格となった際には、計算・理論共に基本論点で解答できておりませんでした。そのため、基本論点を見直し、ネットスクールの参考書や問題集を何度も回転させて記憶の定着を図りました。

また、単なる暗記ではなく理解力も伸ばさなければ本番の試験には対応できないので、制度の概要やなぜその制度が創設されたのかといった背景を理解することも重視しておりました。ネットスクールでは講義が分かりやすく、何度も気になったところは再生できるので納得いかないところは何度も視聴して理解することを心がけておりました。

最後になりますが、試験直前になるとSNS等で他校の生徒が高得点を取った情報や理論予想などの投稿を目にすることがありますが、そのような情報に惑わされずにまずはネットスクールのカリキュラムをしっかりと消化してその中での問題は確実に解けるようにすることが非常に重要だと思いました。実際に相続税法の理論では、ネットスクールで出題されたところを完璧に理解しておりましたので、他校の理論の出題ランクは低い論点でしたがしっかりと点数を取ることが出来ました。

これからは法人税法・消費税法の合格を目指して引き続きネットスクールにお世話になろうと考えております。引き続きどうぞよろしくお願いいたします。

官報合格者も
続々輩出！

M・S様（50代男性／一般会社勤務）第71回試験／国税徴収法・官報合格

以前は独学で市販の理論集や問題集を購入して勉強していましたが、配当額の計算でどうしてこのような計算結果となるのか、いまひとつ理解できないところもあり、本試験でも配当額を間違えて計算してしまったことから、その年度は残念ながら不合格となりました。

その後、国税徴収法のテキストを探していたところ、ネットスクールの通信講座を知り、もう一度勉強しなおそうと思い立ち、受講を決めました。

実際に講義を受けてみると、これまで理解が不完全だった「なぜこうなるのか」がすっきりと理解でき、まさに目からウロコが落ちる、という体験でした。

理論は、試験に直結する重要度が高いものに加え、「これは覚えておくべき」と自分が判断したものを全部暗記し、2～3日間で一回転するやり方で精度の向上に努めました。ただ単に暗記するだけではなく、横のつながりを意識することが大切だと思いましたので、どことつながっているのかもいっしょに覚えるようにしました。

答練は、通信講座のなかの問題と過去問で練習を繰り返しました。「ラストスパート模試」は過去8年分と模擬試験4回分が収録されていましたので、これだけでも練習量としては充分だったと思います。答案の書き方自体もあまりよく知らず、以前は隙間なくビッシリと書いていましたので、適度にスペースを空ける書き方を教えてもらったことも受講してよかった、と思いました。

おかげさまで国税徴収法に合格することができました。ありがとうございました。

S・K様（40代男性） 第72回試験／法人税法・官報合格

この度、ようやく官報合格となりました。これまでにお世話になった先生方、本当に本当にありがとうございました。私は他校の受講経験がなく比較することはできませんが、一番ありがたかったのは「学び舎」です。理解力不足や勘違いで何度もくだらない質問をしましたが、すぐに丁寧に詳しく解説を頂けたことが合格に結び付いたと確信しています。

受験勉強で私が一番苦労したのは、何と言っても勉強時間の確保です。仕事との両立はやはり厳しく、平日夜はほぼ時間がとれないため、毎朝3時に起床し朝に勉強するというスタイルで、1日約3～4時間は勉強に充てていました。主な1日のスケジュールは、朝は計算メインの勉強、通勤時間は車の中で、自分が吹き込んだオリジナル理論音声を聞きながらブツブツ念仏を唱え、昼休みは理論集の暗記、ベッドに入って寝るまでの時間も理論集の暗記といった内容でした。

私の理論暗記法は、短期間で繰り返し理論集を何回転もさせるやり方です。最初は重要語句を暗記ペンでマーカーし、覚えたら次の理論という感じでどんどん進めていき、少しずつ暗記ペンでマーカーした部分を増やしていきます。30～40回転目になると、ほとんどマーカーした状態になり、その頃からは、理論集を見ずに暗唱し、つまれば理論集を見て確認するというやり方に徐々にシフトしていきます。この方法は職場の先輩から教えてもらったもので、前回受験した国税徴収法と今回受験した法人税法はこの方法でほぼ全部暗記しました。直前期は数日で1回転できるようになり、最終的には60回転くらいさせたと思います。理論暗記に悩んでいる人にはお勧めです。

税理士試験はかなり長い年数を勉強に費やすことになり、それに比例して犠牲にしなければならないことも多いと思います。私も何度も諦めそうになりました。しかし、なんとか踏みとどまり、ネットスクールを信じて諦めずに継続したことで、5科目合格することができました。

税理士試験とは

試験概要

【試験科目】

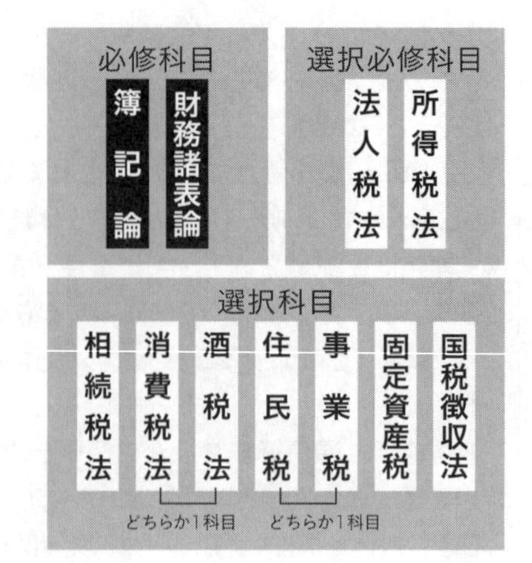

税理士試験は、会計科目２科目・税法科目９科目の全11科目あります。このうち、会計科目２科目と税法科目３科目(選択必須科目１科目以上を含む)の合計５科目に合格する必要があります。１度の受験で５科目全てに合格する必要はなく、１科目ずつ受験することもできます。なお、１度合格した科目は生涯有効となります。

【試験日】

通常、８月第１又は第２週の火曜日～木曜日に実施されます。

【合格点・合格発表】

合格基準点は各科目とも満点の60パーセントです。合格発表は11月下旬になります。

その他、税理士試験の詳細については、国税庁ホームページをご覧下さい。

https://www.nta.go.jp/index.htm

国税庁ホームページ　税の情報・手続・用紙　税理士に関する情報　税理士試験

本書シリーズ

法令等の改正情報の公開について

本書税理士シリーズについて、法令等の改正や会計基準等の変更があった場合には、改正・変更に関する情報を公開いたします。

https://www.net-school.co.jp/

読者の方へ　＞　税理士試験 / 科目　＞　改正情報

凡例(略式名称……正式名称)

法……消費税法　　令……消費税法施行令　　規……消費税法施行規則
基通……消費税法基本通達
別表第一、第二、第三……消費税法別表第一、第二、第三
所法……所得税法　　所令……所得税法施行令　　法法……法人税法
法令……法人税法施行令　　国通法……国税通則法
措法……租税特別措置法
措令……租税特別措置法施行令

引用例

法7①三　…　消費税法第7条第1項第3号
基通10-1-19　…　消費税法基本通達10-1-19

(注)　本書は、令和６年(2024年)４月１日現在施行されている法令等に基づき作成しています。

Chapter 1

電気通信利用役務の提供及び特定役務の提供

国外から書籍を購入した場合は、輸入取引として課税取引となりますが、電子書籍の配信を受けた場合は、外国貨物の輸入にはならないため、国内事業者が国内に対して電子書籍の配信を行った場合と国外事業者が国内に対して電子書籍の配信を行った場合についての競争上の有利不利から本規定が設けられています。すなわち、国外事業者から電子書籍の配信を受けた場合も課税の対象とされています。この章では、国外から電子書籍の配信を受けた場合等及び外国のプロスポーツ選手が日本国内のテレビ番組に出演した場合等の取扱いを見ていきます。

Section 1 電気通信利用役務の提供及び特定役務の提供

このChapterでは「インターネットを利用した役務の提供」及び「国外のプロスポーツ選手等が国内において行う役務の提供」について見ていきます。
用語の意義を正確に押さえながら通常の役務の提供と異なる規定を覚えていくようにしましょう。

1 電気通信利用役務の提供

1．概　要

インターネット等の電気通信回線を介して行われる役務の提供については、**平成27年の税制改正において様々な改正が行われた。**この改正以前は電気通信回線を介して行われる役務の提供の国内取引の判定は役務の提供に係る事務所等の所在地とされていました。したがって、国外事業者が行う役務の提供は国外取引となり、国内事業者が行う役務の提供は国内取引となり同様のサービスであっても役務の提供者によって課税関係が異なるという問題点が出ていました。

改正後は国内取引の判定を「役務の提供を受ける者の住所等又は本店等の所在地」により行う[*01]こととなり、国内に住所等又は本店等を有する者に対する役務の提供は、国内、国外のいずれから役務の提供を行っても国内取引となりました。

*01）詳細は3.を見てください。

2．電気通信利用役務の提供の意義（法２①八の三）

⑴　意　義

資産の譲渡等のうち、電気通信回線を介して行われる著作物の提供その他の電気通信回線を介して行われる役務の提供であって、他の資産の譲渡等の結果の通知その他の他の資産の譲渡等に付随して行われる役務の提供以外のものをいう。

⑵　電気通信利用役務の提供に該当する取引（基通５－８－３）

①　インターネットを介した電子書籍の配信
②　インターネットを介して音楽・映像を視聴させる役務の提供
③　インターネットを介してソフトウエアを利用させる役務の提供
④　インターネットのウエブサイト上に他の事業者等の商品販売の場所を提供する役務の提供
⑤　インターネットのウエブサイト上に広告を掲載する役務の提供
⑥　電話、電子メールによる継続的なコンサルティング

⑶　電気通信利用役務の提供に該当しない取引（基通５－８－３（注））

①　国外に所在する資産の管理・運用等について依頼を受けた事業者が、その管理等の状況をインターネットや電子メールを利用して依頼者に報告するもの

② ソフトウエア開発の依頼を受けた事業者が、国外においてソフトウエアの開発を行い、完成したソフトウエアについてインターネット等を利用して依頼者に送信するもの

設例1－1 電気通信利用役務の提供

次に掲げる取引の中から電気通信利用役務の提供に該当する取引を選びなさい。

⑴ インターネットを通じて音楽の配信を行った。

⑵ インターネットを通じて電子書籍の配信を行った。

⑶ 国内に所在する保養所の管理を国外事業者から受け、その管理内容について電子メールで国外事業者に報告を行った。

⑷ インターネットを通じて広告の配信を行った。

⑸ ソフトウエアの開発を行い、完成したソフトウエアを電子メールを利用して依頼者に送信した。

⑹ クラウド上で顧客の電子データの保存を行う場所を提供するサービスを行った。

⑺ インターネット上に顧客の商品の販売場所を提供するサービスを行った。

⑻ インターネットを通じて著作権の貸付けを行った。

⑼ インターネットを通じて英会話教室を行っている。

⑽ インターネットを通じて飲食店の予約を行い、飲食店業者から掲載料を受け取った。

解答 ⑴、⑵、⑷、⑹、⑺、⑼、⑽

解説

⑶ 保養所の管理内容について電子メールで報告が行われたとしても、保養所の管理という資産の譲渡等に付随して電子メールが利用されているため、電気通信利用役務の提供に該当しない。

⑸ ソフトウエアの開発という資産の譲渡等に付随して電子メールが利用されているため、電気通信利用役務の提供に該当しない。

⑻ 著作権の貸付けという資産の譲渡等に付随して電子メールが利用されているため、電気通信利用役務の提供に該当しない。

3．国内取引の判定（法4③三）

電気通信利用役務の提供が国内で行われたかどうかの判定は、その**電気通信利用役務の提供を受ける者の住所若しくは居所又は本店若しくは主たる事務所の所在地が国内にあるか否か**で判定する。

取引の形態	通常の役務の提供	**電気通信利用役務の提供**
① 国内 → 国内	国内取引	国内取引
② 国内 → 国外	**国内取引**	**国外取引**
③ 国外 → 国内	**国外取引**	**国内取引**
④ 国外 → 国外	国外取引	国外取引

設例１－２　　国内取引の判定

次に掲げる取引のうち、国内取引に該当するものを選びなさい。

⑴　国外事業者がインターネットを通じて国内に住所又は居所を有する者に対して映像の配信を行った。

⑵　国内事業者がインターネットを通じて国外に住所又は居所を有する者に対して映像の配信を行った。

⑶　国外事業者がインターネット上に国内に本店を有する事業者の広告を掲載し広告掲載料を受け取った。

⑷　国外事業者がインターネットを通じて国内に本店を有する事業者の国外支店に対し電子書籍の配信を行った。

解答　⑴、⑶、⑷

解説

⑴　役務の提供を受ける者が国内に住所又は居所を有する者であるため、国内取引に該当する。

⑵　役務の提供を受ける者が国外に住所又は居所を有する者であるため、国外取引に該当し国内取引とはならない。

⑶　役務の提供を受ける者が国内に本店を有する事業者であるため、国内取引に該当する。

⑷　役務の提供を受ける者が国内に本店を有する事業者であるため、国内取引に該当する。この場合において実際に役務の提供を受けている国外支店は国内取引の判定に関係させない。

４．電気通信利用役務の提供の分類

電気通信利用役務の提供は、役務の提供を行う者と役務の提供を受ける者により下記表のとおり分類される。

役務の提供を行う者	役務の提供を受ける者	取　扱　い
国外事業者	**国内事業者**	**事業者向け電気通信利用役務の提供**
国外事業者	**国内事業者及び国内消費者**	**消費者向け電気通信利用役務の提供**
国内事業者	国外事業者又は国外消費者	国外取引（課税対象外取引）
国内事業者	国内事業者又は国内消費者	7.8％課税取引

2 事業者向け電気通信利用役務の提供

1．意　義（法2①八の四）

国外事業者が行う電気通信利用役務の提供のうち、その電気通信利用役務の提供に係る役務の性質又はその役務の提供に係る取引条件等からその役務の提供を受ける者が通常事業者に限られるものをいう。

2．特定資産の譲渡等と特定仕入れ

(1) 特定資産の譲渡等と特定仕入れ

事業者向け電気通信利用役務の提供を行う側とその役務の提供を受ける側とで取引を表す用語が異なるので注意していただきたい。

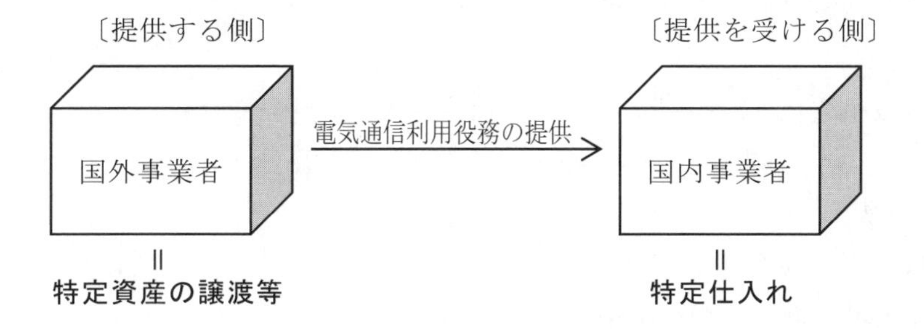

(2) 課税の対象（法４①）

国内において事業者が行った資産の譲渡等（特定資産の譲渡等に該当するものを除く。）及び**特定仕入れ**（事業として他の者から受けた特定資産の譲渡等をいう。）**は、消費税の課税対象となる。**

事業者向け電気通信利用役務の提供を行う事業者側では課税対象外となるが、その事業者向け電気通信利用役務の提供を受ける事業者側で課税対象となる。

(3) 消費税の納税義務（法５①）

事業者は，国内において行った課税資産の譲渡等（特定資産の譲渡等に該当するものを除く。）及び**特定課税仕入れ**（課税仕入れのうち特定仕入れに該当するものをいう。）**につき、消費税を納める義務がある。**[*01]

*01) 課税の対象と納税義務は表裏一体となっています。
（課税対象）（納税義務）
資産の譲渡等→課税資産の譲渡等
特定仕入れ→特定課税仕入れ

(4) 課税標準（法28②）

特定課税仕入れに係る消費税の課税標準は、特定課税仕入れに係る支払対価の額（対価として支払い、又は支払うべき[*02]一切の金銭又は金銭以外の物若しくは権利その他経済的な利益の額をいう。）とする。

*02)「支払うべき」とは、その特定課税仕入れを行った場合のその特定課税仕入れの価額をいうのではなく、その特定課税仕入れに係る当事者間で授受することとした対価の額をいう。

(5) 特定課税仕入れがある場合の課税標準額に対する消費税額（割戻し計算）

特定課税仕入れがある場合は、次のとおり計算します。

Ⅰ　課税標準額

(1) 標準税率適用分

① 課税資産の譲渡等の対価の額

課税資産の譲渡等の対価の額（税込）$\times\frac{100}{110}$＝XXX, XXX 円

② 特定課税仕入れに係る支払対価の額

XXX, XXX 円

③ ①＋②＝XXX, XXX 円 → XXX, 000 円（千円未満切捨）（＝A）

(2) 軽減税率適用分

課税資産の譲渡等の対価の額（税込）$\times\frac{100}{108}$＝XXX, XXX 円 → XXX, 000 円（千円未満切捨）（＝B）

(3) (1)＋(2)＝XXX, 000 円

Ⅱ　課税標準額に対する消費税額

(1) 標準税率適用分　XXX, 000 円（A）×7.8％＝XXX, XXX 円

(2) 軽減税率適用分　XXX, 000 円（B）×6.24％＝XXX, XXX 円

(3) (1)＋(2)＝XXX, XXX 円

設例１－３　課税標準額に対する消費税額の計算

次の資料から、甲社の当課税期間（自令和７年４月１日　至令和８年３月31日）の課税標準額及び課税標準額に対する消費税額を割戻し計算の方法により計算しなさい。なお、甲社は税込経理を行っている。

＜当課税期間の売上高等の資料＞

(1)	国内の事業者に販売した標準税率適用課税商品の売上高	179, 816, 000円
(2)	国内の事業者に販売した軽減税率適用課税商品の売上高	59, 938, 000円
(3)	国外の事業者に販売した課税商品の輸出売上高	140, 832, 000円
(4)	課税仕入れに該当する支払額	128, 259, 200円
(5)	特定課税仕入れに該当する支払額	48, 097, 200円

解答　Ⅰ　課税標準額

(1) 標準税率適用分

① 課税資産の譲渡等の対価の額

179, 816, 000円$\times\frac{100}{110}$＝163, 469, 090円

② 特定課税仕入れに係る支払対価の額

48, 097, 200円

③ ①＋②＝211, 566, 290円 → 211, 566, 000円（千円未満切捨）

⑵　軽減税率適用分

59, 938, 000円×$\frac{100}{108}$ ＝55, 498, 148円 → 55, 498, 000円（千円未満切捨）

⑶　⑴＋⑵＝267, 064, 000円

Ⅱ　課税標準額に対する消費税額

⑴　標準税率適用分

211, 566, 000円×7. 8%＝16, 502, 148円

⑵　軽減税率適用分

55, 498, 000円×6. 24%＝3, 463, 075円

⑶　⑴＋⑵＝19, 965, 223円

解説

課税標準額の計算は、税率の異なる区分ごとに計算し、千円未満切捨の端数処理は、その税率の異なる区分ごとに行います。

⑹　特定課税仕入れに係る控除対象仕入税額（割戻し計算）

控除対象仕入税額＝課税仕入れに係る支払対価の額（税込）×$\frac{7.8}{110}$（↓円未満切捨）＋**特定課税仕入れに係る支払対価の額**×7. 8%（↓円未満切捨）＋課税貨物に係る消費税額

設例１－４　納付税額の計算

次の資料から、甲社の当課税期間（自令和７年４月１日　至令和８年３月31日）における納付すべき消費税額を計算しなさい。なお、甲社は税込経理を行っており、軽減税率が適用される取引は含まれておらず、売上税額の計算及び仕入税額の計算は共に割戻し計算の方法によっている。

＜当課税期間の売上高等の資料＞

⑴　国内における課税資産の譲渡等の対価の額　320, 648, 000円
　上記金額のうち140, 832, 000円は輸出免税の規定が適用されるものである。

⑵　国内における非課税資産の譲渡等の対価の額（有価証券の譲渡収入は含まれていない）
　27, 000, 000円

⑶　国内において行われた課税仕入れ（特定課税仕入れを除く。）に該当する支払対価の額
　128, 259, 200円
　上記金額の内訳は、次のとおりである。
　①　課税資産の譲渡等にのみ要する課税仕入れ　76, 955, 500円
　②　課税資産の譲渡等とその他の資産の譲渡等に共通して要する課税仕入れ
　　38, 477, 700円
　③　その他の資産の譲渡等にのみ要する課税仕入れ　12, 826, 000円

⑷　国外の事業者から受けた特定課税仕入れに係る支払対価の額
　48, 097, 200円
　上記金額は、その全額が課税資産の譲渡等にのみ要する課税仕入れである。

⑸　当課税期間に係る基準期間における課税売上高　256, 518, 400円

⑹　当課税期間中に中間納付した消費税額　1, 540, 500円

解答

Ⅰ　基準期間における課税売上高

256,518,400円 ＞ 10,000,000円　　∴　納税義務あり

Ⅱ　課税標準額

⑴　課税資産の譲渡等の対価の額

$(320,648,000円-140,832,000円)\times\frac{100}{110}=163,469,090円$

⑵　特定課税仕入れに係る支払対価の額

48,097,200円

⑶　⑴＋⑵＝211,566,290円 → 211,566,000円（千円未満切捨）

Ⅲ　課税標準額に対する消費税額

211,566,000円×7.8％＝16,502,148円

Ⅳ　控除対象仕入税額

⑴　課税売上割合

①　課税売上高

163,469,090円＋140,832,000円＝304,301,090円

②　非課税売上高　　27,000,000円

③　課税売上割合

$\frac{①}{①+②}=\frac{304,301,090円}{331,301,090円}=0.9185\cdots < 95\%$

∴　按分計算が必要

⑵　区分経理及び税額

①　個別対応方式

イ　課税資産の譲渡等にのみ要するもの

(a)　課税仕入れ

$76,955,500円\times\frac{7.8}{110}=5,456,844円$

(b)　特定課税仕入れ

48,097,200円×7.8％＝3,751,581円

(c)　(a)＋(b)＝9,208,425

ロ　その他の資産の譲渡等にのみ要するもの

$12,826,000円\times\frac{7.8}{110}=909,480円$

ハ　共通して要するもの

$38,477,700円\times\frac{7.8}{110}=2,728,418円$

ニ　控除対象仕入税額

$9,208,425円+2,728,418円\times\frac{304,301,090円}{331,301,090円}=11,714,485円$

②　一括比例配分方式

イ　課税仕入れ

$128,259,200円\times\frac{7.8}{110}=9,094,743円$

ロ　特定課税仕入れ　　3,751,581円

ハ　控除対象仕入税額

$$(9,094,743円+3,751,581円)\times\frac{304,301,090円}{331,301,090円}=11,799,388円$$

⑶　有利判定

11,714,485円 < 11,799,388円　∴　11,799,388円

Ⅴ　差引税額

16,502,148円－11,799,388円＝4,702,760円 → 4,702,700円（百円未満切捨）

Ⅵ　納付税額

4,702,700円－1,540,500円＝3,162,200円

－特定課税仕入れがある場合の課税売上割合の計算－

課税売上割合の計算については、原則として、その事業者の資産の譲渡等及び課税資産の譲渡等の対価の額により計算するため、課税売上割合の計算において、その事業者の資産の譲渡等及び課税資産の譲渡等ではない特定課税仕入れに係る金額は考慮しない。

－特定課税仕入れに関する経過措置（改正法附則42、44②）－

事業者が特定課税仕入れに係る役務の提供を受けた場合であっても、次の⑴又は⑵に該当する課税期間については、当分の間特定課税仕入れに係る役務の提供はなかったものとされ、特定課税仕入れに係る課税標準額の計算及び控除対象仕入税額の計算を行わない。

⑴　一般課税で、かつ、課税売上割合が95％以上の課税期間

⑵　簡易課税制度が適用される課税期間

⑺　特定課税仕入れに係る対価の返還等を受けた場合の消費税額の控除（法38の２）

売上げに係る対価の返還等をした場合の消費税額の控除と同様に特定課税仕入れに係る対価の返還等を受けた場合も消費税額の税額控除を行っていきます。対価の返還等を受けた部分に係る消費税額が特定課税仕入れに係る課税標準額に対する消費税額に含まれていることから、返還等に係る部分は、税額控除するという考えです。

また、控除対象仕入税額の計算についても、仕入れに係る対価の返還等と同様に控除税額を純額にすることとなります。

税額控除

1. 控除対象仕入税額
2. **返還等対価に係る消費税額**
   - **⑴　売上げの返還等対価に係る消費税額**
   - **⑵　特定課税仕入れの返還等対価に係る消費税額**
     返還を受けた金額又は減額を受けた債務の額×7.8％
   - **⑶　⑴＋⑵**
3. 貸倒れに係る消費税額
4. 控除税額小計
   1.＋2.＋3.

設例1－5　控除税額小計の計算

次の資料から、甲社の当課税期間（自令和7年4月1日　至令和8年3月31日）において課税標準額に対する消費税額から控除すべき消費税額の合計額を計算しなさい。なお、甲社は税込経理を行っている。

また、甲社の当課税期間の課税売上割合は90%であり、控除対象仕入税額の計算は割戻し計算の方法により行うものとする。なお、軽減税率が適用される取引は含まれていない。

<資　料>

⑴　当課税期間の国内課税売上高に対して行われた売上げに係る対価の返還等　13,319,000円

⑵　国内において行われた課税仕入れ（特定課税仕入れを除く。）に該当する支払対価の額　128,259,200円

上記金額の内訳は、次のとおりである。

①　課税資産の譲渡等にのみ要する課税仕入れ　76,955,500円

②　課税資産の譲渡等とその他の資産の譲渡等に共通して要する課税仕入れ　38,477,700円

③　その他の資産の譲渡等にのみ要する課税仕入れ　12,826,000円

⑶　国外の事業者から受けた特定課税仕入れに係る支払対価の額　48,097,200円

上記金額は、その全額が課税資産の譲渡等にのみ要する課税仕入れである。

⑷　⑶の特定課税仕入れについて受けた対価の返還等　2,404,800円

解答　1.　控除対象仕入税額

⑴　区分経理及び税額

①　個別対応方式

イ　課税資産の譲渡等にのみ要するもの

(a)　課税仕入れ

$76,955,500円\times\frac{7.8}{110}=5,456,844円$

(b)　特定課税仕入れ

48,097,200円×7.8%＝3,751,581円

(c)　(b)の返還等

2,404,800円×7.8%＝187,574円

(d)　(a)＋(b)－(c)＝9,020,851

ロ　その他の資産の譲渡等にのみ要するもの

$12,826,000円\times\frac{7.8}{110}=909,480円$

ハ　共通して要するもの

$38,477,700円\times\frac{7.8}{110}=2,728,418円$

ニ　控除対象仕入税額

9,020,851＋2,728,418×90%＝11,476,427円

② 一括比例配分方式

イ 課税仕入れ

$128,259,200円 \times \frac{7.8}{110} = 9,094,743円$

ロ 特定課税仕入れ　3,751,581円

ハ 特定課税仕入れの返還等　187,574円

ニ 控除対象仕入税額

(9,094,743円+3,751,581円)×90%－187,574円×90%=11,392,875円

(2) 有利判定

(1)① ＞ (1)②　∴ 11,476,427円

2. 返還等対価に係る税額

(1) 売上げの返還等対価に係る税額

$13,319,000円 \times \frac{7.8}{110} = 944,438円$

(2) 特定課税仕入れの返還等対価に係る税額　187,574円

(3) (1)+(2)=1,132,012円

3. 控除税額小計

11,476,427円+1,132,012円=12,608,439円

3 特定役務の提供

理論　計算

1．特定資産の譲渡等（法2①八の二）

特定資産の譲渡等とは、事業者向け電気通信利用役務の提供及び特定役務の提供をいう。

したがって、特定役務の提供も事業者向け電気通信利用役務の提供と同様に、役務の提供を受けた事業者が納税義務者となり消費税の課税標準額及び課税標準額に対する消費税額を計算すると共に、特定役務の提供に係る支払対価の額を控除対象仕入税額の計算対象とする。

2．特定役務の提供の意義（法2八の五、令2の2）

特定役務の提供とは、資産の譲渡等のうち、映画若しくは演劇の俳優、音楽家その他の芸能人又は職業運動家[*01) *02)]の役務の提供を主たる内容とする事業として行う役務の提供のうち、国外事業者が他の事業者に対して行う役務の提供（その国外事業者が不特定かつ多数の者に対して行う役務提供、及び電気通信利用役務の提供に該当するものを除く。）とする。

*01) 職業運動家には、陸上競技などの選手に限らず、騎手、レーサーのほか、大会などで競技する囲碁、チェス等の競技者が含まれる。

*02) 職業運動家には、運動家のうち、いわゆるアマチュア、ノンプロ等と称される者であっても、競技等の役務の提供を行うことにより報酬・賞金を受ける場合には、職業運動家に含まれる。

－特定役務の提供から除かれるもの（基通5－8－6）－

国外事業者である音楽家自身が国内で演奏会等を主催し、不特定かつ多数の者に役務の提供を行う場合において、それらの者の中に事業者が含まれていたとしても、その役務の提供は特定役務の提供には該当しない。

4 消費者向け電気通信利用役務の提供

理論 計算

1．納税義務者

国外事業者が行う「消費者向け電気通信利用役務の提供」は、**「特定資産の譲渡等」に該当しない**ためその**役務の提供を行った国外事業者が納税義務者**となり申告及び納付を行う。

2．仕入税額控除（改正法附則38①）

国外事業者から「消費者向け電気通信利用役務の提供」を受ける場合には、その国外事業者が「適格請求書発行事業者*01)」であるか否かにより次のとおりとなる。

国外事業者	仕入税額控除
適格請求書発行事業者である場合	仕入税額控除を行う
適格請求書発行事業者でない場合	仕入税額控除を行うことはできない*02)

*01) 適格請求書発行事業者についてはChapter15で見ていきます。

*02) 適格請求書の保存がない場合に、適格請求書発行事業者以外の者から行った課税仕入れについて一定割合（80%、50%）を仕入税額とみなして控除できる経過措置の適用を受けることはできません。

Chapter 2

非課税資産の輸出等

企業のグローバル化が進み、多くの企業が海外との貿易を行ったり、海外へ直接進出することで、私たちの生活はより豊かになり、海外から資金が流入することで税収そのものにも多大な影響が出てきます。税金は、国の政策に直結したものであり、こういった海外への輸出を推奨するため、さまざまな特例を設けています。ここでは、その中でも非課税となる資産を輸出する場合の取扱いを見ていきましょう。

Section 1

非課税資産の輸出

教科書消費税法Ⅱ基礎完成編Chapter４で学習した輸出免税に該当する取引に関して課税仕入れが生じた場合には、課税資産の譲渡等に係る消費税額として税額控除が認められていました。これは、税額控除を認め、輸出業者の消費税の負担を軽減することにより国際競争力の低下を防止する観点から行われていました。

他方で、非課税取引に該当する場合には、輸出しているか否かにかかわらず、原則として税額控除は認められていません。しかし、非課税資産を輸出した場合においても上記と同様の考え方から仕入税額控除を認める特例が設けられています。

ここでは、非課税資産を輸出した場合の税額控除の特例について見ていきましょう。

1　非課税資産の輸出の概要

理論　計算

非課税資産の譲渡等に対応する課税仕入れは、預かった消費税がありませんので、**原則として仕入税額控除の対象とはなりません**。

しかし、非課税資産を輸出する場合、輸出業者は支払った消費税を回収するため消費税額相当額を輸出価額にコストとして上乗せして回収することが考えられます。

この場合、日本の消費税を外国の消費者に実質的に負担させることになり消費地課税主義の原則に反します。

そこで、**非課税資産の輸出については**、輸出証明を要件として**輸出に係る非課税売上げを免税売上げとみなして仕入れに係る消費税額の控除の規定を適用**します。

〈具体例〉

仮に、当社が車イスを製造し輸出する事業を営んでいる場合において、仕入先Ａ社から材料を購入し、車イスを製造して海外の販売先Ｂ社に輸出した場合を考えてみます。なお、材料の仕入価額は10,000円（税抜）であり、車イスの販売価額は15,000円（税抜）とします。

・**消費税が課税されない場合**（仕入れ10,000円、売上げ15,000円）

利益：15,000円-10,000円＝5,000円

・通常の免税売上げの場合

（課税仕入れ10,780円[*01]（税込）、免税売上げ15,000円）

*01）国税7.8%部分のみで考えます。

（国　内）　　（国外）
当社
A社　課税仕入れ 10,780円 →　当社
← 支払った消費税780円
（仕入税額控除適用○）
免税売上げ 15,000円 → B社
← 預かった消費税　**0円**

利　　益：15,000円－10,780円＝4,220円

消 費 税：０円－**780円（税額控除可）**＝△780円（還付税額）

最終利益：4,220円＋780円＝**5,000円**

・非課税売上げの場合

（課税仕入れ10,780円[*01]（税込）、非課税売上げ15,000円）

〈原則〉

（国　内）　　（国外）
当社
A社　課税仕入れ 10,780円 →　当社
← 支払った消費税780円
（仕入税額控除適用×）
非課税売上げ 15,000円 → B社
← 預かった消費税　**0円**

利　　益：15,000円－10,780円＝4,220円

消 費 税：０円－**０円（税額控除不可）**＝０円

最終利益：4,220円

この場合、支払った消費税に相当する金額を販売価額に上乗せしないと消費税が課税されない場合と同額の利益を得ることができません。

〈特例〉

（国　内）　　（国外）
当社
A社　課税仕入れ 10,780円 →　当社
← 支払った消費税780円
（仕入税額控除適用○）
免税売上げとみなす15,000円 → B社
← 預かった消費税　**0円**

利　　益：15,000円－10,780円＝4,220円

消 費 税：０円－**780円（税額控除可）**＝△780円（還付税額）

最終利益：4,220円＋780円＝**5,000円**

この場合、支払った消費税の控除をすることで免税売上げの場合と同様に消費税が課税されない場合と同額の利益を得ることが可能となります。

消費税法〈非課税資産の輸出等を行った場合の仕入れに係る消費税額の控除の特例 〉

第31条① 事業者が国内において非課税資産の譲渡等のうち輸出取引等に該当するものを行った場合において、その非課税資産の譲渡等が輸出取引等に該当するものであることにつき、財務省令で定めるところにより証明がされたときは、その非課税資産の譲渡等のうちその証明がされたものは、課税資産の譲渡等に係る輸出取引等に該当するものとみなして、仕入れに係る消費税額の控除の規定を適用する。

2 非課税資産の輸出となる取引

理論

非課税資産の輸出となる取引は、**非課税資産の譲渡等のうち輸出取引等に該当する取引**であり、具体的には以下のようなものがあります。

⑴ **本邦からの輸出として行われる非課税資産の譲渡又は貸付け**[*01)]

⑵ 非課税とされる外国貨物の譲渡又は貸付け

⑶ 非居住者に対する非課税とされる役務の提供で国内において直接便益を享受するもの以外のもの[*02)]

⑷ **利子を対価とする金銭の貸付けで金銭債権の債務者が非居住者であるもの**

⑸ **預金又は貯金の預入れで債務者が非居住者であるもの**[*03)]

⑹ 収益分配金を対価とする投資信託等で債務者が非居住者であるもの

⑺ 利子を対価とする抵当証券の取得で債務者が非居住者であるもの

⑻ 償還差益を対価とする国債等又は約束手形の取得で債務者が非居住者であるもの

⑼ 手形の割引で割引きを受けた者が非居住者であるもの

⑽ 金銭債権の譲受け等[*04)]で債務者が非居住者であるもの

⑾ **有価証券等の貸付けで債務者が非居住者であるもの**

*01) 例えば、身体障害者用物品の輸出や教科用図書の輸出等があります。

*02) 例えば、非居住者に対する信用の保証としての役務の提供があります。

*03) 国外の銀行に預け入れた預金に係る利息のことです。

*04) 債権を購入した会社が債務者から弁済を受けた金額とその購入金額との差額が利息の性質を有するため、非課税資産の譲渡等になります。

〈非課税資産の譲渡等に係る輸出取引等に含まれないもの〉(令 51①)

非課税資産の輸出であっても，次のものは，非課税資産の譲渡等に係る輸出取引等には含まれません。

① 有価証券及び支払手段の輸出

② 貸付金、預金、売掛金その他の金銭債権の輸出[*05)]

これは、課税売上割合を恣意的に操作することを防止するためです。

*05) 適用から除かれるのは、金銭債権の譲渡対価です。金銭債権は現物の輸出を伴わないことから、海外子会社等を利用した形式上の売買が可能となってしまうため適用を除外することとしています。

設例１－１ 非課税資産の輸出(1)

次の取引のうち、非課税資産の輸出に該当するものを選択しなさい。

(1) 外国債の償還差益

(2) 外国銀行国内支店に預け入れた預金に係る利息

(3) 身体障害者用物品の輸出による販売

(4) 非居住者に対して行った有価証券の貸付け

(5) 非居住者に対して行った貸付金の譲渡

解答 (1)、(3)、(4)

解説

(1) 国債の償還差益は非課税取引に該当します。また、債務者が非居住者であるため非課税資産の輸出に該当します。

(2) 預金に係る利息は非課税取引に該当します。しかし、外国の銀行であっても国内支店は居住者となるため非課税資産の輸出には該当しません。

(3) 身体障害者用物品の譲渡は非課税取引に該当します。また、本邦からの輸出として行われているため非課税資産の輸出に該当します。

(4) 有価証券の貸付けは非課税取引に該当します。また、非居住者に対する貸付けであるため非課税資産の輸出に該当します。

(5) 貸付金の譲渡は非課税取引となります。しかし、貸付金（金銭債権）の輸出は非課税資産の輸出の規定上輸出取引等に含まれない取引に該当します。したがって、非課税資産の輸出には該当しません。

3 非課税資産の輸出があった場合の計算方法

計算

非課税資産の輸出があった場合には、**控除対象仕入税額の計算上２つの点に注意**が必要です。

1．課税売上割合の計算（令51②）

非課税資産の譲渡等のうち輸出取引等に該当するものの対価の額（非課税資産の輸出売上高）は、**免税売上高とみなされるため課税売上高に加算**します。

$$課税売上割合=\frac{課税売上高+非課税資産の輸出売上高}{課税売上高+非課税資産の輸出売上高+非課税売上高}$$

2．課税仕入れ等の区分経理

非課税資産の譲渡等のうち輸出取引等に該当するものに対応する課税仕入れ等は、個別対応方式を適用する場合、その他の資産の譲渡等にのみ要する課税仕入れ等に該当するため、原則として仕入税額控除の適用はありません。しかし、非課税資産の輸出の特例の規定により、**課税資産の譲渡等にのみ要する課税仕入れ等として取り扱い**ます。

<課税売上割合の調整を行う理由>

非課税資産の輸出が行われた場合には、課税売上割合の計算上、分子となる課税売上高に非課税資産の輸出売上げを加算します。

この調整により、課税売上割合が高くなり、この高くなった割合を按分計算に使用することで、一括比例配分方式の計算において、非課税資産の輸出売上げに対応する課税仕入れ等が仕入税額控除の対象に含まれることとなり、非課税資産の輸出の適用が受けられることとなります。

⑴　非課税 500 の場合

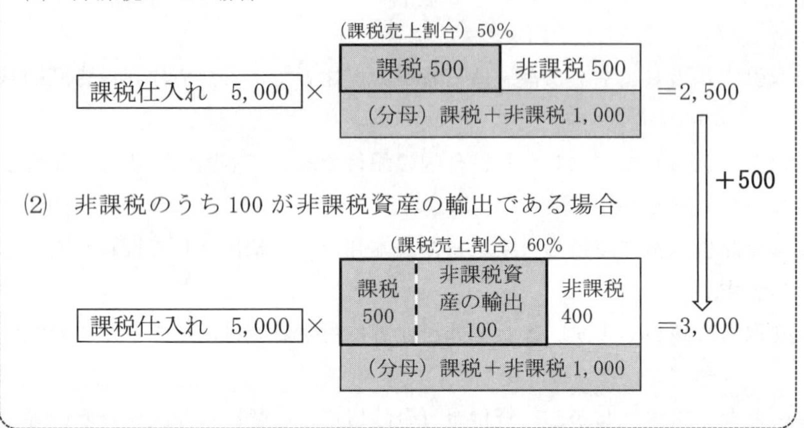

<納税義務の有無の判定の際の取扱い>（基通１－４－２）

非課税資産の輸出の取扱いは仕入税額控除の特例であるため、納税義務の有無の判定の際に計算する基準期間における課税売上高の算定には非課税資産の輸出売上げは含めません。

4　適用要件（規16①）

非課税資産の輸出の規定の適用を受けるには、その非課税資産が輸出されたことについて輸出証明がされた場合に限られます。

ここで、輸出証明は、**輸出取引等に該当する事実を証する書類**[*01)]**又は帳簿を、非課税資産の譲渡等を行った日の属する課税期間の末日の翌日から２ヵ月を経過した日から７年間、納税地又は事務所等の所在地に保存**することにより行われます。

*01) 輸出取引等に該当する事実を証する書類とは、関税法の規定などにより輸出の許可を受ける貨物である場合に発行される輸出許可書などをいいます。

設例１－２ 非課税資産の輸出(2)

次の【資料】に基づいて、当課税期間（令和７年４月１日～令和８年３月31日）の課税売上割合を求めなさい。なお、当社は税込経理を採用している。また、軽減税率が適用される取引は含まれていない。

【資料】

(1) 課税商品の国内売上高　16,500,000円

(2) 課税商品の輸出売上高　2,000,000円

(3) 非課税商品の売上高　4,000,000円

上記金額のうち1,000,000円は輸出売上げに係るものである。

(4) 受取利息　900,000円

上記金額の内訳は、次のとおりである。

① 国内銀行の国内支店に預け入れた預金に係る利息　500,000円

② 外国銀行の国内支店に預け入れた外貨預金に係る利息　100,000円

③ 非居住者が発行した外国債の利子　300,000円

解答

課税売上割合 $\dfrac{18,300,000円}{21,900,000円}$

解説

(1) 課税売上割合

① 課税売上高

国内課税売上16,500,000円$\times\dfrac{100}{110}$＋輸出売上2,000,000円＝17,000,000円

② 非課税資産の輸出売上高

1,000,000円＋300,000円＝1,300,000円

③ 非課税売上高

国内非課税売上（4,000,000円－1,000,000円）＋受取利息（500,000円＋100,000円）＝3,600,000円

④ 課税売上割合

$\dfrac{①＋②}{①＋②＋③}＝\dfrac{18,300,000円}{21,900,000円}$

非課税資産の輸出があった場合には、課税売上割合の計算上その非課税資産の輸出売上高を課税売上高に加算します。そのため、非課税商品の売上高のうち輸出売上げに係る1,000,000円は非課税売上高から差し引いた上で課税売上高に加算します。また、非居住者が発行した外国債の利子300,000円も非課税資産の輸出売上高として課税売上高に加算します。

設例１－３　　非課税資産の輸出(3)

次の【資料】に基づいて、スポーツ用品（課税資産）及び車イスの製造販売業を営む甲社の当課税期間（令和７年４月１日～令和８年３月31日）の控除対象仕入税額を割戻し計算の方法により求めなさい。なお、甲社は税込経理を採用している。また、軽減税率が適用される取引は含まれていない。

【資料】

⑴　スポーツ用品の売上高　　12,535,000円

上記金額の内訳は、国内向け売上高が8,085,000円、国外への輸出売上高が4,450,000円である。

⑵　車イスの売上高　　5,000,000円

上記金額の内訳は、国内向け売上高が3,000,000円、国外への輸出売上高が2,000,000円である。

⑶　受取利息　　700,000円

上記金額の内訳は、次のとおりである。

①　国内の取引先に対する貸付金に係る利息　　500,000円

②　外国債の償還差益　　200,000円

⑷　商品及び材料仕入高　　7,199,758円

上記金額の内訳は、次のとおりである。

①　国内の仕入先から購入したスポーツ用品の仕入高　　4,290,100円

②　国内の仕入先から購入した車イスの材料仕入高　　2,909,658円

上記材料仕入高はその全額が課税仕入れに該当するものであり、2,909,658円のうち1,470,000円は輸出販売した車イスに係る材料仕入高である。

⑸　販売費及び一般管理費　　685,715円

上記金額はその全額が課税資産の譲渡等とその他の資産の譲渡等に共通して要する課税仕入れに該当するものである。

解答

控除対象仕入税額　447,341　円

解説

⑴　課税売上割合

①　課税売上高

国内課税売上8,085,000円 $\times \frac{100}{110}$ ＋輸出売上4,450,000円＝11,800,000円

②　非課税資産の輸出売上高

車イス輸出売上2,000,000円＋外国債償還差益200,000円＝2,200,000円

③　非課税売上高

国内非課税売上3,000,000円＋貸付金利息500,000円＝3,500,000円

④　課税売上割合

$\frac{①+②}{①+②+③} = \frac{14,000,000円}{17,500,000円} = 0.8 < 95\%$

∴　按分計算が必要

⑵　区分経理及び税額

①　個別対応方式

イ　課税資産の譲渡等にのみ要するもの

4,290,100円＋1,470,000円＝5,760,100円

5,760,100円×$\frac{7.8}{110}$＝408,443円

ロ　その他の資産の譲渡等にのみ要するもの

2,909,658円－1,470,000円＝1,439,658円

1,439,658円×$\frac{7.8}{110}$＝102,084円

ハ　共通して要するもの

販売費管理費　　685,715円

685,715円×$\frac{7.8}{110}$＝48,623円

ニ　控除対象仕入税額

408,443円＋48,623円×0.8＝447,341円

②　一括比例配分方式

イ　課税仕入れ

5,760,100円＋1,439,658円＋685,715円＝7,885,473円

7,885,473円×$\frac{7.8}{110}$＝559,151円

ロ　控除対象仕入税額

559,151円×0.8＝447,320円

⑶　有利判定

⑵①　＞　⑵②　　∴　447,341円

非課税資産の輸出に該当するものは、課税売上割合の計算上課税売上高に加算します。

そのため、車イスの売上高のうち輸出売上高2,000,000円と外国債の償還差益200,000円は課税売上高に加算します。

また、非課税資産の輸出に対応する課税仕入れは、課税資産の譲渡等にのみ要する課税仕入れに区分します。

そのため、これらに対応する課税仕入れである車イスの製造のために要した課税仕入れのうち1,470,000円は課税資産の譲渡等にのみ要する課税仕入れに区分します。

Section 2

資産の国外移送

非課税資産の輸出は、日本から直接海外の取引先に商品を輸出販売するケースをモデルとして規定が作られています。

しかし、グローバル化に伴い海外に支店を設けて活動している企業も多く、このような状況で日本から直接取引先に輸出している場合にのみ税額控除を認めることは、輸出における本来の趣旨との整合性がとれません。そのため、海外に支店を設けて販売する事業者に関しては、日本国内から海外の支店へ移送する際の資産に対しても仕入税額控除の特例を設けています。

1 資産の国外移送の概要（法31②）

理論

事業者が、**国外における資産の販売又は自己の使用**のために国外の支店に資産を輸出（国外移送）した場合、この輸出は単に会社内部での振替取引に該当することから資産の譲渡等には該当しません。また、国外支店が国外の消費者に対して行う資産の譲渡等は国外取引であるため不課税取引となります。

しかし、国外移送した資産についても国内で仕入れた際に課税仕入れに係る税額を負担しています。この課税仕入れに係る税額を控除しないと輸出免税取引に係る仕入税額控除の規定との整合性がとれません*01)。

そこで、**国外移送についても輸出取引とみなして仕入れに係る消費税額の控除の規定を適用**します。

*01) 両者は、支店経由の販売か外部への直接販売かが異なるだけで実質的には同様の取引といえます。

⑴ 通常の免税取引

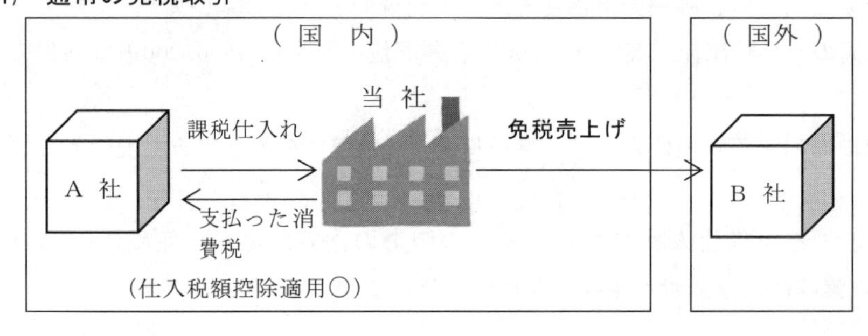

⑵ 国外移送

〈原則〉

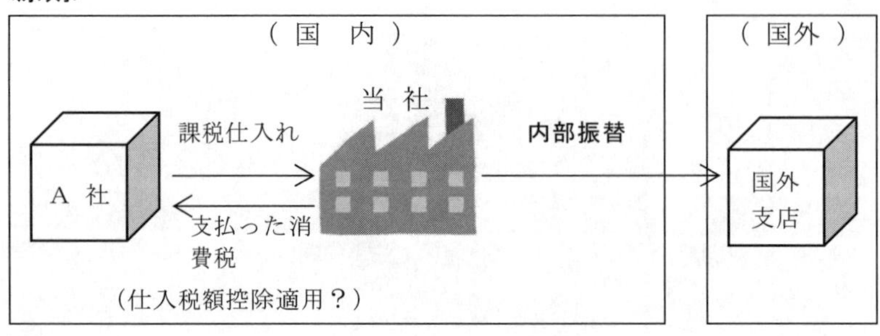

<特例>

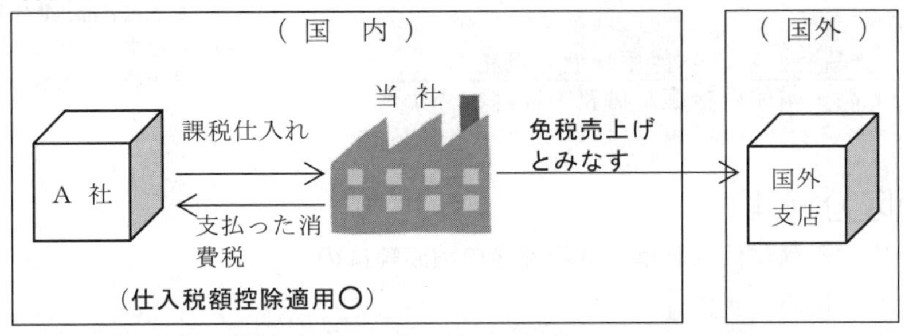

消費税法〈非課税資産の輸出等を行った場合の仕入れに係る消費税額の控除の特例〉

第31条②　事業者が、国内以外の地域における資産の譲渡等又は自己の使用のため、資産を輸出した場合において、その資産が輸出されたことにつき財務省令で定めるところにより証明がされたときは、その資産の輸出のうちその証明がされたものは、課税資産の譲渡等に係る輸出取引等に該当するものとみなして、仕入れに係る消費税額の控除の規定を適用する。

2 資産の国外移送の例示（基通11－8－1）

資産の国外移送には、以下のようなものがありあます。

(1)　事業者が国外にある支店において販売するための棚卸資産等をその支店宛に輸出する場合

(2)　事業者が国外にある支店において使用するための事務機器等をその支店宛に輸出する場合

〈資産の国外移送に含まれないもの[*01)]〉（令 51①）

輸出取引等であっても，次のものは資産の国外移送に含まれません。

①　有価証券及び支払手段の輸出

②　貸付金、預金、売掛金その他の金銭債権の輸出

これは、課税売上割合を恣意的に操作することを防止するためです。

*01) 非課税資産の輸出と同じです。

3 資産の国外移送があった場合の計算方法

資産の国外移送があった場合も**控除対象仕入税額の計算上２つの点に注意**が必要です。

1．課税売上割合の計算（令51③、④）

国外移送した**資産の価額を**課税売上割合の計算上、分子の**課税資産の譲渡等の対価の額の合計額**と分母の**資産の譲渡等の対価の額の合計額それぞれに加算**します。

これは、国外移送は資産を販売している訳ではないので、対価の額がないことから、対価の額の代わりに資産の価額を用いることとしているためです。なお、ここでいう資産の価額には関税法施行令で規定

されている**本船甲板渡し価格（ＦＯＢ価格）**[*01]を用います。

$$課税売上割合=\frac{課税売上高+本船甲板渡し価格}{課税売上高+本船甲板渡し価格+非課税売上高}$$

*01) ＦＯＢ価格とは、貨物船に積み込むまでに要したすべての費用の合計金額のことをいいます。

2．課税仕入れ等の区分経理

国外移送した資産に対応する課税仕入れは、**課税資産の譲渡等にのみ要する課税仕入れ等**として扱います。

〈納税義務の有無の判定の際の取扱い[*02]〉（基通１－４－２）

国外移送の取扱いは仕入税額控除の特例であるため、納税義務の有無の判定の際に計算する基準期間における課税売上高には本船甲板渡し価格は含めません。

*02) 非課税資産の輸出と同じです。

4 適用要件（規16②）

理論

資産の国外移送の規定の適用を受けるには、その資産が輸出されたことについて輸出証明がされた場合に限られます。

ここで、輸出証明とは、**輸出取引等に該当する事実を証する書類**[*01]**又は帳簿**を、**資産の輸出をした日の属する課税期間の末日の翌日から２ヵ月を経過した日から７年間、納税地又は事務所等の所在地に保存**することにより行われます。

*01) 輸出取引等に該当する事実を証する書類とは、関税法の規定などにより輸出の許可を受ける貨物である場合に発行される輸出許可書などをいいます。

〈ＦＯＢ価格とＣＩＦ価格の違い〉

ＦＯＢ価格（貨物船に積み込むまでの費用）に、運送料（貨物船から陸揚げまで）と保険料等を加算した金額がＣＩＦ価格（関税課税価格）となります。（詳細は教科書消費税法Ⅱ基礎完成編 Chapter ５Section３を参照してください。）

つまり、ＦＯＢとＣＩＦの違いは、取引条件の違いであり、運送料等を荷物の発送側が持つ場合がＣＩＦ、受取側が持つ場合がＦＯＢです。イメージとしては通信販売などで運送料が別途負担になっているのか、運送料込みの金額になっているのかの違いです。

設例２－１　資産の国外移送(1)

次の【資料】に基づいて、当課税期間（令和７年４月１日～令和８年３月31日）の課税売上割合を求めなさない。なお、当社は税込経理を採用している。また、軽減税率が適用される取引は含まれていない。

【資料】

(1) 課税商品の売上高　35,675,000円

上記金額の内訳は、次のとおりである。

① 国内売上高　29,425,000円

② 輸出売上高　2,250,000円

③ 国外支店における売上高　4,000,000円

(2) 有価証券の国内における売却収入　5,000,000円

(3) 国内の銀行から受け取った預金利息　500,000円

(4) 国外支店に輸出した課税商品の関税法施行令に規定されている本船甲板渡し価格

2,400,000円

解答

課税売上割合　$\frac{31,400,000円}{32,150,000円}$

解説

(1) 課税売上割合

① 課税売上高

国内課税売上29,425,000円×$\frac{100}{110}$＋輸出売上2,250,000円＝29,000,000円

② 自己使用資産の国外移送

本船甲板渡し価格　2,400,000円

③ 非課税売上高

有価証券売却5,000,000円×５％＋預金利息500,000円＝750,000円

④ 課税売上割合

$\frac{①＋②}{①＋②＋③}=\frac{31,400,000円}{32,150,000円}$

国外移送に係る資産の本船甲板渡し価格は、課税売上割合の計算上分子と分母それぞれに加算します。

そのため、国外支店に輸出した課税商品の本船甲板渡し価格2,400,000円を分子と分母にそれぞれ加算します。

設例2－2　資産の国外移送(2)

次の【資料】に基づいて、当課税期間（令和7年4月1日～令和8年3月31日）の控除対象仕入税額を割戻し計算の方法により求めなさい。なお、当社は税込経理を採用している。また、軽減税率が適用される取引は含まれていない。

【資料】

(1)　課税商品の売上高　53,500,000円

上記金額の内訳は、次のとおりである。

①　国内売上高　38,500,000円

②　国外輸出売上高　5,000,000円

③　国外支店における売上高　10,000,000円

(2)　国内非課税売上高　12,000,000円

有価証券等の譲渡に該当する取引は含まれていない。

(3)　課税仕入れ　34,546,000円

上記金額の内訳は、次のとおりである。

①　課税資産の譲渡等にのみ要する課税仕入れ　22,060,000円

②　その他の資産の譲渡等にのみ要する課税仕入れ　8,810,000円

③　共通して要する課税仕入れ　3,676,000円

(注)　上記以外に国外支店に輸出した資産（関税法施行令に規定する本船甲板渡し価格8,000,000円）に係る課税仕入れが6,300,000円ある

解答

控除対象仕入税額　2,317,081　円

解説

(1)　課税売上割合

①　課税売上高

国内課税売上38,500,000円×$\frac{100}{110}$＋輸出売上5,000,000円＝40,000,000円

②　自己使用資産の国外移送

本船甲板渡し価格　8,000,000円

③　非課税売上高

12,000,000円

④　課税売上割合

$\frac{①+②}{①+②+③}=\frac{48,000,000円}{60,000,000円}=0.8 < 95\%$

∴　按分計算が必要

(2)　区分経理及び税額

①　個別対応方式

イ　課税資産の譲渡等にのみ要するもの

22,060,000円＋6,300,000円＝28,360,000円

28,360,000円×$\frac{7.8}{110}$＝2,010,981円

ロ　その他の資産の譲渡等にのみ要するもの

8,810,000円×$\frac{7.8}{110}$＝624,709円

ハ　共通して要するもの

3,676,000円×$\frac{7.8}{110}$＝260,661円

ニ　控除対象仕入税額

2,010,981円＋260,661円×0.8＝2,219,509円

②　一括比例配分方式

イ　課税仕入れ

28,360,000円＋8,810,000円＋3,676,000円＝40,846,000円

40,846,000円×$\frac{7.8}{110}$＝2,896,352円

ロ　控除対象仕入税額

2,896,352円×0.8＝2,317,081円

⑶　有利判定

⑵①　<　⑵②　　∴　2,317,081円

国外移送が行われている場合その資産の本船甲板渡し価格を課税売上割合の計算上課税資産の譲渡等の対価の額の合計額及び資産の譲渡等の対価の額の合計額それぞれに加算し、国外移送に対応する課税仕入れ等を課税資産の譲渡等にのみ要する課税仕入れに区分します。

そのため、国外支店に移送した資産の本船甲板渡し価格8,000,000円を課税売上割合の分子と分母それぞれに加算し、これに対応する課税仕入れ6,300,000円を課税資産の譲渡等にのみ要する課税仕入れに区分し控除対象仕入税額を計算します。

第4-(10)号様式

付表2－3　課税売上割合・控除対象仕入税額等の計算表

一 般

課税期間	・ ・ ～ ・ ・	氏名又は名称	

項目		税率6.24％適用分 A	税率7.8％適用分 B	合計 C (A+B)
課税売上額（税抜き）	①	円	円	円
免税売上額	②			
非課税資産の輸出等の金額、海外支店等へ移送した資産の価額	③			
課税資産の譲渡等の対価の額（①＋②＋③）	④			※第一表の⑮欄へ
課税資産の譲渡等の対価の額（④の金額）	⑤			
非課税売上額	⑥			
資産の譲渡等の対価の額（⑤＋⑥）	⑦			※第一表の⑯欄へ
課税売上割合（④／⑦）	⑧			[%] ※端数切捨て
課税仕入れに係る支払対価の額（税込み）	⑨			
課税仕入れに係る消費税額	⑩			
適格請求書発行事業者以外の者から行った課税仕入れに係る経過措置の適用を受ける課税仕入れに係る支払対価の額（税込み）	⑪			
適格請求書発行事業者以外の者から行った課税仕入れに係る経過措置により課税仕入れに係る消費税額とみなされる額	⑫			
特定課税仕入れに係る支払対価の額	⑬	※⑬及び⑭欄は、課税売上割合が95%未満、かつ、特定課税仕入れがある事業者のみ記載する。		
特定課税仕入れに係る消費税額	⑭		(⑬B欄×7.8/100)	
課税貨物に係る消費税額	⑮			
納税義務の免除を受けない（受ける）こととなった場合における消費税額の調整（加算又は減算）額	⑯			
課税仕入れ等の税額の合計額（⑩＋⑫＋⑭＋⑮±⑯）	⑰			
課税売上高が5億円以下、かつ、課税売上割合が95％以上の場合（⑰の金額）	⑱			
課税売上高が5億円超又は課税売上割合が95%未満の場合／個別対応方式／⑰のうち、課税売上げにのみ要するもの	⑲			
課税売上高が5億円超又は課税売上割合が95%未満の場合／個別対応方式／⑰のうち、課税売上げと非課税売上げに共通して要するもの	⑳			
課税売上高が5億円超又は課税売上割合が95%未満の場合／個別対応方式／個別対応方式により控除する課税仕入れ等の税額〔⑲＋(⑳×④／⑦)〕	㉑			
課税売上高が5億円超又は課税売上割合が95%未満の場合／一括比例配分方式により控除する課税仕入れ等の税額（⑰×④／⑦）	㉒			
控除税額の調整／課税売上割合変動時の調整対象固定資産に係る消費税額の調整（加算又は減算）額	㉓			
控除税額の調整／調整対象固定資産を課税業務用（非課税業務用）に転用した場合の調整（加算又は減算）額	㉔			
控除税額の調整／居住用賃貸建物を課税賃貸用に供した（譲渡した）場合の加算額	㉕			
差引／控除対象仕入税額〔(⑱、㉑又は㉒の金額)±㉓±㉔＋㉕〕がプラスの時	㉖	※付表1-3の④A欄へ	※付表1-3の④B欄へ	
差引／控除過大調整税額〔(⑱、㉑又は㉒の金額)±㉓±㉔＋㉕〕がマイナスの時	㉗	※付表1-3の③A欄へ	※付表1-3の③B欄へ	
貸倒回収に係る消費税額	㉘	※付表1-3の③A欄へ	※付表1-3の③B欄へ	

注意
1　金額の計算においては、1円未満の端数を切り捨てる。
2　⑨、⑪及び⑬欄には、値引き、割戻し、割引きなど仕入対価の返還等の金額がある場合（仕入対価の返還等の金額を仕入金額から直接減額している場合を除く。）には、その金額を控除した後の金額を記載する。
3　⑪及び⑫欄の経過措置とは、所得税法等の一部を改正する法律（平成28年法律第15号）附則第52条又は第53条の適用がある場合をいう。

（R5.10.1以後終了課税期間用）

Chapter 3

調整対象固定資産

仕入れに係る消費税額の控除の規定は、仕入れの税額が増えれば増えるほど納付すべき税額が少なくなる規定です。高額な固定資産を購入することは頻繁に行われることではないにもかかわらず、税額控除はその購入の時期の１回のみというところから通常の方法の税額控除の計算では生じない問題が生じることがあります。ここでは、高額な固定資産を購入した場合の仕入れ税額の調整について見ていきましょう。

Section 1 調整対象固定資産

仕入れに係る消費税額の控除の規定は、原則として課税仕入れを行った課税期間で全額控除することとなっています。しかし、簿記のような費用配分等の考え方はないため、特殊な状況が発生した場合には不具合が生じることがあります。
そのため、仕入れに関する様々な調整規定が設けられていますが、ここではそのうち固定資産を取得した場合の取扱いについて見ていきましょう。

1 調整対象固定資産の概要

理論

消費税は課税資産の譲渡等の対価の額及び特定課税仕入れに係る支払対価の額を課税標準として、これに対応する仕入れに係る消費税額を控除することで納付税額を計算しています。

ここで消費税法では、仕入れに係る消費税額は原則として、**棚卸資産や固定資産を購入した日の属する課税期間においてその対価の額の全額を控除の対象とする**こととしています。

しかし、固定資産については、長期にわたって使用されることから、その購入した日の属する課税期間における**課税売上割合や用途**で仕入税額控除を完結させると、売上げと仕入れの対応関係の実態が反映されません。

そこで、固定資産の購入に係る課税仕入れ等のうち一定の要件を満たすものについては、その仕入れに係る消費税額を調整します。

<全体図>

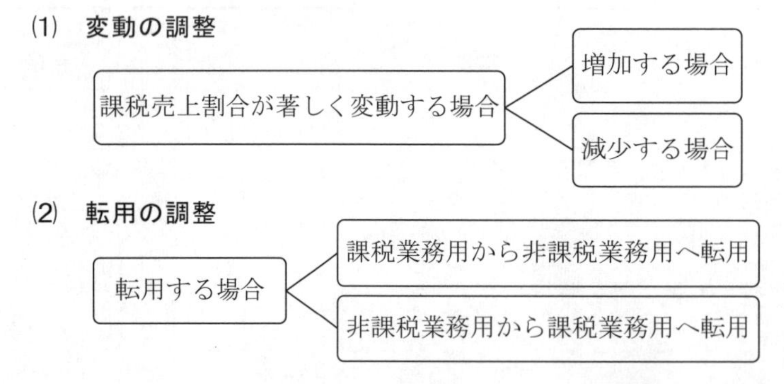

2 調整対象固定資産の範囲

理論　計算

調整対象固定資産とは、棚卸資産以外の資産で次に掲げるもののうち、その資産に係る**課税仕入れ**（特定課税仕入れを除く。）**に係る支払対価の額の110分の100に相当する金額**、その資産に係る特定課税仕入れ[*01]に係る支払対価の額又は保税地域から引き取られるその資産の課税標準である金額が、**一の取引単位につき100万円以上のもの**をいいます[*02]。
（法２①十六、令５、基通12－２－１）

*01) 役務提供に係る契約金又は権利金の支払いをいいます。

*02) 課税仕入れとなる資産が対象となるため、土地のような非課税資産は対象外です。

1．調整対象固定資産の範囲

⑴　建物及び附属設備、構築物、機械及び装置、船舶、航空機、車両及び運搬具、工具、器具及び備品

⑵　鉱業権、漁業権、特許権、実用新案権、意匠権、商標権、営業権等の無形固定資産

⑶　ゴルフ場利用株式等

⑷　生物（牛、馬、果樹、果樹以外の植物等）

⑸　上記に準ずるもの

・預託金方式のゴルフ会員権
・課税資産を賃借するために支出する権利金等
・著作権等
・他の者からのソフトウエアの購入費用又は他の者に委託してソフトウエアを開発した場合におけるその開発費
・書画、骨とう
・資本的支出*03)

〈資本的支出の取扱い〉（基通 12－２－５（注））

土地*04)の造成、改良のために要した課税仕入れに係る支払対価の額のように、調整対象固定資産に該当しない固定資産に係る資本的支出は、調整対象固定資産には含まれません。

*03) 事業の用に供されている資産の修理、改良等のために支出した金額のうちその資産の価値を高め、又はその耐久性を増すこととなると認められる部分に対応する金額のことです。

*04) 土地そのものが調整対象固定資産に該当しないため、土地に対する資本的支出は、たとえその取引自体が課税仕入れに該当していても調整対象固定資産にはなりません。

2．調整対象固定資産の判定

⑴　課税仕入れに係る調整対象固定資産

課税仕入れに係る支払対価の額×$\frac{100}{110}$ ＝X,XXX,XXX円 ≧ 1,000,000円　∴ 該当する

〈付随費用の取扱い〉（基通 12－２－２）

調整対象固定資産の判定に用いる課税仕入れに係る支払対価の額には、固定資産の購入のために要する引取運賃、荷役費等の付随費用は含まれません。

⑵　特定課税仕入れに係る調整対象固定資産

特定課税仕入れに係る支払対価の額 ≧ 1,000,000円　∴ 該当する

⑶　課税貨物に係る調整対象固定資産

課税貨物の課税標準である金額*05) ≧ 1,000,000円　∴ 該当する

*05) 関税課税価格（CIF価格）、関税と個別消費税の額の合計額です。詳しくは教科書 消費税法Ⅱ 基礎完成編 Chapter 5 Section 3 を参照してください。

<一の取引の判定単位>（基通 12－２－３）

調整対象固定資産の判定*06)は、一の取引の単位ごとに判定します。例えば、機械及び装置にあっては１台又は１基、工具、器具及び備品にあっては１個、１組又は１そろいごとに判定します。

*06) 資本的支出については、その支出の要因となる資産の購入代価は判定に含めず、その支出額のみで別個に判定します。

設例１－１ 調整対象固定資産の判定

次の資産について、調整対象固定資産の判定を行いなさい。なお、取得価額は税込みであり、すべて令和元年10月１日以後に取得したものである。

資　　産	取得価額	備　　　　考
車両	1,100,000円	
土地	52,500,000円	
備品	1,176,000円	据付費用が168,000円含まれている。
棚卸資産	2,200,000円	
製品製造用機械	1,980,000円	取得価額は３台分の金額であり、１台当たりの取得価額は660,000円である
特許権	2,667,000円	
製品梱包用機械	2,044,900円	国外から輸入したものであり、内訳は、関税課税価格1,600,000円、関税額240,000円、消費税額143,500円、地方消費税額40,400円、保税地域から国内の工場までの運送費21,000円ある。

解答

車両

1,100,000円×$\frac{100}{110}$＝1,000,000円 ≧ 1,000,000円　∴ 該当する

土地

土地の購入は非課税仕入れとなるため、調整対象固定資産に該当しない

備品

（1,176,000円－168,000円）×$\frac{100}{110}$＝916,363円 ＜ 1,000,000円　∴ 該当しない

棚卸資産

棚卸資産は、調整対象固定資産に該当しない

製品製造用機械

660,000円×$\frac{100}{110}$＝600,000円 ＜ 1,000,000円　∴ 該当しない

特許権

2,667,000円×$\frac{100}{110}$＝2,424,545円 ≧ 1,000,000円　∴ 該当する

製品梱包用機械

1,600,000円＋240,000円＝1,840,000円 ≧ 1,000,000円　∴ 該当する

解説

車両

課税仕入れに該当し、課税仕入れに係る支払対価の額の税抜金額が、一の取引単位につき100万円以上であるので、調整対象固定資産に該当します。

土地

非課税資産であるので、調整対象固定資産に該当しません。

備品

本体価格で判定するため、付随費用が含まれている場合には付随費用を差し引いて判定します。

棚卸資産

棚卸資産は、調整対象固定資産に該当しません。

製品製造用機械

複数台購入した場合であっても、1台ごとに判定します。

特許権

課税仕入れに該当し、課税仕入れに係る支払対価の額の税抜金額が、一の取引単位につき100万円以上であるので、調整対象固定資産に該当します。

製品梱包用機械

課税貨物に係る調整対象固定資産のため、課税貨物の課税標準である金額で判定します。

なお、課税貨物の引取りに係る課税標準は、関税課税価格に消費税以外の個別消費税額と関税額を加算した金額となるため、本問においては、関税課税価格と関税額の合計額で判定します。

Section 2

課税売上割合が著しく変動した場合

Section１で学習した調整対象固定資産に関する仕入れに係る消費税額の調整の２つの規定のうち、ここでは、課税売上割合が著しく変動した場合の仕入れに係る消費税額の調整規定について見ていきましょう。

1 著しく変動する場合の概要

理論 計算

仕入税額控除を考える際、課税売上割合は重要な要素を占めています。課税売上割合の多寡により控除税額が大きく異なるからです。

課税売上割合は、通常同一の事業を継続的に営んでいれば一定であると考えられていますが、**何らかの理由で課税売上割合が極端に変動する場合**があります[*01]。

固定資産は長期にわたって使用されるため、このような課税売上割合の極端な変動があった課税期間において税額控除を完結させてしまうことは、**売上げとの対応関係を反映しているとはいえない**こととなります。

*01) 例えば、不動産販売業以外の事業者がある課税期間に事業用の土地の売却を行った場合等が該当します。

〈具体例〉

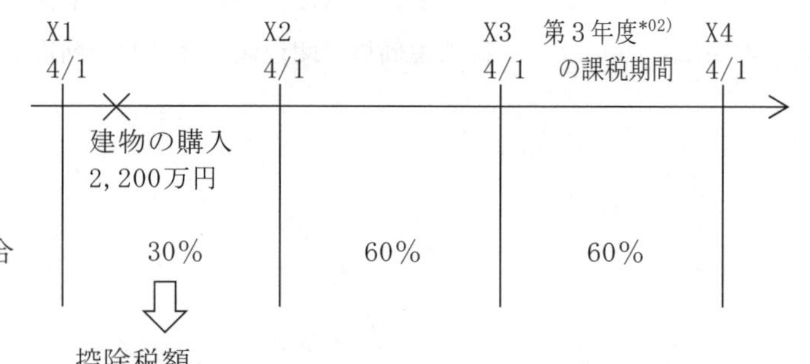

*02) 第３年度の課税期間については、3で学習します。

控除税額

2,200万円 × $\frac{7.8}{110}$ × **30%＝468千円**

調整対象固定資産を購入した事業年度以後３年間の平均的な課税売上割合（＝通算課税売上割合）

$\frac{30\%+60\%+60\%}{3}$ ＝50%

この平均的な課税売上割合で計算した控除税額

2,200万円 × $\frac{7.8}{110}$ × **50%＝780千円**

控除不足額
312千円

そこで、上記のように、３年経った段階で課税仕入れ等を行った課税期間の課税売上割合と平均的な課税売上割合（これを「**通算課税売上割合**」といいます。）とを比較し、過不足の調整を行います。

(1) 仕入れ時[*03]に控除された税額

22,000,000円 × $\frac{7.8}{110}$ × 30%＝468,000円

*03) 調整対象固定資産の課税仕入れ等を行った課税期間を「仕入れ等の課税期間」といいます。

⑵　本来控除されるべき税額

22,000,000円×$\frac{7.8}{110}$×50%＝780,000円

⑶　第３年度の課税期間（当課税期間）の調整税額

780,000円－468,000円＝312,000円

→当課税期間の仕入れに係る消費税額（控除対象仕入税額）に加算

2 仕入れに係る消費税額を調整する要件（法33①）

理論　計算

以下の要件に該当する場合には、**第３年度の課税期間における仕入れに係る消費税額を調整**します。

⑴　調整対象固定資産の**課税仕入れ等を行っている**こと

⑵　調整対象固定資産について、仕入れ等の課税期間において次のいずれかの方法で仕入れに係る消費税額を計算していること

①　全額控除*01)

②　**比例配分法**

イ　個別対応方式によりその調整対象固定資産を**共通して要する課税仕入れ等**として仕入れに係る消費税額を計算していること

ロ　**一括比例配分方式**により仕入れに係る消費税額を計算していること

⑶　**第３年度の課税期間の末日**において調整対象固定資産を**保有**していること

⑷　第３年度の課税期間における**通算課税売上割合**が仕入れ等の課税期間における課税売上割合に対して**著しく変動**していること

*01)条文上は、比例配分法による場合を対象としており、全額控除の場合も課税売上割合100%で比例配分しているものと捉え適用対象に含まれています。なお、全額控除が適用できるのは、その課税期間の課税売上割合が95%以上であり、かつ、課税売上高が５億円以下の場合です。

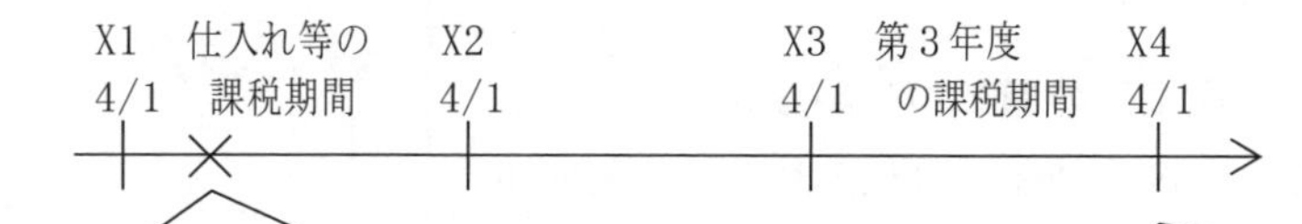

⑴調整対象固定資産の課税仕入れ等を行っている
⑵調整対象固定資産について次のいずれかの方法で仕入れに係る消費税額を計算している
①全額控除
②比例配分法
イ個別対応方式で共通して要するものとして計算
ロ一括比例配分方式で計算

⑶第３年度の課税期間の末日において調整対象固定資産を保有している
⑷第３年度の課税期間における通算課税売上割合が仕入れ等の課税期間における課税売上割合に対して著しく変動している

〈調整対象固定資産を中途で売却した場合等の不適用〉（基通12－３－３）

調整対象固定資産を除却、廃棄、滅失又は譲渡した場合には、第３年度の課税期間の末日において調整対象固定資産を保有しているという要件を満たしません。そのため、この場合には、課税売上割合が著しく変動した場合の調整対象固定資産に係る消費税額の調整の規定は適用されません。

3 第３年度の課税期間（法33②）

第３年度の課税期間とは、**仕入れ等の課税期間の開始の日から３年を経過する日の属する課税期間**のことです。通常、課税期間が１年の事業者の場合の第３年度の課税期間は、調整対象固定資産の課税仕入れ等をした日の属する課税期間の翌々課税期間となります。

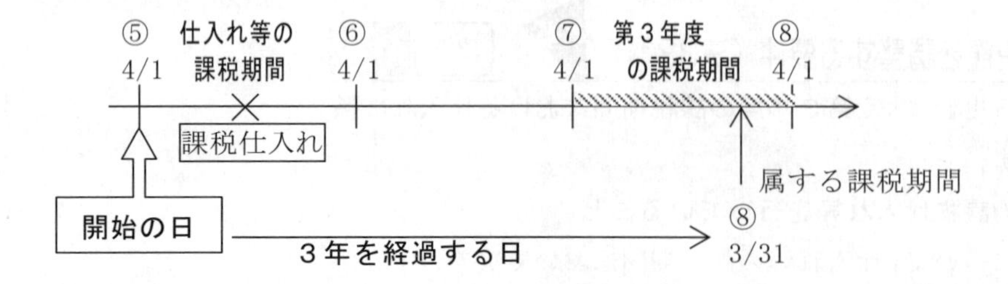

〈事業年度が１年に満たない場合*01)〉

１年に満たない事業年度において調整対象固定資産を取得した場合、第３年度の課税期間が翌々課税期間にならないことがあります。

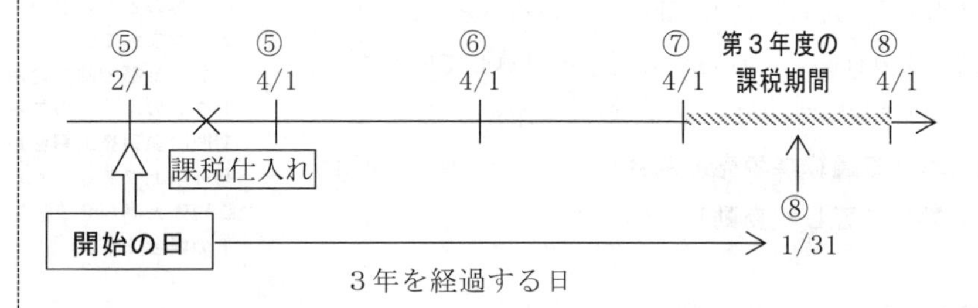

上記の場合には、仕入れ等の課税期間の開始の日から３年を経過する日の属する課税期間（第３年度の課税期間）は仕入れ等の課税期間の翌々々課税期間になります。

*01) 設立事業年度等で事業年度が短くなっている場合や、事業年度の変更を行ったため１年未満の事業年度が生じた場合等が該当します。

4 通算課税売上割合（法33②）

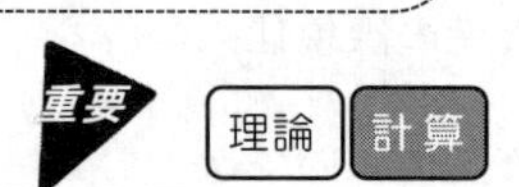

通算課税売上割合とは、仕入れ等の課税期間から第３年度の課税期間までの各課税期間を合わせた期間を通算課税期間とし、**通算課税期間中の各課税期間において適用される課税売上割合を一定の方法で通算した課税売上割合**のことをいいます。

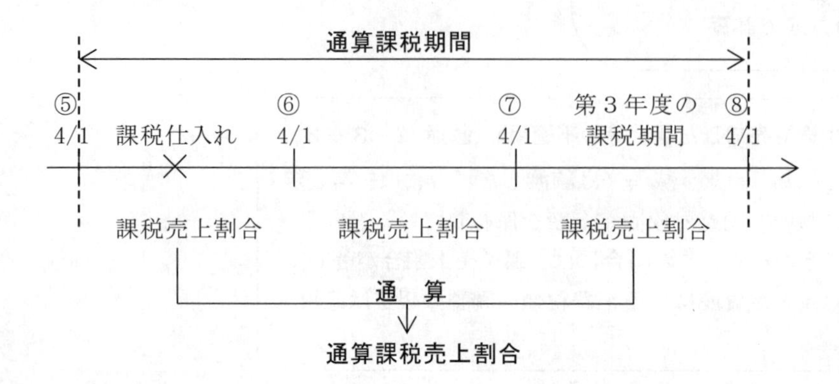

通算課税売上割合の計算

$$\text{通算課税売上割合} = \frac{\text{通算課税期間中の課税資産の譲渡等の対価の額の合計額}^{*01)}}{\text{通算課税期間中の資産の譲渡等の対価の額の合計額}}$$

*01) 通算課税期間中に非課税資産の輸出や資産の国外移送があった場合には、通常の課税売上割合を計算する場合と同様に通算課税売上割合を計算します。

以下、具体例を用いて通算課税売上割合の計算を確認します。

〈具体例〉

当課税期間はX7年４月１日からX8年３月31日までとする。

当社は、X5年６月15日に調整対象固定資産に該当する機械を購入し、当課税期間の末日において保有している。

仕入れ等の課税期間から第３年度の課税期間までの各課税期間の売上げを次のとおりとし、当社は継続して課税事業者であるものとする。

課税期間	課税売上高（税抜）	非課税売上高
X5年4/1～X6年3/31	400円	1,600円
X6年4/1～X7年3/31	600円	1,400円
X7年4/1～X8年3/31	900円	100円

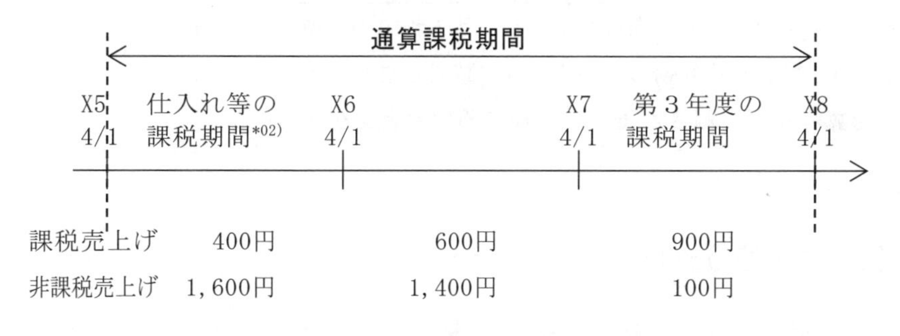

*02) 仕入れ等の課税期間又は第３年度の課税期間において免税事業者であった場合や簡易課税制度の適用を受けた場合には著しい変動の調整はありません。

$$\text{通算課税売上割合} = \frac{400\text{円}+600\text{円}+900\text{円}}{(400\text{円}+1,600\text{円})+(600\text{円}+1,400\text{円})+(900\text{円}+100\text{円})}$$

$$= \frac{1,900\text{円}}{5,000\text{円}} = 38\%$$

一致しない

〈通算課税売上割合の計算方法〉

通算課税売上割合は、各課税期間の売上高の合計額を用いて計算します。各課税期間の課税売上割合を単純平均しないようにしましょう。通算課税売上割合と各課税期間の課税売上割合の単純平均とが一致することは、通常ありません。

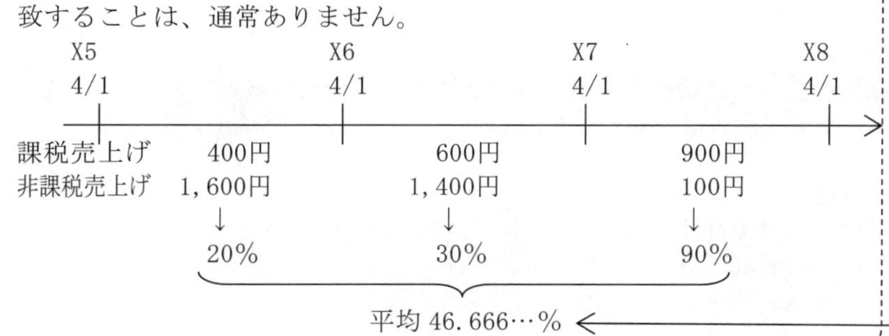

〈通算課税期間中に免税事業者となった課税期間等が含まれている場合〉（基通 12－３－１）

仕入れ等の課税期間と第３年度の課税期間との間に免税事業者となった課税期間及び簡易課税制度*03)の適用を受けた課税期間が含まれている場合においても、それらの課税期間に係る各売上高は、通算課税売上割合の計算に含めます*04)。

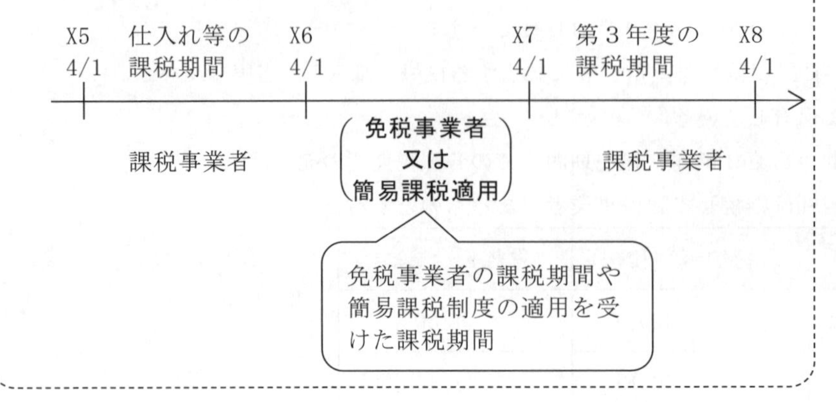

*03) 簡易課税制度についてはChapter11で見ていきます。

*04) 中間の課税期間が免税事業者であった場合の通算課税売上割合の計算において、免税事業者であった課税期間の課税売上高を計算する際は、税抜計算は行いません。

5 著しい変動の判定

以下の判定式を**いずれも満たす場合**は、通算課税売上割合が仕入れ等の課税期間における課税売上割合に対して著しく変動している場合に該当します。

なお、著しい変動には、**通算課税売上割合が著しく増加する場合と減少する場合**があります。

1．著しく増加する場合（令53①）

⑴　変動差

通算課税売上割合－仕入れ等の課税期間における課税売上割合 ≧ ５%

⑵　変動率

$$\frac{\text{通算課税売上割合－仕入れ等の課税期間における課税売上割合}}{\text{仕入れ等の課税期間における課税売上割合}} \geqq 50\%$$

2．著しく減少する場合（令53②）

⑴　変動差

仕入れ等の課税期間における課税売上割合－通算課税売上割合 ≧ ５%

⑵　変動率

$$\frac{\text{仕入れ等の課税期間における課税売上割合－通算課税売上割合}}{\text{仕入れ等の課税期間における課税売上割合}} \geqq 50\%$$

<仕入れ等の課税期間において課税資産の譲渡等の対価の額がない場合>（基通 12－３－２） 

仕入れ等の課税期間において課税資産の譲渡等の対価の額がなく、仕入れ等の課税期間の翌課税期間から第３年度の課税期間までの期間において課税資産の譲渡等の対価の額がある場合には、**通算課税売上割合が５％以上であれば、著しい変動に該当**[*01]します。

これは、仕入れ等の課税期間において課税資産の譲渡等の対価の額がない場合には、課税売上割合がゼロとなってしまい、変動率が算定されず、変動差のみで判定するからです。

（変動差）

通算課税売上割合－仕入れ等の課税期間における課税売上割合＝通算課税売上割合
0％

*01) この場合の調整税額の計算方法は、6を参照してください。

4の**<具体例>**を使って著しい変動の判定を行うと次のようになります。

(1) 仕入れ等の課税期間における課税売上割合

$$\frac{400円}{400円＋1,600円}＝20\%$$

(2) 通算課税売上割合

$$\frac{400円＋600円＋900円}{(400円＋1,600円)＋(600円＋1,400円)＋(900円＋100円)}＝\frac{1,900円}{5,000円}$$

＝38％

(3) 変動差

38％－20％＝18％ ≧ ５％

(4) 変動率

$$\frac{38\%－20\%}{20\%}＝90\% ≧ 50\%$$ ∴ 著しい変動に該当する（増加[*02]）

*02)「通算課税売上割合＞仕入れ等の課税期間における課税売上割合」となるので著しい増加に該当します。

6 調整税額の計算

計算

要件を満たした場合には調整税額を計算し、**有利判定後**[*01]**の仕入れに係る消費税額に加減算**することで調整を行います。

調整税額は、以下の算式に基づいて計算します。

1．調整対象基準税額[*02]

- 調整対象固定資産に該当する課税仕入れの支払対価の額 × $\frac{7.8}{110}$
- 調整対象固定資産に該当する特定課税仕入れの支払対価の額 × 7.8％
- 調整対象固定資産に該当する課税貨物の消費税額[*03]

2．仕入れ等の課税期間における控除税額（すでに控除した税額）

調整対象基準税額 × 仕入れ等の課税期間における課税売上割合

*01) 個別対応方式と一括比例配分方式の有利判定です。

*02) 調整対象基準税額とは、第３年度の課税期間の末日に保有する調整対象固定資産の課税仕入れに係る消費税額若しくは特定課税仕入れに係る消費税額又は課税貨物に係る消費税額です。

*03) 調整対象固定資産が課税貨物である場合には、その調整対象固定資産を引き取る時に支払った引取りの税額がそのまま調整対象基準税額となり、この税額は通常問題文で与えられます。

3．通算課税売上割合による控除税額（妥当な控除税額）

調整対象基準税額×通算課税売上割合

4．調整税額

⑴　著しく増加する場合

著しく増加する場合は、**加算調整**します*04)。

（通算課税売上割合による控除税額（妥当な控除税額））－（仕入れ等の課税期間における控除税額（すでに控除した税額））＝調整税額

*04) 単純に、増加の場合は加算調整をし、減少の場合は減算調整すると覚えましょう。

⑵　著しく減少する場合

著しく減少する場合は、**減算調整**します*04)。

（仕入れ等の課税期間における控除税額（すでに控除した税額））－（通算課税売上割合による控除税額（妥当な控除税額））＝調整税額

この**調整税額加減算後の金額が新たな「控除対象仕入税額」となります。**

4 の**〈具体例〉**の割合を使って計算方法を確認してみましょう。

〈具体例〉

1. 仕入れ等の課税期間における課税売上割合　20%
2. 通算課税売上割合　38%
3. 仕入れ等の課税期間に機械（税込金額2, 200, 000円）を購入
4. 調整前の控除対象仕入税額　100, 000円

⑴　調整税額の計算

①　調整対象基準税額

2, 200, 000円×$\frac{7.8}{110}$＝156, 000円

②　仕入れ等の課税期間における控除税額

156, 000円×20%＝31, 200円

③　通算課税売上割合による控除税額

156, 000円×38%＝59, 280円

④　調整税額

③－②＝28, 080円（加算）

⑵　控除対象仕入税額

100, 000円＋28, 080円＝128, 080円

<特殊なケースの調整税額の計算>

(1) 仕入れ等の課税期間で課税仕入れ等の税額を全額控除した場合

調整対象基準税額がそのまま「仕入れ等の課税期間における控除税額」となるため、課税売上割合を乗じません。

（例）156,000円（仕入れ等）－156,000円×38%（通算）＝96,720円（必ず**減算調整**）

(2) 仕入れ等の課税期間において課税資産の譲渡等の対価の額がない場合

仕入れ等の課税期間で控除税額がないため「通算課税売上割合による控除税額」がそのまま調整税額となります。

（例）156,000円×38%（通算）－ 0円*05)（仕入れ等）＝59,280円（必ず**加算調整**）

*05) 実際には答案用紙に記載する必要はありません。

<控除過大調整税額>（法33③）

課税売上割合が著しく減少する場合において、調整税額を仕入れに係る消費税額から控除して控除しきれない金額があるときは、その控除しきれない金額を課税資産の譲渡等に係る消費税額とみなして、その第３年度の課税期間の課税標準額に対する消費税額に加算します。

設例２－１　著しい変動(1)

次の【資料】に基づいて、当課税期間（令和７年４月１日～令和８年３月31日）の調整税額を算定しなさい。なお、当社は継続して課税事業者に該当し、事業年度（課税期間）は４月１日から翌年３月31日までである。

【資料】

前々課税期間（令和５年４月１日～令和６年３月31日）中の令和５年６月15日に課税製品製造用機械3,300,000円（税込）を購入し、当課税期間末日現在も保有している。

なお、前々課税期間は一括比例配分方式により仕入れに係る消費税額を計算している。

また、前々課税期間から当課税期間までの各課税期間の売上高は次のとおりである。

	前々課税期間	前課税期間	当課税期間
課税売上高（税抜）	3,000,000円	4,000,000円	6,000,000円
非課税売上高	9,000,000円	1,000,000円	2,000,000円

解答

調整税額　63,180　円

解説

⑴ 調整対象固定資産の判定

$3,300,000円\times\frac{100}{110}=3,000,000円 \geqq 1,000,000円$　∴ 該当する

⑵ 課税売上割合が著しく変動した場合の控除税額の調整

① 仕入れ等の課税期間の課税売上割合

$\frac{3,000,000円}{3,000,000円+9,000,000円}=\frac{3,000,000円}{12,000,000円}=0.25$

② 通算課税売上割合

$\frac{3,000,000円+4,000,000円+6,000,000円}{(3,000,000円+9,000,000円)+(4,000,000円+1,000,000円)+(6,000,000円+2,000,000円)}$

$=\frac{13,000,000円}{25,000,000円}=0.52$

③ 著しい変動の判定

イ 変動差　0.52－0.25＝0.27 ≧ 5％

ロ 変動率　$\frac{0.27}{0.25}=1.08 \geqq 50\%$　∴ 著しい増加

④ 調整税額

イ $3,300,000円\times\frac{7.8}{110}=234,000円$

ロ 234,000円×0.25＝58,500円

ハ 234,000円×0.52＝121,680円

ニ ハ－ロ＝63,180円（加算）

課税資産の譲渡等にのみ要する調整対象固定資産であっても、仕入れ等の課税期間において一括比例配分方式を採用しているため、「比例配分法による計算」に該当し、調整が必要となります。

設例２－２　著しい変動⑵

次の【資料】に基づいて、当課税期間（令和７年４月１日～令和８年３月31日）の調整税額を算定しなさい。なお、当社は継続して課税事業者に該当し、事業年度（課税期間）は４月１日から翌年３月31日までである。

【資料】

前々課税期間（令和５年４月１日～令和６年３月31日）中の令和５年６月15日に本社で使用する備品3,300,000円（税込）を購入し、当課税期間末日現在も保有している。

なお、前々課税期間は個別対応方式により仕入れに係る消費税額を計算しており、当該備品は課税資産の譲渡等とその他の資産の譲渡等に共通して要するものに区分し計算されている。

また、前々課税期間から当課税期間までの各課税期間の売上高は次のとおりである。

	前々課税期間	前課税期間	当課税期間
課税売上高（税抜）	15,000,000円	18,000,000円	24,000,000円
非課税売上高	3,750,000円	2,000,000円	87,250,000円

解答

調整税額 | 98,280 | 円

解説

(1) 調整対象固定資産の判定

$3,300,000円 \times \frac{100}{110} = 3,000,000円 \geqq 1,000,000円$ ∴ 該当する

(2) 課税売上割合が著しく変動した場合の控除税額の調整

① 仕入れ等の課税期間の課税売上割合

$\frac{15,000,000円}{15,000,000円 + 3,750,000円} = \frac{15,000,000円}{18,750,000円} = 0.8$

② 通算課税売上割合

$\frac{15,000,000円 + 18,000,000円 + 24,000,000円}{(15,000,000円 + 3,750,000円) + (18,000,000円 + 2,000,000円) + (24,000,000円 + 87,250,000円)} = \frac{57,000,000円}{150,000,000円} = 0.38$

③ 著しい変動の判定

イ 変動差 $0.8 - 0.38 = 0.42 \geqq 5\%$

ロ 変動率 $\frac{0.42}{0.8} = 0.525 \geqq 50\%$ ∴ 著しい減少

④ 調整税額

イ $3,300,000円 \times \frac{7.8}{110} = 234,000円$

ロ 234,000円×0.8＝187,200円

ハ 234,000円×0.38＝88,920円

ニ ロ－ハ＝98,280円（減算）

Section 3 調整対象固定資産の転用

Section 1で学習した調整対象固定資産に関する仕入れに係る消費税額の調整の2つの規定のうち、ここでは、調整対象固定資産の用途変更を行った場合の仕入れに係る消費税額の調整規定について見ていきましょう。

1 調整対象固定資産の転用の概要

個別対応方式を採用する場合、課税仕入れ等をその用途に応じて、課税業務用であるのか、非課税業務用であるのかに区分経理し、控除税額の計算を行います。しかし、その課税仕入れ等が固定資産であった場合、固定資産は長期にわたって使用されるため、**短期間で用途変更をする場合には適切な控除税額であるとは言えません**。そこで、用途変更があった場合には、仕入れに係る消費税額の調整をすることとしています。

2 課税業務用から非課税業務用に転用した場合の要件

次の要件に該当する場合には、**転用のあった課税期間**において仕入れに係る消費税額を調整する必要があります。(法34①)

(1) **調整対象固定資産の課税仕入れ等**を行っていること

(2) 調整対象税額につき**個別対応方式により課税資産の譲渡等にのみ要するものとして仕入れに係る消費税額を計算**していること

(3) **課税仕入れ等の日から3年以内**[*01]**にその他の資産の譲渡等に係る業務の用に転用**[*02]したこと

3年以内に非課税業務用へ転用

④ 4/1	④ 6/14 (×)	⑤ 4/1	⑥ 4/1	⑦ 4/1	⑦ 6/13 (×)	⑧ 4/1

課税仕入れ(課税業務用)

個別対応方式適用

*01) 課税売上割合の著しい変動の場合と異なり、「課税期間開始の日」から3年以内ではありません。
「課税仕入れ等の日」から3年以内である点に注意しましょう。

*02) 転用した課税期間の末日に保有している必要はありません。
そのため、転用後に譲渡等をしていても税額調整を行います。

3 非課税業務用から課税業務用に転用した場合の要件

理論 計算

次の要件に該当する場合には、**転用のあった課税期間**において仕入れに係る消費税額を調整する必要があります。(法35①)

(1) **調整対象固定資産の課税仕入れ等**を行っていること

(2) 調整対象税額につき**個別対応方式によりその他の資産の譲渡等にのみ要するものとして仕入れに係る消費税額がない**こととしていること

(3) **課税仕入れ等の日から3年以内に課税資産の譲渡等に係る業務の用に転用**したこと

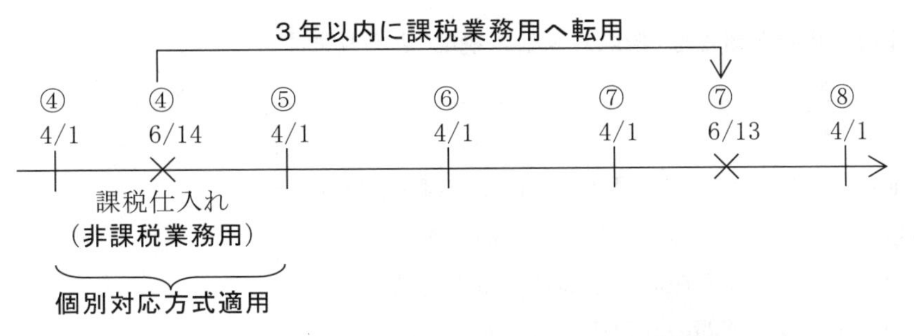

4 調整税額の計算

理論 計算

調整対象固定資産の**購入日から転用の日までの期間**に応じて、次のように調整税額を計算し、**仕入れに係る消費税額に加減算**することで調整を行います。

1．調整対象税額*01)

- 調整対象固定資産に該当する課税仕入れの支払対価の額×$\frac{7.8}{110}$
- 調整対象固定資産に該当する特定課税仕入れの支払対価の額×7.8%
- 調整対象固定資産に該当する課税貨物の消費税額*03)

2．調整税額

(1) 課税仕入れ等の日から1年以内の転用

調整対象税額の全額

(2) 課税仕入れ等の日から1年超、2年以内の転用

調整対象税額×$\frac{2}{3}$

(3) 課税仕入れ等の日から2年超、3年以内の転用

調整対象税額×$\frac{1}{3}$

*01) 国内において行った調整対象固定資産の課税仕入れ若しくは特定課税仕入れ又は課税貨物に係る課税仕入れ等の税額のことです。

*02) 調整対象固定資産が課税貨物である場合には、その調整対象固定資産を引き取る時に支払った引取りの税額がそのまま調整対象税額となり、この税額は通常問題文で与えられます。

Ch 1 Ch 2 Ch 3 Ch 4 Ch 5 Ch 6 Ch 7 Ch 8 Ch 9 Ch 10 Ch 11 Ch 12 Ch 13 Ch 14 Ch 15 Ch 16 Ch 17

3．仕入れに係る消費税額の調整

⑴　課税業務用から非課税業務用への転用

転用した日の属する課税期間の控除対象仕入税額　－　調整税額

⑵　非課税業務用から課税業務用への転用

転用した日の属する課税期間の控除対象仕入税額　＋　調整税額

この**調整税額加減算後の金額が新たな「控除対象仕入税額」**となります。

〈控除過大調整税額〉（法 34②）

課税業務用から非課税業務用に転用した場合において、調整税額を仕入れに係る消費税額から控除して控除しきれない金額があるときは、その控除しきれない金額を課税資産の譲渡等に係る消費税額とみなして、転用した日の属する課税期間の課税標準額に対する消費税額に加算します。

〈免税事業者となった課税期間等が含まれている場合〉
（基通 12－4－2、12－5－2）

課税仕入れ等を行った日の属する課税期間と転用した日の属する課税期間との間に免税事業者となった課税期間、又は、簡易課税制度の適用を受けた課税期間が含まれている場合にも、調整対象固定資産を転用した場合の調整は適用されます。

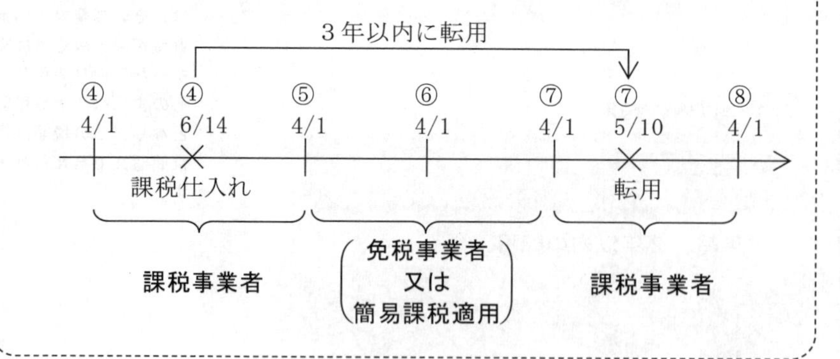

5 転用の適用の有無（基通12−4−1、12−5−1） 重要 計算

調整対象固定資産の転用に係る消費税額の調整の規定が適用されるのは、**課税業務用から非課税業務用に転用**した場合と**非課税業務用から課税業務用に転用**した場合です。

そのため、共通して要するものに転用する場合や、共通して要するものから転用する場合は適用されません。

ただし、いったん共通して要するものに転用した後３年以内に課税業務用、又は、非課税業務用に転用する場合には適用されます。

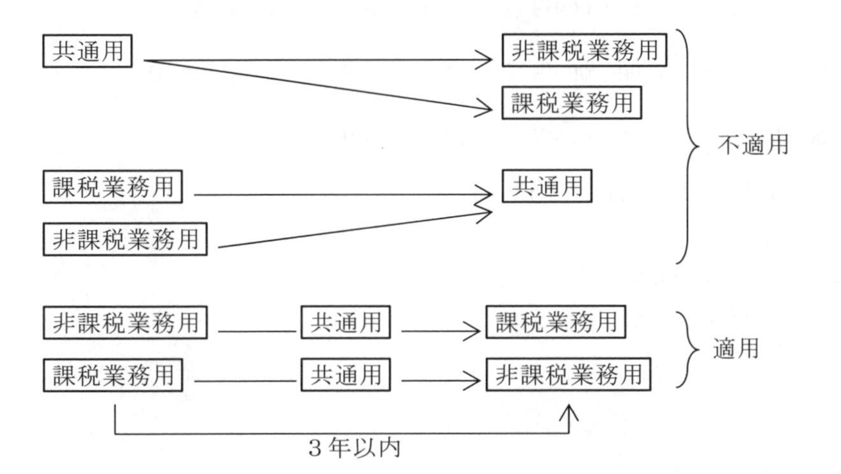

設例３−１ 調整対象固定資産の転用(1)

次の【資料】に基づいて、当課税期間（令和７年４月１日〜令和８年３月31日）の控除対象仕入税額を計算しなさい。なお、当社は継続して課税事業者に該当し、事業年度（課税期間）は４月１日から翌年３月31日までである。

【資料】

⑴ 当課税期間において転用した資産は以下のとおりである。

資　　産	取　得　日	購入価額	備　　考
機械装置	令和６年11月30日	2,200,000円	令和７年９月28日に課税業務用から非課税業務用に転用している
建物Ａ	令和４年11月30日	3,300,000円	令和７年10月31日に課税業務用から非課税業務用に転用している
建物Ｂ	令和６年１月31日	7,700,000円	令和７年11月15日に課税業務用から共通業務用に転用している
車両運搬具	令和６年３月31日	6,600,000円	令和７年11月15日に課税業務用から非課税業務用に転用している

⑵ 当社は継続して個別対応方式により仕入れに係る消費税額を計算している。また、当社は税込経理方式を採用している。

⑶ 当課税期間の個別対応方式により計算した仕入れに係る消費税額は3,500,000円であった。

解答

控除対象仕入税額　| 2,954,000 | 円

解説

⑴　個別対応方式による仕入れに係る消費税額　　3,500,000円

⑵　調整対象固定資産の判定

機械装置　　2,200,000円 × $\frac{100}{110}$ ＝2,000,000円 ≧ 1,000,000円　　∴　該当する

建物Ａ　　3,300,000円 × $\frac{100}{110}$ ＝3,000,000円 ≧ 1,000,000円　　∴　該当する

建物Ｂ　　7,700,000円 × $\frac{100}{110}$ ＝7,000,000円 ≧ 1,000,000円　　∴　該当する

車両運搬具　　6,600,000円 × $\frac{100}{110}$ ＝6,000,000円 ≧ 1,000,000円　　∴　該当する

⑶　調整対象固定資産を転用した場合の控除税額の調整

①　機械装置

課税業務用から非課税業務用への転用

令和６年11月30日～令和７年９月28日→１年以内　　∴　全額

2,200,000円 × $\frac{7.8}{110}$ ＝156,000円

②　建物Ａ

課税業務用から非課税業務用への転用

令和４年11月30日～令和７年10月31日→２年超、３年以内　　∴　$\frac{1}{3}$

3,300,000円 × $\frac{7.8}{110}$ × $\frac{1}{3}$ ＝78,000円

③　建物Ｂ

課税業務用から共通業務用への転用のため調整なし

④　車両運搬具

課税業務用から非課税業務用への転用

令和６年３月31日～令和７年11月15日→１年超、２年以内　　∴　$\frac{2}{3}$

6,600,000円 × $\frac{7.8}{110}$ × $\frac{2}{3}$ ＝312,000円

⑤　合計

156,000円＋78,000円＋312,000円＝546,000円（減算）

⑷　控除対象仕入税額

3,500,000円－546,000円＝2,954,000円

設例３－２　調整対象固定資産の転用(2)

次の【資料】に基づいて、当課税期間（令和７年４月１日～令和８年３月31日）の控除対象仕入税額を計算しなさい。なお、当社は継続して課税事業者に該当し、事業年度（課税期間）は４月１日から翌年３月31日までである。

【資料】

(1)　当課税期間において転用した資産は以下のとおりである。

資　産	取 得 日	購入価額	備　考
機械装置	令和６年11月30日	2,200,000円	令和７年９月28日に非課税業務用から課税業務用に転用している なお、この機械装置は令和７年12月20日に売却している
建物Ａ	令和４年11月30日	3,300,000円	令和７年９月30日に非課税業務用から課税業務用に転用している
建物Ｂ	令和６年１月31日	7,700,000円	令和７年11月15日に共通業務用から非課税業務用に転用している
車両運搬具	令和６年３月31日	6,600,000円	令和７年11月15日に非課税業務用から課税業務用に転用している

(2)　当社は継続して個別対応方式により仕入れに係る消費税額を計算している。また、当社は税込経理方式を採用している。

(3)　当課税期間の個別対応方式により計算した仕入れに係る消費税額は3,500,000円であった。

解答

控除対象仕入税額　4,046,000　**円**

解説

(1)　個別対応方式による仕入れに係る消費税額　　3,500,000円

(2)　調整対象固定資産の判定

機械装置　　$2,200,000円\times\frac{100}{110}=2,000,000円 \geqq 1,000,000円$　　∴　該当する

建物Ａ　　$3,300,000円\times\frac{100}{110}=3,000,000円 \geqq 1,000,000円$　　∴　該当する

建物Ｂ　　$7,700,000円\times\frac{100}{110}=7,000,000円 \geqq 1,000,000円$　　∴　該当する

車両運搬具　　$6,600,000円\times\frac{100}{110}=6,000,000円 \geqq 1,000,000円$　　∴　該当する

(3)　調整対象固定資産を転用した場合の控除税額の調整

①　機械装置

非課税業務用から課税業務用への転用

令和６年11月30日～令和７年９月28日→１年以内　　∴　全額

$2,200,000円\times\frac{7.8}{110}=156,000円$

② 建物Ａ

非課税業務用から課税業務用への転用

令和４年11月30日～令和７年９月30日→２年超、３年以内　∴ $\frac{1}{3}$

3, 300, 000円×$\frac{7.8}{110}$×$\frac{1}{3}$＝78, 000円

③ 建物Ｂ

共通業務用から非課税業務用への転用のため調整なし

④ 車両運搬具

非課税業務用から課税業務用への転用

令和６年３月31日～令和７年11月15日→１年超、２年以内　∴ $\frac{2}{3}$

6, 600, 000円×$\frac{7.8}{110}$×$\frac{2}{3}$＝312, 000円

⑤ 合計

156, 000円＋78, 000円＋312, 000円＝546, 000円（加算）

⑷ 控除対象仕入税額

3, 500, 000円＋546, 000円＝4, 046, 000円

機械装置は、当課税期間末日に保有していなくても調整の対象に含まれます。

Chapter 4

棚卸資産に係る消費税額の調整

仕入れに係る消費税額の控除の規定は、購入した課税期間で購入した商品等に係る税額を控除していく規定のため、簿記の原価計算のような取扱いは原則ありません。

ところが、ある一定の場合には、購入した課税期間のみで商品等に関する税額控除を行おうとすることに問題が生じることがあり、その部分について棚卸資産で調整しています。

ここでは、そのような棚卸資産に関する調整を見ていきましょう。

Section 1

棚卸資産に係る消費税額の調整

消費税の計算では、簿記のような売上げと原価の対応といった考え方はなく、それぞれ売上げの発生した課税期間で課税対象とし、仕入れの発生した課税期間で控除対象としています。

これは、課税事業者が永続的に続くと考えた場合には売上げと仕入れに期間的なズレが生じても、売上げの際預かった消費税は前段階控除を考える上では、仕入税額控除を通じ同額が納付されると考えられるからです。

ところが、免税事業者となる期間が生じた場合には、この関係性が崩れ消費税の預り金としての性質が崩れることとなってしまいます。この部分の調整として行うのが棚卸資産に係る消費税額の調整の規定です。

1 棚卸資産に係る消費税額の概要

免税事業者[*01)]が課税事業者になった場合又は課税事業者が免税事業者になる場合には、**課税標準額に対する消費税額と仕入税額控除の間に対応関係のズレ**が生じます。そこで、両者を適切に対応させるために棚卸資産に係る消費税額の調整が必要になります。

消費税法

<納税義務の免除を受けないこととなった場合等の棚卸資産に係る消費税額の調整>

第36条① 小規模事業者に係る納税義務の免除の規定により消費税を納める義務が免除される事業者が、その規定の適用を受けないこととなった場合において、その受けないこととなった課税期間の初日（相続のあった年又は吸収合併又は吸収分割があった事業年度の規定により小規模事業者に係る納税義務の免除の規定の適用を受けないこととなった場合には、その受けないこととなった日）の前日において消費税を納める義務が免除されていた期間中に国内において譲り受けた課税仕入れに係る棚卸資産又はその期間における保税地域からの引取りに係る課税貨物で棚卸資産に該当するもの（これらの棚卸資産を原材料として製作され、又は建設された棚卸資産を含む。）を有しているときは、その課税仕入れに係る棚卸資産又はその課税貨物に係る消費税額（その棚卸資産又はその課税貨物の取得に要した費用の額として一定の金額に110分の7.8を乗じて算出した金額をいう。第５項において同じ。）をその受けないこととなった課税期間の仕入れに係る消費税額の計算の基礎となる課税仕入れ等の税額とみなす。

*01) 免税事業者とは、その課税期間に係る基準期間における課税売上高が1,000万円以下の事業者をいい、その課税期間の納税義務が免除される事業者です。
詳しくは教科書消費税法Ⅱ基礎完成編Chapter 6 を参照してください。

⑤　事業者が、小規模事業者に係る納税義務の免除の規定により消費税を納める義務が免除されることとなった場合において、その規定の適用を受けることとなった課税期間の初日の前日においてその前日の属する課税期間中に国内において譲り受けた課税仕入れに係る棚卸資産又はその課税期間における保税地域からの引取りに係る課税貨物で棚卸資産に該当するものを有しているときは、その課税仕入れに係る棚卸資産又はその課税貨物に係る消費税額は、仕入れに係る消費税額の控除の規定の適用については、その課税期間の仕入れに係る消費税額の計算の基礎となる課税仕入れ等の税額に含まれないものとする。

ここでいう棚卸資産とは、棚卸をすべき資産で以下のものをいいます。

・商品又は製品　・半製品　・仕掛品　・主要原材料
・補助原材料　・消耗品で貯蔵中のもの　・上記の資産に準ずる資産

2　免税事業者が課税事業者となった場合（法36①）

理論　計算

1.　趣旨

免税事業者であった期間中に仕入れた棚卸資産を課税事業者となった課税期間において売上げた場合、その棚卸資産に係る課税仕入れについて仕入税額控除の適用を受けていないにもかかわらず、その売上げは課税標準に含まれてしまいます。このとき、**免税事業者であった期間中に**仕入れた棚卸資産について、棚卸資産に係る消費税額の控除が認められなければ、事業者は過大に消費税を納付することになってしまいます。

そこで、課税事業者となった課税期間の**期首棚卸資産に係る消費税額を、その課税期間の課税仕入れ等の税額として仕入税額控除の対象に含める**ことで調整を行います。

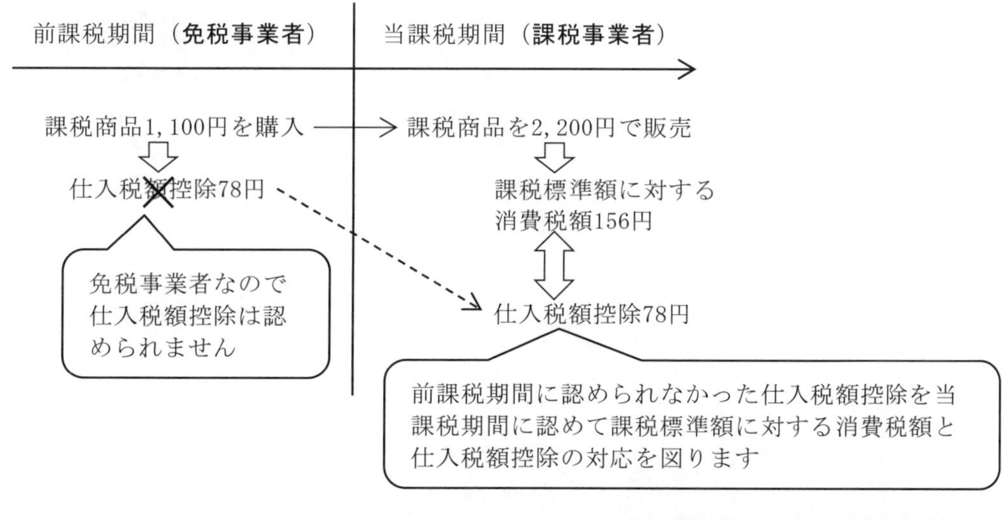

2. 調整額の計算

免税事業者が課税事業者となった場合の棚卸資産の調整額は、**棚卸資産の取得に要した費用の額に$\frac{7.8}{110}$ [*01)]を乗じて計算**します。

棚卸資産の調整税額＝棚卸資産の取得に要した費用の額×$\frac{7.8}{110}$ [*01)]

*01) 軽減税率が適用される棚卸資産については$\frac{6.24}{108}$

棚卸資産の取得に要した費用の額とは、具体的には以下のものがあり、下記の区分に応じて税額を計算します。

(1) 国内において譲り受けた棚卸資産（商品）

その資産の課税仕入れに係る支払対価の額＋購入、販売に要した付随費用の額[*02)]

(2) 保税地域から引き取った棚卸資産（商品）

その課税貨物に係る課税標準である金額と引取りに係る消費税額及び地方消費税額の合計額＋購入、販売に要した付随費用の額[*03)]

(3) 製作等された棚卸資産（仕掛品、製品等）

製作等のために要した原材料費及び経費の額[*04)]＋販売に要した付随費用の額

*02) 棚卸資産の取得に要した費用の額は、荷造運賃等の購入のために要した付随費用の額が含まれます。したがって、取得に要した費用の額とは、商品や製品等の税込帳簿価額のイメージです。

*03) 棚卸資産の調整は、帳簿価額をもとに算定することを想定して規定されているため、課税貨物に係る棚卸資産も課税仕入れに係る棚卸資産と同様に$\frac{7.8}{110}$を乗じて求めます。

*04) 棚卸資産が製品等である場合には、帳簿価額そのままではなく、その製品等の製造原価のうち課税仕入れとなる金額が調整の対象となります。(金額は問題文で与えられます。)

3. 適用対象資産の範囲

調整の対象となる資産は、前課税期間に取得した資産に限らず、**前課税期間以前の免税事業者であった期間中に購入した資産で当課税期間に繰り越してきたものすべて**が対象となります。

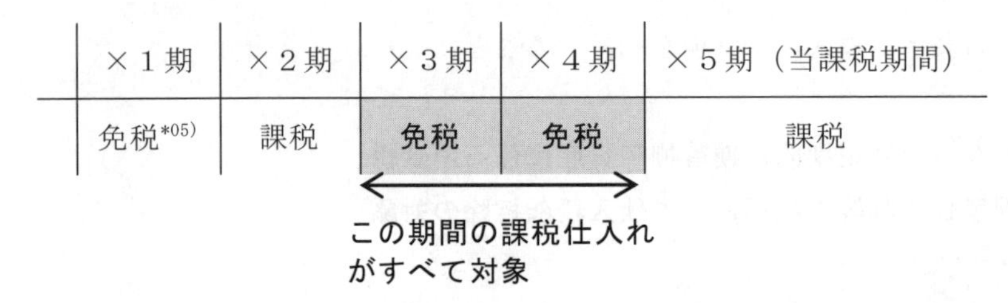

*05) ×１期に取得した資産については×２期に調整をしているため、×５期（当課税期間）の調整の対象とはなりません。

設例１－１　免税事業者から課税事業者となった場合

次の【資料】に基づき、当社の当課税期間（令和７年４月１日～令和８年３月31日）における控除対象仕入税額を割戻し計算の方法により計算しなさい。なお、金額は税込みである。また、軽減税率が適用される取引は含まれていない。

【資料】

(1)　当課税期間の課税売上割合　80%

(2)　当課税期間の課税仕入れの金額

①　課税資産の譲渡等にのみ要する課税仕入れ　3,100,000円

②　その他の資産の譲渡等にのみ要する課税仕入れ　850,000円

③　共通して要する課税仕入れ　1,990,000円

(3)　当課税期間開始の日における棚卸資産の額　308,572円

棚卸資産は、課税資産に該当し、前課税期間中に取得したものである。

(4)　当社は、設立以来前課税期間まで免税事業者であったが、当課税期間は課税事業者となっている。

解答

控除対象仕入税額　354,585　円

解説

(1)　課税売上割合

80% ＜ 95%　　∴　按分計算が必要

(2)　区分経理及び税額

①　個別対応方式

イ　課税資産の譲渡等にのみ要するもの

(a)　課税仕入れ

$3,100,000円\times\frac{7.8}{110}=219,818円$

(b)　期首棚卸資産の調整

$308,572円\times\frac{7.8}{110}=21,880円$（加算）

(c)　(a)＋(b)＝241,698

ロ　その他の資産の譲渡等にのみ要するもの

$850,000円\times\frac{7.8}{110}=60,272円$

ハ　共通して要するもの

$1,990,000円\times\frac{7.8}{110}=141,109円$

ニ　控除対象仕入税額

241,698＋141,109円×80%＝354,585円

②　一括比例配分方式

イ　課税仕入れ

3,100,000円＋850,000円＋1,990,000円＝5,940,000円

$5,940,000円 \times \frac{7.8}{110} = 421,200円$

ロ　期首棚卸資産の調整　　21,880円

ハ　控除対象仕入税額

(421,200円＋21,880円)×80％＝354,464円

(3)　有利判定

(2)①　＞　(2)②　　∴　354,585円

4.　適用要件（法36②）

免税事業者が課税事業者となった場合の棚卸資産に係る消費税額の調整は、棚卸資産又は課税貨物の**明細を記録した書類を保存**[*05]することが適用要件となっています。

ただし、**災害その他やむを得ない事情**により、その書類の保存をすることができなかったことをその事業者において証明した場合は、書類の保存がなくても適用を受けることができます。

*05) その書類をその作成した日の属する課税期間の末日の翌日から２ヵ月を経過した日から７年間、納税地又は事務所等の所在地に保存しなければならない。

5.　仕入れに係る対価の返還等を受けた場合（基通12－1－8）

免税事業者であった課税期間において行った課税仕入れについて、課税事業者となった課税期間において仕入れに係る対価の返還等を受けた場合には、その対価の返還等の金額について「仕入れに係る対価の返還等を受けた場合の仕入れに係る消費税額の控除の特例」の規定の適用はありません。

ただし、**棚卸資産に係る消費税額の調整に関する規定の適用を受けた棚卸資産の課税仕入れについては、仕入れに係る対価の返還等の処理を行います。**[*06]

*06) 詳しくは、Chapter14で学習します。

<通常の仕入返還>

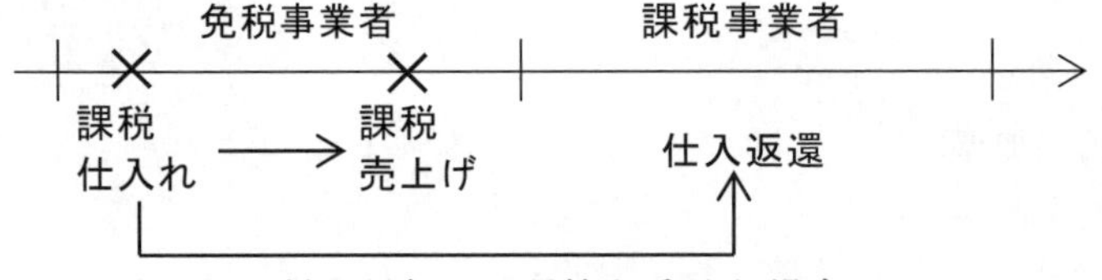

<棚卸資産の調整をした場合>

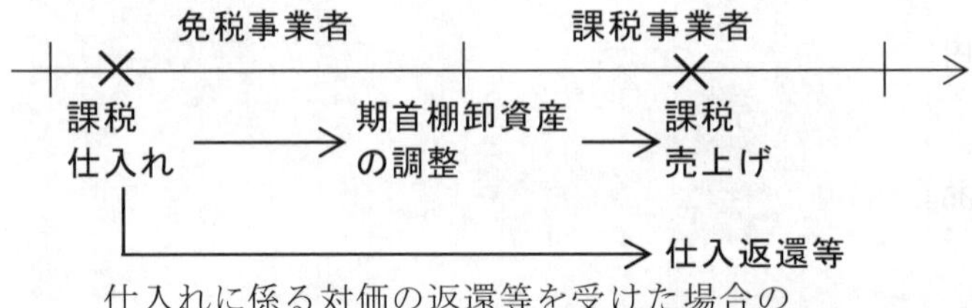

3 課税事業者が免税事業者となる場合（法36⑤）

理論 計算

1. 趣旨

課税事業者が翌課税期間に免税事業者となる場合の期末棚卸資産は、翌課税期間において、その売上げに係る消費税の納税義務が免除されます。にもかかわらず、当課税期間において仕入税額控除の適用を受けられるとすると、事業者は過少に消費税を納付することになってしまいます。そこで、**当課税期間の課税仕入れ等のうち、当課税期間末の期末棚卸資産として計上されているものに係る消費税額を、その課税期間の控除対象仕入税額から除く**ことで調整を行います。

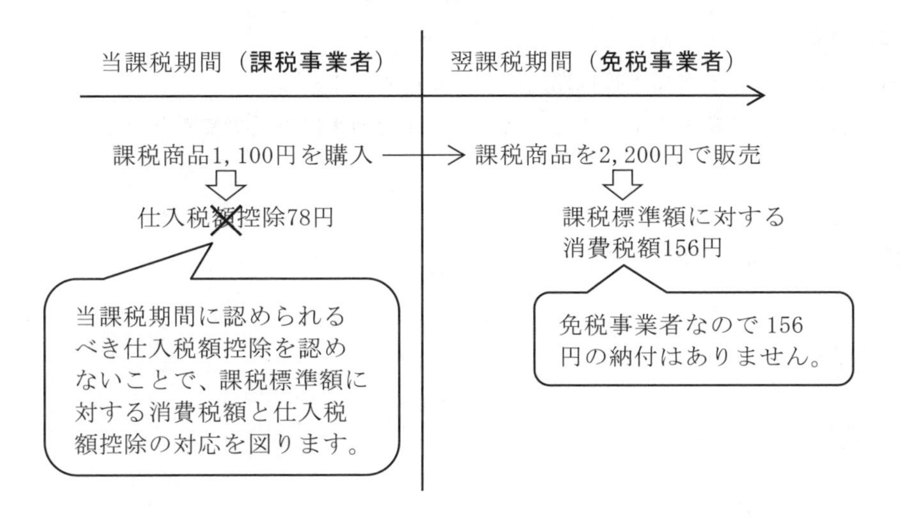

2. 調整額の計算

課税事業者が免税事業者となった場合の棚卸資産の調整額は、**棚卸資産の取得に要した費用の額に$\frac{7.8}{110}$ *01)を乗じて計算**します。

棚卸資産の調整税額＝棚卸資産の取得に要した費用の額×$\frac{7.8}{110}$ *01)

*01) 軽減税率が適用される棚卸資産については$\frac{6.24}{108}$

3. 適用対象資産の範囲

調整の対象となる資産は、**当課税期間に取得した資産のみです**。前課税期間以前に購入した資産が当課税期間末日に棚卸資産に計上されていても対象とならないことに注意しましょう。

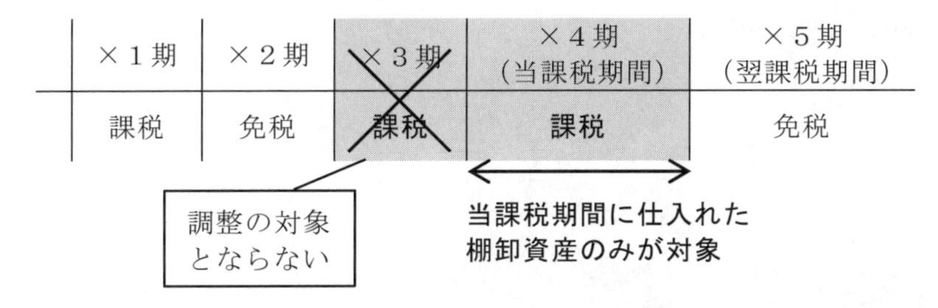

設例1－2　課税事業者から免税事業者となった場合

次の【資料】に基づき、当社の当課税期間（令和7年4月1日～令和8年3月31日）における控除対象仕入税額を個別対応方式（割戻し計算の方法）により計算しなさい。なお、金額は税込みである。また、軽減税率が適用される取引は含まれていない。

【資料】

⑴　当課税期間の課税売上割合　80%

⑵　当課税期間の課税仕入れの金額

①　課税資産の譲渡等にのみ要する課税仕入れ　3,100,000円

②　その他の資産の譲渡等にのみ要する課税仕入れ　850,000円

③　共通して要する課税仕入れ　1,990,000円

⑶　当課税期間の末日における棚卸資産の額　567,000円

棚卸資産は、課税資産に該当し、すべて当課税期間に取得したものである。

⑷　当社は、設立以来当課税期間まで課税事業者であったが、翌課税期間は免税事業者となる。

解答

控除対象仕入税額　292,500 円

解説

⑴　課税売上割合

80%　＜　95%　　∴　按分計算が必要

⑵　区分経理及び税額

①　課税資産の譲渡等にのみ要するもの

イ　課税仕入れ

3,100,000円×$\frac{7.8}{110}$＝219,818円

ロ　期末棚卸資産の調整

567,000円×$\frac{7.8}{110}$＝40,205円（控除）

ハ　イ－ロ＝179,613円

②　その他の資産の譲渡等にのみ要するもの

850,000円×$\frac{7.8}{110}$＝60,272円

③　共通して要するもの

1,990,000円×$\frac{7.8}{110}$＝141,109円

⑶　控除対象仕入税額

179,613円＋141,109円×80%＝292,500円

Chapter 5

課税期間

会計においては、継続企業を前提にするものの、会計期間という計算期間が設けられており、一会計期間における情報を財務諸表を使って利害関係者に開示します。皆さんが学んでいる消費税においても一定の計算期間を設けて税額を計算していきます。この消費税の計算期間を「課税期間」といいます。ここでは、この課税期間について詳しく見ていきましょう。

Section 1

課税期間の概要

個人の支払う所得税や法人の支払う法人税のように事業に関連して支払う税金は、その事業に関する税金の計算を期間を区切って行います。

消費税における計算期間のことを「課税期間」と呼びます。

事業者が事業に対し支払う税金は、会計をもとに納付税額の計算が行われるため、通常、この会計期間と税金の計算期間は一致します。しかし、消費税では、ある理由から会計期間よりも短い期間を選択することが可能です。

ここでは、課税期間の原則と特例について見ていきましょう。

1 課税期間の概要

理論

課税期間とは、**課税標準額の計算の基礎となる期間**、すなわち消費税の納付税額を計算する期間のことです。

この課税期間は、個人事業者と法人では異なり、原則として個人事業者は**暦年（1月1日～12月31日）、法人は事業年度**となっています。

また、納税者の選択により、これらの原則の課税期間を、届出書を提出することで、3ヵ月ごと又は1ヵ月ごとに短縮する特例が認められています。

〈課税期間の特例を選択する理由〉

消費税は、その性質が預かった税金であるため、事業者の手許に集まった税金は早目に納付されるべきと考えます。

これは、多額の税金が集まる事業者においては、手許資金としての運用が可能となってしまい、規模の大小により事業者間で不公平が生じてしまうからです。そのため、消費税法では既に学習した「中間申告」という制度を設け、事業規模により早期の納税を実現させる仕組みがあります。*01)

これに対し、輸出を中心に行う事業者に関しては、毎期継続的に消費税の還付を受け取ることが考えられますが、この還付は課税期間終了後還付申告を行うことにより受けられるため、課税期間の特例が認められないと年に1度しか還付を受けられないこととなってしまいます。

そこで、両者の不合理を解消するため、任意による課税期間の短縮が認められているのです。

*01) 詳しくは教科書消費税法Ⅱ基礎完成編Chapter14を参照してください。

消費税法　〈課税期間〉

第19条①　この法律において「課税期間」とは、次の各号に掲げる事業者の区分に応じその各号に定める期間とする。

一　個人事業者

1月1日から12月31日までの期間

二　法人

事業年度

三　第一号に定める期間を3月ごとの期間に短縮すること又は次号に定める各期間を3月ごとの期間に変更することについてその納税地を所轄する税務署長に届出書を提出した個人事業者

1月1日から3月31日まで、4月1日から6月30日まで、7月1日から9月30日まで及び10月1日から12月31日までの各期間

三の二　第一号に定める期間を1月ごとの期間に短縮すること又は前号に定める各期間を1月ごとの期間に変更することについてその納税地を所轄する税務署長に届出書を提出した個人事業者

1月1日以後1月ごとに区分した各期間

四　その事業年度が3月を超える法人で第二号に定める期間を3月ごとの期間に短縮すること又は次号に定める各期間を3月ごとの期間に変更することについてその納税地を所轄する税務署長に届出書を提出したもの

その事業年度をその開始の日以後3月ごとに区分した各期間（最後に3月未満の期間を生じたときは、その3月未満の期間）

四の二　その事業年度が1月を超える法人で第二号に定める期間を1月ごとの期間に短縮すること又は前号に定める各期間を1月ごとの期間に変更することについてその納税地を所轄する税務署長に届出書を提出したもの

その事業年度をその開始の日以後1月ごとに区分した各期間（最後に1月未満の期間を生じたときは、その1月未満の期間）

Section 2 個人事業者の課税期間

個人が納付する所得税は、計算期間を暦年（１月１日から12月31日）としており、個人事業者が納付する消費税の計算期間も原則として所得税に合わせて暦年となります。しかし、事業者の選択により消費税の課税期間のみ３ヵ月又は１ヵ月ごとの期間とする特例を認めています。
ここでは、個人事業者の課税期間の原則と特例を見ていきましょう。

1 個人事業者の課税期間の原則（法19①一）

理論

1. 原則

個人事業者の課税期間は、原則として**暦年（１月１日～12月31日）**とされています。

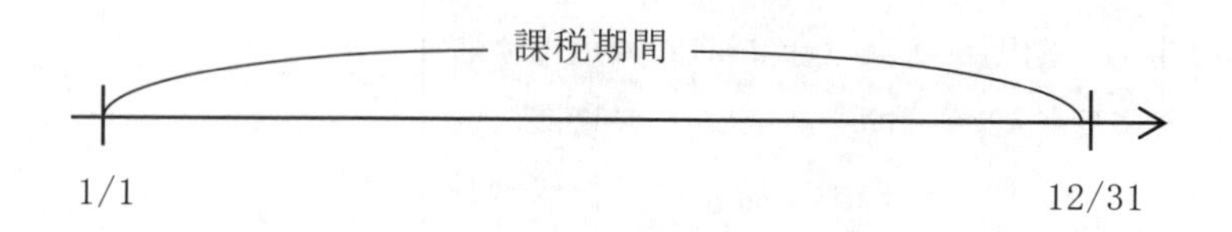

2. 新たに事業を開業した場合（基通３－１－１）

個人が新たに事業を開始した場合における最初の課税期間の開始の日は、その事業を開始した日がいつであるかにかかわらず、**その年の１月１日**となります。

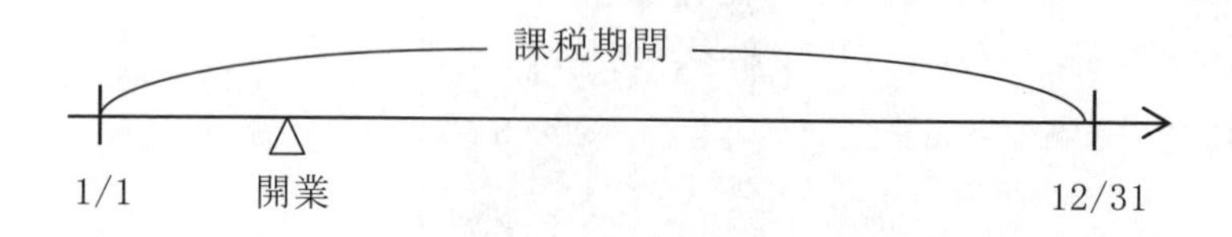

3. 事業を廃止した場合の課税期間（基通３－１－２）

個人事業者が年の中途で事業を廃止した場合の課税期間は、その事業を廃止した日の属する年の１月１日から**12月31日までの期間**となります。

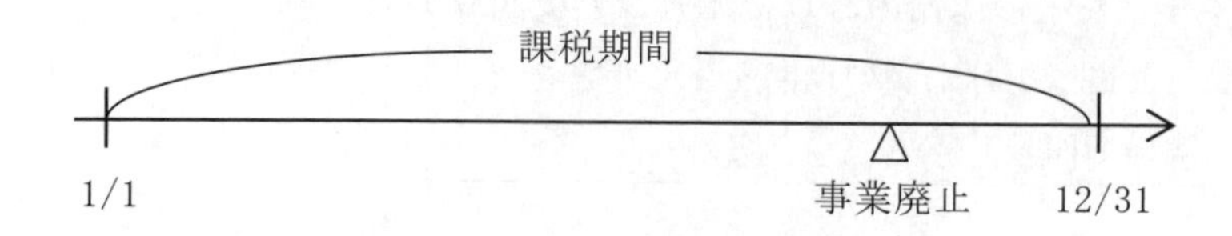

2 個人事業者の課税期間の特例

個人事業者の課税期間については、**3ヵ月ごとに短縮又は変更**する場合と、**1ヵ月ごとに短縮又は変更**する場合のいずれかを選択することができます。

なお、この場合、事業者は**「課税期間特例選択・変更届出書」**[*01]を納税地の所轄税務署長に提出しなければなりません。

*01)「課税期間特例選択・変更届出書」は、
①初めて特例（短縮）の適用を受ける事業者のための「選択届出書」（原則→特例）
②既に特例の適用を受けている事業者が特例の期間を変更するための「変更届出書」（特例→特例）
という２つの機能があり、提出する事業者は、該当する欄のみに記載して提出します。

1. ３ヵ月ごとに短縮又は変更する場合（法19①三）

１月１日以後３ヵ月ごとに区分した各期間

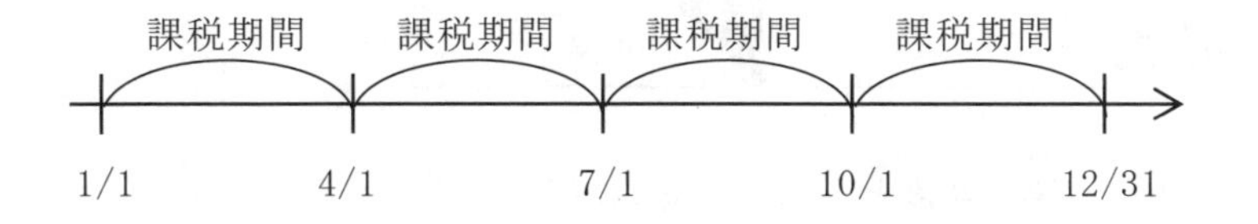

2. １ヵ月ごとに短縮又は変更する場合（法19①三の二）

１月１日以後１ヵ月ごとに区分した各期間

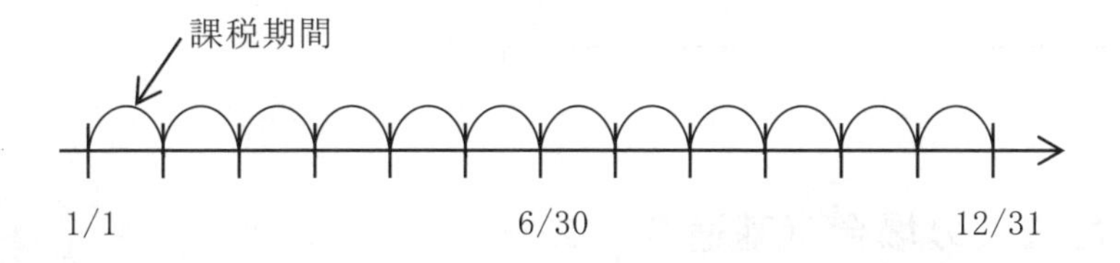

3 課税期間の特例に係る申告期限の特例 理論

課税期間の特例の適用を受けている場合の個人事業者の確定申告の期限は以下のとおりとなります。

課税期間	申告期限
1/1～3/31、4/1～6/30、7/1～9/30の３ヵ月ごとの課税期間	各課税期間の末日の翌日から２ヵ月以内
1/1～11/30までの間の１ヵ月ごとの課税期間	各課税期間の末日の翌日から２ヵ月以内
10/1～12/31までの３ヵ月ごとの課税期間	翌年３月31日まで
12/1～12/31までの１ヵ月ごとの課税期間	翌年３月31日まで

上記のように、それぞれの場合の12月31日の属する課税期間は、**個人事業者の確定申告書の提出期限の特例**[*01]の適用を受けるので、**翌年３月31日まで**となりますが、その他の課税期間については、この適用を受けないため、原則どおり各課税期間の末日の翌日から２ヵ月以内となります。

*01) 詳しくは教科書消費税法Ⅱ基礎完成編Chapter12を参照してください。

Section 3 法人の課税期間

法人が納付する法人税は、法人が任意に定めた「事業年度」により計算します。法人が納付する消費税の課税期間も、原則として法人税に合わせて事業年度を課税期間とします。

しかし、個人事業者と同様に事業者の選択により消費税の課税期間のみ３ヵ月又は１ヵ月ごとの期間とする特例を認めています。

ここでは、法人の課税期間の原則と特例を見ていきましょう。

1 法人の課税期間の原則

理論

1. 原則（法19①二）

法人の課税期間は、原則として**事業年度**とされています。事業年度は法人ごとに任意に定められ、例えば、事業年度が４月１日から翌年３月31日の場合の課税期間は以下のようになります。

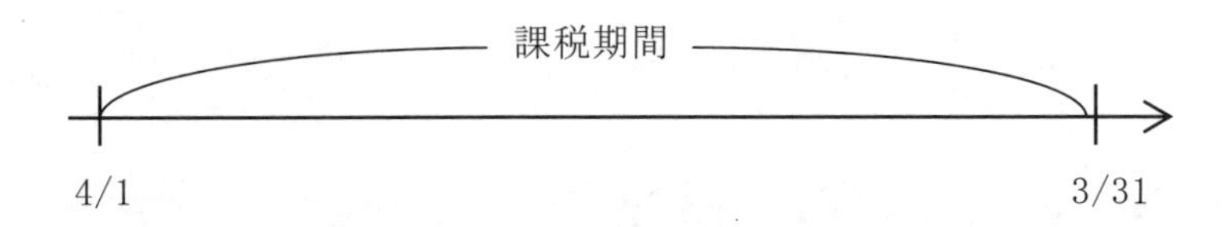

2. 新たに設立された法人の場合（基通３－２－１）

新たに設立された法人の最初の課税期間の開始の日は、**法人の設立の日**[*01)]となります。この場合、設立の日は、設立の登記により成立する法人にあっては設立の登記をした日、行政官庁の認可又は許可によって成立する法人にあってはその認可又は許可の日をいいます。

*01) 個人事業者とはこの点が異なります。自然人である個人事業者とは異なり、法人は登記をすることで権利の主体となる人格が与えられるからです。

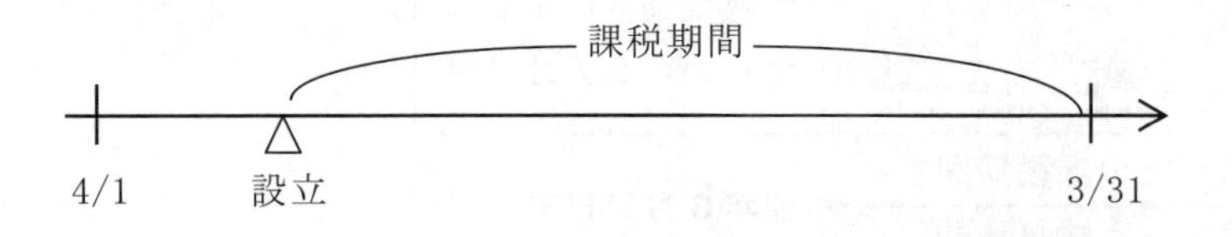

3. 事業を清算した場合の課税期間

法人が事業を清算した場合の課税期間は、その事業年度開始の日からその清算手続が終了した日までの期間となります。

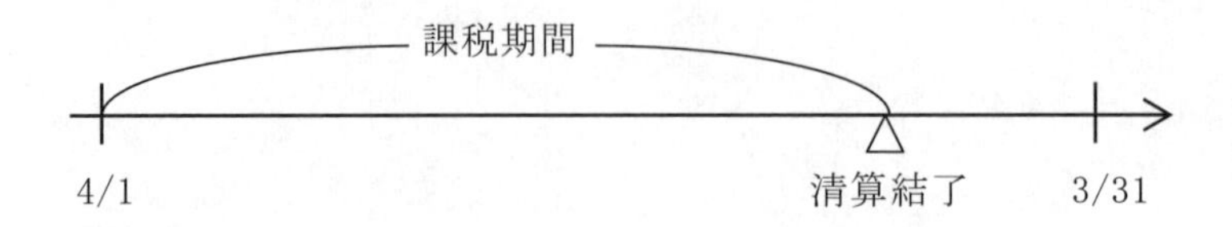

2 法人の課税期間の特例

法人の課税期間については、**３ヵ月ごとに短縮又は変更**する場合と、**１ヵ月ごとに短縮又は変更**する場合のいずれかを選択することができます。

なお、この場合、事業者は**「課税期間特例選択・変更届出書」**[*01] を納税地の所轄税務署長に提出しなければなりません。

*01) 詳しくはSection４で学習します。

1. ３ヵ月ごとに短縮又は変更する場合（法19①四）

その事業年度をその**開始の日以後３ヵ月ごとに区分した各期間**（最後に３ヵ月未満の期間を生じたときは、その３ヵ月未満の期間）

例）事業年度が４月１日～３月31日の場合

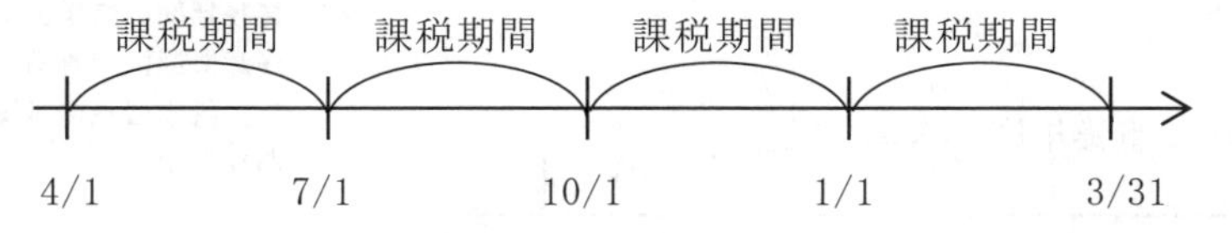

2. １ヵ月ごとに短縮又は変更する場合（法19①四の二）

その事業年度をその**開始の日以後１ヵ月ごとに区分した各期間**（最後に１ヵ月未満の期間を生じたときは、その１ヵ月未満の期間）

例）事業年度が４月１日～３月31日の場合

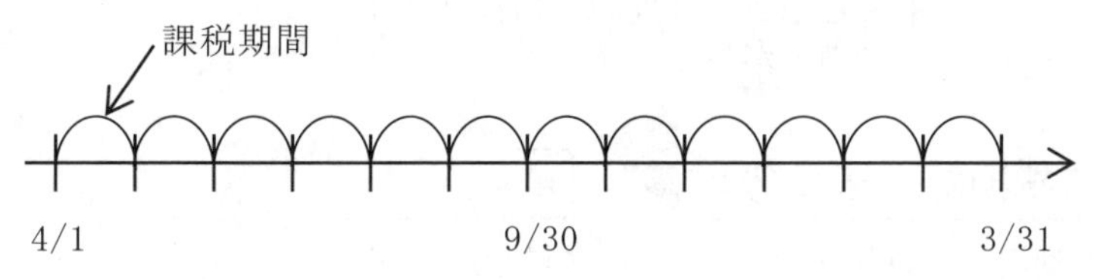

〈事業年度が１年でない場合〉

例）事業年度が８月15日～３月31日の場合（３ヵ月ごとに短縮）

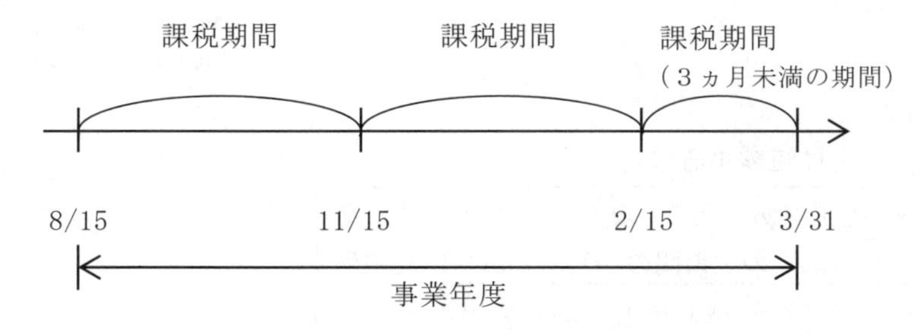

開業年等のように事業年度が１年でない場合には、事業年度の中で開始の日から３ヵ月又は１ヵ月ごとに課税期間を区切っていき、最後の３ヵ月未満又は１ヵ月未満の部分を一の課税期間とします。

Section 4

課税期間特例選択・変更届出書

課税期間の特例は、事業者の任意によって選択できるため、選択する際や短縮の期間を変更する際には税務署長に対する届出書の提出が必要となります。

ここでは、課税期間の特例に関する届出書の効果や提出期限等を見ていきましょう。

1 課税期間特例選択・変更届出書

理論

課税期間を短縮又は変更する場合、納税地の所轄税務署長に「課税期間特例選択・変更届出書」[*01]を提出します[*02]。

届出書を提出した場合、届出書の**提出があった日の属する期間の翌期間**[*03]**の初日以後**に効力が生じます。

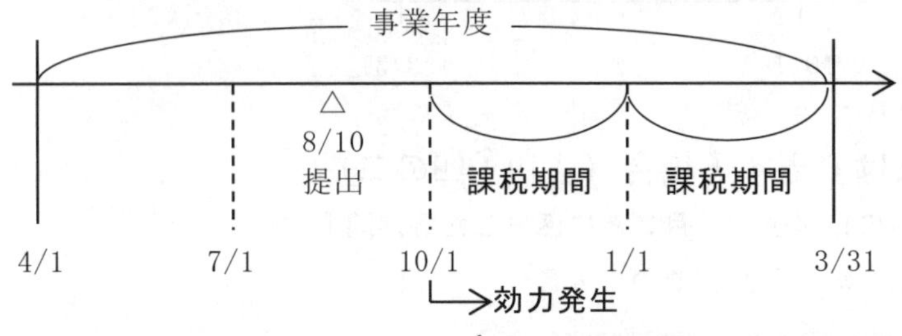

届出書の提出があった日の属する期間の翌期間の初日以後に効力が生じます

*01) 正式な名称は「消費税課税期間特例選択・変更届出書」です。

*02) 課税期間の短縮又は変更は任意に選択できる制度なので、税務署長の承認は必要ありません。

*03) その提出をした課税期間が事業を開始した日の属する課税期間や相続等があった課税期間であるときは、その提出日の属する期間での即時適用が認められます。

2 届出の効力とみなし課税期間（法9②）

理論

1 で確認したように「課税期間特例選択・変更届出書」の効力は、その提出があった日の属する期間の翌期間の初日以後生じますが、その際に、短縮、変更前の課税期間開始の日から**届出の効力が生じた日の前日**までの１年又は３ヵ月に満たない期間をみなし課税期間といいます。

具体的には、以下のようになります[*01]。

*01) いずれも８月10日に課税期間特例選択・変更届出書を提出したものとします。

1. 個人事業者の場合

⑴ 課税期間を原則から３ヵ月に短縮する場合

届出の効力	届出書の提出があった日の属する（３ヵ月の）期間（7/1～9/30）の翌期間の初日（10/1）以後発生
みなし課税期間	提出日の属する年の１月１日から届出の効力の生じた日の前日（9/30）までの期間

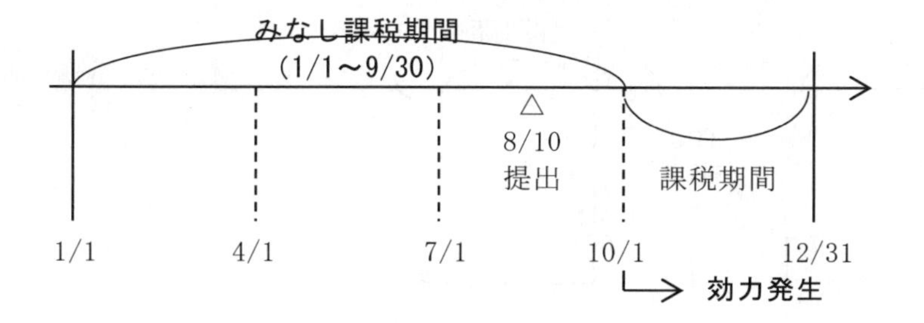

⑵ 課税期間を原則から１ヵ月に短縮する場合

届出の効力	届出書の提出があった日の属する（１ヵ月の）期間（8/1～8/31）の翌期間の初日（9/1）以後発生
みなし課税期間	提出日の属する年の１月１日から届出の効力の生じた日の前日（8/31）までの期間

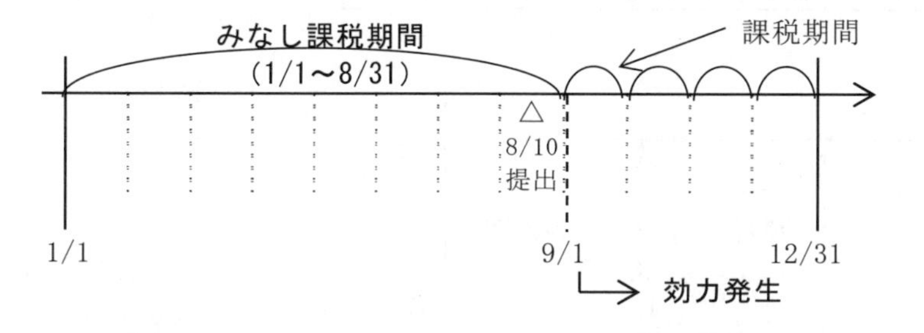

⑶ 課税期間を３ヵ月から１ヵ月に変更する場合

届出の効力	届出書の提出があった日の属する（１ヵ月の）期間（8/1～8/31）の翌期間の初日（9/1）以後発生
みなし課税期間	提出日の属する３ヵ月ごとの期間開始の日（7/1）から届出の効力の生じた日の前日（8/31）までの期間

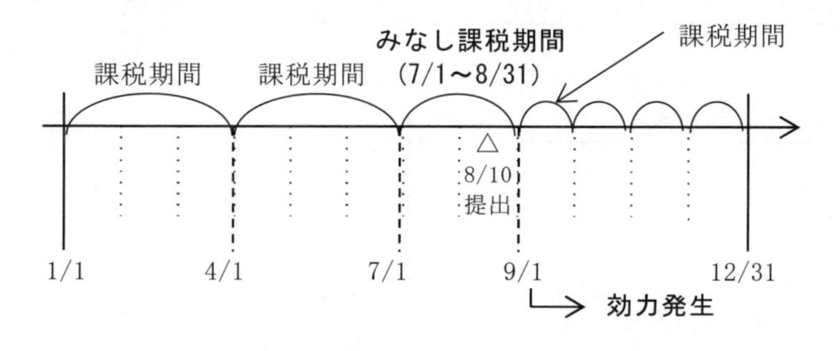

⑷ 課税期間を１ヵ月から３ヵ月に変更する場合

届出の効力	届出書の提出があった日の属する（３ヵ月の）期間（7/1～9/30）の翌期間の初日（10/1）以後発生
みなし課税期間	なし

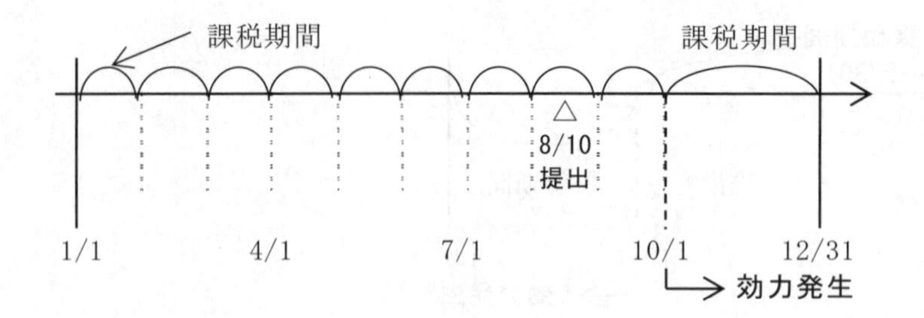

2. 法人の場合*02)

⑴ 課税期間を原則から３ヵ月に短縮する場合

届出の効力	届出書の提出があった日の属する（３ヵ月の）期間（7/1～9/30）の翌期間の初日（10/1）以後発生
みなし課税期間	提出日の属する事業年度開始の日（4/1）から届出の効力の生じた日の前日（9/30）までの期間

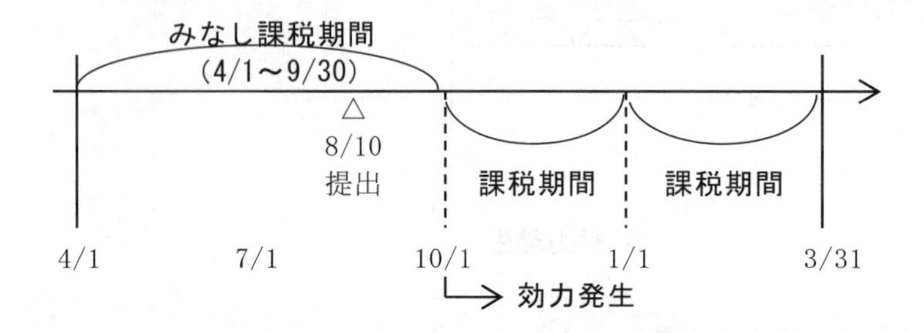

⑵ 課税期間を原則から１ヵ月に短縮する場合

届出の効力	届出書の提出があった日の属する（１ヵ月の）期間（8/1～8/31）の翌期間の初日（9/1）以後発生
みなし課税期間	提出日の属する事業年度開始の日（4/1）から届出の効力の生じた日の前日（8/31）までの期間

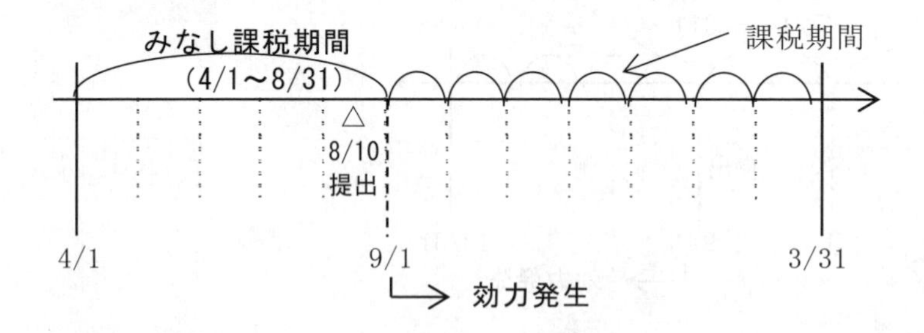

⑶ 課税期間を３ヵ月から１ヵ月に変更する場合

届出の効力	届出書の提出があった日の属する（１ヵ月の）期間（8/1～8/31）の翌期間の初日（9/1）以後発生
みなし課税期間	提出日の属する３ヵ月ごとの期間開始の日（7/1）から届出の効力の生じた日の前日（8/31）までの期間

*02) 期間の区切り方は個人事業者と同じですが、法人の場合には原則の期間が日付で定められていないため、規定上の表現が異なっています。この解説では、事業年度が４月１日～３月31日であるものとして見ていきます。

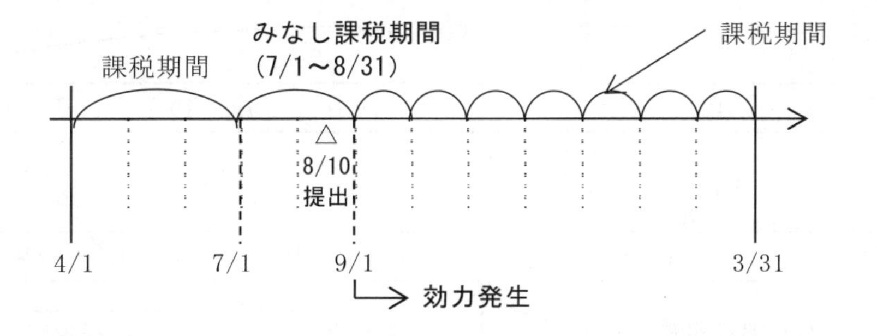

⑷　課税期間を１ヵ月から３ヵ月に変更する場合

届出の効力	届出書の提出があった日の属する（３ヵ月の）期間（7/1～9/30）の翌期間の初日（10/1）以後発生
みなし課税期間	なし

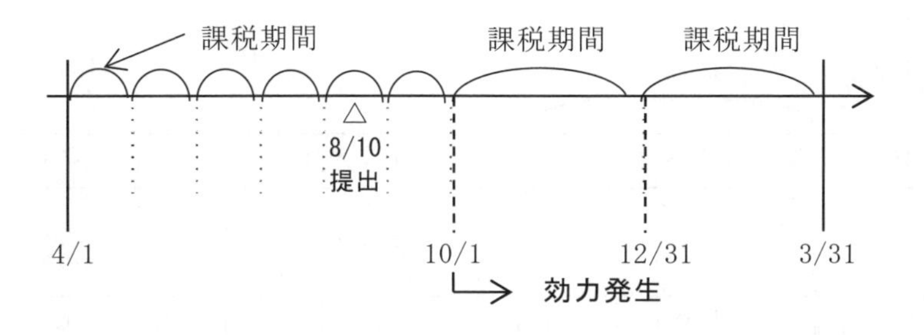

設例４－１　課税期間特例選択・変更届出書

次のケースにおける「みなし課税期間」を答えなさい。

⑴　個人事業者Ａは、令和７年４月15日に課税期間を３ヵ月ごとに短縮する届出書を納税地の所轄税務署長に提出した。なお、これまで個人事業者Ａは課税期間の特例に係る届出書を提出したことはなかった。

⑵　法人Ｂは、令和７年11月20日に課税期間を１ヵ月ごとに変更する届出書を納税地の所轄税務署長に提出した。なお、法人Ｂの事業年度は毎期４月１日から翌年３月31日までであり、届出書の提出時における法人Ｂの課税期間は３ヵ月ごとであった。

解答

みなし課税期間

⑴　令和７年１月１日～令和７年６月30日

⑵　令和７年10月１日～令和７年11月30日

解説

⑴　４月15日に届出書の提出があるので、提出があった日の属する（３ヵ月の）期間（4/1～6/30）の翌期間（7/1～9/30）の初日（7/1）から届出書の効力が生じます。したがって、提出日の属する年の１月１日から届出の効力の生じた日の前日（6/30）までの期間である令和７年１月１日～令和７年６月30日までの期間が「みなし課税期間」となります。

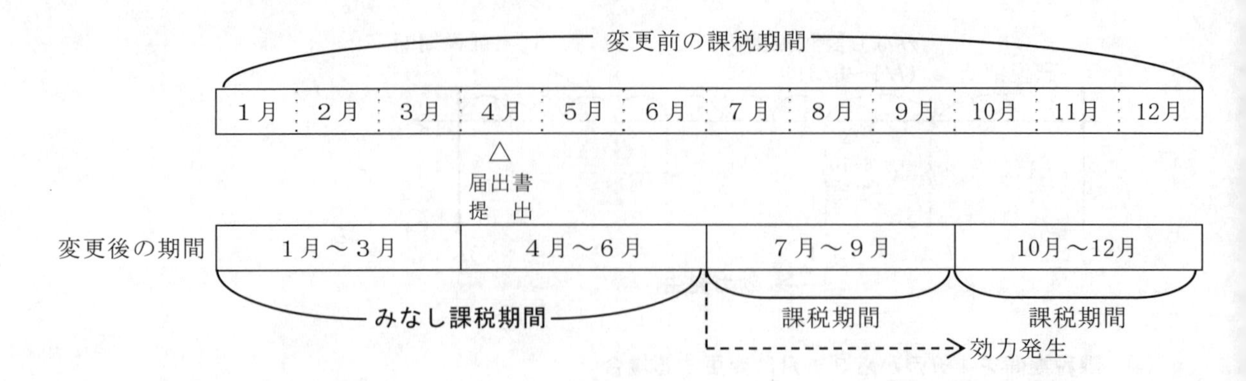

⑵　11月20日に届出書の提出があるので、提出があった日の属する（１ヵ月の）期間（11/1～11/30）の翌期間（12/1～12/31）の初日（12/1）から届出書の効力が生じます。したがって、提出日の属する３ヵ月ごとの期間開始の日（10/1）から届出の効力の生じた日の前日（11/30）までの期間である令和７年10月１日～令和７年11月30日までの期間が「みなし課税期間」となります。

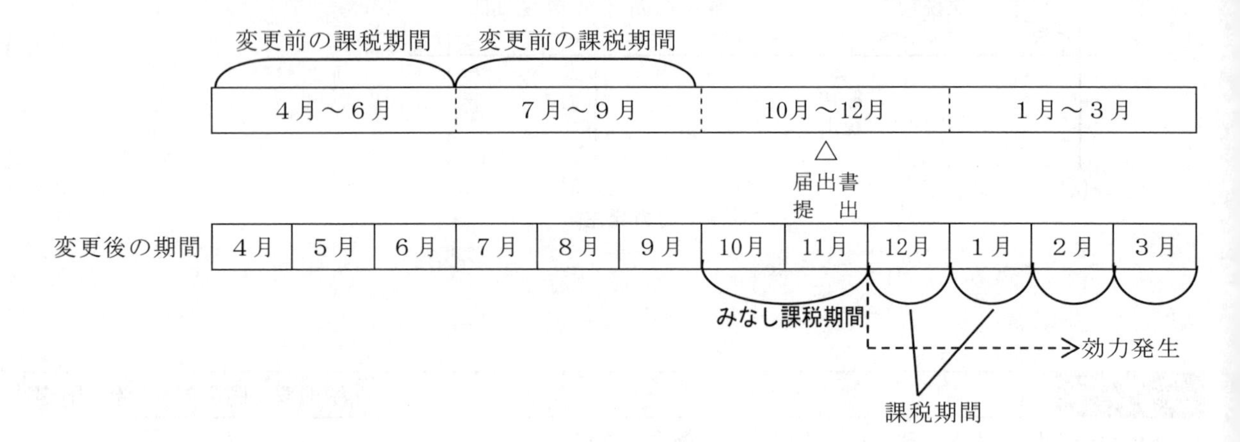

Section 5

課税期間特例選択不適用届出書

課税期間の特例は、事業者の任意によって選択しているため、やめる際にも特例の選択に関する不適用の届出書の提出が必要となります。ここでは、課税期間の特例に関する不適用届出書の効果や提出期限等を見ていきましょう。

1 課税期間特例選択不適用届出書（法19③、④）

理論

課税期間特例の選択をやめようとするとき、又は事業を廃止したときは、納税地の所轄税務署長に「**課税期間特例選択不適用届出書**」*01)を提出しなければなりません。

不適用の届出書の提出があったときは、その**提出日の属する課税期間***02)**の末日の翌日以後**に課税期間特例選択・変更の届出は、その効力を失います。

*01) 正式な名称は「消費税課税期間特例選択不適用届出書」です。

*02) ここでいう「課税期間」とは、選択又は変更後の特例の適用による課税期間を指します。

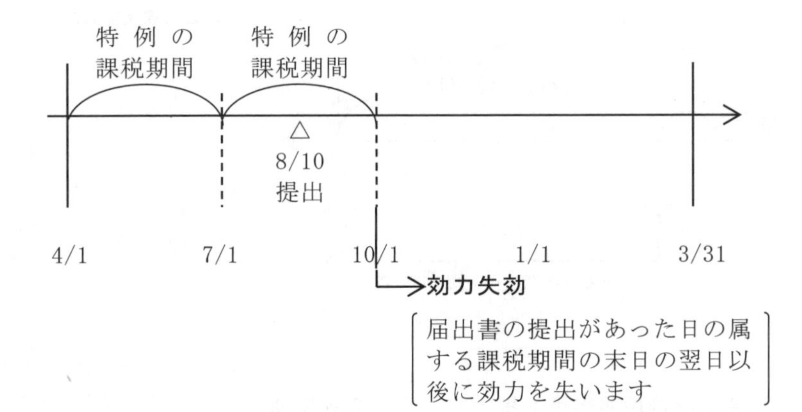

2 効力の失効とみなし課税期間（法19④）

理論

課税期間特例選択不適用届出書を提出した場合には、課税期間は原則の課税期間*01)に戻りますが、この場合に**届出の効力が失効した日から原則の課税期間に戻すまでの間**にも１年又は３ヵ月に満たないみなし課税期間が生じます。

具体的には、以下のようになります。

*01) 個人事業者は暦年、法人は事業年度です、詳しくはSection２及び３を参照してください。

1. 個人事業者の場合*02)

(1) 課税期間が３ヵ月の場合に不適用届出書を提出し、原則の課税期間に戻した場合

選択届出書の効力失効	不適用届出書の提出日の属する課税期間（4/1～6/30）の末日（6/30）の翌日（7/1）以後失効
みなし課税期間	提出日の属する課税期間の末日の翌日（7/1）から提出日の属する年の12月31日までの期間*03)

*02) いずれも６月10日に課税期間特例選択不適用届出書を提出したものとします。

*03) その年の１月１日から９月30日までの間に課税期間特例選択不適用届出書を提出した場合に限りみなし課税期間が生じます。

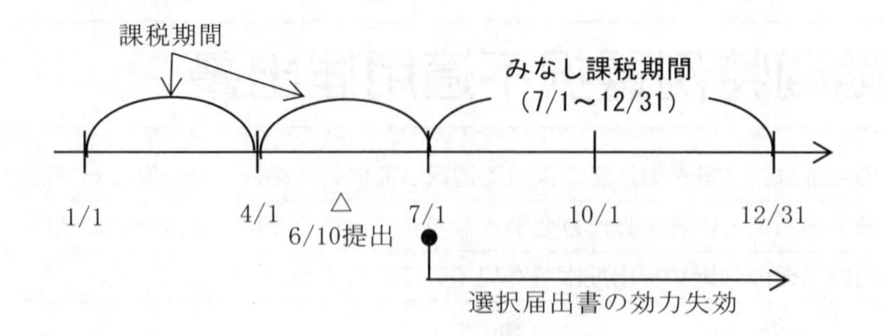

⑵　課税期間が１ヵ月の場合に不適用届出書を提出し、原則の課税期間に戻した場合

選択届出書の効力失効	不適用届出書の提出日の属する課税期間（6/1～6/30）の末日（6/30）の翌日（7/1）以後失効
みなし課税期間	提出日の属する課税期間の末日の翌日（7/1）から提出日の属する年の12月31日までの期間*04)

*04) その年の１月１日から11月30日までの間に課税期間特例選択不適用届出書を提出した場合に限りみなし課税期間が生じます。

課税期間
6/10
提出
みなし課税期間
(7/1～12/31)
1/1
7/1
12/31
選択届出書の効力失効

2.　法人の場合*05)

*05) いずれも９月10日に課税期間特例選択不適用届出書を提出したものとします。
また、事業年度が４月１日～３月31日であるものとして見ていきます。

⑴　課税期間が３ヵ月の場合に不適用届出書を提出し、原則の課税期間に戻した場合

選択届出書の効力失効	不適用届出書の提出日の属する課税期間（7/1～9/30）の末日（9/30）の翌日（10/1）以後失効
みなし課税期間	提出日の属する課税期間の末日の翌日（10/1）から提出日の属する事業年度終了の日（3/31）までの期間*06)

*06) その事業年度開始の日からその事業年度の３ヵ月ごとに区分された期間のうち最後の期間の直前の期間の末日までの間に課税期間特例選択不適用届出書を提出した場合に限りみなし課税期間が生じます。

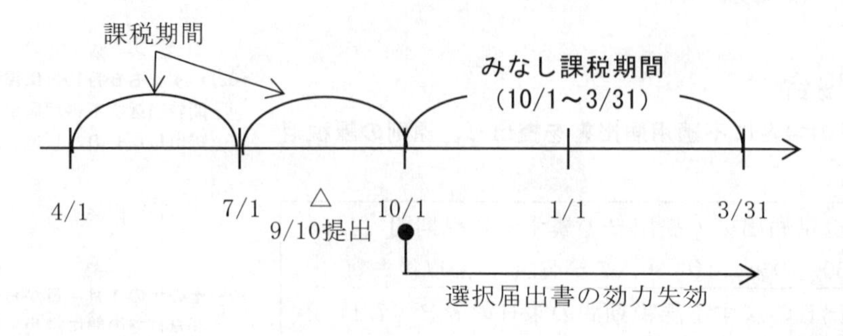

(2) **課税期間が１ヵ月の場合に不適用届出書を提出し、原則の課税期間に戻した場合**

選択届出書の効力失効	不適用届出書の提出日の属する課税期間（9/1～9/30）の末日（9/30）の翌日（10/1）以後失効
みなし課税期間	提出日の属する課税期間の末日の翌日（10/1）から提出日の属する事業年度終了の日（3/31）までの期間*07)

*07) その事業年度開始の日からその事業年度の１ヵ月ごとに区分された期間のうち最後の期間の直前の期間の末日までの間に課税期間特例選択不適用届出書を提出した場合に限りみなし課税期間が生じます。

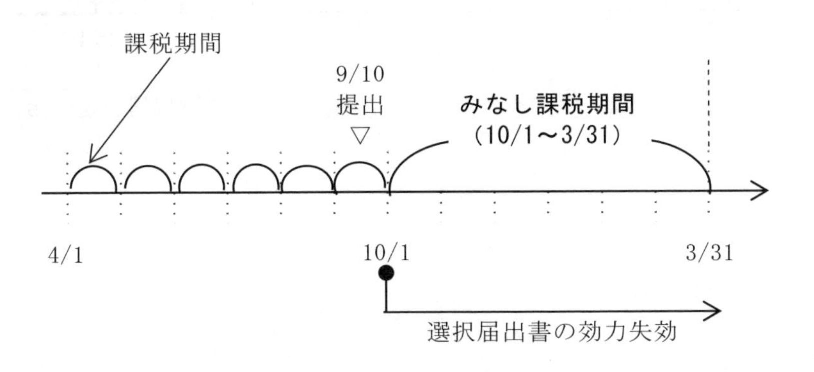

設例５－１　課税期間特例選択不適用届出書

次のケースにおける「みなし課税期間」を答えなさい。

(1) 個人事業者Ｃは、令和５年１月１日から課税期間を３ヵ月ごとに短縮していたが、令和７年８月15日に消費税課税期間特例選択不適用届出書を納税地の所轄税務署長に提出した。

(2) 法人Ｄは、令和５年４月１日から課税期間を１ヵ月ごとに短縮していたが、令和８年１月20日に消費税課税期間特例選択不適用届出書を納税地の所轄税務署長に提出した。なお、法人Ｄの事業年度は毎事業年度共４月１日から翌年３月31日までである。

解答

みなし課税期間

(1) 令和７年10月１日～令和７年12月31日

(2) 令和８年２月１日～令和８年３月31日

解説

(1) ８月15日に不適用届出書の提出があるので、不適用届出書の提出日の属する課税期間（7/1～9/30）の末日の翌日（10/1）以後、選択届出書の効力が失効します。したがって、提出日の属する課税期間の末日の翌日（10/1）から提出日の属する年の12月31日までが「みなし課税期間」となります。

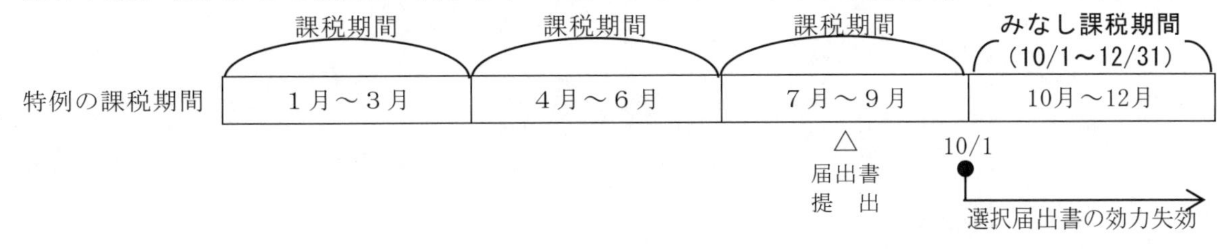

⑵　１月20日に不適用届出書の提出があるので、不適用届出書の提出日の属する課税期間（1/1～1/31）の末日の翌日（2/1）以後、選択届出書の効力が失効します。したがって、提出日の属する課税期間の末日の翌日（2/1）から提出日の属する事業年度終了の日（3/31）までの期間が「みなし課税期間」となります。

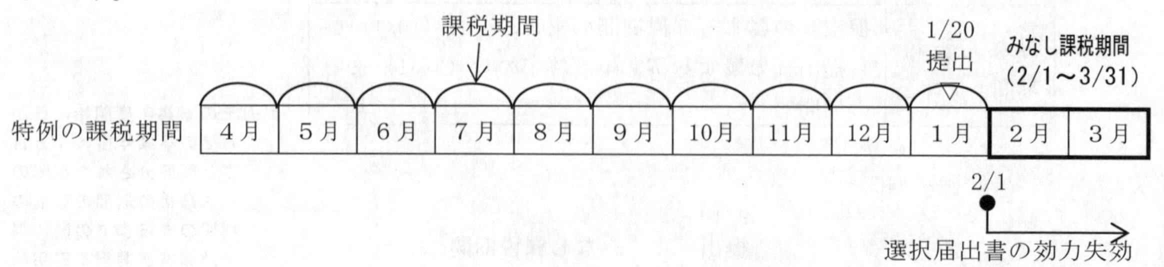

Section 6 届出書の提出制限

課税期間の特例は、前述のように還付金が恒常的に生じる事業者に対し、納付されるべき消費税を早期に回収する中間申告制度との整合性を図るために任意による選択を定めた規定です。
そのため、納税者が一度任意によって適用を受けた特例を短期間で変更するということは望ましいことではなく、一度届け出た内容を変更する際には、２年程度の届出書の提出の制限が設けられています。

1 変更届出書又は不適用届出書の提出制限 理論

事業を廃止した場合を除き、変更届出書*01)又は不適用届出書は、短縮又は変更の**届出の効力が生ずる日から２年を経過する日の属する特例の課税期間の初日以後**でなければ提出することはできません。つまり、事業を廃止した場合以外は２年間の継続適用*02)が要求されています。

*01)「課税期間特例選択・変更届出書」を「変更届出書」として使用する場合です。

*02)課税期間を１ヵ月ごとから３ヵ月ごとに変更する場合には、２年間の継続適用の例外が生じる場合があります。2.⑵を参照してください。

1. 不適用届出書の提出制限*03)（法19⑤）

*03)いずれも法人（事業年度は４月１日～３月31日）が令和４年８月10日に課税期間特例選択・変更届出書を提出し、課税期間を短縮しているものとする。
また、課税期間特例選択不適用届出書は、最も早く提出できる日に提出するものとする。

⑴ ３ヵ月ごとの課税期間を選択した後、特例の適用をやめようとする場合

提出制限	届出の効力が生ずる日（⑤10/1）から２年を経過する日（⑦9/30）の属する特例の課税期間（⑦7/1～⑦9/30）の初日（⑦7/1）以後提出可
特例選択の効力失効	提出があった日（⑦7/1）の属する課税期間（⑦7/1～⑦9/30）の末日の翌日（⑦10/1）」に失効

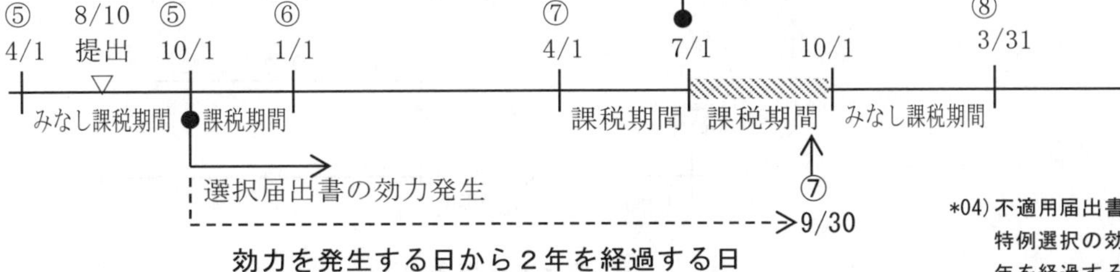

*04)不適用届出書の提出自体は特例選択の効力発生から２年を経過する日前にできますが、不適用届出書を提出した後、実際に不適用となるのは、翌課税期間からであるため、トータルで２年間の制限がなされる状態となります。

⑵ １ヵ月ごとの課税期間を選択した後、特例の適用をやめようとする場合

提出制限	届出の効力が生ずる日（⑤9/1）から２年を経過する日（⑦8/31）の属する特例の課税期間（⑦8/1～⑦8/31）の初日（⑦8/1）以後提出可
特例選択の効力失効	提出があった日（⑦8/1）の属する課税期間（⑦8/1～⑦8/31）の末日の翌日（⑦9/1）」に失効

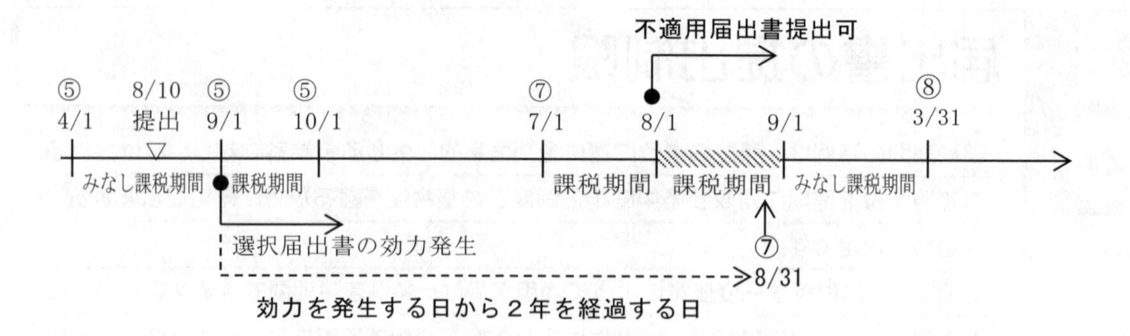

2. 変更届出書の提出制限[*05]（令41②）

*05) いずれも法人（事業年度は４月１日～３月31日）が令和４年８月10日に課税期間特例選択・変更届出書を提出し、課税期間を短縮しているものとする。
また、変更届出書は、最も早く提出できる日に提出するものとする。

(1) ３ヵ月ごとの課税期間を１ヵ月ごとに変更する場合

課税期間特例選択・変更届出書の**効力が生じた日から２年を経過する日の属する月の初日以後**に提出することができます。

提出制限	届出の効力が生じた日（⑤10/1）から２年を経過する日（⑦9/30）の属する月の初日（⑦9/1）以後提出可
変更届出書の効力発生	提出があった日（⑦9/1）の属する（１ヵ月の）期間（⑦9/1～⑦9/30）の翌期間の初日（⑦10/1）以後発生[*06]

*06) 変更の場合はSection４の2届出の効力とみなし課税期間が適用されます。

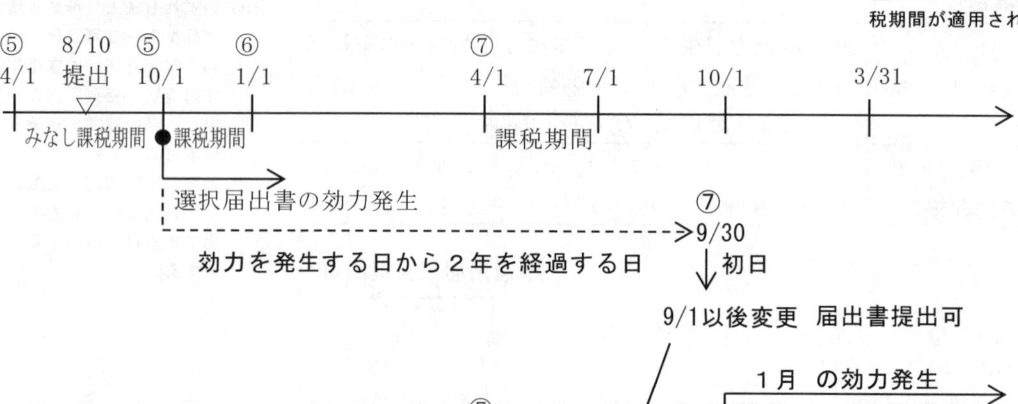

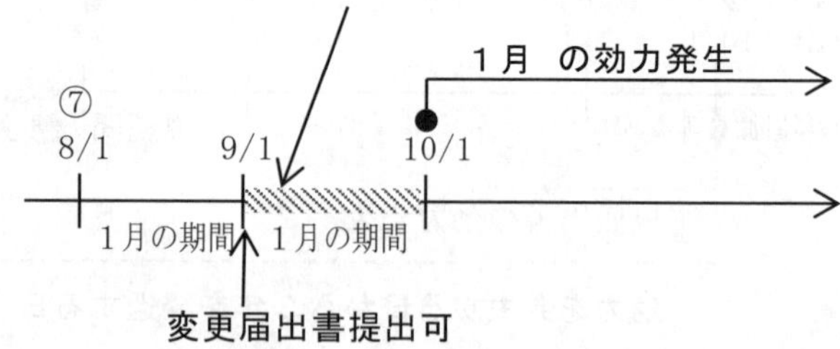

(2)　1ヵ月ごとの課税期間を3ヵ月ごとに変更する場合

課税期間特例選択・変更届出書の**効力が生じた日から2年を経過する日の属する月の前々月の初日以後**に提出することができます。

提出制限	届出の効力が生じた日（⑤9/1）から2年を経過する日（⑦8/31）の属する月の前々月（6月）の初日（⑦6/1）以後提出可
変更届出書の効力発生	提出があった日（⑦6/1）の属する（3ヵ月の）期間（⑦4/1～⑦6/30）の翌期間の初日（⑦7/1）以後発生*07)

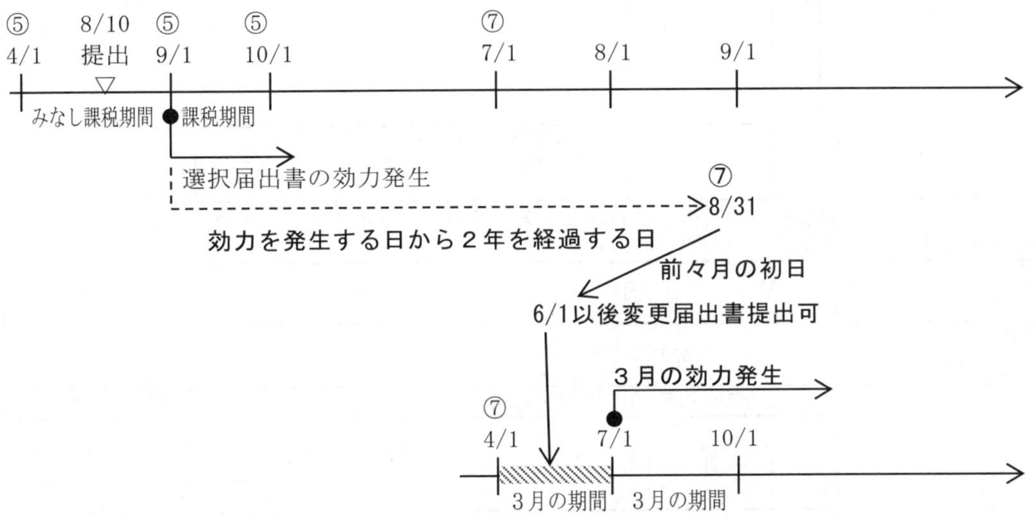

*07) 1ヵ月から3ヵ月への変更の場合には、図のように実際には2年よりも前に変更することが可能です。この場合原則どおりの提出制限をかけてしまうと、変更届出書の効力発生が10月1日以後になってしまい、結果として2年以上の制限がかかってしまいます。そのため、このようにして調整しています。

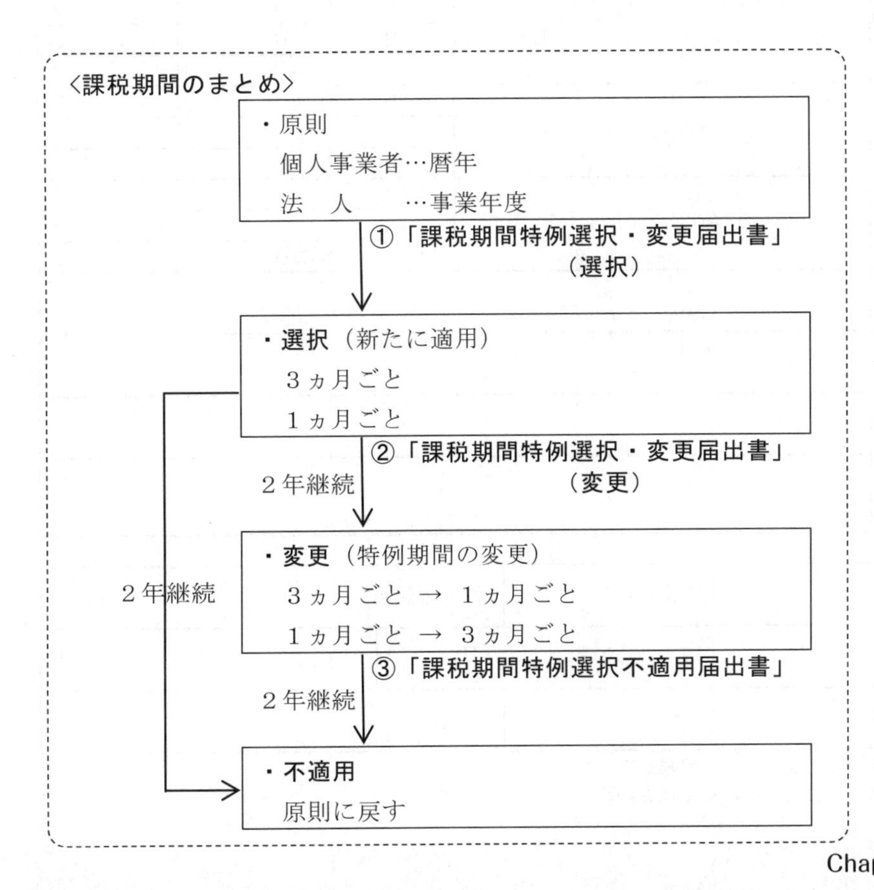

第13号様式

消費税課税期間特例 選択／変更 届出書

収受印

令和　年　月　日	届出者	(フリガナ)	
		納税地	(〒　－　) (電話番号　－　－　)
		(フリガナ)	
		氏名又は名称及び代表者氏名	
＿＿＿＿税務署長殿		法人番号	※ 個人の方は個人番号の記載は不要です。

下記のとおり、消費税法第19条第１項第３号、第３号の２、第４号又は第４号の２に規定する課税期間に短縮又は変更したいので、届出します。

事業年度	自　月　日　至　月　日	
適用開始日又は変更日	令和　年　月　日	
適用又は変更後の課税期間	三月ごとの期間に短縮する場合	一月ごとの期間に短縮する場合
	月　日から　月　日まで	月　日から　月　日まで
		月　日から　月　日まで
		月　日から　月　日まで
	月　日から　月　日まで	月　日から　月　日まで
		月　日から　月　日まで
		月　日から　月　日まで
	月　日から　月　日まで	月　日から　月　日まで
		月　日から　月　日まで
		月　日から　月　日まで
	月　日から　月　日まで	月　日から　月　日まで
		月　日から　月　日まで
		月　日から　月　日まで
変更前の課税期間特例選択・変更届出書の提出日	平成／令和　年　月　日	
変更前の課税期間特例の適用開始日	平成／令和　年　月　日	
参考事項		
税理士署名	(電話番号　－　－　)	

※税務署処理欄	整理番号		部門番号		番号確認			
	届出年月日	年　月　日	入力処理	年　月　日		台帳整理	年　月　日	
	通信日付印	年　月　日	確認					

注意　１．裏面の記載要領等に留意の上、記載してください。
　　　２．税務署処理欄は、記載しないでください。

Chapter 6

納税地

運転免許の更新やパスポートの申請など、国の行政に関する手続きについては、戸籍や住所などにより管轄となる機関が定められています。税務申告に関しても、トップを国税庁としたピラミッド型の組織の中に納税者それぞれの所轄税務署が定められています。ここでは、その所轄税務署がどのようなルールで定められているのかを確認していきましょう。

Section 1 国内取引に係る納税地

納税地とは、租税に関して納税者と課税者との間の法律関係の所轄官庁を定める際の基準となる場所をいいます。この納税地の決定により、申告、申請、請求、届出や納付等の諸手続を行う税務署や税関が決まります。

まず、国内取引に係る納税地について見ていきましょう。

1 個人事業者の納税地

理論

1. 原則（法20）

個人事業者の資産の譲渡等及び特定仕入れに係る消費税の納税地は、次に掲げる場所とします。

国内に住所*01)を有する場合	その住所地
国内に住所を有せず、居所*02)を有する場合	その居所地
国内に住所及び居所を有せず、国内にその事業に係る事務所等*03)を有する場合	その事務所等の所在地
上記以外	一定の場所

*01) 住所とは、各人の生活の本拠地をいいます。（基通２－１－１）

*02) 居所とは、住所以外の場所で、多少の期間は継続して居住していても、生活の本拠といえるまでには至らない場所をいいます。

*03) 事務所等とは、事務所、事業所その他これらに準ずるものをいい、工場、農園、貸ビル又は事業活動の拠点となっているホテルの一室等名称のいかんを問わず、資産の譲渡等に係る事業を行う一定の場所をいいます。（基通２－１－２）

北海道に住んでます

住所地

日本に来た時は東京にいます

居所地

住所も居所も無いですが日本に事務所があります

事務所等の所在地

2. 特例：納税地の選択（法21①②）

個人事業者の消費税の納税地については、原則として上記のようになっていますが、納税手続の利便性を高めるために、納税地の選択が認められています。

すなわち、個人事業者の消費税の納税地は、**原則に定める３つの場所を納税者の任意で選択**できることとなります。

なお、納税地の特例の適用を受けようとする場合には、所得税法の納税地の特例の規定の適用を受ける必要があります。

国内に住所のほか、居所を有する場合	住所地に代えて、居所地
国内に住所のほか、事務所等を有する場合	住所地に代えて、事務所等の所在地
国内に居所のほか、事務所等を有する場合	居所地に代えて、事務所等の所在地

3. 被相続人の納税地（法21④）

個人事業者が死亡した場合には、その死亡した者の資産の譲渡等及び特定仕入れに係る消費税の納税地は、その相続人の資産の譲渡等及び特定仕入れに係る消費税の納税地によらず、その死亡当時におけるその**死亡した者の資産の譲渡等及び特定仕入れに係る消費税の納税地**となります。

以上の原則と特例は、次のようにまとめることができます。

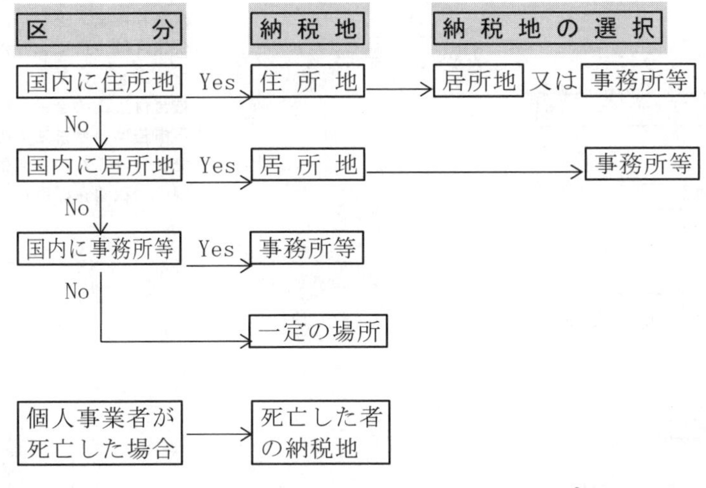

2 法人の納税地

1. 原則（法22）

法人の資産の譲渡等及び特定仕入れに係る消費税の納税地は、次に掲げる場所とします。

内国法人[*01)	その**本店**又は**主たる事務所**の所在地
外国法人[*02)]で国内に事務所等を有する法人	**その事務所所等の所在地** （その事務所等が２以上ある場合には、主たるものの所在地）
上記以外	一定の場所

法人の消費税の納税地については、**個人事業者と異なり納税地の選択がありません。**

*01) 内国法人とは、国内に本店又は主たる事務所を有する法人をいいます。

*02) 外国法人とは、内国法人以外の法人をいいます。

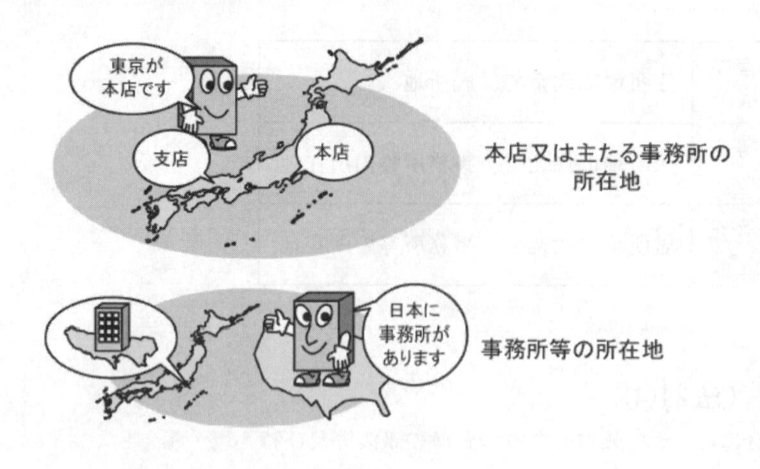

2. 被合併法人の消費税に係る納税地（基通２－２－２）

被合併法人のその合併の日後における消費税の納税地は、その合併に係る**合併法人の納税地**となります*03)。

*03) 合併法人とは、合併後存続する法人又は合併により設立された法人をいい、被合併法人は合併により消滅した法人をいいます。
被合併法人の合併後における申告は、合併法人の名義で行われるため、合併法人側の納税地を採用します。

以上より、法人の納税地は次のようにまとめることができます。

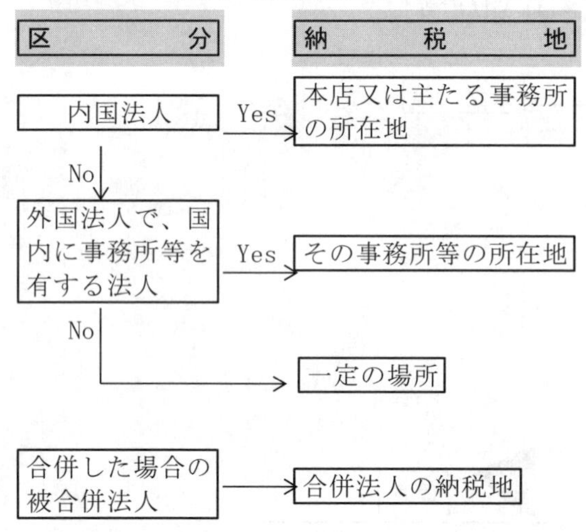

3 納税地の指定　理論

1. 納税地の指定（法23①②）

個人事業者又は法人の行う資産の譲渡等及び特定仕入れの状況からみて、その資産の譲渡等及び特定仕入れに係る消費税の納税地として不適当であると認められる場合*01)には、その納税地を所轄する**国税局長又は国税庁長官***02)は、これらの規定にかかわらず、その資産の譲渡等及び特定仕入れに係る**消費税の納税地を指定することができます**。

なお、国税局長又は国税庁長官は、消費税の納税地を指定したときは、その個人事業者又は法人に対し、**書面によりその旨を通知します**。

*01) 例えば、個人事業者又は法人が納税地として届け出ている場所にその者の事業の実態がない場合等が該当します。

*02) 税務署長による納税地の指定はできません。

＜国税局長による指定＞

＜国税庁長官による指定＞

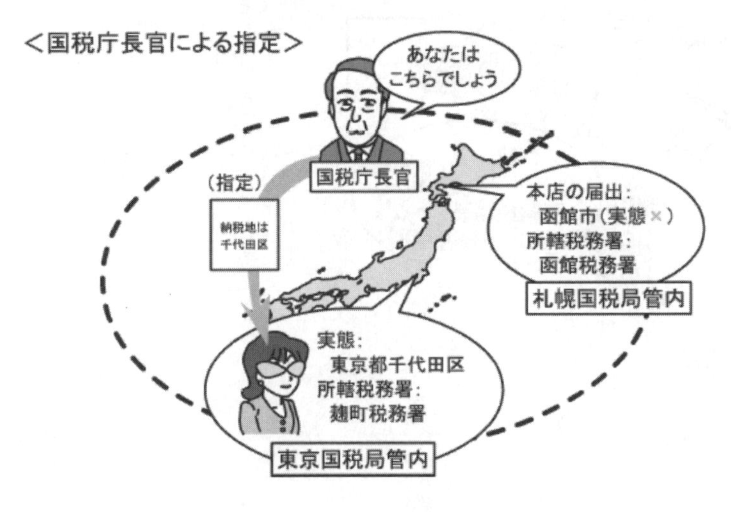

2.　納税地指定の取消し（法24）

納税者が 1.による納税地の指定に不服がある場合には、異議申立てや審査請求により、**納税地の指定の処分の取消しを求めることができます。**

これにより納税者の申立て等のとおりに取消しがあった場合においても、その処分の取消しは、その取消しの対象となった処分のあった時からその取消しの時までの間に、その取消しの対象となった納税地において行われた申告、申請、請求、届出その他書類の提出及び納付並びに国税庁長官、国税局長又は税務署長の処分の**効力に影響を及ぼさない**ものとされます*03)。

*03) 納税地指定処分に従ってその指定どおりの所轄官庁に申告書等を提出しているため、指定処分が取り消されたからといって不服申立てに係る期間中に提出された申告書等を再提出する必要もなく、また、その間の納税地が結果として間違っていたという決定等がなされても正しい場所に提出されたものとして取り扱われるという意味です。

4 法人の納税地の異動の届出（法25） 理論

法人は、消費税の納税地に異動があった場合には、遅滞なく、その**異動前**の納税地を所轄する税務署長に書面によりその旨を届け出なければなりません。

Section 2

輸入取引等に係る納税地

Section１で国内取引に関する納税地を詳しく見てきましたが、ここではもう１つの消費税の対象となる取引である輸入取引の納税地と輸出物品販売場の規定に関する納税地の特例規定について見ていきましょう。

1 輸入取引に係る納税地（法26）

重要　理論

保税地域から引き取られる外国貨物に係る消費税の納税地は、その**保税地域の所在地**とします*01)。

*01) 輸入取引に係る消費税の申告は、外国貨物の引取時に税関において行うため、住所地ではなく、貨物を引き取る保税地域の所在地となることに注意しましょう。

2 輸出物品販売場において購入した物品を譲渡した場合等の納税地（法27）

理論

免税購入した免税購入対象者が、その物品を輸出しない場合*01)	出港地
免税購入した免税購入対象者が、免税購入対象者でなくなる場合*01)	なくなる時におけるその者の住所地又は居所地
免税購入された物品について承認手続を受けて譲渡又は譲受けがされた場合*02)	その承認があった時におけるその物品の所在場所
免税購入された物品について無承認で譲渡又は譲受けがされた場合*02)	譲渡又は譲受けがされた時におけるその物品の所在場所

*01) 免税購入した免税購入対象者が国内に居住することとなる場合です。

*02) 詳しくは教科書消費税法Ⅱ基礎完成編Chapter４Section３を参照してください。

第11号様式

法人の消費税異動届出書

収受印

令和　年　月　日 ＿＿＿＿税務署長殿	届出者	（フリガナ）	
		本店又は主たる事務所の所在地	（〒　－　） （電話番号　－　－　）
		（フリガナ）	
		名称及び代表者氏名	
		法人番号	

下記のとおり、消費税の納税地等に異動がありましたので、届出します。

異動の内容	異動年月日		令和　年　月　日
	異動前の納税地		（〒　－　） （電話番号　－　－　）
	異動後の納税地		（〒　－　） （電話番号　－　－　）
	納税地以外の異動事項	異動事項	
		異動前	
		異動後	
参考事項			
税理士署名			（電話番号　－　－　）

※税務署処理欄	整理番号		部門番号				
	届出年月日	年　月　日	入力処理	年　月　日	台帳整理	年　月　日	
	番号確認						

注意
1. この届出書は、納税地、本店又は主たる事務所の所在地、名称、代表者氏名、代表者の住所、事業年度、資本金に異動があったとき又は公共法人等が定款等に定める会計年度等を変更し、若しくは新たに会計年度等を定めたときに提出してください。
2. 納税地の異動の場合には、異動前の納税地の所轄税務署長に提出してください。
3. 個人事業者の方はこの届出書を提出する必要はありません。
4. 税務署処理欄は、記載しないでください。

Chapter 7

相続があった場合の納税義務の免除の特例

個人商店では、一般に店主が死亡したことにより代替わりをしても、その親族が新たな店主となりその看板を守り続けます。ところが、消費税の納税義務という観点から見ると、その主体は相続と同時に被相続人から相続人へと変更され、相続人は新たな事業者となります。しかし、この考えを納税義務の判定に用いてしまうとある不合理が生じます。ここでは、相続があった場合の納税義務の特例判定について見ていきましょう。

Section 1 相続があった場合の納税義務の免除の特例

教科書消費税法Ⅱ基礎完成編Chapter６で学習したように、納税事務負担への配慮等から一定規模以下の小規模事業者に関しては納税義務を免除する規定を設けています。しかし、「別段の定め」に該当する場合には、納税義務の免除の規定が適用されず、基準期間における課税売上高が1,000万円以下であったとしても納税義務が生じることとなります。ここでは、その「別段の定め」のうち、相続があった場合の特例について見ていきます。

1 納税義務に関する規定

国内取引の納税義務に関する規定をまとめると次のとおりとなります。

納税義務者の原則（法５①）

納税義務の免除（法９①）

納税義務の免除の特例

①課税事業者の選択（法９④）…**学習済**
②前年等の課税売上高による特例（法９の２）*01)…**学習済**
③相続があった場合の特例（法10）
④合併があった場合の特例（法11）
⑤分割等があった場合の特例（法12）
⑥新設法人の特例（法12の２）…**学習済**
⑦特定新規設立法人の特例（法12の３）…**学習済**
⑧高額特定資産を取得した場合の特例（法12の４）*02)

（①〜⑧：別段の定め）

*01) 特定期間における課税売上高による判定に関する規定です。

*02) Chapter14Section４で学習していきます。

納税義務の判定を行う際、先ずは法９条第１項による納税義務の免除の判定を行います。ここで、基準期間における課税売上高が1,000万円以下となり、免税事業者と判定された者に対し、**納税義務の免除の特例の規定が適用**されます。

納税義務の免除の特例は**上記①から⑧の順に優先的に適用**されていくため、判定を答案用紙に記載する際もこの順序どおりに記載する必要があります。

消費税法〈納税義務者〉

第５条①　事業者は、国内において行った課税資産の譲渡等（特定資産の譲渡等に該当するものを除く。以下同じ。）及び特定課税仕入れ（課税仕入れのうち特定仕入れに該当するものをいう。以下同じ。）につき、この法律により、消費税を納める義務がある。

消費税法〈小規模事業者に係る納税義務の免除〉

法９条①　事業者のうち、その課税期間に係る基準期間における課税売上高が1,000万円以下である者（適格請求書発行事業者を除く。）については、納税義務の原則の規定にかかわらず、その課税期間中に国内において行った課税資産の譲渡等及び特定課税仕入れにつき、消費税を納める義務を免除する。ただし、この法律に別段の定めがある場合は、この限りでない。

2　納税義務の判定の全体像

教科書消費税法Ⅱ基礎完成編Chapter６ですでに学習した項目も踏まえ、納税義務の判定の手順の全体像を確認すると以下のようになります。

1.　基準期間の判定

基準期間における課税売上高　××××円 ＞ 10,000,000 円 ⇒ 納税義務あり　判定終了

≦ 10,000,000 円 ⇒ 2.の判定へ

2.　特定期間の判定

特定期間における課税売上高　××××円 ＞ 10,000,000 円 ⇒ 納税義務あり　判定終了

≦ 10,000,000 円 ⇒ 3.の判定へ

3.　相続、合併、分割等による特例判定（Chapter７～Chapter９で学習する内容です。）

対応する期間の売上げを使った判定　××××円 ＞ 10,000,000 円 ⇒ 納税義務あり　判定終了

≦ 10,000,000 円 ⇒ 4.の判定へ*01)

*01) 新設法人又は特定新規設立法人に該当しない事業者については、ここで判定終了となります。

4.　新設法人の判定

期首資本金額　××××円 ≧ 10,000,000 円 ⇒ 新設法人に該当

納税義務あり　判定終了

＜ 10,000,000 円 ⇒ 5.の判定へ

5.　特定新規設立法人の判定

特定要件　△△% ＞ 50%

他の者の課税売上高　××××円 ＞ 500,000,000 円 ⇒ 納税義務あり

なお、Chapter 7 ～Chapter 9 では、**3.についての判定方法を確認します。**

また、課税事業者の選択の適用を受ける課税期間については、2.以降の判定は行いません。

なお、この他に調整対象固定資産を購入した場合又は高額特定資産を取得した場合の特例規定をChapter14で学習していきます。

3 相続があった場合の納税義務

教科書消費税法Ⅱ基礎完成編Chapter 6 で学習した国内取引の納税義務者の原則の規定では、「事業者は、国内において行った課税資産の譲渡等(特定資産の譲渡等に該当するものを除く。)及び特定課税仕入れにつき消費税を納める義務がある。」と規定し、すべての事業者を納税義務者としながらも、小規模事業者への配慮から、基準期間における課税売上高が1,000万円以下の事業者については、その納税義務を免除することとしています。

しかし、この納税義務の免除の規定は、本来、小規模事業者に対する救済措置であるにもかかわらず、**相続等の事業承継が行われたことにより事業が拡大**したとしても、納税義務の判定は、事業承継前の過去の売上げを基準とするため、事業承継後の実態が反映されず不合理が生じます。

そこで、事業承継があった場合に事業を引継いだ相続人が**本来課税事業者であるべき事業を引継いだ**際には、基準期間における課税売上高による判定のみならず、**相続の特例による判定を行う**こととしています*01)。

*01) 相続人には、事業を営んでいない相続人が相続により事業を引き継いだ場合も含まれます。そのため、相続のあった日以前に事業を営んでいない場合には、相続人の基準期間における課税売上高は0円として計算します。

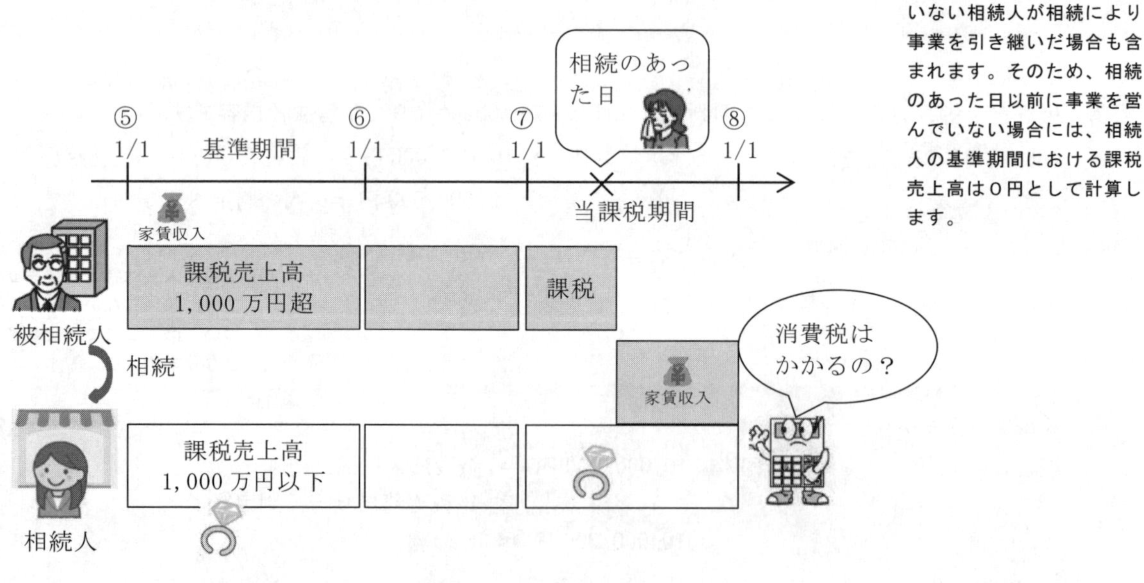

4 相続があった年の納税義務の判定

1. 概要

相続があった年における相続人の納税義務については、先ずは、相続人本人の基準期間、特定期間における課税売上高で判定します。

しかし、判定の結果、納税義務が免除されることとなってしまうと被相続人が本来課税事業者であった場合には、相続人に事業を引き継ぐことにより被相続人が納付すべき消費税が納付されないこととなってしまうため不合理が生じます*01)。

そこで、消費税法では、基準期間による納税義務の判定だけでなく、相続の特例による判定も行うこととなっています。

*01) 相続による事業承継とは、店主が亡くなったことによりお店が代替わりするイメージです。
店主が代替わりしたからといってお店の営業状況は変わらないわけですから納税義務の関係もそのまま維持すべきであるという考え方によるものです。

消費税法〈相続があった場合の納税義務の免除の特例〉

法10条① その年において相続があった場合において、その年の基準期間における課税売上高が1,000万円以下である相続人（課税事業者選択届出書の提出により、又は前年等の課税売上高による特例により納税義務が免除されない相続人を除く。以下同じ。）が、その基準期間における課税売上高が1,000万円を超える被相続人の事業を承継したときは、その相続人のその相続のあった日の翌日からその年12月31日までの間における課税資産の譲渡等及び特定課税仕入れについては、納税義務は免除されない。

2. 判定手順

(1) 基準期間の判定（法９①）

相続があった年における相続人の納税義務の判定は、まず**相続人単独の基準期間における課税売上高で判定**します。これが1,000万円を超えていれば課税事業者となり、(2)以降の判定は行いません。

(2) 特定期間の判定（法９の２①）

次に、**相続人単独の特定期間における課税売上高で判定**します。これが1,000万円を超えていれば課税事業者となり、(3)相続の判定は行いません。

(3) 相続の判定（法10①）

基準期間における課税売上高、及び特定期間における課税売上高が共に1,000万円以下である相続人*02)が、**基準期間における課税売上高が1,000万円を超える被相続人の事業を承継**したときは、相続人のその年の**相続のあった日の翌日からその年12月31日まで***03)の課税資産の譲渡等及び特定課税仕入れについては、納税義務は免除されません。

すなわち、その年の１月１日から相続のあった日までは納税義務は

*02) 課税事業者を選択している相続人を除きます。

*03) 個人事業者が前提なので、課税期間は必ず暦年（１月１日から12月31日まで）です。

ありませんが、相続のあった日の翌日からその年12月31日までの期間の納税義務は発生します。

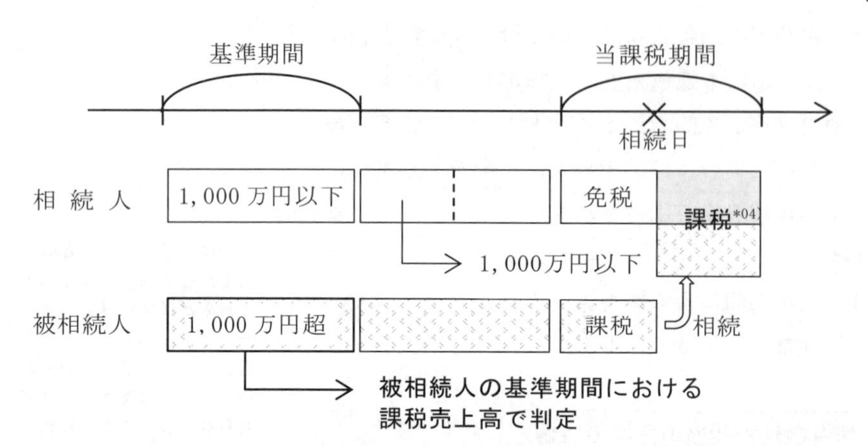

*04) 被相続人の基準期間における課税売上高が1,000万円を超えていれば、相続人は相続があった日の翌日から課税事業者となり、その年12月31日までの期間の課税資産の譲渡等は納税義務が発生します。このケースでは、その年の取引のうち、課税事業者となった日から12月31日までの取引をピックアップし、税額計算を行います。

<判定>

(1) 基準期間の判定（法９①）

基準期間における課税売上高　xx,xxx,xxx円 ＞ 1,000万円 → 納税義務あり　判定終了
　　　　　　　　　　　　　　　　　　　　　 ≦ 1,000万円 → (2)へ

(2) 特定期間の判定（法９の２①）

特定期間における課税売上高　xx,xxx,xxx円 ＞ 1,000万円 → 納税義務あり　判定終了
　　　　　　　　　　　　　　　　　　　　　 ≦ 1,000万円 → (3)へ

(3) 相続の判定（法10①）

被相続人の基準期間における課税売上高　xx,xxx,xxx円 ＞ 1,000万円 → 1月1日から相続があった日まで　納税義務なし
　　　　　　　　　　　　　　　　　　　　　相続のあった日の翌日から12月31日まで　納税義務あり
　　　　　　　　　　　　　　　　　　　　 ≦ 1,000万円 → 納税義務なし

設例1－1　相続があった年の納税義務の有無の判定

個人事業者乙は令和７年８月２日（相続のあった日）に死亡しており、相続人甲は被相続人乙の事業を相続により承継した。

次の【ケース１】と【ケース２】について、令和７年における相続人甲の納税義務の有無を判定しなさい。ただし、甲及び乙共に消費税課税事業者選択届出書は提出していない。

【ケース１】

(1) 令和５年における甲及び乙それぞれの課税売上高（税抜）は、次のとおりであった。

甲　8,510,000円　　　乙　6,940,000円

(2) 令和６年１月１日から令和６年６月30日までの期間における甲及び乙それぞれの課税売上高(税抜)は、次のとおりであった。

甲　4,248,000円　　　乙　3,955,800円

【ケース２】

⑴　令和５年における甲及び乙それぞれの課税売上高（税抜）は、次のとおりであった。

甲　4,690,000円　　　　乙　11,504,000円

⑵　令和６年１月１日から令和６年６月30日までの期間における甲及び乙それぞれの課税売上高（税抜）は、次のとおりであった。

甲　2,783,000円　　　　乙　5,409,800円

解答

【ケース１】

⑴　基準期間における課税売上高

8,510,000円 ≦ 10,000,000円

⑵　特定期間における課税売上高

4,248,000円 ≦ 10,000,000円

⑶　相続があった場合の納税義務の免除の特例

6,940,000円 ≦ 10,000,000円　　∴　納税義務なし

【ケース２】

⑴　基準期間における課税売上高

4,690,000円 ≦ 10,000,000円

⑵　特定期間における課税売上高

2,783,000円 ≦ 10,000,000円

⑶　相続があった場合の納税義務の免除の特例

11,504,000円 ＞ 10,000,000円　　∴　令和７年８月３日から令和７年12月31日までの期間納税義務あり

解説

相続人甲の納税義務の有無は、原則的には甲本人の基準期間（令和５年）における課税売上高（税抜）、及び特定期間（令和６年１月～令和６年６月）における課税売上高（税抜）で判定します。この設例では、どちらのケースも1,000万円以下であるため、基準期間、及び特定期間の判定では、甲の納税義務は免除されます。

ただし、相続があった場合には、基準期間、及び特定期間の判定で納税義務がないと判定されても、被相続人乙の基準期間における課税売上高（税抜）が1,000万円を超えていれば、相続のあった日の翌日からその年12月31日までは納税義務は免除されません。

【ケース１】

このケースでは、相続人甲の基準期間における課税売上高、及び特定期間における課税売上高が1,000万円以下であり、かつ、被相続人の基準期間における課税売上高も1,000万円以下であるため、甲の納税義務は免除されます。

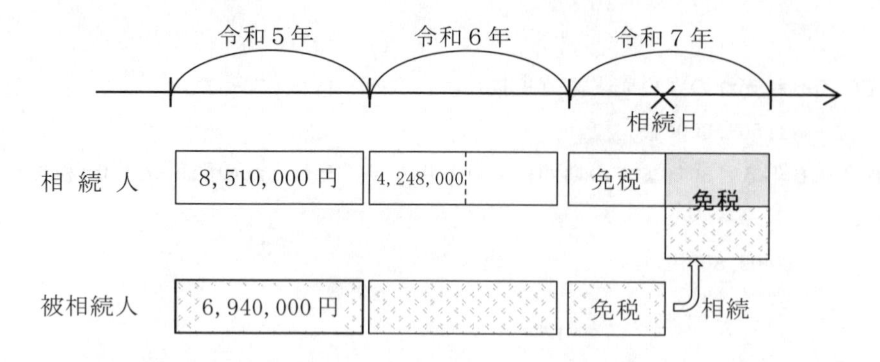

【ケース２】

このケースでは、相続人甲の基準期間における課税売上高、及び特定期間における課税売上高が1,000万円以下ですが、被相続人の基準期間における課税売上高が1,000万円を超えています。そのため、令和７年１月１日から相続のあった日（令和７年８月２日）までは納税義務は免除されますが、相続のあった日の翌日（令和７年８月３日）から令和７年12月31日までは納税義務は免除されません。

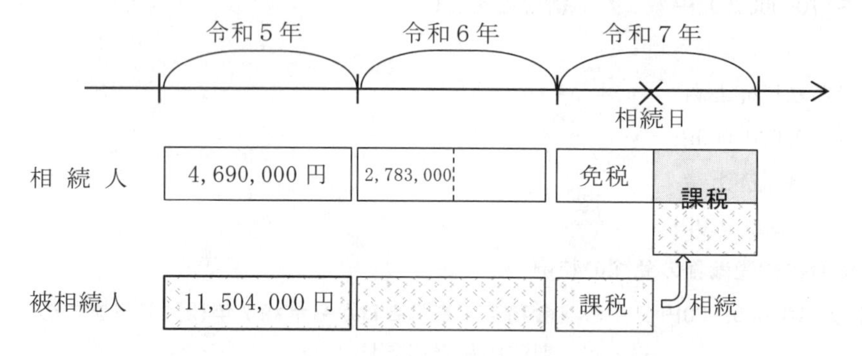

5 相続があった年の翌年以後の判定

1. 概要

相続があった年の翌年と翌々年までは、相続人の基準期間（前々年）における課税売上高に被相続人の事業に係る売上げが含まれておらず、相続により増えた分の事業規模が納税義務の判定に反映されていないこととなるため、基準期間、特定期間による判定に加え、**被相続人の基準期間における課税売上高との合計額で判定する特例**が設けられています。

消費税法〈相続があった場合の納税義務の免除の特例〉

法10条②　その年の前年又は前々年において相続により被相続人の事業を承継した相続人のその年の基準期間における課税売上高が1,000万円以下である場合において、その相続人のその基準期間における課税売上高とその相続に係る被相続人のその基準期間における課税売上高との合計額が1,000万円を超えるときは、その相続人のその年における課税資産の譲渡等及び特定課税仕入れについては、納税義務は免除されない。

2. 判定手順

(1) 基準期間の判定（法９①）

相続があった年の翌年と翌々年における相続人の納税義務の判定は、まず**相続人単独の基準期間における課税売上高で判定**します。これが、1,000万円を超えていれば課税事業者となり、(2)以降の判定行いません。

(2) 特定期間の判定（法９の２①）

次に、**相続人単独の特定期間における課税売上高で判定**します。これが1,000万円を超えていれば課税事業者となり、(3)相続の判定は行いません。

(3) 相続の判定（法10②）

相続人の基準期間における課税売上高、及び特定期間における課税売上高が共に1,000万円以下である場合において、相続人の**基準期間における課税売上高と被相続人の基準期間における課税売上高との合計額が1,000万円を超える**ときは、相続人*01)のその年における課税資産の譲渡等及び特定課税仕入れについては、納税義務は免除されません。

*01) 課税事業者を選択している相続人を除きます。

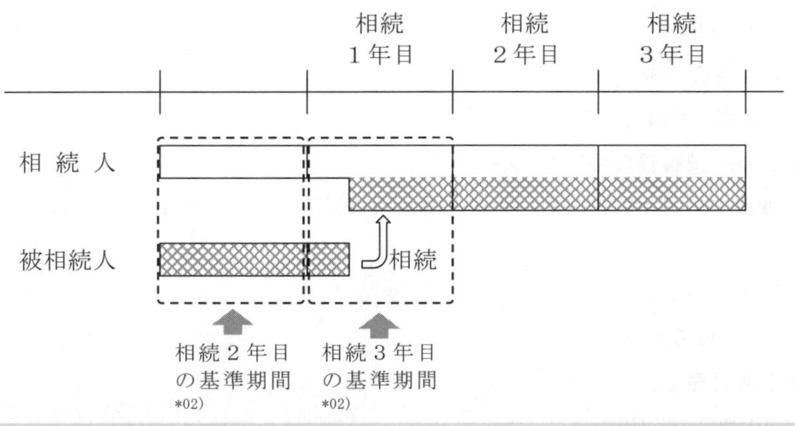

*02) 相続人と被相続人の基準期間における課税売上高を合計した金額（点線で囲んだ課税売上高の合計）が1,000万円を超えるか否かで、納税義務の有無を判定します。

〈判定〉

(1) 基準期間の判定（法９①）

基準期間における課税売上高　xx,xxx,xxx 円 ＞ 1,000 万円 → 納税義務あり　判定終了
　　　　　　　　　　　　　　　　　　　　　≦ 1,000 万円 → (2)へ

(2) 特定期間の判定（法９の２①）

特定期間における課税売上高　xx,xxx,xxx 円 ＞ 1,000 万円 → 納税義務あり　判定終了
　　　　　　　　　　　　　　　　　　　　　≦ 1,000 万円 → (3)へ

(3) 相続の判定（法 10①）

相続人の基準期間における課税売上高 ＋ 被相続人の基準期間における課税売上高 ＝xx,xxx,xxx 円 ＞ 1,000 万円 → 納税義務あり
　　　　　　　　　　　　　　　　　　　　　≦ 1,000 万円 → 納税義務なし

設例１－２　相続があった年の翌年以後の納税義務の有無の判定

個人事業者乙は令和７年８月２日（相続のあった日）に死亡しており、相続人甲は被相続人乙の事業を相続により承継した。

以下の【資料】に基づき、令和８年と令和９年における相続人甲の納税義務の有無を判定しなさい。ただし、甲及び乙共に消費税課税事業者選択届出書は提出していない。

【資料】　甲及び乙の各年における課税売上高（税抜）

	甲	乙
令和６年１月１日～令和６年12月31日 （内、１月１日～６月30日）	6,520,000円 （3,390,000円）	2,890,000円 （1,387,000円）
令和７年１月１日～令和７年12月31日 （内、１月１日～６月30日）	9,550,000円 （4,966,000円）	720,000円（※） （629,000円）
令和８年１月１日～令和８年12月31日 （内、１月１日～６月30日）	10,162,000円 （4,926,000円）	

(※)　令和７年１月１日から令和７年８月２日までの期間に係る課税売上高（税抜）である。

解答

1.　令和８年

(1)　基準期間における課税売上高

6,520,000円 ≦ 10,000,000円

(2)　特定期間における課税売上高

4,966,000円 ≦ 10,000,000円

(3)　相続があった場合の納税義務の免除の特例

6,520,000円＋2,890,000円＝9,410,000円 ≦ 10,000,000円　　∴　納税義務なし

2.　令和９年

(1)　基準期間における課税売上高

9,550,000円 ≦ 10,000,000円

(2)　特定期間における課税売上高

4,926,000円 ≦ 10,000,000円

(3)　相続があった場合の納税義務の免除の特例

9,550,000円＋720,000円＝10,270,000円 ＞ 10,000,000円　　∴　納税義務あり

解説

相続のあった年の翌年以後についても、相続人甲の納税義務の有無は、原則的には甲本人の基準期間における課税売上高、及び特定期間における課税売上高で判定します。したがって、この設例では、令和８年の基準期間である令和６年についても、令和９年の基準期間である令和７年についても課税売上高（税抜）が1,000万円以下であるため、基準期間の判定では甲の納税義務は免除されます。

また、令和８年の特定期間についても、令和９年の特定期間についても課税売上高（税抜）が1,000万円以下であるため、特定期間の判定についても甲の納税義務は免除されます。

ただし、相続のあった年の翌年と翌々年については、相続があった場合の特例により、相続人甲の基

準期間における課税売上高と被相続人乙の基準期間における課税売上高の合計額が1,000万円を超える場合には、納税義務は免除されません。

1. 令和８年の判定

令和８年については、基準期間（令和６年）における相続人甲の課税売上高（税抜）と被相続人乙の課税売上高（税抜）を合計しても1,000万円以下であるため、納税義務は免除されます。

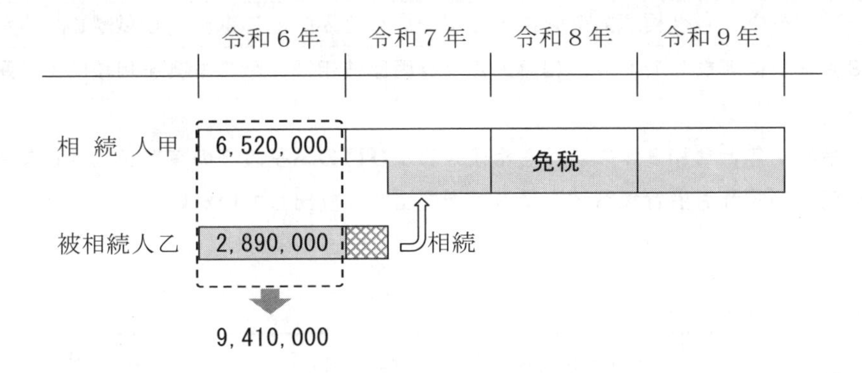

2. 令和９年の判定

令和９年については、相続人甲の基準期間（令和７年）における課税売上高だけを見れば1,000万円以下となっていますが、被相続人乙の基準期間（令和７年）における課税売上高を合計すると1,000万円を超えるため、甲の納税義務は免除されません。

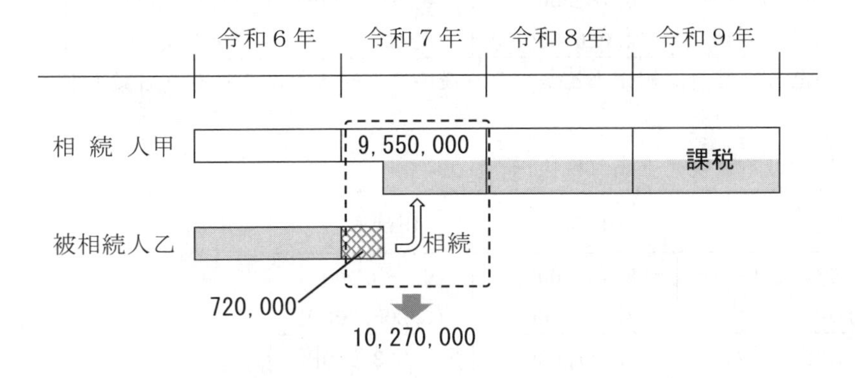

6 被相続人の2以上の事業場を2人以上の相続人が承継した場合 理論 計算

被相続人が２以上の事業場を有しており、その事業場を２人以上の相続人が事業場ごとに**分割して承継したときは**、その**承継した事業場に係る金額**を各相続人の納税義務の判定に用いることとします。

設例１－３ 被相続人の２以上の事業場を２人以上の相続人が承継した場合

個人事業者甲は令和７年８月２日に死亡しており、相続人乙及び丙は被相続人甲の事業を相続により承継した。

以下の【資料】に基づき、令和７年と令和８年における相続人乙及び丙の納税義務の有無を判定しなさい。ただし、甲及び乙並びに丙はいずれも消費税課税事業者選択届出書は提出していない。

【資料】

1. 被相続人甲の各年における課税売上高（税抜）

	A営業所 (※)	B営業所 (※)	合　計
令和５年１月１日～令和５年12月31日 （内、１月１日～６月30日）	6,520,000円 (3,390,000円)	12,890,000円 (6,387,000円)	19,410,000円 (9,777,000円)
令和６年１月１日～令和６年12月31日 （内、１月１日～６月30日）	9,550,000円 (4,966,000円)	13,720,000円 (6,629,000円)	23,270,000円 (11,595,000円)
令和７年１月１日～令和７年８月２日 （内、１月１日～６月30日）	5,162,000円 (4,026,000円)	6,402,000円 (5,429,000円)	11,564,000円 (9,455,000円)

(※) 被相続人が経営していたA営業所は相続人乙が、B営業所は相続人丙がそれぞれ事業承継している。

(2) 相続人乙及び丙の各年における課税売上高（税抜）

	相続人乙	相続人丙
令和５年１月１日～令和５年12月31日 （内、１月１日～６月30日）	8,437,000円 (4,049,000円)	6,285,000円 (3,205,000円)
令和６年１月１日～令和６年12月31日 （内、１月１日～６月30日）	9,111,000円 (4,373,000円)	6,662,000円 (3,397,000円)
令和７年１月１日～令和７年12月31日 （内、１月１日～６月30日）	13,350,000円 (4,723,000円)	11,651,000円 (3,465,000円)

解答 1. 令和７年

(1) 相続人乙

① 基準期間における課税売上高

8,437,000円 ≦ 10,000,000円

② 特定期間における課税売上高

4,373,000円 ≦ 10,000,000円

③ 相続があった場合の納税義務の免除の特例

6,520,000円 ≦ 10,000,000円

∴ 納税義務なし

(2) 相続人丙

① 基準期間における課税売上高

6,285,000円 ≦ 10,000,000円

② 特定期間における課税売上高

3,397,000円 ≦ 10,000,000円

③ 相続があった場合の納税義務の免除の特例

12,890,000円 ＞ 10,000,000円

∴ 令和7年8月3日～令和7年12月31日までの期間納税義務あり

2. 令和8年

(1) 相続人乙

① 基準期間における課税売上高

9,111,000円 ≦ 10,000,000円

② 特定期間における課税売上高

4,723,000円 ≦ 10,000,000円

③ 相続があった場合の納税義務の免除の特例

9,111,000円＋9,550,000円＝18,661,000円 ＞ 10,000,000円　　∴ 納税義務あり

(2) 相続人丙

① 基準期間における課税売上高

6,662,000円 ≦ 10,000,000円

② 特定期間における課税売上高

3,465,000円 ≦ 10,000,000円

③ 相続があった場合の納税義務の免除の特例

6,662,000円＋13,720,000円＝20,382,000円 ＞ 10,000,000円　　∴ 納税義務あり

解説　被相続人が2以上の事業場を有しており、その事業場を2人以上の相続人が事業場ごとに分割して承継したときは、下記の図解のようにその承継した事業場に係る金額を各相続人の納税義務の判定に用いることとします。

(1) 相続人乙の判定

① 令和7年

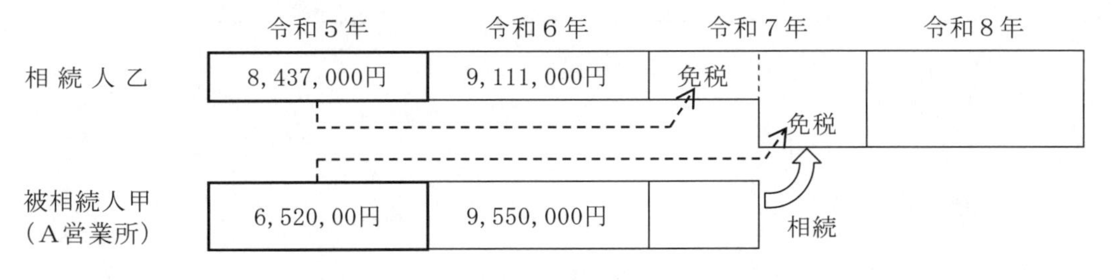

② 令和8年

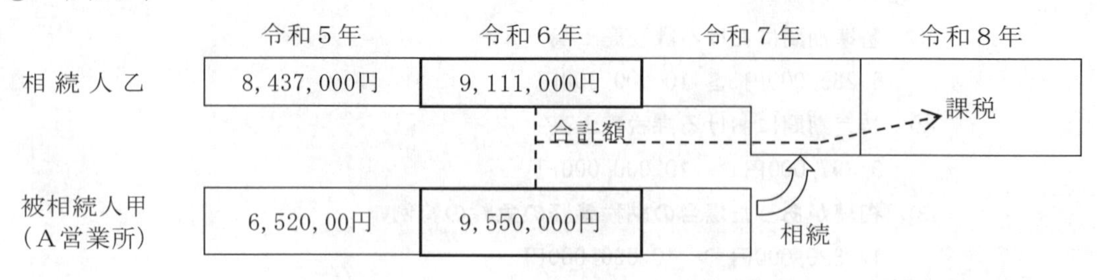

⑵ 相続人丙の判定

① 令和7年

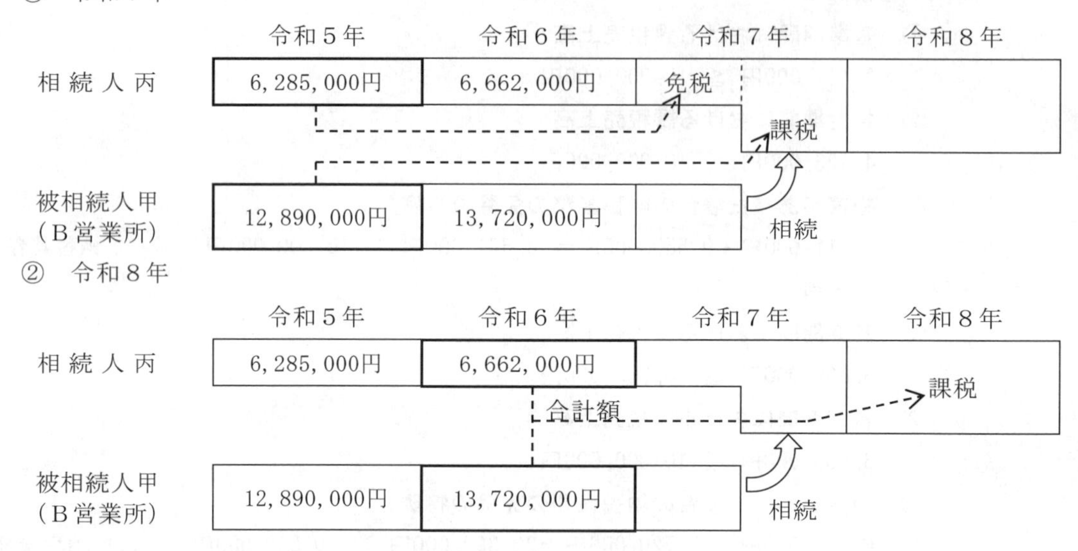

〈共有資産として相続した場合の取扱い〉 2回目でOK!

相続により他の相続人との共有資産として取得した不動産などの賃貸物件から生じる売上げについては、その取得した資産に係る売上げのうち、各相続人の持分による比率で按分した金額がその者の引き継いだ事業場に係る売上げであるものとして納税義務の判定を行います。

Chapter 8

合併があった場合の納税義務の免除の特例

法人は、事業の拡大や効率化のために合併を行うことがあります。合併によって他の法人の事業を承継した法人は、事業規模が拡大し、売上高も増加します。ところが、納税義務の基準期間による判定は、過去の売上げをもとに判定を行いますので、合併により拡大した規模が反映されないまま納税義務の判定が行われるという不具合が生じてしまいます。ここでは、合併があった場合の特例判定について見ていきましょう。

Section 1

吸収合併の場合における納税義務の判定

Chapter 7で学習したように、事業承継により事業が拡大した場合において基準期間における課税売上高のみで納税義務の判定を行うことは不合理であるため、一定の特例規定を設けています。
ここでは、合併による事業承継のうち、吸収合併が行われた場合の判定を見ていきましょう。

1 合併と納税義務

1. 合併の形態

合併とは、事業の拡大や効率化のために、**2つ以上の法人が統合して1つの法人になること**をいいます。

この合併には2つの形態があり、いずれの場合においても、合併法人（合併後存続する法人又は合併により設立された法人）は、被合併法人（合併により消滅した法人）の財産や義務等を包括的に承継することとなります。

⑴ **吸収合併**　合併する2つ以上の法人のうち合併法人以外が解散・消滅し、残った**合併法人が存続する合併**をいいます。

⑵ **新設合併**　合併する2つ以上の法人のすべてが解散・消滅し、**新しい法人を設立する合併**をいいます。

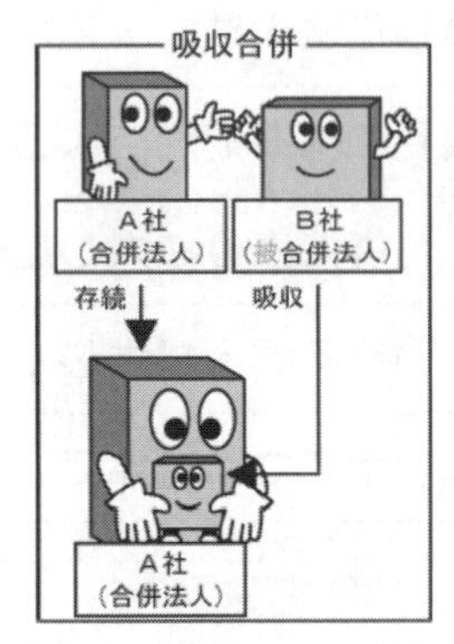

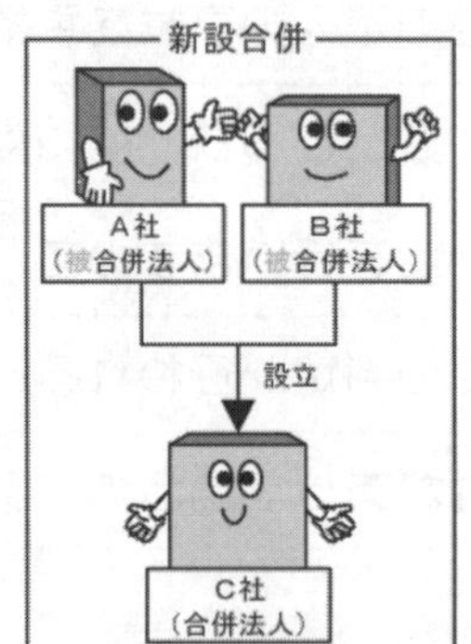

2. 合併と納税義務

相続の場合と同じように、合併による事業承継が行われたことにより事業が拡大したとしても、基準期間の納税義務の判定は、事業承継前の過去の売上げを基準とするため、本来小規模事業者の救済措置であるはずの納税義務の免除の規定を適用させてしまうことは事業承継後の実態が反映されず、不合理が生じます。

そこで、事業承継があった場合に**本来課税事業者であるべき事業を引き継いだ際**には、基準期間における課税売上高による判定のみならず、**合併の特例による判定**を行うこととしています。

<吸収合併の場合>

基準期間
当事業年度
×1 4/1
×2 4/1
×3 4/1
合併
×4 3/31
合併法人
課税売上高 1,000万円以下
免税
課税
吸収合併
被合併法人
課税売上高 1,000万円超
課税

2 吸収合併があった事業年度の納税義務の判定

1. 概要

吸収合併があった事業年度*01)における合併法人の納税義務については、まずは通常どおりに合併法人の基準期間における課税売上高及び特定期間における課税売上高で判定します。

しかし、判定の結果、納税義務が免除されることとなってしまうと被合併法人が本来課税事業者であった場合には、被合併法人が納付すべき消費税が合併により納付されないこととなってしまうため不合理が生じます。

そこで、消費税法では基準期間及び特定期間による納税義務の判定だけでなく、**合併の特例による判定**も行うこととなっています。

*01) 複雑にならないように、このChapterでは事業年度が1年であることを前提に解説していきます。

消費税法〈合併があった場合の納税義務の免除の特例〉

法11条① 合併（合併により法人を設立する場合を除く。）があった場合において、被合併法人の合併法人のその合併があった日の属する事業年度の基準期間に対応する期間における課税売上高として政令で定めるところにより計算した金額（被合併法人が２以上ある場合には、いずれかの被合併法人に係るその金額）が1,000万円を超えるときは、その合併法人（課税事業者選択届出書の提出により、又は前年等の課税売上高による特例の規定により消費税を納める義務が免除されない法人を除く。）のその事業年度（その基準期間における課税売上高が1,000万円以下である事業年度に限る。）のその合併があった日からその合併があった日の属する事業年度終了の日までの間における課税資産の譲渡等及び特定課税仕入れについては、納税義務は免除されない。

2. 判定手順

⑴ 基準期間の判定（法９①）

吸収合併があった事業年度における合併法人の納税義務の判定は、まず**合併法人単独の基準期間における課税売上高で判定**します。これが1,000万円を超えていれば課税事業者となり、⑵以降の判定は行いません。

⑵ 特定期間の判定（法９の２①）

次に、**合併法人単独の特定期間における課税売上高で判定**します。これが1,000万円を超えていれば課税事業者となり、⑶合併の判定は行いません。

⑶ 合併の判定（法11①）

合併法人の基準期間における課税売上高、及び特定期間における課税売上高が共に1,000万円以下である場合、**被合併法人の対応する期間の課税売上高**[*02)]**で判定**し、1,000万円を超えるとき[*03)]は、合併法人[*04)]のその事業年度開始の日から合併があった日の前日までの期間の課税資産の譲渡等及び特定課税仕入れについては納税義務は免除されますが、**合併があった日**[*05)]**からその事業年度終了の日までの期間**の課税資産の譲渡等及び特定課税仕入れについては納税義務は免除されません。

*02) この教科書では、条文中の「被合併法人の合併法人のその合併があった日の属する事業年度の基準期間に対応する期間における課税売上高として一定の方法により計算した金額」を「被合併法人の対応する期間の課税売上高」と表記しています。

*03) 被合併法人が２以上ある場合には、いずれかの被合併法人の対応する期間の課税売上高が1,000万円を超えるときです。

*04) 課税事業者を選択している法人を除きます。

*05) 相続の場合は、「相続があった日の”翌日”から」納税義務が生じましたが、合併の場合は「合併があった日から」納税義務が生じます。細かい違いですが、間違えないように注意しましょう。

3. 判定に用いる被合併法人の課税売上高（令22①）

吸収合併があった事業年度における納税義務の判定に用いる被合併法人の課税売上高は、合併法人の**合併があった日の属する事業年度開始の日の２年前の日の前日から同日以後１年を経過する日までの間に終了**した被合併法人の各事業年度を対応する期間とし、その期間の課税売上高を次の算式により調整した金額を用います。

〈被合併法人の対応する期間の課税売上高〉

$$\text{被合併法人の対応する期間の課税売上高} = \frac{\text{対応する期間の課税売上高}}{\text{対応する期間に含まれる月数}} \times 12$$

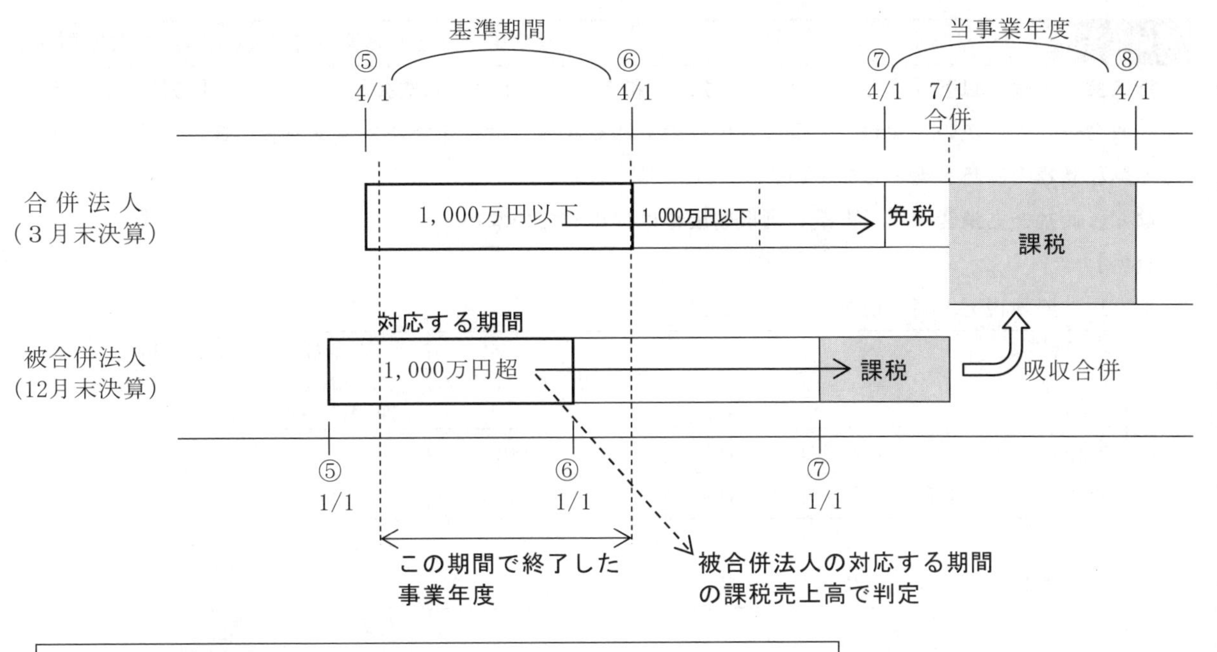

〈対応する期間〉

その事業年度開始の日（令和7年4月1日）の2年前の日（令和5年4月2日）の前日（令和5年4月1日）から同日以後1年を経過する日（令和6年3月31日）までの間に**終了**した被合併法人の各事業年度（令和5年1月1日～令和5年12月31日）

〈判定〉

(1)　基準期間の判定（法9①）

基準期間における課税売上高　xx,xxx,xxx 円 ＞ 1,000 万円 → 納税義務あり　判定終了

≦ 1,000 万円 → (2)へ

(2)　特定期間の判定（法9の2①）

特定期間における課税売上高　xx,xxx,xxx 円 ＞ 1,000 万円 → 納税義務あり　判定終了

≦ 1,000 万円 → (3)へ

(3)　合併の判定（法11①）

被合併法人の対応する期間の課税売上高　xx,xxx,xxx 円 ＞ 1,000 万円 →
- その事業年度開始の日から合併があった日の前日まで ⇒ 納税義務なし
- 合併があった日からその事業年度終了の日まで ⇒ 納税義務あり

≦ 1,000 万円 → 納税義務なし

設例1－1　吸収合併があった事業年度の納税義務の有無の判定

株式会社甲社（以下「甲社」という。）は、令和7年7月1日に株式会社乙社（以下「乙社」という。）を吸収合併した。次の【資料】に基づき甲社の令和6年度（令和7年4月1日～令和8年3月31日）における納税義務の有無を判定しなさい。

なお、両社とも消費税課税事業者選択届出書は提出していない。

【資料】

1. 甲社の課税売上高（税抜金額）の状況

	課税売上高（税抜）	左の金額のうち4/1～9/30までの期間に係る金額
令和5年4月1日～令和6年3月31日	8,500,000円	3,400,000円
令和6年4月1日～令和7年3月31日	9,590,000円	4,603,000円

2. 乙社の課税売上高（税抜金額）の状況

	課税売上高（税抜）	左の金額のうち1/1～6/30までの期間に係る金額
令和5年1月1日～令和5年12月31日	12,600,000円	6,552,000円
令和6年1月1日～令和6年12月31日	9,900,000円	4,125,000円

解答

(1) **基準期間における課税売上高**

8,500,000円 ≦ 10,000,000円

(2) **特定期間における課税売上高**

4,603,000円 ≦ 10,000,000円

(3) **合併があった場合の納税義務の免除の特例**

$$\frac{12,600,000円}{12} \times 12 = 12,600,000円 > 10,000,000円$$

∴　**令和7年7月1日～令和8年3月31日までの期間納税義務あり**

解説

吸収合併があった事業年度における合併法人である甲社の納税義務の有無は、原則的には、甲社の基準期間及び特定期間における課税売上高が1,000万円を超えるか否かで判定します。

しかし、合併の判定により被合併法人乙社の対応する期間の課税売上高が1,000万円を超える場合には、合併があった日からその事業年度終了の日までの期間の課税資産の譲渡等及び特定課税仕入れについては、甲社の納税義務は免除されません。

なお、この設例における「対応する期間」とは、合併法人の合併があった日の属する事業年度開始の日（令和7年4月1日）の2年前の日の前日（令和5年4月1日）から同日以後1年を経過する日（令和6年3月31日）までの間に終了した被合併法人の事業年度（令和5年1月1日～令和5年12月31日）となります。

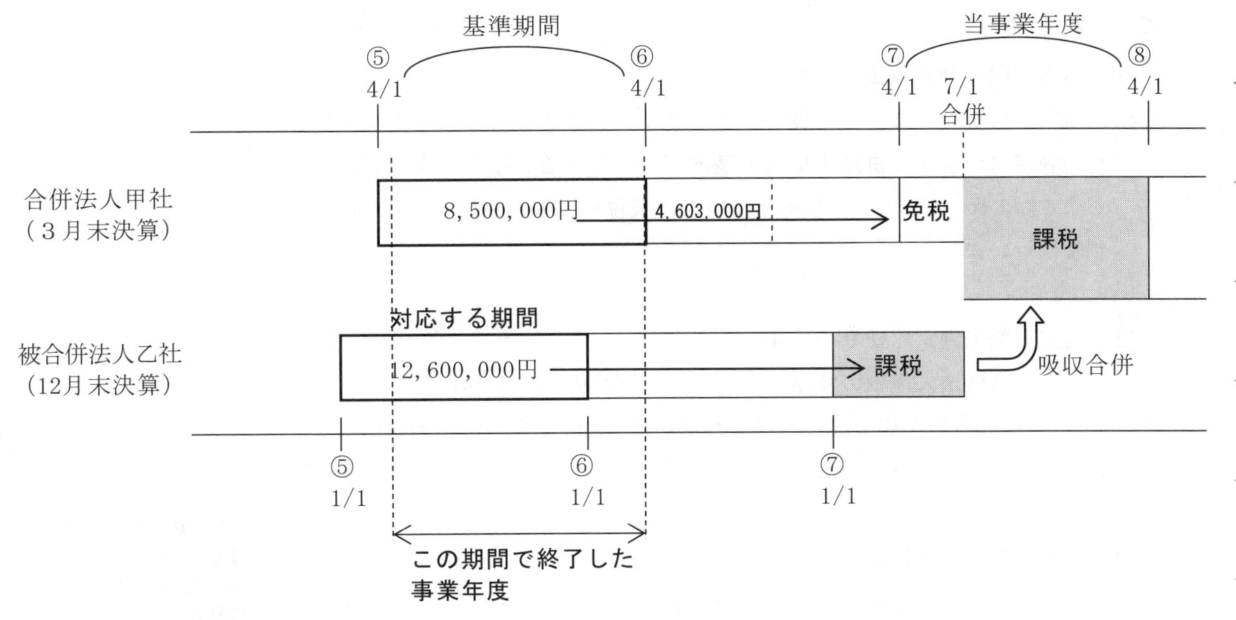

3 吸収合併があった事業年度の翌事業年度の納税義務の判定

1. 概要

吸収合併があった事業年度の翌事業年度における合併法人の納税義務についても、まずは通常どおりに合併法人の基準期間における課税売上高、及び特定期間における課税売上高で判定します。しかし、この基準期間における課税売上高は合併が行われる以前の事業規模ですので、仮にその課税売上高が1,000万円以下であったとしても、合併した後の合併法人の事業規模が、納税義務を免除するほどの小規模とは限りません。

そこで、消費税法では基準期間及び特定期間による納税義務の判定だけでなく、**合併の特例による判定**も行うこととしています。

消費税法〈合併があった場合の納税義務の免除の特例〉

法11条②　合併法人のその事業年度の基準期間の初日の翌日からその事業年度開始の日の前日までの間に合併があった場合において、その合併法人のその事業年度の基準期間における課税売上高と被合併法人のその合併法人のその事業年度の基準期間に対応する期間における課税売上高として政令で定めるところにより計算した金額（被合併法人が２以上ある場合には、各被合併法人に係るその金額の合計額）との合計額が1,000万円を超えるときは、その合併法人（課税事業者選択届出書の提出により、又は前年等の課税売上高による特例の規定により消費税を納める義務が免除されない法人を除く。）のその事業年度（その基準期間における課税売上高が1,000万円以下である事業年度に限る。）における課税資産の譲渡等及び特定課税仕入れについては、納税義務は免除されない。

2. 判定手順

(1) 基準期間の判定（法9①）

吸収合併があった事業年度の翌事業年度における合併法人の納税義務の判定は、まず**合併法人単独の基準期間における課税売上高で判定**します。これが1,000万円を超えていれば課税事業者となり、(2)以降の判定は行いません。

(2) 特定期間の判定（法9の2①）

次に、**合併法人単独の特定期間における課税売上高で判定**します。これが1,000万円を超えていれば課税事業者となり、(3)合併の判定は行いません。

(3) 合併の判定（法11②）

合併法人の基準期間における課税売上高、及び特定期間における課税売上高が共に1,000万円以下である場合、**合併法人の基準期間における課税売上高と被合併法人の対応する期間の課税売上高**[*01)]**の合計額**[*02)]**で判定**し、1,000万円を超えるときは合併法人[*03)]のその事業年度における納税義務は免除されません。

*01) この教科書では、条文中の「被合併法人の合併法人のその事業年度の基準期間に対応する期間における課税売上高として一定の方法により計算した金額」を「被合併法人の対応する期間の課税売上高」と表記しています。
なお、被合併法人が２以上ある場合には、各被合併法人の対応する期間の課税売上高の合計額を用います。

*02) 合併があった事業年度の特例判定は、被合併法人の課税売上高のみで判定しますが、翌事業年度以後は合併法人と被合併法人の課税売上高の合計額が1,000万円を超えるか否かで判定します。

*03) 課税事業者を選択している法人を除きます。

3. 判定に用いる被合併法人の課税売上高（令22②）

吸収合併があった事業年度の翌事業年度の判定に用いる被合併法人の課税売上高は、合併法人の**基準期間の初日から同日以後１年を経過する日までの間に終了**した被合併法人の各事業年度を対応する期間とし、その期間の課税売上高を次の算式により調整した金額を用います。

〈被合併法人の対応する期間の課税売上高〉

$$\text{被合併法人の対応する期間の課税売上高} = \frac{\text{対応する期間の課税売上高}}{\text{対応する期間に含まれる月数}} \times 12$$

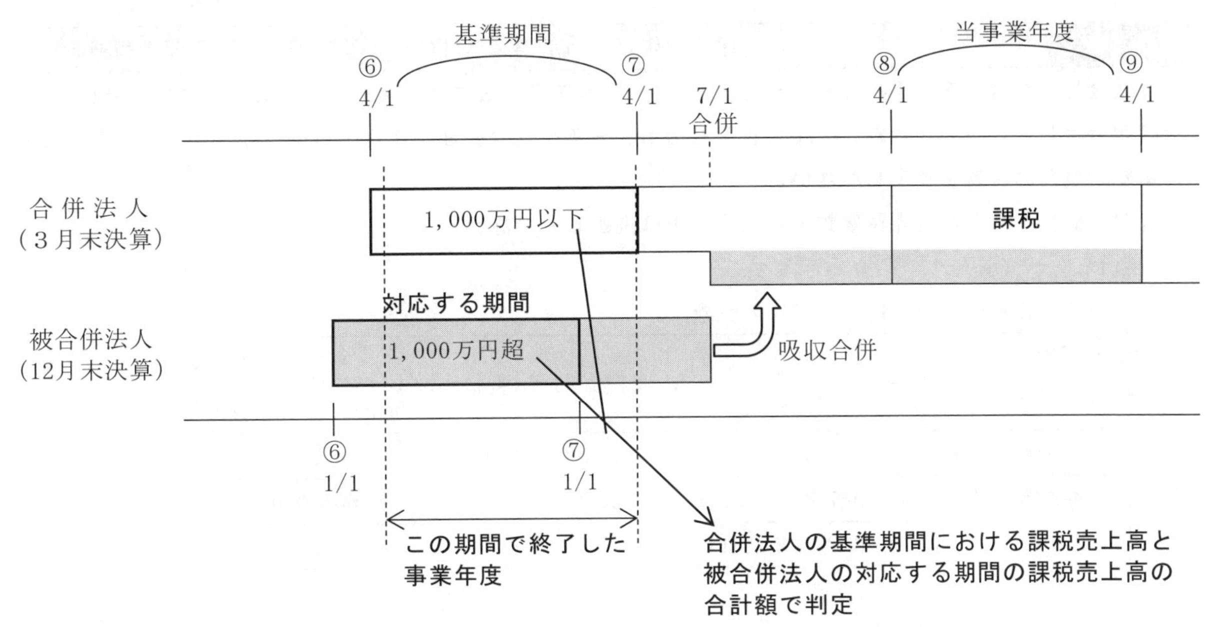

<対応する期間>

基準期間の初日（令和６年４月１日）から同日以後１年を経過する日（令和７年３月31日）までの間に**終了**した被合併法人の各事業年度（令和６年１月１日～令和６年12月31日）

<判定>

⑴ 基準期間の判定（法９①）

基準期間における課税売上高　xx,xxx,xxx円 ＞ 1,000万円 → 納税義務あり　判定終了
　　　　　　　　　　　　　　　　　　　　　≦ 1,000万円 → ⑵へ

⑵ 特定期間の判定（法９の２①）

特定期間における課税売上高　xx,xxx,xxx円 ＞ 1,000万円 → 納税義務あり　判定終了
　　　　　　　　　　　　　　　　　　　　　≦ 1,000万円 → ⑶へ

⑶ 合併の判定（法11②）

（合併法人の基準期間の課税売上高）＋（被合併法人の対応する期間の課税売上高）＝xx,xxx,xxx円 ＞ 1,000万円 → 納税義務あり
　　　　　　　　　　　　　　　　　　　　　≦ 1,000万円 → 納税義務なし

設例1－2　吸収合併があった事業年度の翌事業年度の納税義務の有無の判定

株式会社甲社（以下「甲社」という。）は、令和７年７月１日に株式会社乙社（以下「乙社」という。）を吸収合併した。次の【資料】に基づき甲社の令和８年度（令和８年４月１日～令和９年３月31日）における納税義務の有無を判定しなさい。

なお、両社とも消費税課税事業者選択届出書は提出していない。

【資料】

1.　甲社の課税売上高（税抜金額）の状況

	課税売上高（税抜）	左の金額のうち4/1～9/30までの期間に係る金額
令和５年４月１日～令和６年３月31日	8,500,000円	3,400,000円
令和６年４月１日～令和７年３月31日	9,590,000円	4,603,000円
令和７年４月１日～令和８年３月31日	13,368,000円	6,318,000円

2.　乙社の課税売上高（税抜金額）の状況

	課税売上高（税抜）	左の金額のうち1/1～6/30までの期間に係る金額
令和５年１月１日～令和５年12月31日	12,600,000円	6,552,000円
令和６年１月１日～令和６年12月31日	9,900,000円	4,125,000円
令和７年１月１日～令和７年６月30日	4,752,000円	―

解答

(1)　基準期間における課税売上高

9,590,000円 ≦ 10,000,000円

(2)　特定期間における課税売上高

6,318,000円 ≦ 10,000,000円

(3)　合併があった場合の納税義務の免除の特例

$$9,590,000円+\frac{9,900,000円}{12}\times 12=19,490,000円 > 10,000,000円$$

∴　納税義務あり

解説

吸収合併があった事業年度の翌事業年度における合併法人甲社の納税義務の判定も、まずは甲社の基準期間及び特定期間の課税売上高が1,000万円を超えるか否かで判定します。

しかし、特例として、甲社の基準期間における課税売上高と被合併法人乙社の対応する期間の課税売上高の合計額が1,000万円を超える場合には、甲社の納税義務は免除されないこととなっています。

なお、この設例における「対応する期間」とは、合併法人甲社の基準期間の初日（令和６年４月１日）から同日以後１年を経過する日（令和７年３月31日）までの間に終了した被合併法人乙社の各事業年度（令和６年１月１日～令和６年12月31日）となります。

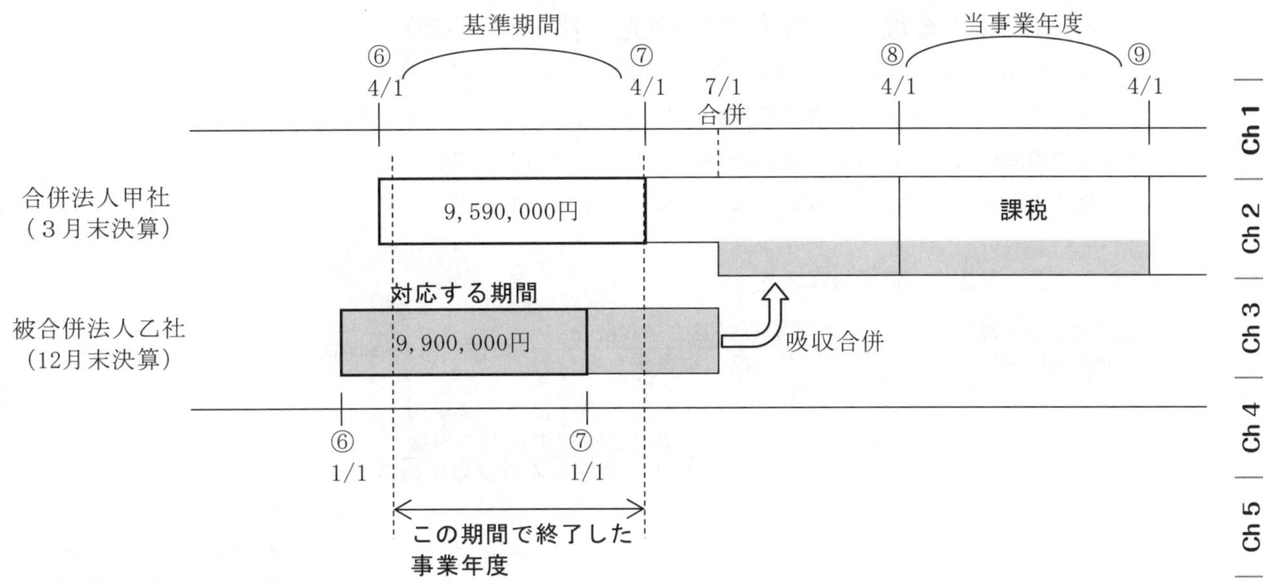

4 吸収合併があった事業年度の翌々事業年度の納税義務の判定

1. 概要

合併があった事業年度の翌々事業年度においても、翌事業年度と同様の趣旨により、基準期間及び特定期間による納税義務の判定だけでなく、合併の特例による納税義務の判定も行うこととなります。

2. 判定手順

⑴ 基準期間の判定（法９①）

吸収合併のあった事業年度の翌々事業年度においても合併法人の納税義務の判定は、まず通常どおりに**合併法人単独の基準期間における課税売上高で判定**します。これが1,000万円を超えていれば課税事業者となり、⑵以降の判定は行いません。

⑵ 特定期間の判定（法９の２①）

次に、**合併法人単独の特定期間における課税売上高で判定**します。これが1,000万円を超えていれば課税事業者となり、⑶合併の判定は行いません。

⑶ 合併の判定（法11②）

合併法人の基準期間における課税売上高、及び特定期間における課税売上高が共に1,000万円以下である場合、**合併法人の基準期間における課税売上高と被合併法人の対応する期間の課税売上高**[*01]**の合計額で判定**し、1,000万円を超えるときは合併法人[*02]のその事業年度における納税義務は免除されません。

*01) この教科書では、条文中の「被合併法人の合併法人のその事業年度の基準期間に対応する期間における課税売上高として一定の方法により計算した金額」を「被合併法人の対応する期間の課税売上高」と表記しています。
なお、被合併法人が２以上ある場合には、各被合併法人の対応する期間の課税売上高の合計額を用います。

*02) 課税事業者を選択している法人を除きます。

3. 判定に用いる被合併法人の課税売上高（令22②）

吸収合併があった事業年度の翌々事業年度の判定に用いる被合併法人の課税売上高は、合併法人の**基準期間の初日から同日以後１年を経過する日までの間に終了した**被合併法人の各事業年度を対応する期間とし、その期間の課税売上高を次の算式により調整した金額を用います。

〈被合併法人の対応する期間の課税売上高〉

$$\text{被合併法人の対応する期間の課税売上高}=\frac{\text{対応する期間の課税売上高}}{\text{対応する期間に含まれる月数}}\times 12\ \text{（円未満切捨）}\times\frac{\text{基準期間の初日から合併の日の前日までの期間の月数}}{\text{基準期間に含まれる事業年度の月数}}$$ *03)

*03) 合併法人の基準期間の売上げには、被合併法人から引き継いだ事業の売上げも含まれているため、被合併法人の対応する期間の課税売上高の全額は使わず必要な月数で按分した金額を用いて判定に用います。

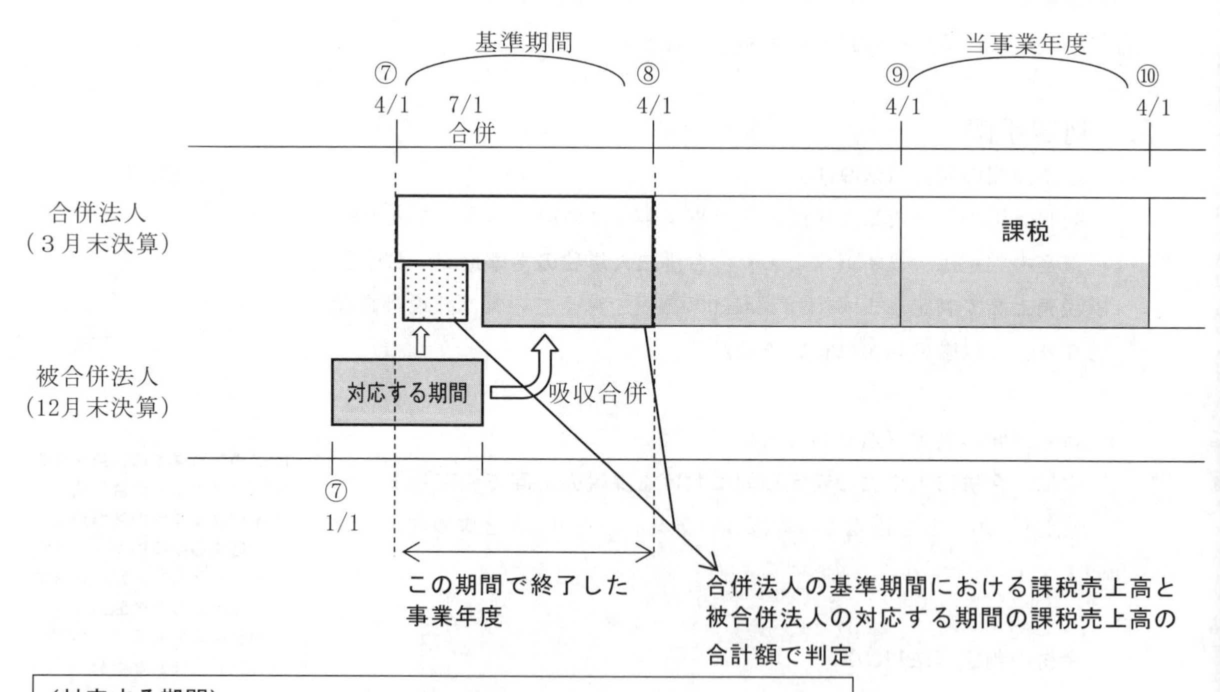

〈対応する期間〉

基準期間の初日（令和７年４月１日）から同日以後１年を経過する日（令和８年３月31日）までの間に終了した被合併法人の各事業年度（令和７年１月１日～令和７年６月30日）

<判定>

(1) 基準期間の判定（法９①）

基準期間における課税売上高　xx,xxx,xxx円 ＞ 1,000万円 → 納税義務あり　判定終了

≦ 1,000万円 → (2)へ

(2) 特定期間の判定（法９の２①）

特定期間における課税売上高　xx,xxx,xxx円 ＞ 1,000万円 → 納税義務あり　判定終了

≦ 1,000万円 → (3)へ

(3) 合併の判定（法11②）

（合併法人の基準期間の課税売上高）＋（被合併法人の対応する期間の課税売上高）＝xx,xxx,xxx円 ＞ 1,000万円 → 納税義務あり

≦ 1,000万円 → 納税義務なし

設例１－３　吸収合併があった事業年度の翌々事業年度の納税義務の有無の判定

株式会社甲社（以下「甲社」という。）は、令和７年７月１日に株式会社乙社（以下「乙社」という。）を吸収合併した。次の【資料】に基づき甲社の令和９年度（令和９年４月１日～令和10年３月31日）における納税義務の有無を判定しなさい。

なお、両社とも消費税課税事業者選択届出書は提出していない。

【資料】

1. 甲社の課税売上高（税抜金額）の状況

	課税売上高（税抜）	左の金額のうち4/1～9/30までの期間に係る金額
令和７年４月１日～令和８年３月31日	9,868,000円	5,920,000円
令和８年４月１日～令和９年３月31日	18,562,000円	8,909,000円

2. 乙社の課税売上高（税抜金額）の状況

	課税売上高（税抜）	左の金額のうち1/1～6/30までの期間に係る金額
令和６年１月１日～令和６年12月31日	9,900,000円	4,125,000円
令和７年１月１日～令和７年６月30日	4,752,000円	—

解答

(1) 基準期間における課税売上高

9,868,000円 ≦ 10,000,000円

(2) 特定期間における課税売上高

8,909,000円 ≦ 10,000,000円

⑶　合併があった場合の納税義務の免除の特例

$$9,868,000円+\frac{4,752,000円}{6}\times 12\times\frac{3}{12}=12,244,000円 > 10,000,000円$$

∴　納税義務あり

解説

吸収合併があった事業年度の翌々事業年度における合併法人甲社の納税義務の判定では、原則的には甲社の基準期間及び特定期間の課税売上高が1,000万円を超えるか否かで判定します。

しかし、特例として、甲社の基準期間における課税売上高と被合併法人乙社の対応する期間の課税売上高の合計額が1,000万円を超える場合には、甲社の納税義務は免除されないこととなっています。

なお、この設例における「対応する期間」とは、合併法人甲社の基準期間の初日（令和７年４月１日）から同日以後１年を経過する日（令和８年３月31日）までの間に終了した被合併法人乙社の各事業年度（令和７年１月１日～令和７年６月30日）となります。

また、甲社の基準期間が合併があった事業年度であるため、被合併法人乙社の課税売上高はⒶの部分に相当する金額を按分により求めて判定に用います。

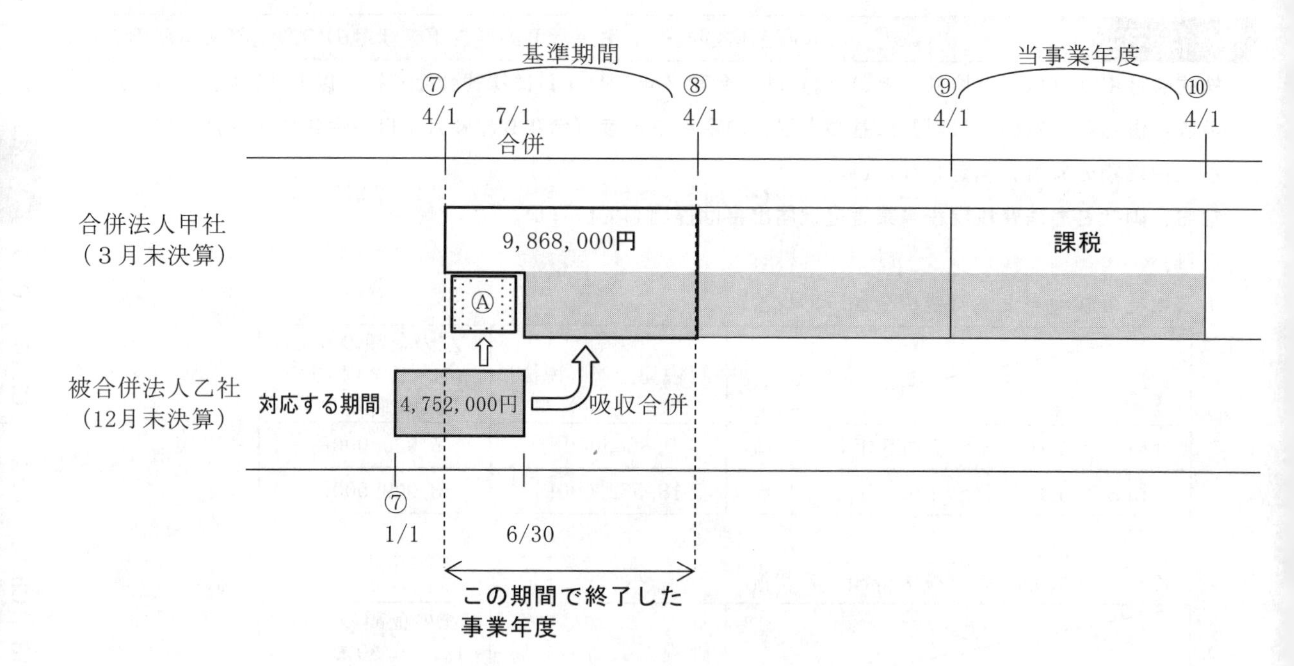

Section 2 新設合併の場合における納税義務の判定

Section 1で学習した合併の形態のうち、ここでは合併により新たに法人を設立する形態である新設合併における納税義務の判定の特例規定について見ていきます。相続の場合や吸収合併の場合との違いに注意しながら確認していきましょう。

1 概要

新設合併があった場合において、新設合併により設立された法人（合併法人）には基準期間がありません。そのため、基準期間における課税売上高がないこととなり、原則的には設立事業年度や翌事業年度*01)は免税事業者となってしまいます。

*01) 翌事業年度については、特定期間による判定も行います。

新設合併は、合併により既存の事業規模を拡大させているにもかかわらず、新設合併を理由に基準期間がないからといって納税義務を免除させることは適当であるとはいえません。

そこで、消費税法では新設合併があった場合にも吸収合併と同様に納税義務の判定について特例を設けています。

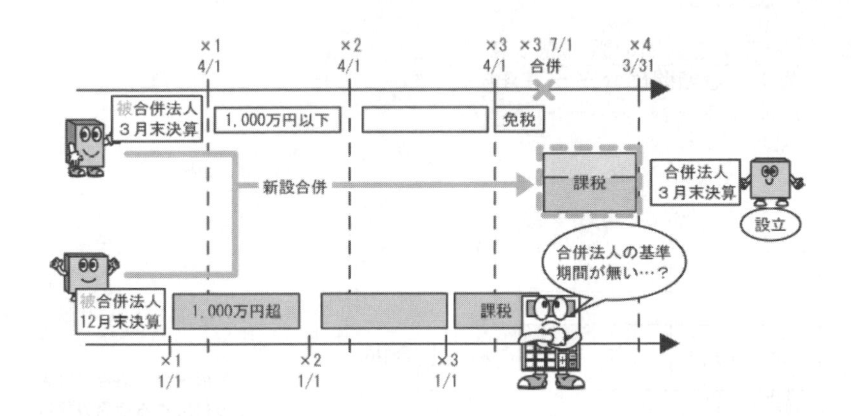

2 新設合併があった事業年度の納税義務の判定

1. 概要

新設合併があった事業年度の納税義務の判定は、合併法人に基準期間がないため、各被合併法人の対応する期間における課税売上高で個々に判定します。

各被合併法人の対応する期間の課税売上高*01)のいずれかが1,000万円を超えている場合には、その合併法人*02)の合併事業年度の納税義務は免除されません。なお、新設合併の合併事業年度は、新設法人の基準期間がない事業年度にも該当するため、新設合併の特例の判定により1,000万円以下となった場合には、**新設法人の特例の判定（資本金による判定）*03)**を行います。

*01) この教科書では、条文中の「被合併法人の合併法人のその合併があった日の属する事業年度の基準期間に対応する期間における課税売上高として一定の方法により計算した金額」を「被合併法人の対応する期間の課税売上高」と表記しています。

*02) 課税事業者を選択している法人を除きます。なお、設立初年度にあたるため特定期間の判定はありません。

Ch 1 Ch 2 Ch 3 Ch 4 Ch 5 Ch 6 Ch 7 Ch 8 Ch 9 Ch 10 Ch 11 Ch 12 Ch 13 Ch 14 Ch 15 Ch 16 Ch 17

消費税法〈合併があった場合の納税義務の免除の特例〉

法11条③　合併（合併により法人を設立する場合に限る。以下同じ。）があった場合において、被合併法人の合併法人のその合併があった日の属する事業年度の基準期間に対応する期間における課税売上高として政令で定めるところにより計算した金額のいずれかが1,000万円を超えるときは、その合併法人（課税事業者選択届出書の提出により消費税を納める義務が免除されないものを除く。）のその合併があった日の属する事業年度における課税資産の譲渡等及び特定課税仕入れについては、納税義務は免除されない。

*03) 事業年度開始の日における資本金が1,000万円以上の場合に納税義務が免除されなくなる規定です。詳しくは教科書消費税法Ⅱ基礎完成編Chapter 6 を参照してください。

2. 判定に用いる各被合併法人の課税売上高（令22③）

新設合併があった事業年度における納税義務の判定に用いる各被合併法人の課税売上高は、合併法人の合併があった日の属する**事業年度**[*04] **開始の日の２年前の日の前日から同日以後１年を経過する日までの間に終了した各被合併法人の各事業年度**を対応する期間とし、その期間の課税売上高を次の算式により調整した金額を用います。

*04) 新設合併では合併法人を新たに設立するため、合併の日以前に合併法人は存在していません。したがって、吸収合併と異なり、合併法人の合併の日より前のことを考慮する必要はありません。

〈被合併法人の対応する期間の課税売上高〉

$$\text{被合併法人の対応する期間の課税売上高} = \frac{\text{対応する期間の課税売上高}}{\text{対応する期間に含まれる月数}} \times 12$$

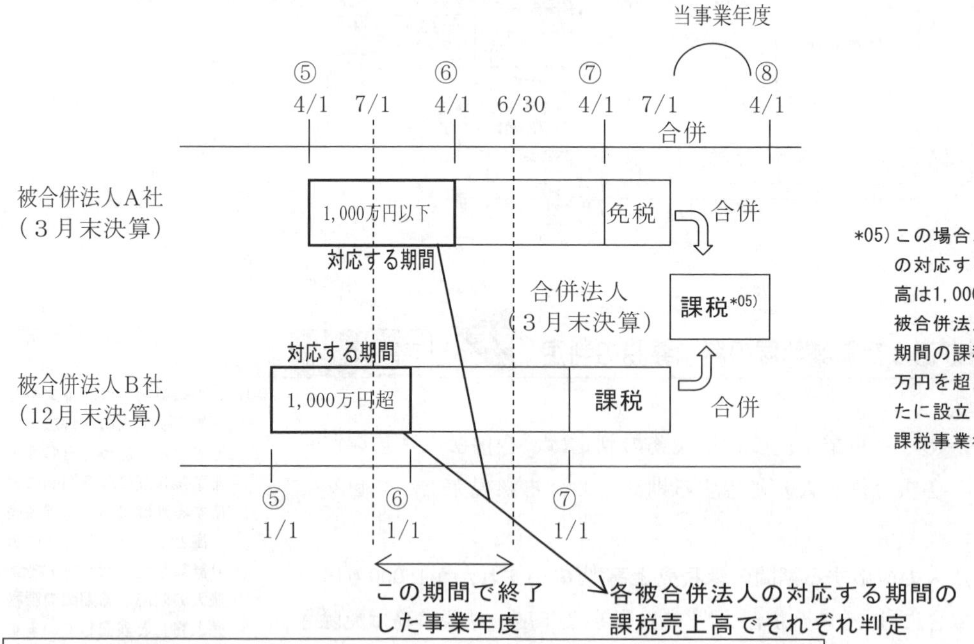

当事業年度

⑤ 4/1　7/1　⑥ 4/1　6/30　⑦ 4/1　7/1 合併　⑧ 4/1

被合併法人A社（３月末決算）　1,000万円以下　対応する期間　免税　合併

合併法人（３月末決算）　課税[*05]

被合併法人B社（12月末決算）　対応する期間　1,000万円超　課税　合併

⑤ 1/1　⑥ 1/1　⑦ 1/1

この期間で終了した事業年度

各被合併法人の対応する期間の課税売上高でそれぞれ判定

*05) この場合、被合併法人Ａ社の対応する期間の課税売上高は1,000万円以下ですが、被合併法人Ｂ社の対応する期間の課税売上高が1,000万円を超えているので、新たに設立される合併法人は課税事業者となります。

〈対応する期間〉

合併法人の合併があった日の属する事業年度開始の日（令和７年７月１日）の２年前の日の前日（令和５年７月１日）から同日以後１年を経過する日（令和６年６月30日）までの間に**終了**した各被合併法人の事業年度

<判定>

(1) 基準期間の判定（法９①）

基準期間がない事業年度[*06)]

(2) 特定期間の判定（法９の２①）

特定期間がない事業年度[*06)]

(3) 合併の判定（法11③）

① 被合併法人１

被合併法人の対応する期間の課税売上高　xx,xxx,xxx円 ＞ 1,000万円 → 納税義務あり

≦ 1,000万円 → ②へ

② 被合併法人２

被合併法人の対応する期間の課税売上高　xx,xxx,xxx円 ＞ 1,000万円 → 納税義務あり

≦ 1,000万円 → (4)へ[*07)]

(4) 新設法人の判定（法12の２）

期首資本金額　xx,xxx,xxx円 ≧ 1,000万円 → 納税義務あり

＜ 1,000万円 → 納税義務なし

*06) コメントを答案用紙に記載します。

*07) 被合併法人が２以上あるときは、すべての被合併法人について判定します。

設例２－１　新設合併があった事業年度の納税義務の有無の判定

株式会社Ａ社（以下「Ａ社」という。）と株式会社Ｂ社（以下「Ｂ社」という。）は、令和７年７月１日に合併し、新たに株式会社Ｃ社（以下「Ｃ社」という。設立時の資本金500万円であり、その後増減はない。）を設立した。

以下の【資料】に基づきＣ社の令和７年度（令和７年７月１日～令和８年３月31日）の課税期間における納税義務の有無を判定しなさい。

なお、Ａ社、Ｂ社及びＣ社とも消費税課税事業者選択届出書は提出していない。

【資料】

1. Ａ社の各課税期間における課税売上高

課　税　期　間	課税売上高（税抜金額）
令和５年４月１日～令和６年３月31日	8,748,000円
令和６年４月１日～令和７年３月31日	8,220,000円
令和７年４月１日～令和７年６月30日	3,000,000円

2. B社の各課税期間における課税売上高

課　税　期　間	課税売上高（税抜金額）
令和５年１月１日～令和５年12月31日	12,600,000円
令和６年１月１日～令和６年12月31日	10,800,000円
令和７年１月１日～令和７年６月30日	6,000,000円

3. C社の各課税期間における課税売上高

課　税　期　間	課税売上高（税抜金額）
令和７年７月１日～令和８年３月31日 （うち令和７年７月１日～令和７年12月31日）	7,200,000円 （4,320,000円）
令和８年４月１日～令和９年３月31日 （うち令和８年４月１日～令和８年９月30日）	18,000,000円 （8,100,000円）
令和９年４月１日～令和10年３月31日 （うち令和９年４月１日～令和９年９月30日）	22,000,000円 （9,900,000円）

解答

⑴ 基準期間における課税売上高

設立事業年度のため基準期間がない事業年度

⑵ 特定期間における課税売上高

設立事業年度のため特定期間がない事業年度

⑶ 合併があった場合の納税義務の免除の特例

① A社

$$\frac{8,748,000円}{12} \times 12 = 8,748,000円 \leqq 10,000,000円$$

② B社

$$\frac{12,600,000円}{12} \times 12 = 12,600,000円 > 10,000,000円$$

∴ 納税義務あり

解説

新設合併があった事業年度においては合併法人に基準期間及び特定期間はありません。しかし、各被合併法人の対応する期間の課税売上高のいずれかが1,000万円を超えている場合には、特例として納税義務が免除されないこととなっています。

なお、この設例における「対応する期間」とは、合併法人の合併があった日の属する事業年度開始の日（令和７年７月１日）の２年前の日の前日（令和５年７月１日）から同日以後１年を経過する日（令和６年６月30日）までの間に終了した各被合併法人の事業年度なので、

A社は、令和５年４月１日～令和６年３月31日

B社は、令和５年１月１日～令和５年12月31日

までの事業年度が該当します。

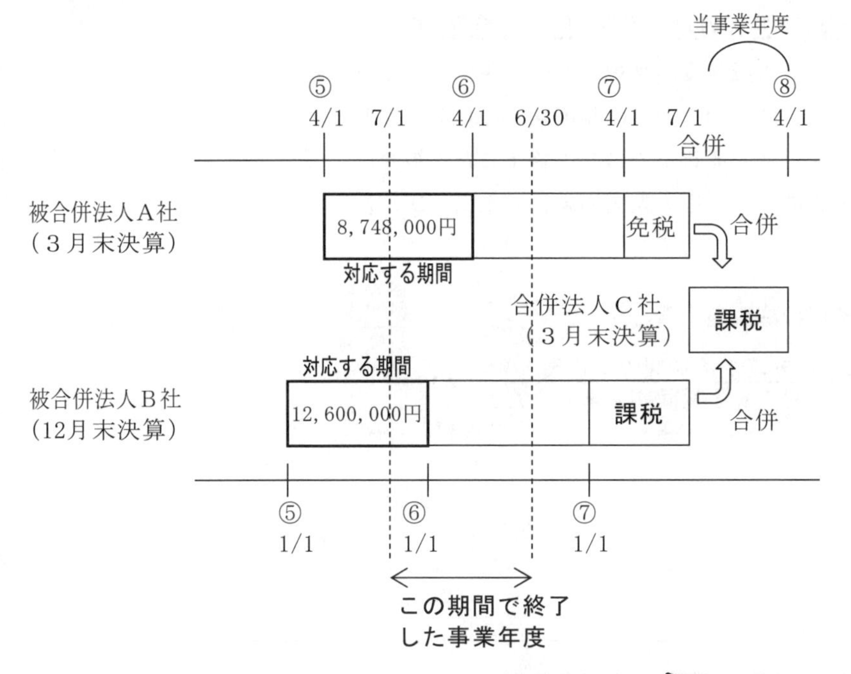

3 新設合併があった事業年度の翌事業年度の納税義務の判定

1. 概要

新設合併の翌事業年度には、未だ合併法人の基準期間はありません。そのため、**各被合併法人の対応する期間の課税売上高**[*01]**の合計額**[*02]**で判定**します。この合計額が1,000万円を超えていれば、合併法人[*03]のその事業年度における納税義務は免除されません。

*01) この教科書では、条文中の「被合併法人のその合併法人のその事業年度の基準期間に対応する期間における課税売上高として一定の方法により計算した金額」を「被合併法人の対応する期間の課税売上高」と表記しています。

*02) 新設合併があった事業年度は被合併法人の対応する期間の課税売上高を個々に判定しますが、翌事業年度はすべての被合併法人の対応する期間の課税売上高の合計額が1,000万円を超えるか否かで判定します。

*03) 課税事業者を選択している法人及び特定期間における課税売上高が1,000万円を超える法人を除きます。

消費税法〈合併があった場合の納税義務の免除の特例〉

法11条④　合併法人のその事業年度開始の日の２年前の日からその事業年度開始の日の前日までの間に合併があった場合において、その合併法人のその事業年度の基準期間における課税売上高（事業年度の基準期間中の国内における課税資産の譲渡等の対価の額の合計額から事業年度の基準期間における売上げに係る税抜対価の返還等の金額の合計額を控除した残額をいう。以下同じ。）と各被合併法人のその合併法人のその事業年度の基準期間に対応する期間における課税売上高として政令で定めるところにより計算した金額の合計額との合計額（その合併法人のその事業年度の基準期間における課税売上高がない場合その他政令で定める場合には、政令で定める金額）が1,000万円を超えるときは、その合併法人（課税事業者選択届出書の提出により、又は前年等の課税売上高による特例規定により消費税を納める義務が免除されないものを除く。）のその事業年度（その基準期間における課税売上高が1,000万円以下である事業年度に限る。）における課税資産の譲渡等及び特定課税仕入れについては、納税義務は免除されない。

2. 判定に用いる各被合併法人の課税売上高（令22⑥一）

新設合併があった事業年度の翌事業年度の納税義務の判定に用いる各被合併法人の課税売上高は、合併法人のその**事業年度開始の日の２年前の日の前日から同日以後１年を経過する日までの間に終了した**各被合併法人の各事業年度を対応する期間とし、その期間の課税売上高を次の算式により調整した金額を用います。

〈被合併法人の対応する期間の課税売上高〉

$$\text{被合併法人の対応する期間の課税売上高} = \frac{\text{対応する期間の課税売上高}}{\text{対応する期間に含まれる月数}} \times 12$$

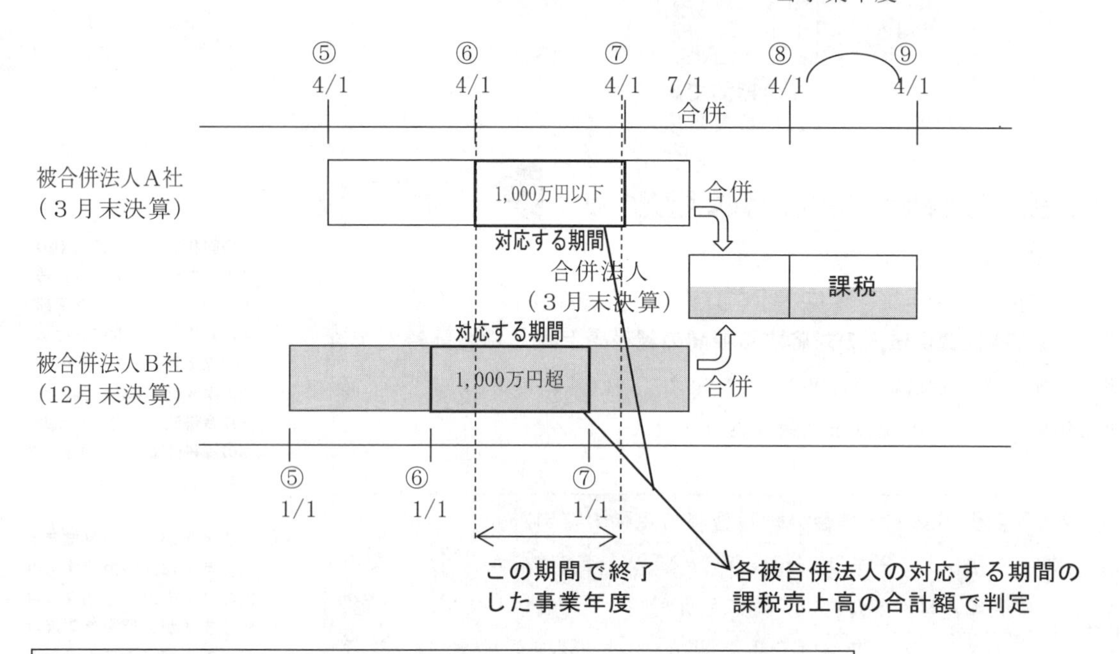

〈対応する期間〉

合併法人のその事業年度開始の日（令和８年４月１日）の２年前の日の前日（令和６年４月１日）から同日以後１年を経過する日（令和７年３月31日）までの間に**終了**した各被合併法人の事業年度

〈判定〉

⑴ **基準期間の判定（法９①）**

基準期間がない事業年度

⑵ **特定期間の判定（法９の２①）**

特定期間における課税売上高　xx,xxx,xxx円 ＞ 1,000万円 → 納税義務あり　判定終了

≦ 1,000万円 → ⑶へ

(3)　合併の判定（法11④）

（被合併法人の対応する期間の課税売上高）＋（被合併法人の対応する期間の課税売上高）＋…＝xx, xxx, xxx 円 ＞ 1,000 万円 → 納税義務あり

≦ 1,000 万円 → (4)へ

(4)　新設法人の判定（法12の２）

期首資本金額　　xx, xxx, xxx 円 ≧ 1,000 万円 → 納税義務あり

＜ 1,000 万円 → 納税義務なし

設例２－２　新設合併があった事業年度の翌事業年度の納税義務の有無の判定

株式会社Ａ社（以下「Ａ社」という。）と株式会社Ｂ社（以下「Ｂ社」という。）は、令和７年７月１日に合併し、新たに株式会社Ｃ社（以下「Ｃ社」という。設立時の資本金500万円であり、その後増減はない。）を設立した。

以下の【資料】に基づきＣ社の令和８年度（令和８年４月１日～令和９年３月31日）の課税期間における納税義務の有無を判定しなさい。

なお、Ａ社、Ｂ社及びＣ社共消費税課税事業者選択届出書は提出していない。

【資料】

1.　Ａ社の各課税期間における課税売上高

課　税　期　間	課税売上高（税抜金額）
令和５年４月１日～令和６年３月 31 日	8,750,000 円
令和６年４月１日～令和７年３月 31 日	8,220,000 円
令和７年４月１日～令和７年６月 30 日	3,000,000 円

2.　Ｂ社の各課税期間における課税売上高

課　税　期　間	課税売上高（税抜金額）
令和５年１月１日～令和５年12月 31 日	12,600,000 円
令和６年１月１日～令和６年12月 31 日	10,800,000 円
令和７年１月１日～令和７年６月 30 日	6,000,000 円

3.　Ｃ社の各課税期間における課税売上高

課　税　期　間	課税売上高（税抜金額）
令和７年７月１日～令和８年３月 31 日 （うち令和７年７月１日～令和７年 12 月 31 日）	7,200,000 円 （4,320,000 円）
令和８年４月１日～令和９年３月 31 日 （うち令和８年４月１日～令和８年９月 30 日）	18,000,000 円 （8,100,000 円）

解答　⑴　基準期間における課税売上高

設立２期目のため基準期間がない事業年度

⑵　特定期間における課税売上高

4,320,000円 ≦ 10,000,000円

⑶　合併があった場合の納税義務の免除の特例

$$\frac{8,220,000円}{12} \times 12 + \frac{10,800,000円}{12} \times 12 = 19,020,000円 > 10,000,000円$$

∴　納税義務あり

解説

新設合併があった事業年度の翌事業年度についても合併法人に基準期間はありません。ただし、合併法人に特定期間はありますので、合併法人の特定期間の課税売上高が1,000万円を超えるか否かで判定します。

しかし、特定期間の課税売上高が1,000万円以下となったとしても、各被合併法人の対応する期間の課税売上高の合計額が1,000万円を超えている場合には、特例として納税義務が免除されないこととなっています。新設合併があった事業年度と異なり翌事業年度では各被合併法人の課税売上高を合計します。

なお、この設例における「対応する期間」とは、合併法人のその事業年度開始の日（令和８年４月１日）の２年前の日の前日（令和６年４月１日）から同日以後１年を経過する日（令和７年３月31日）までの間に終了した各被合併法人の事業年度なので

A社は、令和６年４月１日～令和７年３月31日

B社は、令和６年１月１日～令和６年12月31日

までの事業年度が該当します。

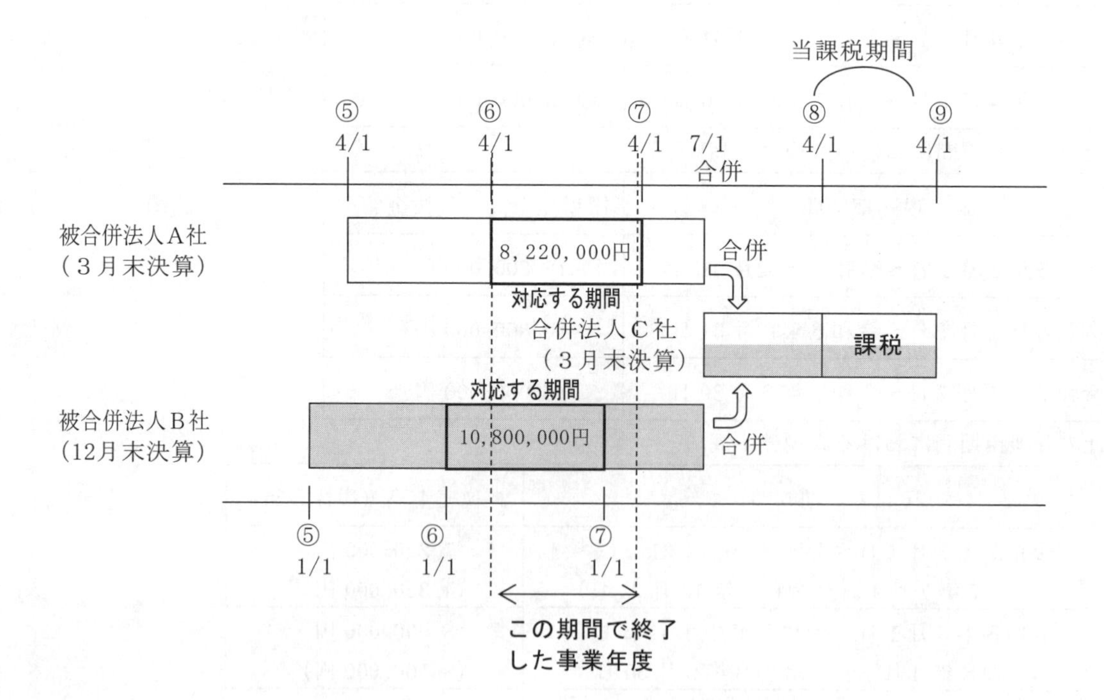

4 新設合併があった事業年度の翌々事業年度の納税義務の判定

1. 概要

新設合併の翌々事業年度については、合併法人の基準期間が初めて存在します。そのため、まず、合併法人の基準期間における課税売上高で納税義務の判定を行い*01)、1,000万円以下となった場合には、特定期間の判定及び吸収合併と同様に合併の特例による判定を行うこととなっています。

*01) 基準期間がある場合には、まず通常の納税義務の判定を行います。

2. 判定手順

(1) 基準期間の判定（法9①）

新設合併があった事業年度の翌々事業年度における合併法人の納税義務の判定は、まず**合併法人単独の基準期間における課税売上高で判定**します。なお、このときに基準期間が1年に満たない場合は1年分の金額に換算します。

これが1,000万円を超えていれば課税事業者となり、(2)以降の判定は行いません。

(2) 特定期間の判定（法9の2①）

次に、**合併法人単独の特定期間における課税売上高で判定**します。これが1,000万円を超えていれば課税事業者となり、(3)合併の判定は行いません。

(3) 合併の判定（法11④）

合併法人の基準期間における課税売上高、及び特定期間における課税売上高が共に1,000万円以下である場合には、**合併法人の基準期間における課税売上高（1年分に換算しない金額）と、各被合併法人の対応する期間の課税売上高*02)の合計額を合わせた金額で判定**し、1,000万円を超える場合には、その合併法人*03)のその事業年度における納税義務は免除されません。

*02) この教科書では、条文中の「各被合併法人のその合併法人のその事業年度の基準期間に対応する期間における課税売上高として一定の方法により計算した金額」を「被合併法人の対応する期間の課税売上高」と表記しています。

*03) 課税事業者を選択している法人を除きます。

3. 判定に用いる各被合併法人の課税売上高（令22④）

新設合併があった事業年度の翌々事業年度の納税義務の判定に用いる各被合併法人の課税売上高とは、合併法人のその**事業年度開始の日の2年前の日の前日から同日以後1年を経過する日までの間に終了した各被合併法人の各事業年度**を対応する期間とし、その期間の課税売上高を次の算式により調整した金額を用います。

〈被合併法人の対応する期間の課税売上高〉

$$\text{被合併法人の対応する期間の課税売上高} = \frac{\text{対応する期間の課税売上高}}{\text{対応する期間に含まれる月数}} \times \text{事業年度開始の日の２年前の日の前日から合併の日の前日までの月数}$$

被合併法人の対応する期間の課税売上高は、合併法人の基準期間における課税売上高を１年分に換算しないで用いるため、これに合わせて、**年換算しないで直接按分します。**

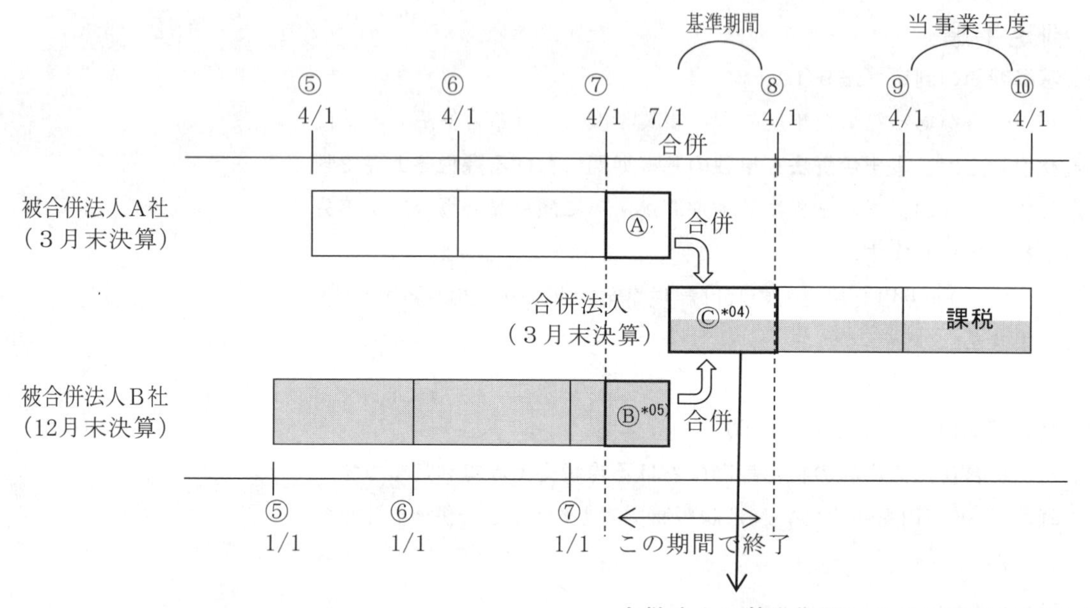

*04) 特例判定の場合、合併法人の課税売上高を12ヵ月分に換算する計算は行いません。

*05) この場合、基準期間に対応する期間のうち令和７年４月１日から令和７年６月30日までの期間の被合併法人の課税売上高のみが対象となります。そのため、被合併法人Ｂの課税売上高については、合併までの６ヵ月分のうち３ヵ月分のみを計算に加えます。

〈対応する期間〉

合併法人のその事業年度開始の日（令和９年４月１日）の２年前の日の前日（令和７年４月１日）から同日以後１年を経過する日（令和８年３月31日）までの間に**終了**した各被合併法人の事業年度

<判定>

⑴　基準期間の判定（法９①）

基準期間における課税売上高　　xx,xxx,xxx 円 ＞ 1,000 万円 → 納税義務あり　　判定終了

≦ 1,000 万円 → ⑵へ

⑵　特定期間の判定（法９の２①）

特定期間における課税売上高　　xx,xxx,xxx 円 ＞ 1,000 万円 → 納税義務あり　　判定終了

≦ 1,000 万円 → ⑶へ

⑶　合併による判定（法 11④）

（合併法人の基準期間の課税売上高（年換算しない金額））＋（被合併法人の対応する期間の課税売上高）＋（被合併法人の対応する期間の課税売上高）＋… ＞ 1,000 万円 → 納税義務あり

≦ 1,000 万円 → 納税義務なし

設例２－３　新設合併があった事業年度の翌々事業年度の納税義務の有無の判定

株式会社Ａ社（以下「Ａ社」という。）と株式会社Ｂ社（以下「Ｂ社」という。）は、令和７年７月１日に合併し、新たに株式会社Ｃ社（以下「Ｃ社」という。設立時の資本金500万円であり、その後増減はない。）を設立した。

以下の【資料】に基づきＣ社の令和９年度（令和９年４月１日～令和10年３月31日）の課税期間における納税義務の有無を判定しなさい。

なお、Ａ社、Ｂ社及びＣ社共消費税課税事業者選択届出書は提出していない。

【資料】

1.　Ａ社の各課税期間における課税売上高

課　税　期　間	課税売上高（税抜金額）
令和５年４月１日～令和６年３月 31 日	8,750,000 円
令和６年４月１日～令和７年３月 31 日	8,220,000 円
令和７年４月１日～令和７年６月 30 日	3,000,000 円

2.　Ｂ社の各課税期間における課税売上高

課　税　期　間	課税売上高（税抜金額）
令和５年１月１日～令和５年 12 月 31 日	12,600,000 円
令和６年１月１日～令和６年 12 月 31 日	10,800,000 円
令和７年１月１日～令和７年６月 30 日	6,000,000 円

3.　C社の各課税期間における課税売上高

課　税　期　間	課税売上高（税抜金額）
令和７年７月１日～令和８年３月 31 日 （うち令和７年７月１日～令和７年 12 月 31 日）	7, 200, 000 円 (4, 320, 000 円)
令和８年４月１日～令和９年３月 31 日 （うち令和８年４月１日～令和８年９月 30 日）	18, 000, 000 円 (8, 100, 000 円)
令和９年４月１日～令和 10 年３月 31 日 （うち令和９年４月１日～令和９年９月 30 日）	22, 000, 000 円 (9, 900, 000 円)

解答

(1)　基準期間における課税売上高

$\frac{7,200,000円}{9}\times12=9,600,000円\leqq10,000,000円$

(2)　特定期間における課税売上高

8, 100, 000円 ≦ 10, 000, 000円

(3)　合併があった場合の納税義務の免除の特例

①　C社　7, 200, 000円

②　A社　$\frac{3,000,000円}{3}\times3=3,000,000円$

③　B社　$\frac{6,000,000円}{6}\times3=3,000,000円$

④　①+②+③=13, 200, 000円 ＞ 10, 000, 000円　∴　納税義務あり

解説

新設合併があった事業年度の翌々事業年度においては、C社に基準期間があるため、原則的にはC社の基準期間における課税売上高（下図Ⓒの年換算額）で判定します。

しかし、特例として合併法人C社の基準期間における課税売上高（年換算しない金額）に加えて、各被合併法人の対応する期間の課税売上高を合計した金額が1, 000万円を超える場合には、納税義務は免除されないこととなっています。

なお、この設例における「対応する期間」とは、合併法人のその事業年度開始の日（令和９年４月１日）の２年前の日の前日（令和７年４月１日）から同日以後１年を経過する日（令和８年３月31日）までの間に終了した各被合併法人の事業年度なので

A社は、令和７年４月１日～令和７年６月30日

B社は、令和７年１月１日～令和７年６月30日

までの事業年度が該当します。この期間の課税売上高のうち、C社のその事業年度開始の日の２年前の日の前日から合併日の前日までの月数に相当する金額（下図のⒶとⒷに相当する金額）を判定の金額に含めます。

また、合併法人C社の課税売上高についても、基準期間の判定では１年（12ヵ月）分に換算した金額で判定しますが、合併の特例では１年分に換算しない金額を用いて判定する点に注意が必要です。

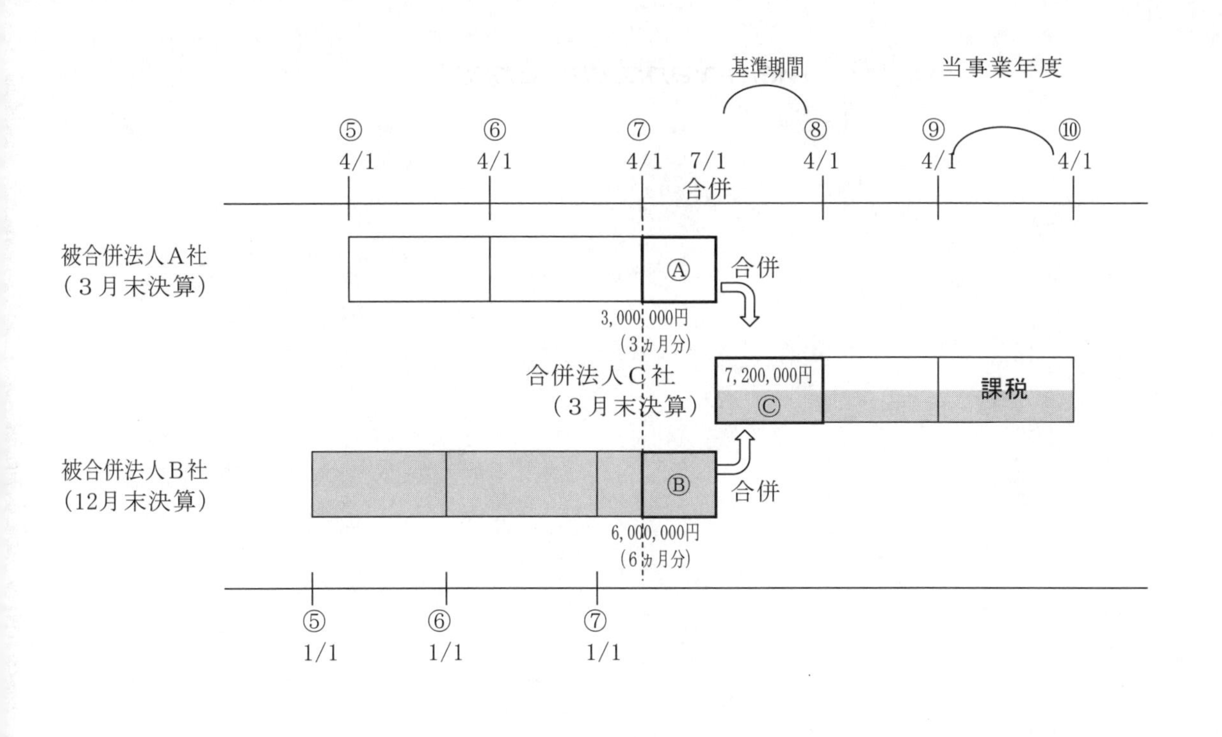
基準期間
当事業年度
⑤
4/1
⑥
4/1
⑦
4/1
7/1
合併
⑧
4/1
⑨
4/1
⑩
4/1
被合併法人A社
（３月末決算）
Ⓐ
合併
3,000,000円
（3ヵ月分）
合併法人C社
（３月末決算）
7,200,000円
Ⓒ
課税
被合併法人B社
（12月末決算）
Ⓑ
合併
6,000,000円
（6ヵ月分）
⑤
1/1
⑥
1/1
⑦
1/1

Chapter 9

会社分割があった場合の納税義務の免除の特例

グループ企業等では、業務の効率化のため会社分割を行うことがあります。分割により事業規模が小さくなると、納税義務の判定の際に用いる売上げも小さくなることからある一定の条件の分割に関しては納税義務を免れるための分割を行わないよう特例判定を行うこととなっています。
ここでは、会社分割があった場合の納税義務の判定について見ていきましょう。

Section 1 新設分割子法人の納税義務の判定

会社が大きくなり、様々な事業を行うようになると事業の効率化を図るために事業再編を目的とした会社分割を行うことがあります。

会社分割は、それ自体が事業の効率化という目的であったとしても、消費税においては、分割することにより売上げが減少し、納税義務が免除される可能性が出てきます。そこで、消費税法では、会社分割が行われた場合にも納税義務の判定に特例を設けています。

ここでは、会社分割を行った場合の特例について見ていきましょう。

1 会社分割と納税義務 理論

1. 会社分割の形態

会社分割とは、会社を構成する事業を他の会社に移転すること（新設した会社へ移転することも含みます。）をいいます。

消費税法では、会社分割の形態として**分割等**（主に新設分割）と**吸収分割**の２つに分類して、それぞれについて納税義務の免除の特例規定を設けています。

⑴ **分 割 等**　新たに設立する法人に事業を移転する会社分割をいいます。このとき、新たに設立される法人を**新設分割子法人**、事業を分割・移転する法人を**新設分割親法人**といいます。なお、分割等には、**新設分割**の他に一定の**現物出資や事後設立も含まれます**[*01]。

⑵ **吸収分割**　**既存の法人に事業を移転する会社分割**をいいます。このとき、事業を分割・移転する法人を**分割法人**、分割法人の事業を承継する法人を**分割承継法人**といいます。

*01) 現物出資や事後設立についてはChapter14で見ていきます。

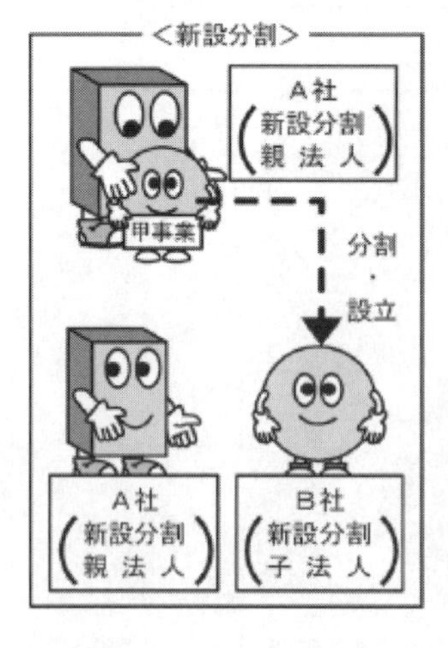

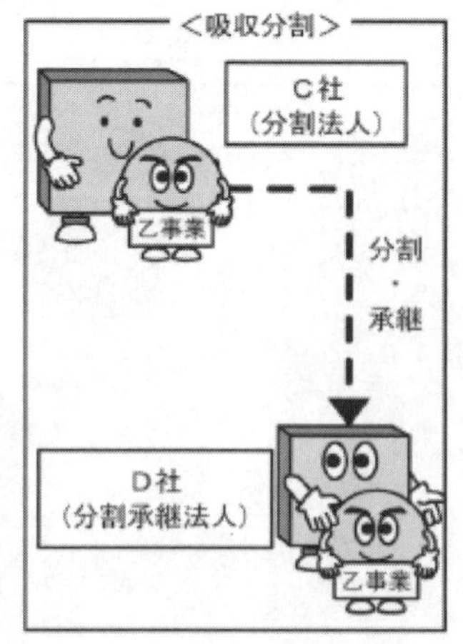

2. 会社分割と納税義務

基準期間における課税売上高が1,000万円以下の小規模な事業者に納税義務の免除が認められているのは、小規模事業者の納税事務手続を軽減するためでした。

この納税義務の免除の制度によって、会社分割を利用して課税売上高が1,000万円以下の小さな法人に分割することで、納税義務を不当に回避する可能性も考えられます*02)。しかし、本来は、課税事業者であった法人が会社分割をするだけで納税義務が免除されるということは、適当であるとはいえません。

そのため、消費税法では**会社分割があった場合の納税義務の判定について、別途特例を設けています。**

*02) 例えば、課税売上高4,000万円の法人でも、課税売上高800万円の法人5つに分割すれば、納税義務を免れることになってしまいます。

2 分割等（新設分割）があった事業年度の納税義務の判定

1. 概要（法12①）

新設分割子法人は**新たに設立された法人であるため、分割があった事業年度と翌事業年度は、基準期間がありません。**そのため、基準期間の判定では免税事業者となってしまいます*01)。

しかし、分割等により、本来課税事業者であった規模の事業を引き継いでいる場合には、不合理が生じるため、分割等の判定を行うこととなります。

分割等の判定は、**新設分割親法人の対応する期間の課税売上高*02)で判定**します。

したがって、新設分割親法人の対応する期間における課税売上高が1,000万円を超える場合には、**新設分割子法人の分割等があった日から分割等があった日の属する事業年度終了の日までの間における課税資産の譲渡等及び特定課税仕入れ**については、納税義務は免除されません*03)。

*01) 翌事業年度については、特定期間による判定も行います。

*02) この教科書では、条文中の「新設分割親法人の新設分割子法人の分割等があった日の属する事業年度の基準期間に対応する期間における課税売上高として一定の方法により計算した金額」を「新設分割親法人の対応する期間の課税売上高」と表記しています。

*03) 新設分割子法人の分割事業年度、翌事業年度は新設法人の基準期間がない事業年度にも該当するため、分割等の判定で1,000万円以下となった場合には、新設法人の判定を行います。

消費税法〈分割等があった場合の納税義務の免除の特例〉

法12条① 分割等があった場合において、その分割等を行った法人（以下「新設分割親法人」という。）のその分割等により設立された、又は資産の譲渡を受けた法人（以下「新設分割子法人」という。）の分割等があった日の属する事業年度の基準期間に対応する期間における課税売上高として政令で定めるところにより計算した金額（新設分割親法人が２以上ある場合には、いずれかの新設分割親法人に係るその金額）が1,000万円を超えるときは、その新設分割子法人（課税事業者選択届出書の提出により消費税を納める義務が免除されないものを除く。）のその分割等があった日からその分割等があった日の属する事業年度終了の日までの間における課税資産の譲渡等及び特定課税仕入れについては、納税義務は免除されない。

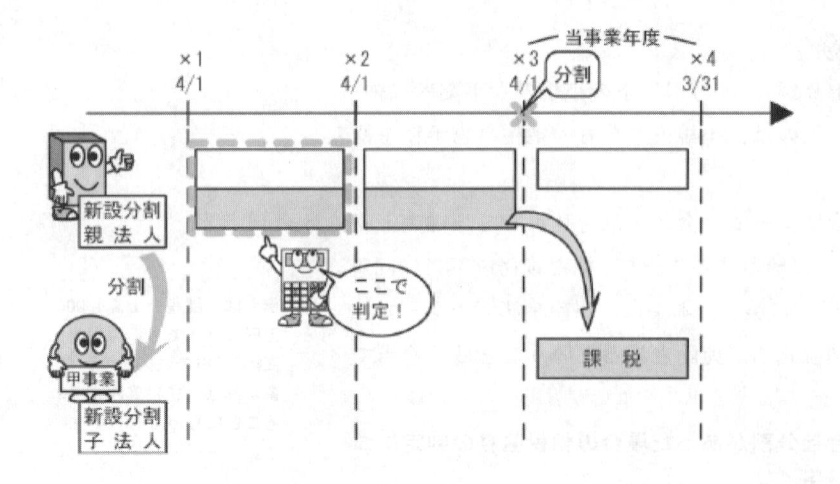

2. 判定に用いる新設分割親法人の課税売上高（令23①）

分割等があった事業年度における納税義務の判定に用いる新設分割親法人の課税売上高は、**新設分割子法人の分割等があった日の属する事業年度開始の日の２年前の日の前日から同日以後１年を経過する日までの間に終了した新設分割親法人の各事業年度**を対応する期間とし、その期間の課税売上高を次の算式により調整した金額を用います。

<新設分割親法人の対応する期間の課税売上高>

$$\text{新設分割親法人の対応する期間の課税売上高} = \frac{\text{対応する期間の課税売上高}}{\text{対応する期間に含まれる月数}} \times 12$$

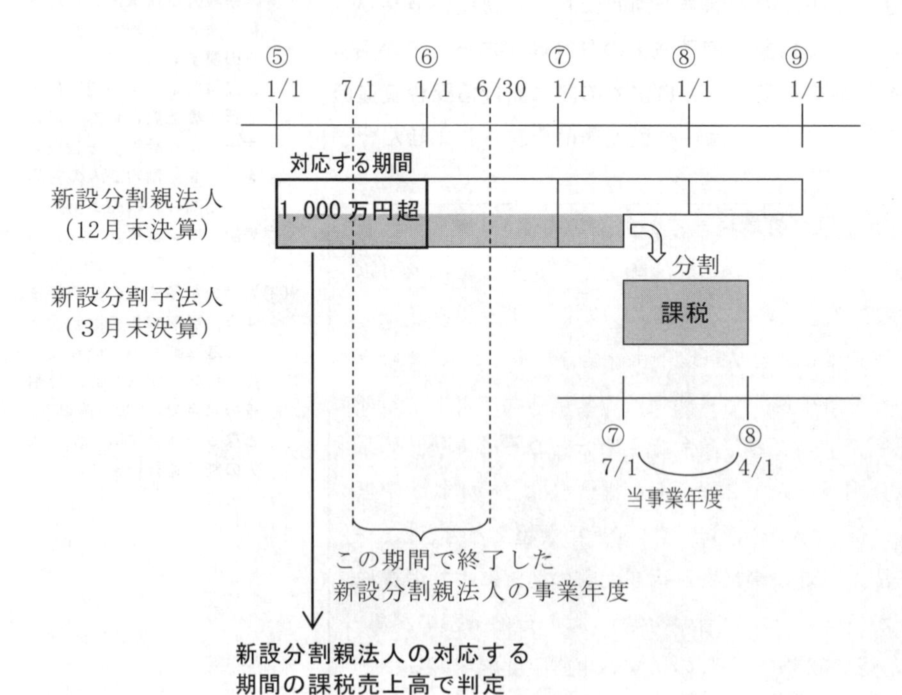

<対応する期間>

その事業年度開始の日（令和７年７月１日）の２年前の日の前日（令和５年７月１日）から同日以後１年を経過する日（令和６年６月30日）までの間に**終了**した新設分割親法人の各事業年度（令和５年１月１日～令和５年12月31日）

<判定>

(1) 基準期間の判定（法９①）
基準期間がない事業年度*04)

(2) 特定期間の判定（法９の２①）
特定期間がない事業年度*04)

(3) 分割等の判定（法12①）
新設分割親法人の対応する期間の課税売上高　xx,xxx,xxx円 ＞ 1,000万円 → 納税義務あり
≦ 1,000万円 → 新設法人の判定へ

*04) コメントを答案用紙に記載します。

設例１－１　分割等があった事業年度における新設分割子法人の納税義務の有無の判定

株式会社甲社（以下「甲社」という。）は令和７年７月１日に新設分割により資本金800万円の株式会社乙社（以下「乙社」という。）を設立した。以下の【資料】に基づき乙社の令和７年度（令和７年７月１日～令和８年３月31日）における納税義務の有無を判定しなさい。

なお、甲社及び乙社とも消費税課税事業者選択届出書は提出していない。

【資料】

1. 甲社の各課税期間における課税売上高

課　税　期　間	課税売上高（税抜金額）
令和５年１月１日～令和５年12月31日	10,860,000円
令和６年１月１日～令和６年12月31日	9,420,000円
令和７年１月１日～令和７年12月31日	8,850,000円

解答

(1) 基準期間における課税売上高
設立事業年度のため基準期間がない事業年度

(2) 特定期間における課税売上高
設立事業年度のため特定期間がない事業年度

(3) 分割等があった場合の納税義務の免除の特例

$\frac{10,860,000円}{12} \times 12 = 10,860,000円 > 10,000,000円$　∴　納税義務あり

解説

新設分割があった事業年度においては、新設分割子法人は、設立事業年度であるため、基準期間及び特定期間がありません。しかし、新設分割親法人の対応する期間の課税売上高が1,000万円を超えている場合には、特例として納税義務が免除されないこととなっています。

なお、この設例における「対応する期間」とは、新設分割子法人の分割等があった日（令和７年７月１日）の２年前の日の前日（令和５年７月１日）から同日以後１年を経過する日（令和６年６月30日）までの間に終了した新設分割親法人の各事業年度なので、令和５年１月１日から令和５年12月31日までの新設分割親法人の事業年度が該当します。

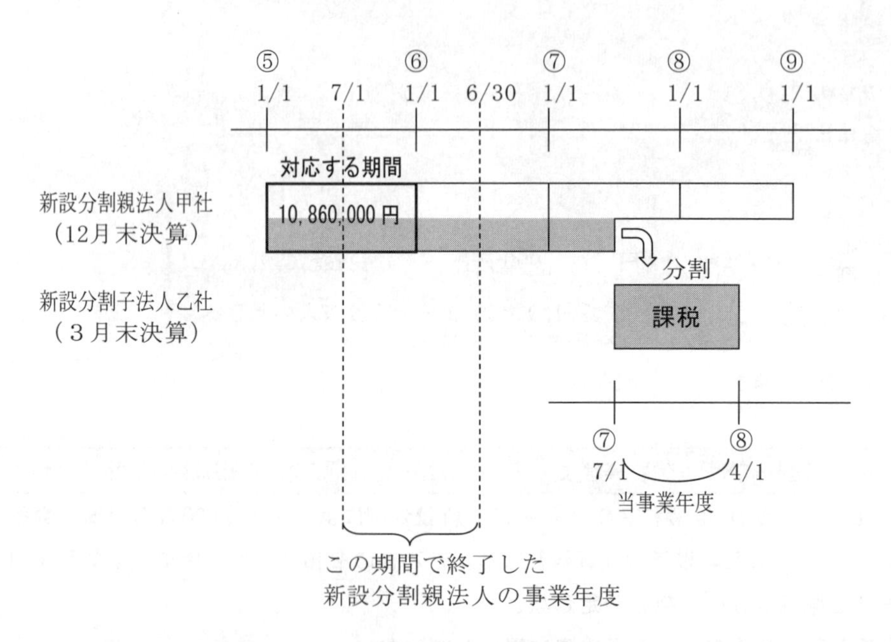

3. 新設分割親法人が２以上ある場合

新設分割親法人が２以上ある場合*05)については、各新設分割親法人について、新設分割子法人の分割等があった日の属する事業年度開始の日の２年前の日の前日から同日以後１年を経過する日までの間に終了した**各新設分割親法人の各事業年度における課税売上高のいずれかが1,000万円を超えるか否か**で判定します。

すべての新設分割親法人の対応する期間における課税売上高が1,000万円以下であれば納税義務は免除されますが、1,000万円を超える新設分割親法人が１つでもあれば新設分割子法人*06)の分割等があった日からその事業年度終了の日までの納税義務は免除されません。

*05) 実務では「共同新設分割」と呼ばれることもあり、例えば、Ａ社とＢ社がそれぞれ同じ事業を行っている場合に、その事業部分をともに分割して１つの法人（会社）を設立することがあります。

*06) 課税事業者を選択している法人を除きます。

3 分割等があった事業年度の翌事業年度の納税義務の判定 重要 理論 計算

1. 概要（法12②）

新設分割の翌事業年度には、まだ新設分割子法人の基準期間はありません。そのため、**新設分割親法人の対応する期間の課税売上高***01)で判定します。新設分割親法人の対応する期間の課税売上高が1,000万円を超えていれば、新設分割子法人*02)のその事業年度における課税資産の譲渡等及び特定課税仕入れについては、納税義務は免除されません。

*01) この教科書では、条文中の「新設分割親法人のその新設分割子法人のその事業年度の基準期間に対応する期間における課税売上高として一定の方法により計算した金額」を「新設分割親法人の対応する期間の課税売上高」と表記しています。

*02) 課税事業者を選択している新設分割子法人及び特定期間における課税売上高が1,000万円を超える新設分割子法人を除きます。

> **消費税法〈分割等があった場合の納税義務の免除の特例〉**
>
> 法12条② 新設分割子法人のその事業年度開始の日の１年前の日の前日からその事業年度開始の日の前日までの間に分割等があった場合において、新設分割親法人のその新設分割子法人のその事業年度の基準期間に対応する期間における課税売上高として政令で定めるところにより計算した金額（新設分割親法人が２以上ある場合には、いずれかの新設分割親法人に係るその金額）が1,000万円を超えるときは、その新設分割子法人（課税事業者選択届出書の提出により、又は前年等の課税売上高による特例の規定により消費税を納める義務が免除されないものを除く。）のその事業年度における課税資産の譲渡等及び特定課税仕入れについては、納税義務は免除されない。

2. 判定に用いる新設分割親法人の課税売上高（令23②）

分割等があった事業年度の翌事業年度における納税義務の判定に用いる新設分割親法人の課税売上高は、**新設分割子法人のその事業年度開始の日の２年前の日の前日から同日以後１年を経過する日までの間に終了**した新設分割親法人の事業年度を対応する期間とし、その期間の課税売上高を次の算式により調整した金額を用います。

〈新設分割親法人の対応する期間の課税売上高〉

$$\text{新設分割親法人の対応する期間の課税売上高} = \frac{\text{対応する期間の課税売上高}}{\text{対応する期間に含まれる月数}} \times 12$$

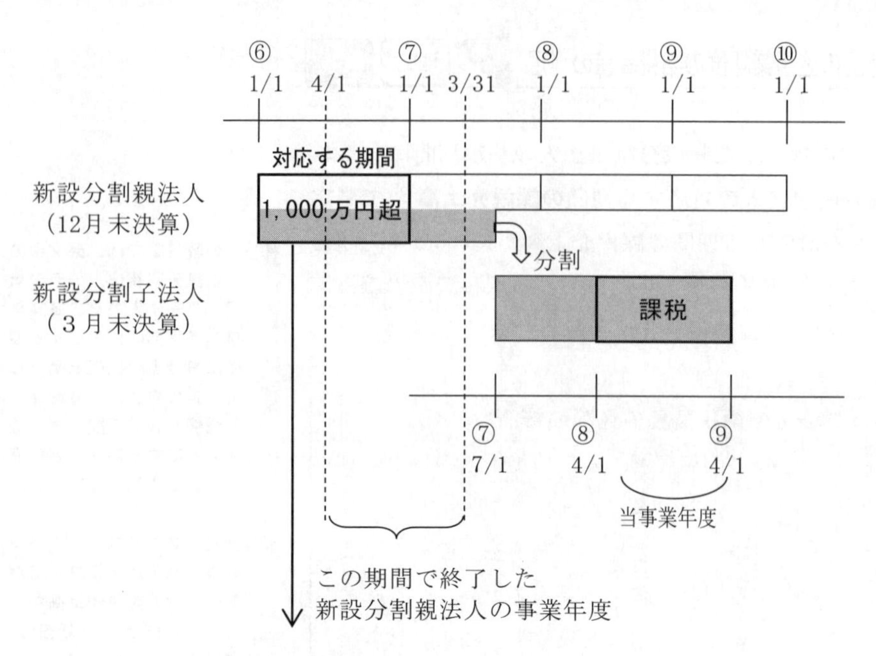

〈対応する期間〉

その事業年度開始の日（令和８年４月１日）の２年前の日の前日（令和６年４月１日）から同日以後１年を経過する日（令和７年３月31日）までの間に**終了**した新設分割親法人の各事業年度（令和６年１月１日～令和６年12月31日）

〈判定〉

⑴　基準期間の判定（法９①）

基準期間がない事業年度

⑵　特定期間の判定（法９の２①）

特定期間における課税売上高　xx, xxx, xxx 円 ＞ 1,000 万円 → 納税義務あり　判定終了

≦ 1,000 万円 → ⑶へ

⑶　分割等の判定（法 12②）

新設分割親法人の対応する期間の課税売上高　xx, xxx, xxx 円 ＞ 1,000 万円 → 納税義務あり

≦ 1,000 万円 → 新設法人の判定へ

設例１－２　分割等があった事業年度の翌事業年度における新設分割子法人の納税義務の有無の判定

株式会社甲社（以下「甲社」という。）は令和７年７月１日に新設分割により資本金800万円の株式会社乙社（以下「乙社」という。）を設立した。以下の【資料】に基づき乙社の令和８年度（令和８年４月１日～令和９年３月31日）における納税義務の有無を判定しなさい。

なお、甲社及び乙社とも消費税課税事業者選択届出書は提出していない。

【資料】

1. 甲社の各課税期間における課税売上高

課　税　期　間	課税売上高（税抜金額）
令和５年１月１日～令和５年 12 月 31 日	10,860,000 円
令和６年１月１日～令和６年 12 月 31 日	9,420,000 円
令和７年１月１日～令和７年 12 月 31 日	8,850,000 円

2. 乙社の各課税期間における課税売上高

課　税　期　間	課税売上高（税抜金額）	左記の金額のうち特定期間中の課税売上高
令和７年７月１日～令和８年３月 31 日	3,915,000 円	2,088,000 円
令和８年４月１日～令和９年３月 31 日	5,100,000 円	2,448,000 円

解答

(1) 基準期間における課税売上高

設立２期目のため基準期間がない事業年度

(2) 特定期間における課税売上高

2,088,000円 ≦ 10,000,000円

(3) 分割等があった場合の納税義務の免除の特例

$$\frac{9,420,000円}{12} \times 12 = 9,420,000円 \leqq 10,000,000円$$

(4) 新設法人の納税義務の免除の特例

資本金　8,000,000円 ＜ 10,000,000円

∴ 新設法人に該当しない

∴ 納税義務なし

解説

新設分割があった事業年度の翌事業年度においても、新設分割子法人に基準期間がありません。そのため、新設分割親法人の対応する期間の課税売上高で判定し、1,000万円を超えている場合には、特例として納税義務が免除されないこととなります。

なお、この設例における「対応する期間」とは、新設分割子法人の事業年度開始の日（令和８年４月１日）の２年前の日の前日（令和６年４月１日）から同日以後１年を経過する日（令和７年３月31日）までの間に終了した新設分割親法人の各事業年度なので、令和６年１月１日から令和６年12月31日までの新設分割親法人の事業年度が該当します。

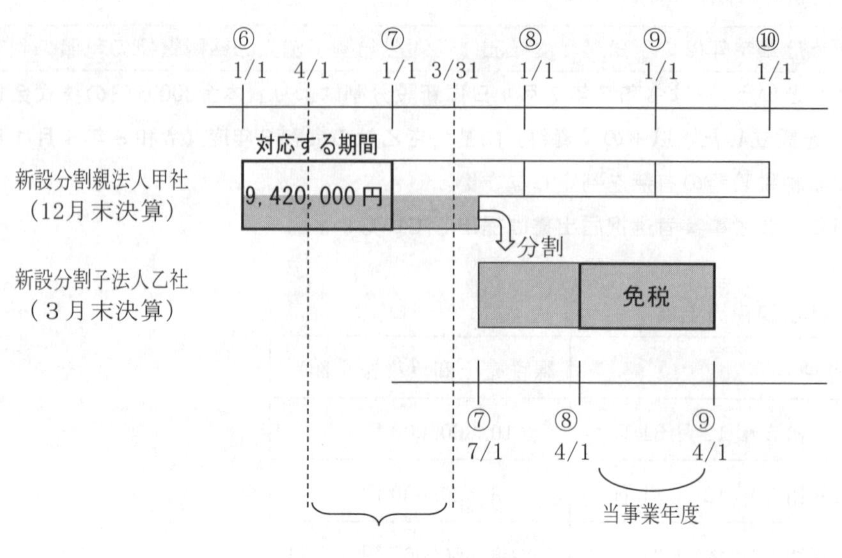

3. 新設分割親法人が2以上ある場合

新設分割親法人が2以上ある場合については、分割等があった事業年度と同じく、各新設分割親法人について新設分割子法人の事業年度開始の日の2年前の日の前日から同日以後1年を経過する日までの間に終了した**各新設分割親法人の各事業年度における課税売上高のいずれかが**1,000万円を超えるか否かで判定します[*03]。

*03) 新設合併の翌事業年度における判定との違いに注意しましょう。

すべての新設分割親法人の対応する期間における課税売上高が1,000万円以下であれば納税義務は免除されますが、1,000万円を超える新設分割親法人が1つでもあれば、その事業年度の納税義務は免除されません。

4 分割等があった事業年度の翌々事業年度以後の納税義務の判定

1. 概要(法12③)

分割等があった事業年度の翌々事業年度以後における新設分割子法人の納税義務については、まずは通常どおりに**新設分割子法人の基準期間における課税売上高**[*01]**、特定期間における課税売上高で判定**します。

*01) 新設分割子法人に基準期間がある点が、翌事業年度と異なる点です。基準期間がある場合には、基準期間における課税売上高による判定が優先されます。

しかし、判定の結果、納税義務が免除されることとなってしまうと、新設分割親法人との分割等の形態によっては、不合理が生じます。

そこで、消費税法では、原則的な納税義務の判定だけでなく、分割等の特例による判定も行うこととなっています。なお、翌々事業年度の判定は、分割事業年度、翌事業年度と異なり、**新設分割子法人が基準期間の末日において特定要件**[*02]**を満たす場合のみ行い**、特定要件を満たさない場合は分割等の判定自体を行う必要はありません。

*02) 特定要件については、この後の4.で学習します。

消費税法〈分割等があった場合の納税義務の免除の特例〉

法12条③　新設分割子法人のその事業年度開始の日の1年前の日の前々日以前に分割等（新設分割親法人が2以上ある場合のものを除く。）があった場合において、その事業年度の基準期間の末日においてその新設分割子法人が特定要件（新設分割子法人の発行済株式又は出資（その新設分割子法人が有する自己の株式又は出資を除く。）の総数又は総額の100分の50を超える数又は金額の株式又は出資が新設分割親法人及びその新設分割親法人と政令で定める特殊な関係にある者の所有に属する場合その他政令で定める場合であることをいう。）に該当し、かつ、その新設分割子法人のその事業年度の基準期間における課税売上高として政令で定めるところにより計算した金額とその新設分割親法人のその新設分割子法人のその事業年度の基準期間に対応する期間における課税売上高として政令で定めるところにより計算した金額との合計額が1,000万円を超えるときは、その新設分割子法人（課税事業者選択届出書の提出により、又は前年等の課税売上高による特例の規定により消費税を納める義務が免除されないものを除く。）のその事業年度（その基準期間における課税売上高が1,000万円以下である事業年度に限る。）における課税資産の譲渡等及び特定課税仕入れについては、納税義務は免除されない。

2.　判定手順

(1)　基準期間の判定（法９①）

分割等があった事業年度の翌々事業年度における新設分割子法人の納税義務の判定は、まず**新設分割子法人単独の基準期間における課税売上高で判定**します。

これが1,000万円を超えていれば課税事業者となり、(2)以降の判定は行いません。

(2)　特定期間の判定（法９の２①）

次に、**新設分割子法人単独の特定期間における課税売上高で判定**します。これが1,000万円を超えていれば課税事業者となり、(3)分割等の判定は行いません。

(3)　分割等の判定（法12③）

新設分割子法人の基準期間における課税売上高、及び特定期間における課税売上高が共に1,000万円以下である場合には、**新設分割子法人の基準期間における課税売上高**（１年に満たない場合には、１年分に換算した金額）**と新設分割親法人の対応する期間の課税売上高**[*03]（１年分に換算した金額）**の合計額で判定**し、1,000万円を超えるときは、新設分割子法人[*04]のその事業年度における課税資産の譲渡等及び特定課税仕入れについては、納税義務は免除されません。

*03) この教科書では、条文中の「新設分割親法人のその新設分割子法人のその事業年度の基準期間に対応する期間における課税売上高として一定の方法により計算した金額」を「新設分割親法人の対応する期間の課税売上高」と表記しています。

*04) 課税事業者を選択している法人を除きます。

Ch 1 Ch 2 Ch 3 Ch 4 Ch 5 Ch 6 Ch 7 Ch 8 Ch 9 Ch 10 Ch 11 Ch 12 Ch 13 Ch 14 Ch 15 Ch 16 Ch 17

3.　判定に用いる新設分割親法人の課税売上高（令23④）

分割等があった事業年度の翌々事業年度以後における納税義務の判定に用いる新設分割親法人の課税売上高は、**新設分割子法人のその事業年度開始の日の２年前の日の前日から同日以後１年を経過する日までの間に開始した**[05]**新設分割親法人の事業年度**を対応する期間とし、その期間の課税売上高を次の算式により調整した金額を用います。

*05）分割事業年度及び翌事業年度と異なり、ここだけ「開始した」事業年度を用います。これは「終了する」事業年度を用いてしまうと、分割事業年度に該当し、分割事業年度は新設分割親法人の売上高に新設分割子法人に分割した事業に係る分割前の期間の売上高が含まれてしまうため、新設分割親法人の正しい事業規模による判定ができないからです。

〈新設分割親法人の対応する期間の課税売上高〉

$$\text{新設分割親法人の対応する期間の課税売上高} = \frac{\text{対応する期間の課税売上高}}{\text{対応する期間に含まれる月数}} \times 12$$

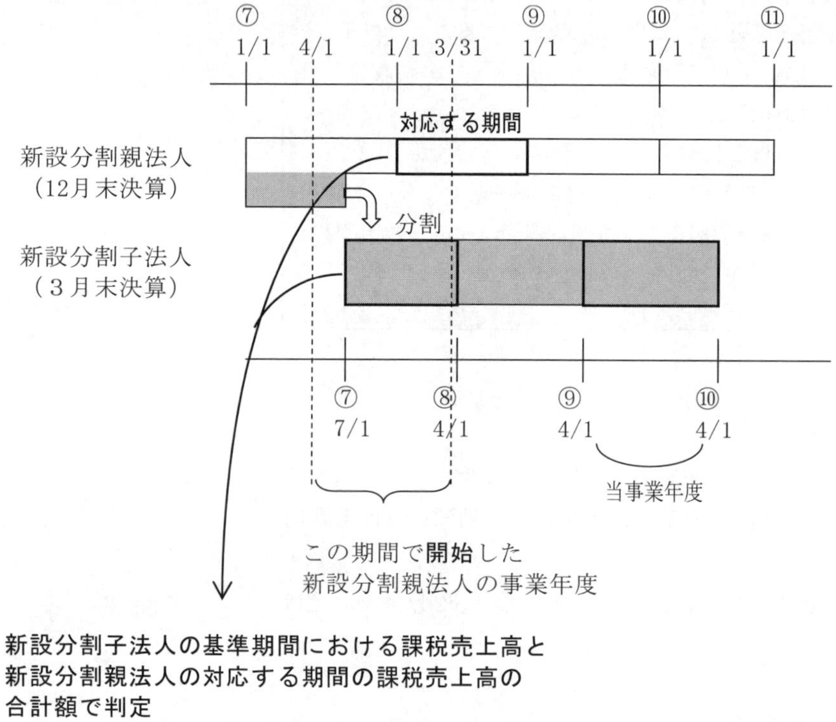

新設分割子法人の基準期間における課税売上高と
新設分割親法人の対応する期間の課税売上高の
合計額で判定

〈対応する期間〉

その事業年度開始の日（令和９年４月１日）の２年前の日の前日（令和７年４月１日）から同日以後１年を経過する日（令和８年３月31日）までの間に**開始**した新設分割親法人の各事業年度（令和８年１月１日～令和８年12月31日）

<判定>

(1) 基準期間の判定（法９①）

基準期間における課税売上高　xx,xxx,xxx円 ＞ 1,000万円 → 納税義務あり　判定終了

≦ 1,000万円 → (2)へ

(2) 特定期間の判定（法９の２①）

特定期間における課税売上高　xx,xxx,xxx円 ＞ 1,000万円 → 納税義務あり　判定終了

≦ 1,000万円 → (3)へ

(3) 分割等の判定（法12③）

新設分割子法人の基準期間における課税売上高 ＋ 新設分割親法人の対応する期間の課税売上高 ＞ 1,000万円 → 納税義務あり

≦ 1,000万円 → 納税義務なし

4. 特定要件による判定（法12③、令24）

分割等の場合の特例は、相続や合併等の事業承継のような事業規模が拡大することとなる特例と異なり、分割後は分割前よりも事業規模が小さくなることを前提としているため、分割等を利用した意図的な租税回避行為が行われることが考えられます。そこで、**新設分割親法人と新設分割子法人との資本関係に着目**し、一定の資本要件を満たす場合には、分割等があった事業年度の**翌々事業年度以後引き続き特例判定を適用**することとしています。この資本要件のことを「**特定要件**」*06)といいます。

つまり、**翌々事業年度以後の特例判定**は、他の事業年度の判定と異なり**基準期間の末日において特定要件を満たす場合のみ適用**されます。

*06) 特定要件とは、新設分割親法人及び新設分割親法人と特殊な関係にある者が、新設分割子法人の発行済株式又は出資の総数又は総額の50%超を所有している場合をいいます。つまり、親会社と子会社の関係をイメージしてください。

新設分割親法人と特殊な関係にある者とは、新設分割親法人を支配している株主やその親族、その株主等が支配している別の法人等をいいます。特定要件を満たすケースとして、具体的には次のようなケースが考えられます。

(1) 親法人が子法人の株式の50%超を直接保有している場合

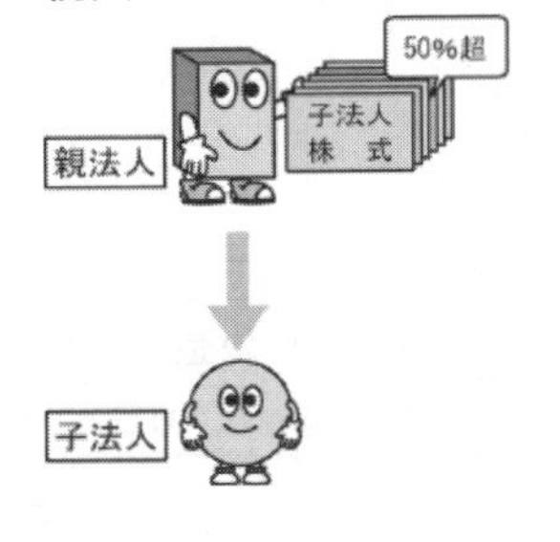

⑵　親法人のオナー社長(A)やその親族（B、C）が子法人の株式の50%超を保有している場合

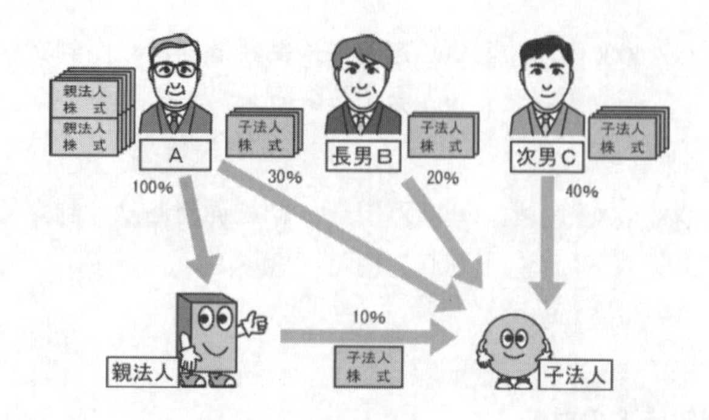

⑶　親法人の支配している他の法人(D)が子法人の株式の50%超を保有している場合

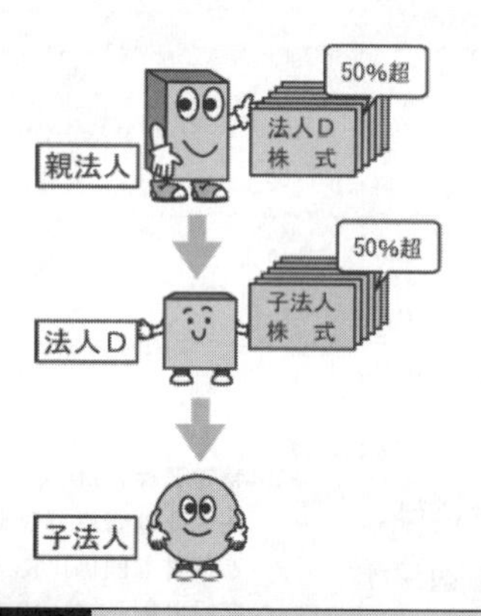

設例１－３　分割等があった事業年度の翌々事業年度以後における新設分割子法人の納税義務の有無の判定

株式会社甲社（以下「甲社」という。）は令和７年７月１日に新設分割により資本金800万円の株式会社乙社（以下「乙社」という。）を設立した。以下の【資料】に基づき乙社の令和９年度（令和９年４月１日～令和10年３月31日）における納税義務の有無を判定しなさい。

なお、甲社及び乙社とも消費税課税事業者選択届出書は提出しておらず、令和８年３月31日現在甲社の乙社株式保有割合は80%であった。

【資料】

1.　甲社の各課税期間における課税売上高

課　税　期　間	課税売上高（税抜金額）
令和７年１月１日～令和７年12月31日	8,850,000円
令和８年１月１日～令和８年12月31日	6,300,000円

2.　乙社の各課税期間における課税売上高

課　税　期　間	課税売上高（税抜金額）	左記の金額のうち特定期間中の課税売上高
令和７年７月１日～令和８年３月31日	3,915,000円	2,088,000円
令和８年４月１日～令和９年３月31日	5,100,000円	2,448,000円

解答

(1) 基準期間における課税売上高

$\frac{3,915,000円}{9}\times12=5,220,000円 \leqq 10,000,000円$

(2) 特定期間における課税売上高

2,448,000円 ≦ 10,000,000円

(3) 分割等があった場合の納税義務の免除の特例

① 特定要件

80% ＞ 50%　∴ 該当

② 納税義務の判定

イ 5,220,000円

ロ $\frac{6,300,000円}{12}\times12=6,300,000円$

ハ イ＋ロ＝11,520,000円

11,520,000円 ＞ 10,000,000円　∴ 納税義務あり

解説

新設分割があった事業年度の翌々事業年度においては、新設分割子法人の基準期間があるため、まず、新設分割子法人の基準期間における課税売上高が1,000万円を超えるか否かで判定します。

新設分割子法人が特定要件に該当する場合には、新設分割子法人の基準期間における課税売上高に新設分割親法人の対応する期間の課税売上高を合計した金額で判定し、その金額が1,000万円を超えるときは、納税義務は免除されないこととなります。

なお、この設例における「対応する期間」とは、新設分割子法人のその事業年度開始の日（令和９年４月１日）の２年前の日の前日（令和７年４月１日）から同日以後１年を経過する日（令和８年３月31日）までの間に開始した新設分割親法人の各事業年度なので、令和８年１月１日から令和８年12月31日までの新設分割親法人の事業年度が該当します。

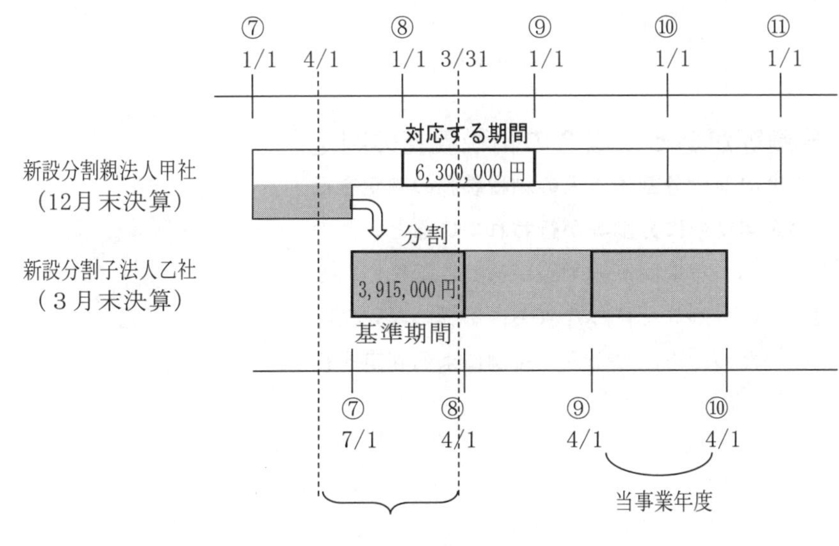

5. 新設分割親法人が２以上ある場合

分割等があった事業年度の翌々事業年度以後における新設分割子法人の納税義務の判定に関して、**新設分割親法人が２以上ある場合の特例は設けられていません**。したがって、翌々事業年度以後において新設分割親法人が２以上ある場合については、**分割等の判定は行いません**。

5 特定事業年度に分割等があった場合[*01]の納税義務の判定 計算

1. 特定事業年度（令23③）

特定事業年度とは、**新設分割子法人のその事業年度開始の日の２年前の日の前日から同日以後１年を経過する日までの間に開始した新設分割親法人の各事業年度**をいいます。

*01) 4も5も共に分割等があった翌々事業年度以後の判定ですが、新設分割親法人の対応する期間が分割事業年度に該当するか（5）、分割事業年度後に該当するか（4）の違いです。

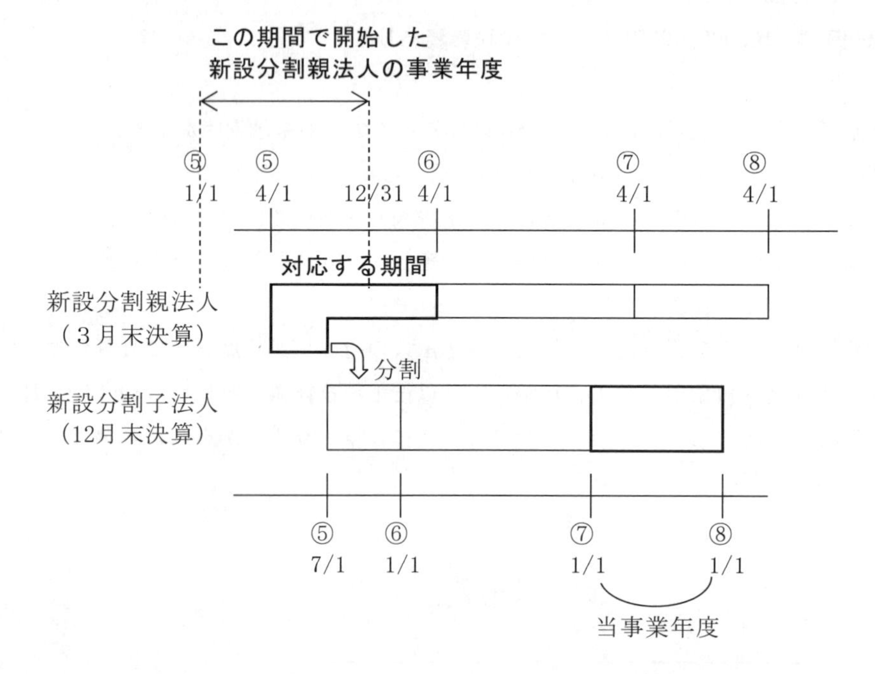

2. 特定事業年度中に分割等があった場合の納税義務の判定

分割事業年度の**翌々事業年度の新設分割子法人の納税義務の判定を行う場合**において、1.の**特定事業年度中に分割等が行われていると**、次の図のように新設分割親法人の対応する期間が分割等があった課税期間となってしまい、新設分割親法人の分割等を行った事業に影響のない期間との合算による判定が行えないため、下記のような**特例による判定を行います**。

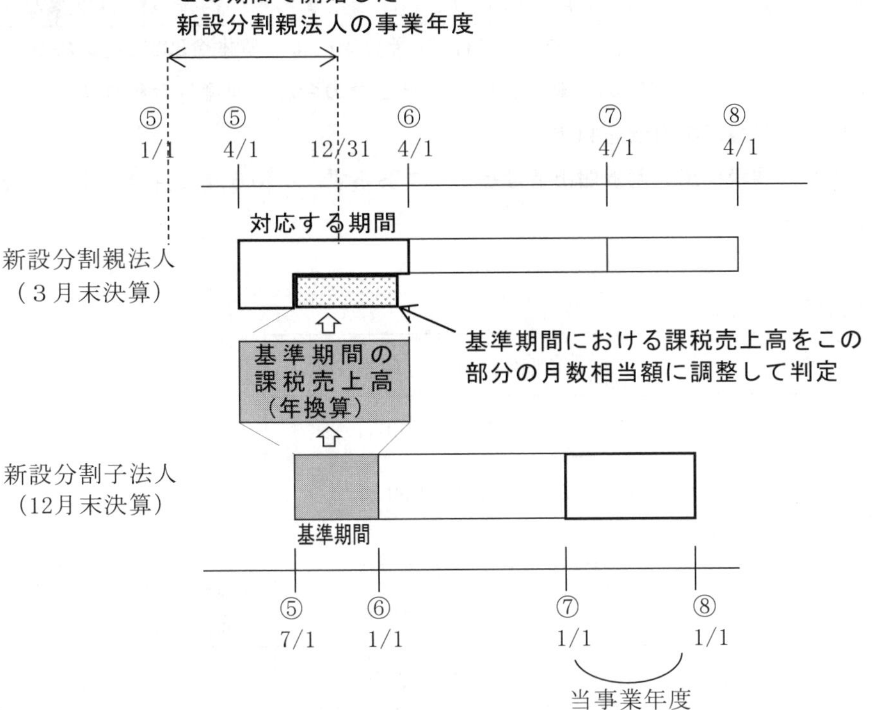

<判定>

(1) 基準期間の判定（法９①）

基準期間における課税売上高　xx, xxx, xxx 円 ＞ 1, 000 万円 → 納税義務あり　判定終了
≦ 1, 000 万円 → (2)へ

(2) 特定期間の判定（法９の２①）

特定期間における課税売上高　xx, xxx, xxx 円 ＞ 1, 000 万円 → 納税義務あり　判定終了
≦ 1, 000 万円 → (3)へ

(3) 分割等の判定（法 12③）

月数調整後の新設分割子法人の基準期間における課税売上高 ＋ 新設分割親法人の対応する期間の課税売上高
＞ 1, 000 万円 → 納税義務あり
≦ 1, 000 万円 → 納税義務なし

$$\text{月数調整後の新設分割子法人の基準期間における課税売上高} = \frac{\text{新設分割子法人の基準期間における課税売上高}}{\text{上記基準期間の月数}} \times 12\text{（円未満切捨）} \times \frac{\text{分割等の日から特定事業年度終了の日までの月数}}{\text{特定事業年度の月数}}$$

設例1－4　特定事業年度中に分割等があった場合における新設分割子法人の納税義務の有無の判定

株式会社甲社（以下「甲社」という。）は令和７年７月１日に新設分割により資本金800万円の株式会社乙社（以下「乙社」という。）を設立した。以下の【資料】に基づき乙社の令和９年度（令和９年１月１日～令和９年12月31日）における納税義務の有無を判定しなさい。

なお、甲社及び乙社とも消費税課税事業者選択届出書は提出しておらず、令和８年12月31日現在甲社の乙社株式保有割合は80%であった。

【資料】

1. 甲社の各課税期間における課税売上高

課　税　期　間	課税売上高（税抜金額）
令和７年４月１日～令和８年３月31日	6,360,000円
令和８年４月１日～令和９年３月31日	5,280,000円

2. 乙社の各課税期間における課税売上高

課　税　期　間	課税売上高（税抜金額）	左記の金額のうち特定期間中の課税売上高
令和７年７月１日～令和７年12月31日	2,460,000円	―
令和８年１月１日～令和８年12月31日	4,860,000円	2,284,000円

解答

⑴　基準期間における課税売上高

$$\frac{2,460,000円}{6}\times 12 = 4,920,000円 \leqq 10,000,000円$$

⑵　特定期間における課税売上高

2,284,000円 ≦ 10,000,000円

⑶　分割等があった場合の納税義務の免除の特例

①　特定要件

80% ＞ 50%　　∴　該当

②　納税義務の判定

イ　$$\frac{2,460,000円}{6}\times 12\times\frac{9}{12} = 3,690,000円$$

ロ　$$\frac{6,360,000円}{12}\times 12 = 6,360,000円$$

ハ　イ＋ロ＝10,050,000円

10,050,000円 ＞ 10,000,000円　　∴　納税義務あり

解説

この設例における特定事業年度は、新設分割子法人のその事業年度開始の日（令和９年１月１日）の２年前の日の前日（令和７年１月１日）から同日以後１年を経過する日（令和７年12月31日）までの間に開始した新設分割親法人の事業年度であるため、令和７年４月１日から令和８年３月31日までの新設分割親法人の事業年度が該当します。この特定事業年度中に分割等が行われている場合には、新設分割子法人の課税売上高の計算が異なるため注意が必要です。

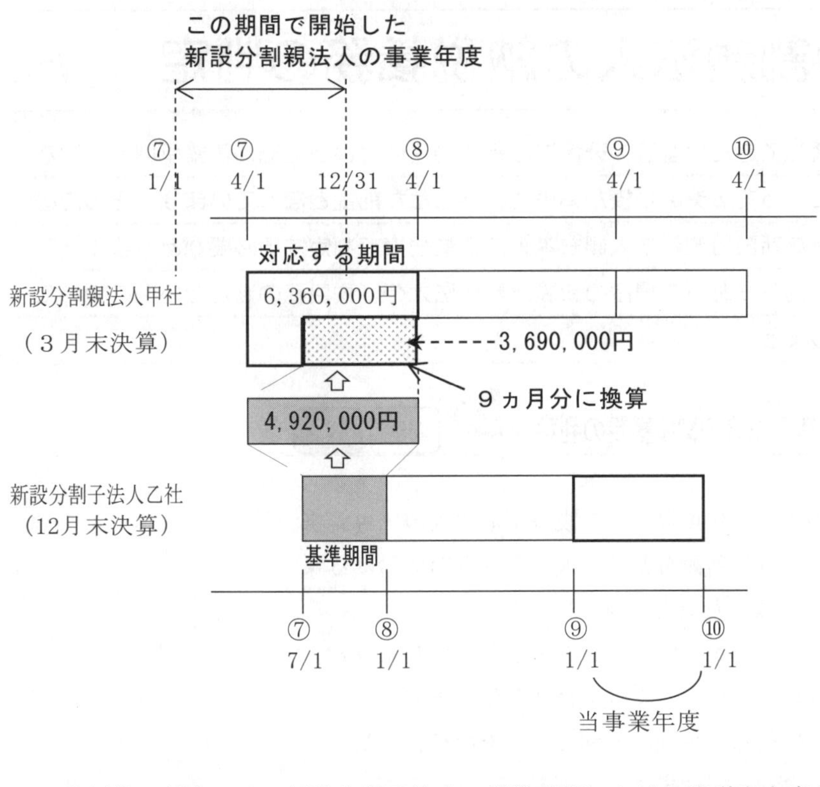

※　分割等の判定では、新設分割子法人の基準期間における課税売上高を分割等があった日から新設分割親法人の特定事業年度の末日までの期間に相当する金額に換算します。この設例では、９ヵ月分に換算することとなります。

Section 2

新設分割親法人の納税義務の判定

ここまで学習してきた分割等の場合には相続や合併といった他の事業承継とは異なり、分割等によって事業の規模が縮小されることが前提となっています。そのため分割等を行った新設分割親法人側も本来の事業規模で判定する必要があります。
ここでは、分割等があった場合の新設分割親法人の納税義務の判定の特例について見て行きましょう。

1 分割事業年度の翌々事業年度以後の納税義務の判定

1. 概要（法12④）

分割等があった場合の翌々事業年度以後の新設分割親法人の納税義務については、まずは通常どおりに新設分割親法人の基準期間における課税売上高、特定期間における課税売上高で判定します。

しかし、判定の結果、納税義務が免除されることとなってしまうと、新設分割子法人との分割等の形態によっては不合理が生じます。

そこで消費税法では、原則的な納税義務の判定だけでなく、分割等の特例による判定も行うこととなっています。

なお、新設分割親法人の納税義務の判定における分割等の特例判定は、分割事業年度の翌々事業年度から行います。これは、**分割事業年度とその翌事業年度は、基準期間が分割前の期間であるため、分割等の影響を受けておらず、分割等の特例判定を設ける必要がない**ためです。

消費税法〈分割等があった場合の納税義務の免除の特例〉

法12条④　新設分割親法人のその事業年度開始の日の１年前の日の前々日以前に分割等があった場合において、その事業年度の基準期間の末日において新設分割子法人が特定要件に該当し、かつ、その新設分割親法人のその事業年度の基準期間における課税売上高とその新設分割子法人のその新設分割親法人のその事業年度の基準期間に対応する期間における課税売上高として政令で定めるところにより計算した金額との合計額が1,000万円を超えるときは、その新設分割親法人（課税事業者選択届出書の提出により、又は前年等の課税売上高による特例の規定により消費税を納める義務が免除されないものを除く。）のその事業年度（その基準期間における課税売上高が1,000万円以下である事業年度に限る。）における課税資産の譲渡等及び特定課税仕入れについては、納税義務は免除されない。

2. 判定手順

⑴ 基準期間の判定（法９①）

分割等があった事業年度の翌々事業年度における新設分割親法人の納税義務の判定は、まず通常どおりに**新設分割親法人単独の基準期間における課税売上高で判定**します。

これが1,000万円を超えていれば課税事業者となり、⑵以降の判定は行いません。

⑵ 特定期間の判定（法９の２①）

次に、**新設分割親法人単独の特定期間における課税売上高で判定**します。これが1,000万円を超えていれば課税事業者となり、⑶分割等の判定は行いません。

⑶ 分割等の判定（法12④）

① 特定要件による判定

新設分割親法人の納税義務の判定をする場合においても、分割等により事業規模が小さくなることを意図した租税回避が行われることが考えられるため、**特定要件**[*01]**による判定を行い**、特定要件を満たす場合には、**翌々事業年度以後引き続き特例判定を適用する**こととしています。

*01) Section１で学習した特定要件のことです。

② 課税売上高による判定

①を前提として新設分割親法人の基準期間における課税売上高、及び特定期間における課税売上高が共に1,000万円以下である場合には、**新設分割親法人の基準期間における課税売上高と、新設分割子法人の対応する期間の課税売上高**[*02]**の合計額で判定**し、1,000万円を超えるときは、その事業年度における課税資産の譲渡等及び特定課税仕入れについては、納税義務は免除されません。

*02) この教科書では、条文中の「新設分割子法人のその新設分割親法人のその事業年度の基準期間に対応する期間における課税売上高として一定の方法により計算した金額」を「新設分割子法人の対応する期間の課税売上高」と表記しています。

3. 判定に用いる新設分割子法人の課税売上高（令23⑤）

分割等があった事業年度の翌々事業年度以後における納税義務の判定に用いる新設分割子法人の課税売上高は、**新設分割親法人のその事業年度開始の日の２年前の日の前日から同日以後１年を経過する日までの間に開始した**[*03]**新設分割子法人の事業年度を対応する期間**とします。

なお、対応する期間の課税売上高は、新設分割親法人の基準期間中に分割等があった場合と基準期間以前に分割等があった場合を分けて[*04]考えます。

*03) 新設分割子法人の翌々事業年度以後の判定と同様に、新設分割親法人の翌々事業年度以後の判定も「開始した」期間をとります。

*04) これもSection１と同じです。

⑴　新設分割親法人の基準期間中に分割等があった場合

新設分割子法人の対応する期間の課税売上高は、下記の算式により調整した金額を用います。

〈新設分割子法人の対応する期間の課税売上高〉

$$\text{新設分割子法人の対応する期間の課税売上高} = \frac{\text{新設分割子法人の対応する期間の課税売上高}}{\text{上記期間の月数}} \times 12\text{（円未満切捨）} \times \frac{\text{分割等があった日から新設分割親法人の基準期間の末日までの月数}}{\text{基準期間に含まれる事業年度の月数}}$$

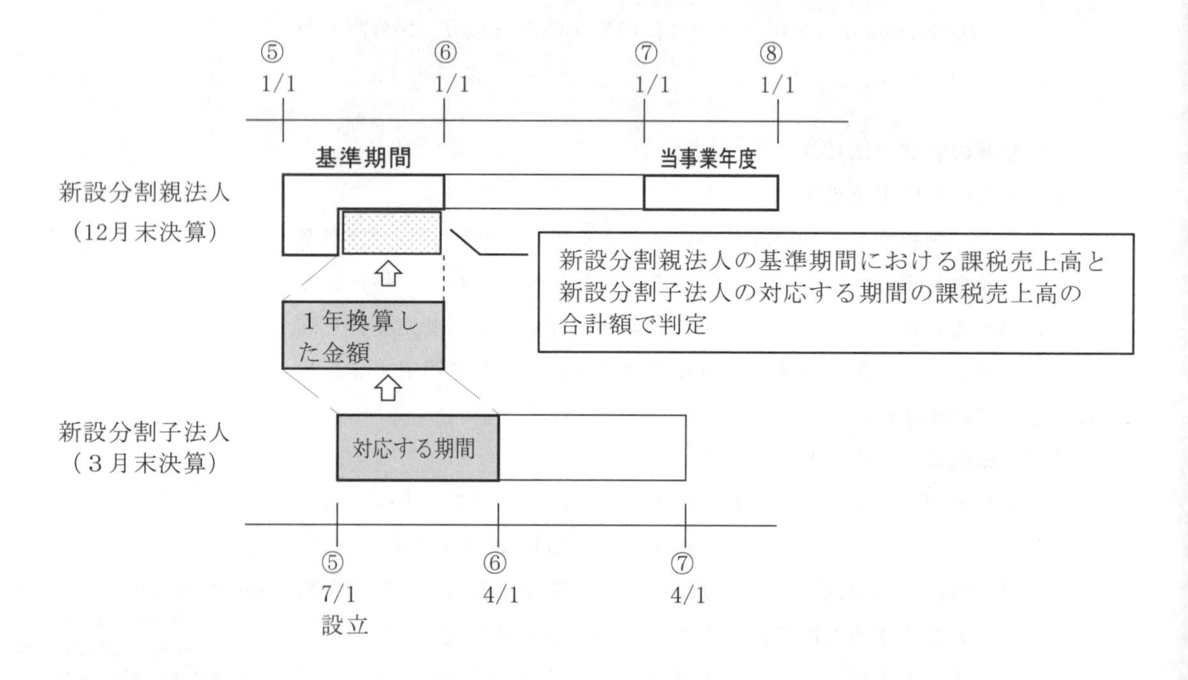

〈対応する期間〉

その事業年度開始の日（令和７年１月１日）の２年前の日の前日（令和５年１月１日）から同日以後１年を経過する日（令和５年12月31日）までの間に**開始**した新設分割子法人の事業年度（令和５年７月１日～令和６年３月31日）

〈判定〉

⑴　基準期間の判定（法９①）

基準期間における課税売上高　xx,xxx,xxx円　＞ 1,000万円 → 納税義務あり　判定終了

≦ 1,000万円 → ⑵へ

⑵　特定期間の判定（法９の２①）

特定期間における課税売上高　xx,xxx,xxx円　＞ 1,000万円 → 納税義務あり　判定終了

≦ 1,000万円 → ⑶へ

⑶　分割等の判定（法12④）

新設分割親法人の基準期間における課税売上高 ＋ 新設分割子法人の対応する期間の課税売上高 ＞ 1,000万円 → 納税義務あり

≦ 1,000万円 → 納税義務なし

設例２－１　分割事業年度の翌々事業年度以後の新設分割親法人の納税義務の有無の判定⑴

株式会社甲社（以下「甲社」という。）は令和７年７月１日に新設分割により資本金800万円の株式会社乙社（以下「乙社」という。）を設立した。以下の【資料】に基づき甲社の令和９年度（令和９年１月１日～令和９年12月31日）における納税義務の有無を判定しなさい。

なお、甲社及び乙社とも消費税課税事業者選択届出書は提出しておらず、令和７年12月31日現在甲社の乙社株式保有割合は80％であった。

【資料】

1.　甲社の各課税期間における課税売上高

課　税　期　間	課税売上高（税抜金額）	左記の金額のうち特定期間中の課税売上高
令和７年１月１日～令和７年12月31日	8,850,000円	4,602,000円
令和８年１月１日～令和８年12月31日	6,300,000円	3,465,000円

2.　乙社の各課税期間における課税売上高

課　税　期　間	課税売上高（税抜金額）
令和７年７月１日～令和８年３月31日	3,915,000円
令和８年４月１日～令和９年３月31日	5,100,000円

解答

⑴　基準期間における課税売上高

8,850,000円 ≦ 10,000,000円

⑵　特定期間における課税売上高

3,465,000円 ≦ 10,000,000円

⑶　分割等があった場合の納税義務の免除の特例

①　特定要件

80％ ＞ 50％　　∴　該当

②　納税義務の判定

イ　8,850,000円

ロ　$\frac{3,915,000円}{9} \times 12 \times \frac{6}{12}$ ＝2,610,000円

ハ　イ＋ロ＝11,460,000円

11,460,000円 ＞ 10,000,000円　　∴　納税義務あり

解説

新設分割親法人の納税義務の判定は、まず、新設分割親法人の基準期間における課税売上高が1,000万円を超えるか否かで判定します。

新設分割子法人が基準期間の末日において特定要件に該当する場合には、新設分割親法人の基準期間における課税売上高と、新設分割子法人の対応する期間の課税売上高の合計額で判定し、その金額が1,000万円を超えるときは、納税義務は免除されないこととなります。

なお、新設分割子法人の対応する期間の課税売上高は、分割等があった日から新設分割親法人の基準期間の末日までの期間の月数に対応する金額となる点に注意が必要です。

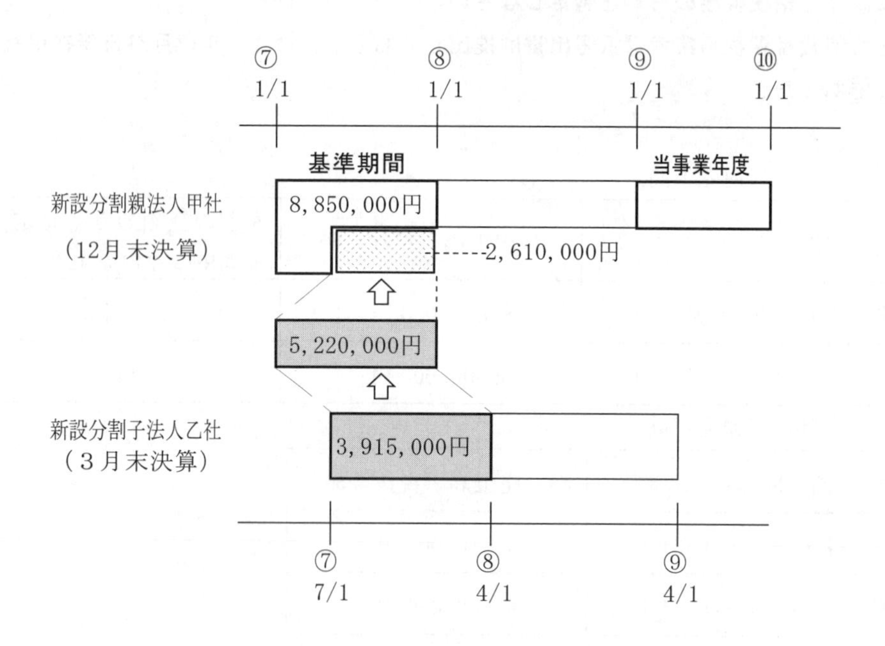

⑵ 新設分割親法人の基準期間前に分割等があった場合

新設分割子法人の対応する期間の課税売上高は、下記の算式により調整した金額を用います。

〈新設分割子法人の対応する期間の課税売上高〉

$$\text{新設分割子法人の対応する期間の課税売上高} = \frac{\text{対応する期間の課税売上高}}{\text{対応する期間に含まれる月数}} \times 12$$

設例２－２　分割事業年度の翌々事業年度以後の新設分割親法人の納税義務の有無の判定⑵

株式会社甲社（以下「甲社」という。）は令和７年７月１日に新設分割により資本金800万円の株式会社乙社（以下「乙社」という。）を設立した。以下の【資料】に基づき甲社の令和10年度（令和10年１月１日～令和10年12月31日）における納税義務の有無を判定しなさい。

なお、甲社及び乙社とも消費税課税事業者選択届出書は提出しておらず、令和８年12月31日現在甲社の乙社株式保有割合は80%であった。

【資料】

1. 甲社の各課税期間における課税売上高

課　税　期　間	課税売上高（税抜金額）	左記の金額のうち特定期間中の課税売上高
令和８年１月１日～令和８年 12 月 31 日	6,300,000 円	3,465,000 円
令和９年１月１日～令和９年 12 月 31 日	7,020,000 円	3,369,000 円

2. 乙社の各課税期間における課税売上高

課　税　期　間	課税売上高（税抜金額）
令和８年４月１日～令和９年３月 31 日	5,100,000 円
令和９年４月１日～令和 10 年３月 31 日	5,280,000 円

解答

⑴　基準期間における課税売上高

6,300,000円 ≦ 10,000,000円

⑵　特定期間における課税売上高

3,369,000円 ≦ 10,000,000円

⑶　分割等があった場合の納税義務の免除の特例

①　特定要件

80% ＞ 50%　　∴　該当

②　納税義務の判定

イ　6,300,000円

ロ　$\frac{5,100,000円}{12}$ ×12＝5,100,000円

ハ　イ＋ロ＝11,400,000円

11,400,000円 ＞ 10,000,000円　　∴　納税義務あり

解説

新設分割親法人の納税義務の判定は、分割事業年度の翌々事業年度以後も、まずは、新設分割親法人の基準期間における課税売上高が1,000万円を超えるか否かで判定します。

新設分割子法人が基準期間の末日において特定要件に該当する場合には、新設分割親法人の基準期間における課税売上高と、新設分割子法人の対応する期間の課税売上高の合計額で判定し、1,000万円を超えるときは、納税義務は免除されないこととなります。

この特例による判定は、新設分割子法人が特定要件に該当し続ける限り行います。

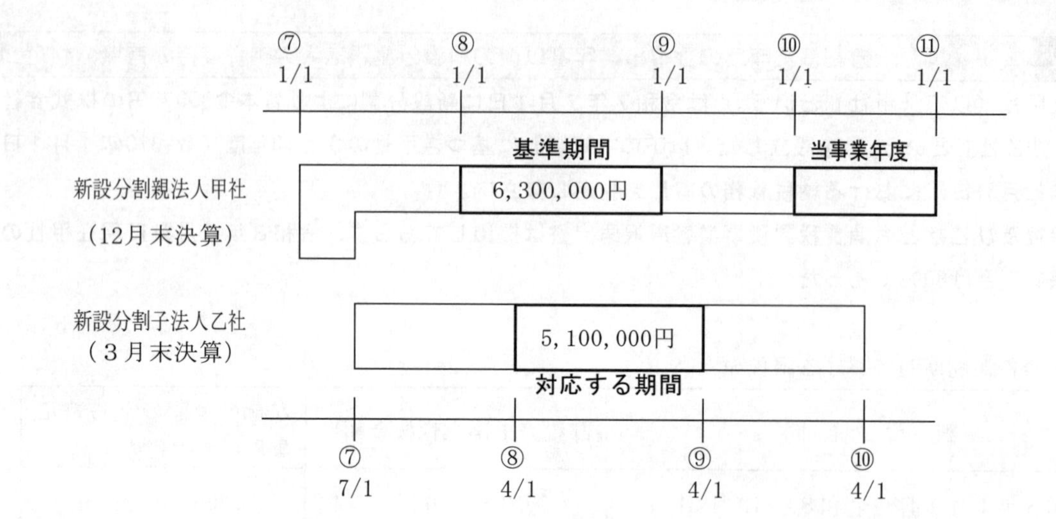
⑦
1/1
⑧
1/1
⑨
1/1
⑩
1/1
⑪
1/1
基準期間
当事業年度
新設分割親法人甲社
（12月末決算）
6,300,000円
新設分割子法人乙社
（３月末決算）
5,100,000円
対応する期間
⑦
7/1
⑧
4/1
⑨
4/1
⑩
4/1

Section 3

吸収分割の場合における納税義務の判定

Section 1で学習したように、吸収分割とは既存の法人に事業の一部を移転する分割をいいます。
吸収分割も、分割により事業の規模が変更されていますので、納税義務の特例判定を行う必要があります。ここでは、吸収分割の場合の納税義務の判定について確認していきましょう。

1 吸収分割があった事業年度における分割承継法人の納税義務の判定

1. 概要（法12⑤）

吸収分割があった事業年度における**分割承継法人**[*01]**の納税義務**については、まずは通常どおりに分割承継法人の基準期間における課税売上高、特定期間における課税売上高で判定します。

しかし、判定の結果、納税義務が免除されることとなってしまうと、**分割法人**[*02]**が本来課税事業者であった場合には、分割法人が納付すべき消費税が分割により納付されない**こととなってしまうため、不合理が生じます。そこで、消費税法では原則的な納税義務の判定だけでなく、特例による判定も行うこととなっています。

なお、この特例は、分割承継法人に対してのみ設けられており、**分割法人に関しては特例判定を行う必要はありません。**

*01) 分割により分割法人の事業を承継した法人をいいます。

*02) 分割をした法人をいいます。

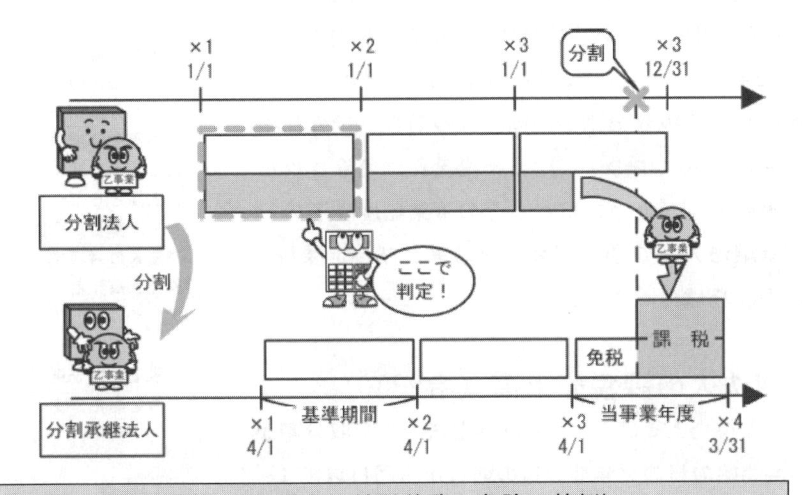

消費税法〈分割等があった場合の納税義務の免除の特例〉

法12条⑤　吸収分割があった場合において、分割法人の分割承継法人の吸収分割があった日の属する事業年度の基準期間に対応する期間における課税売上高として政令で定めるところにより計算した金額（分割法人が２以上ある場合には、いずれかの分割法人に係るその金額）が1,000万円を超えるときは、その分割承継法人（課税事業者選択届出書の提出により、又は前年等の課税売上高による特例の規定により消費税を納める義務が免除されないものを除く。）のその吸収分割があった日の属する事業年度（その基準期間における課税売上高が1,000万円以下である事業年度に限る。）のその吸収分割があった日からその吸収分割があった日の属する事業年度終了の日までの間における課税資産の譲渡等及び特定課税仕入れについては、納税義務は免除されない。

2. 判定手順

⑴ 基準期間の判定（法９①）

吸収分割があった事業年度における分割承継法人の納税義務の判定は、まずは**分割承継法人単独の基準期間における課税売上高で判定**します。これが1,000万円を超えていれば課税事業者となり、⑵以降の判定は行いません。

⑵ 特定期間の判定（法９の２①）

次に、**分割承継法人単独の特定期間における課税売上高で判定**します。これが1,000万円を超えていれば課税事業者となり、⑶分割等の判定は行いません。

⑶ 分割等の判定（法12⑤）

分割承継法人の基準期間における課税売上高、及び特定期間における課税売上高が共に1,000万円以下である場合には、**分割法人の対応する期間の課税売上高**[*03)]**で判定**します。これが1,000万円を超えるときは、その事業年度開始の日から吸収分割があった日の前日までの課税資産の譲渡等及び特定課税仕入れについては、納税義務は免除されますが、その事業年度の**吸収分割があった日からその事業年度終了の日までの間における分割承継法人**[*04)]**の課税資産の譲渡等及び特定課税仕入れについては、納税義務は免除されません。**

*03) この教科書では、条文中の「分割法人の分割承継法人の吸収分割があった日の属する事業年度の基準期間に対応する期間における課税売上高として一定の方法により計算した金額」を「分割法人の対応する期間の課税売上高」と表記しています。

*04) 課税事業者を選択している法人を除きます。

3. 判定に用いる分割法人の課税売上高（令23⑥）

判定に用いる分割法人の課税売上高は、その**分割承継法人の吸収分割があった日の属する事業年度開始の日の２年前の日の前日から同日以後１年を経過する日までの間に終了した分割法人の事業年度を対応する期間**とし、その期間の課税売上高を次の算式により調整した金額を用います。

〈分割法人の対応する期間の課税売上高〉

$$\text{分割法人の対応する期間の課税売上高} = \frac{\text{対応する期間の課税売上高}}{\text{対応する期間に含まれる月数}} \times 12$$

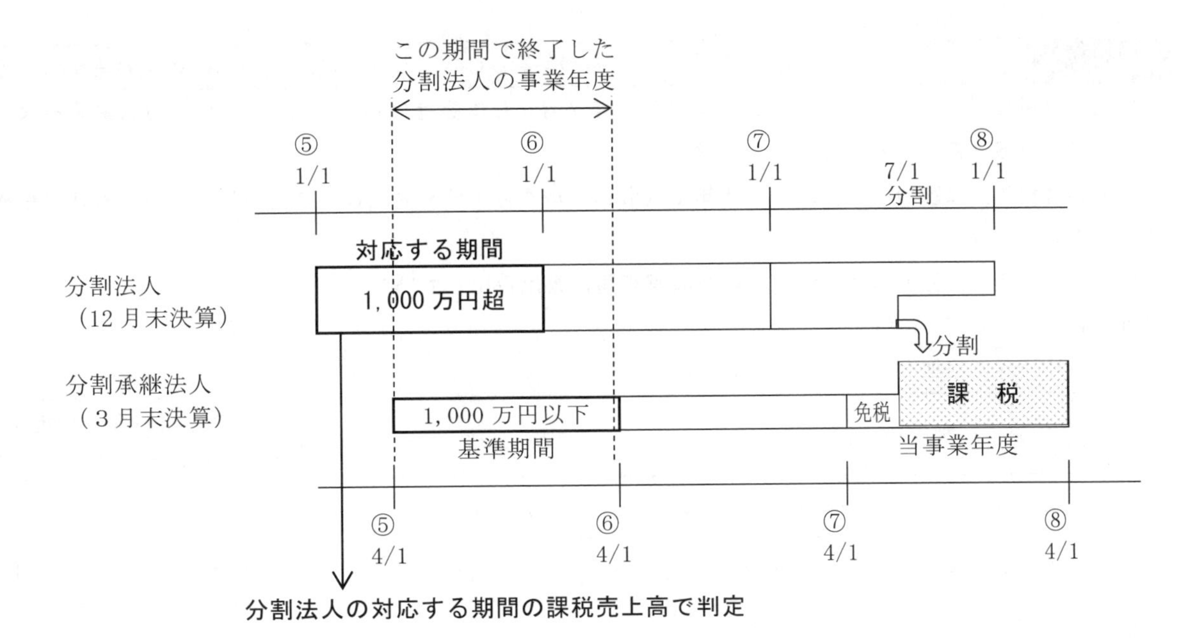

<対応する期間>

その事業年度開始の日（令和７年４月１日）の２年前の日の前日（令和５年４月１日）から同日以後１年を経過する日（令和６年３月 31 日）までの間に**終了**した分割法人の各事業年度（令和５年１月１日～令和５年 12 月 31 日）

<判定>

⑴ 基準期間の判定（法９①）

基準期間における課税売上高　xx,xxx,xxx 円 ＞ 1,000 万円 → 納税義務あり　判定終了
≦ 1,000 万円 → ⑵へ

⑵ 特定期間の判定（法９の２①）

特定期間における課税売上高　xx,xxx,xxx 円 ＞ 1,000 万円 → 納税義務あり　判定終了
≦ 1,000 万円 → ⑶へ

⑶ 分割等の判定（法 12⑤）

分割法人の対応する期間の課税売上高
＞ 1,000 万円 → 分割があった日からその事業年度終了の日まで納税義務あり
≦ 1,000 万円 → 納税義務なし

設例３－１　吸収分割があった事業年度における分割承継法人の納税義務の有無の判定

株式会社甲社（以下「甲社」という。）は令和７年７月１日に会社分割（吸収分割）によりＡ事業を株式会社乙社（以下「乙社」という。）より承継した。

以下の【資料】に基づき甲社の令和７年度（令和７年４月１日～令和８年３月31日）における納税義務の有無を判定しなさい。

なお、甲社及び乙社とも消費税課税事業者選択届出書は提出していない。

【資料】

1. 甲社の各課税期間における課税売上高

課　税　期　間	課税売上高（税抜金額）	左記の金額のうち特定期間中の課税売上高
令和５年４月１日～令和６年３月 31 日	7,020,000 円	3,369,000 円
令和６年４月１日～令和７年３月 31 日	7,260,000 円	3,775,000 円

2. 乙社の各課税期間における課税売上高

課　税　期　間	課税売上高（税抜金額）
令和５年１月１日～令和５年 12 月 31 日	14,550,000 円
令和６年１月１日～令和６年 12 月 31 日	14,640,000 円

解答

⑴　基準期間における課税売上高

7,020,000円 ≦ 10,000,000円

⑵　特定期間における課税売上高

3,775,000円 ≦ 10,000,000円

⑶　分割等があった場合の納税義務の免除の特例

$\frac{14,550,000円}{12}\times 12 = 14,550,000円$

14,550,000円 ＞ 10,000,000円

∴　令和７年７月１日から令和８年３月31日までの期間納税義務あり

解説

吸収分割があった事業年度における分割承継法人の納税義務の判定は、原則として分割承継法人の基準期間における課税売上高が1,000万円を超えるか否かで判定しますが、特例として、分割法人の対応する期間の課税売上高が1,000万円を超える場合には、吸収分割があった日からその事業年度終了の日までは納税義務は免除されないこととなっています。

なお、ここでいう「対応する期間」は、分割承継法人の吸収分割があった日の属する事業年度開始の日（令和７年４月１日）の２年前の日の前日（令和５年４月１日）から同日以後１年を経過する日（令和６年３月31日）までの間に終了する分割法人の事業年度をいいます。したがって、この設例では令和５年１月１日から令和５年12月31日までの分割法人の事業年度が該当します。

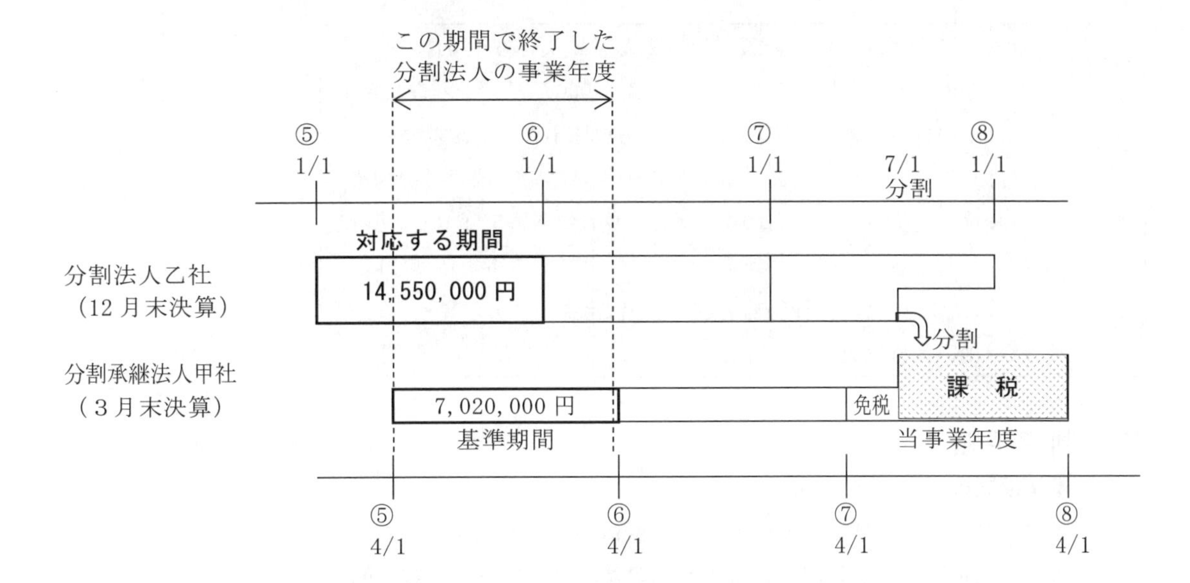

4. 分割法人が２以上ある場合

分割法人が２以上ある場合における分割承継法人の特例による納税義務の判定は、各分割法人の対応する期間の課税売上高の**いずれかが1,000万円を超えるか否かで判定**します。

したがって、分割法人の対応する期間の課税売上高のうち1,000万円を超えるものが１つでもあれば、吸収分割があった日からその事業年度終了の日までの課税資産の譲渡等及び特定課税仕入れについて納税義務は免除されません。

2 吸収分割があった事業年度の翌事業年度の納税義務の判定

1. 概要（法12⑥）

吸収分割があった事業年度の翌事業年度における分割承継法人の納税義務についても、まずは通常どおりに分割承継法人の基準期間における課税売上高、特定期間における課税売上高で判定します。しかし、この基準期間における課税売上高は分割が行われる以前の事業規模ですので、分割法人が本来課税事業者であった場合には、分割法人が納付すべき消費税が分割により納付されないこととなってしまうため、不合理が生じます。

そこで、消費税法では通常の納税義務の判定だけでなく、**分割等の特例による判定も行う**こととしています。

> **消費税法〈分割等があった場合の納税義務の免除の特例〉**
>
> 法12条⑥　分割承継法人のその事業年度開始の日の１年前の日の前日からその事業年度開始の日の前日までの間に吸収分割があった場合において、分割法人のその分割承継法人のその事業年度の基準期間に対応する期間における課税売上高として政令で定める

ところにより計算した金額（分割法人が２以上ある場合にはいずれかの分割法人に係るその金額）が1,000万円を超えるときは、その分割承継法人（課税事業者選択届出書の提出により、又は前年等の課税売上高による特例の規定により消費税を納める義務が免除されないものを除く。）のその事業年度（その基準期間における課税売上高が1,000万円以下である事業年度に限る。）における課税資産の譲渡等及び特定課税仕入れについては、納税義務は免除されない。

2. 判定手順

⑴ 基準期間の判定（法９①）

吸収分割があった事業年度の翌事業年度における分割承継法人の納税義務の判定は、まず**分割承継法人単独の基準期間における課税売上高で判定**します。これが1,000万円を超えていれば課税事業者となり、⑵以降の判定は行いません。

⑵ 特定期間の判定（法９の２①）

次に、**分割承継法人単独の特定期間における課税売上高で判定**します。これが1,000万円を超えていれば課税事業者となり、⑶分割等の判定は行いません。

⑶ 分割等の判定（法12⑥）

分割承継法人[*01]の基準期間における課税売上高、及び特定期間における課税売上高が共に1,000万円以下である場合には、**分割法人の対応する期間の課税売上高[*02]で判定**します。これが1,000万円を超えるときは、その事業年度における**課税資産の譲渡等及び特定課税仕入れについては、納税義務は免除されません。**

*01) 課税事業者を選択している法人を除きます。

*02) この教科書では、条文中の「分割法人のその分割承継法人のその事業年度の基準期間に対応する期間における課税売上高として一定の方法により計算した金額」を「分割法人の対応する期間の課税売上高」と表記しています。

3. 判定に用いる分割法人の課税売上高（令23⑦）

判定に用いる分割法人の課税売上高は、**分割承継法人のその事業年度開始の日の２年前の日の前日から同日以後１年を経過する日までの間に終了した分割法人の各事業年度**を対応する期間とし、その期間における課税売上高を次の算式により調整した金額を用います。

〈分割法人の対応する期間の課税売上高〉

$$\text{分割法人の対応する期間の課税売上高} = \frac{\text{対応する期間の課税売上高}}{\text{対応する期間に含まれる月数}} \times 12$$

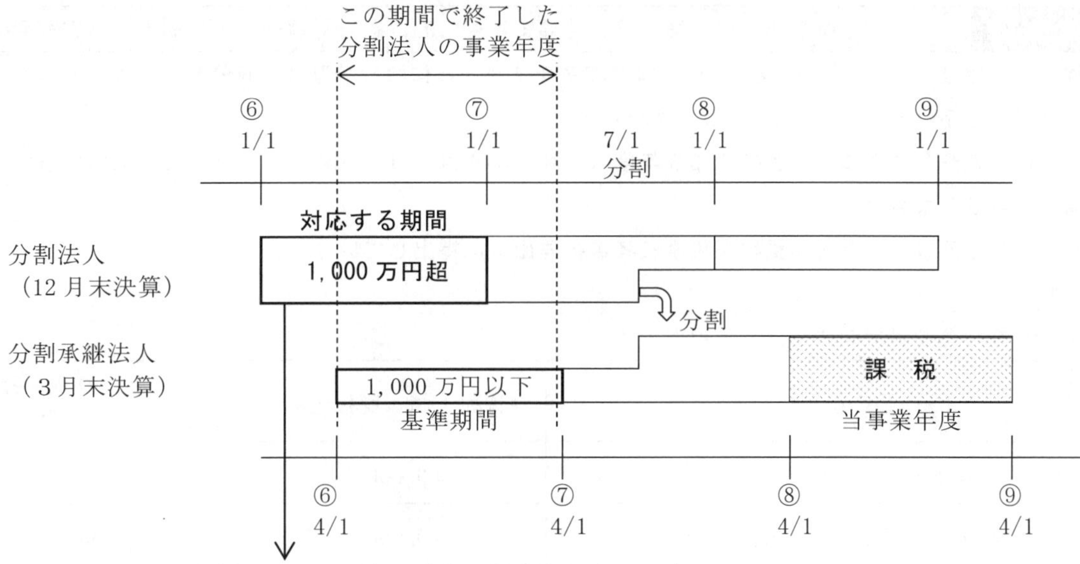

〈対応する期間〉

その事業年度開始の日（令和8年4月1日）の2年前の日の前日（令和6年4月1日）から同日以後1年を経過する日（令和7年3月31日）までの間に**終了**した分割法人の各事業年度（令和6年1月1日～令和6年12月31日）

〈判定〉

⑴　基準期間の判定（法9①）

基準期間における課税売上高　xx,xxx,xxx円 ＞ 1,000万円 → 納税義務あり　判定終了
≦ 1,000万円 → ⑵へ

⑵　特定期間の判定（法9の2①）

特定期間における課税売上高　xx,xxx,xxx円 ＞ 1,000万円 → 納税義務あり　判定終了
≦ 1,000万円 → ⑶へ

⑶　分割等の判定（法12⑥）

分割法人の対応する期間の課税売上高 ＞ 1,000万円 → 納税義務あり
≦ 1,000万円 → 納税義務なし

設例３－２　吸収分割があった事業年度の翌事業年度における分割承継法人の納税義務の有無の判定

株式会社甲社（以下「甲社」という。）は令和７年７月１日に会社分割（吸収分割）によりＡ事業を株式会社乙社（以下「乙社」という。）より承継した。

以下の【資料】に基づき甲社の令和８年度（令和８年４月１日～令和９年３月31日）における納税義務の有無を判定しなさい。

なお、甲社及び乙社とも消費税課税事業者選択届出書は提出していない。

【資料】

1. 甲社の各課税期間における課税売上高

課　税　期　間	課税売上高（税抜金額）	左記の金額のうち特定期間中の課税売上高
令和６年４月１日～令和７年３月 31 日	7,260,000 円	3,775,000 円
令和７年４月１日～令和８年３月 31 日	10,980,000 円	5,155,000 円

2. 乙社の各課税期間における課税売上高

課　税　期　間	課税売上高（税抜金額）
令和６年１月１日～令和６年 12 月 31 日	14,640,000 円
令和７年１月１日～令和７年 12 月 31 日	11,370,000 円

解答

⑴　基準期間における課税売上高

7,260,000円 ≦ 10,000,000円

⑵　特定期間における課税売上高

5,155,000円 ≦ 10,000,000円

⑶　分割等があった場合の納税義務の免除の特例

$\frac{14,640,000円}{12}$ ×12＝14,640,000円

14,640,000円 ＞ 10,000,000円　　∴　納税義務あり

解説

吸収分割があった事業年度の翌事業年度における納税義務の判定についても、原則的には分割承継法人の基準期間における課税売上高が1,000万円を超えるか否かで判定します。しかし、特例として、分割法人の対応する期間の課税売上高が1,000万円を超える場合には、納税義務は免除されないこととなっています。

なお、ここでいう「対応する期間」は、分割承継法人のその事業年度開始の日（令和８年４月１日）の２年前の日の前日（令和６年４月１日）から同日以後１年を経過する日（令和７年３月31日）までの間に終了した分割法人の各事業年度をいいます。したがって、この設例では令和６年１月１日から令和６年12月31日までの分割法人の事業年度が該当します。

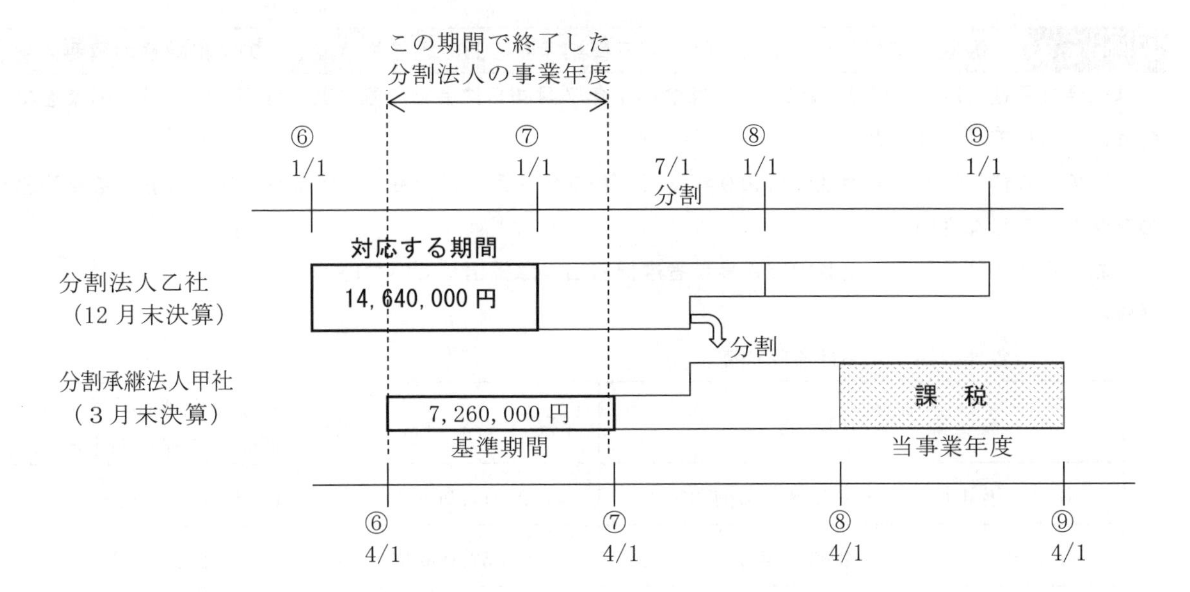

4. 分割法人が2以上ある場合

分割法人が2以上ある場合には、吸収分割があった事業年度と同様に、分割法人の対応する期間の課税売上高の**いずれかが1,000万円を超えるか否かで判定**します。

したがって、分割法人の対応する期間の課税売上高のうち1,000万円を超えるものが1つでもあれば、分割承継法人の納税義務は免除されません。

3 吸収分割があった事業年度の翌々事業年度以後の納税義務の判定 計算

新設分割とは異なり、吸収分割があった場合における分割承継法人の納税義務の判定の特例は、**吸収分割があった事業年度の翌事業年度までしかありません**。したがって、**翌々事業年度以後については、分割承継法人の基準期間における課税売上高、特定期間における課税売上高のみで納税義務の有無を判定**します。*01)

*01) 吸収分割の翌々事業年度以後において、分割承継法人が分割法人の課税売上高を用いて判定することはありません。

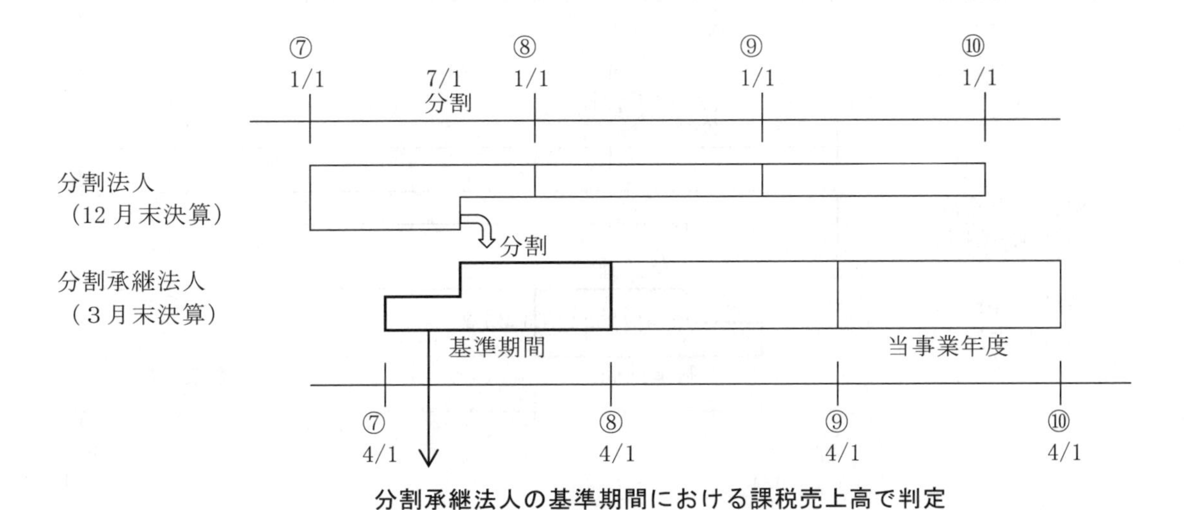

設例３－３　吸収分割があった事業年度の翌々事業年度における分割承継法人の納税義務の有無の判定

株式会社甲社（以下「甲社」という。）は令和７年７月１日に会社分割（吸収分割）によりＡ事業を株式会社乙社（以下「乙社」という。）より承継した。

以下の【資料】に基づき甲社の令和９年度（令和９年４月１日～令和10年３月31日）における納税義務の有無を判定しなさい。

なお、甲社及び乙社とも消費税課税事業者選択届出書は提出していない。

【資料】

1. 甲社の各課税期間における課税売上高

課　税　期　間	課税売上高（税抜金額）	左記の金額のうち特定期間中の課税売上高
令和７年４月１日～令和８年３月31日	9,917,000円	5,155,000円
令和８年４月１日～令和９年３月31日	12,357,000円	6,425,000円

2. 乙社の各課税期間における課税売上高

課　税　期　間	課税売上高（税抜金額）
令和７年１月１日～令和７年12月31日	11,370,000円
令和８年１月１日～令和８年12月31日	11,142,000円

解答　⑴　**基準期間における課税売上高**

9,917,000円　≦　10,000,000円

⑵　**特定期間における課税売上高**

6,425,000円　≦　10,000,000円　　∴　納税義務なし

解説

吸収分割があった事業年度の翌々事業年度以後における納税義務の判定については、特例が設けられていません。そのため、通常どおり分割承継法人の基準期間における課税売上高、及び特定期間における課税売上高が1,000万円を超えているか否かで納税義務の有無の判定を行います。

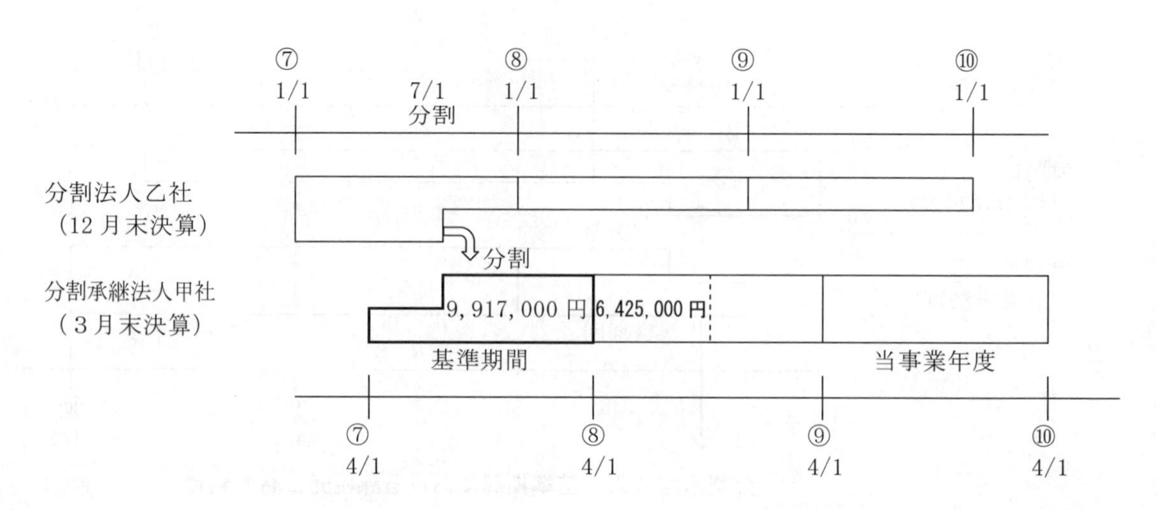

4 分割法人の納税義務の判定

計算

吸収分割の場合、分割承継法人には納税義務の判定に関して特例が設けられていますが、**分割法人に特例はありません**。したがって、分割法人の納税義務の有無は、分割法人の基準期間における課税売上高、及び特定期間における課税売上高で判定します。

設例3－4 吸収分割があった場合における分割法人の納税義務の有無の判定

株式会社甲社（以下「甲社」という。）は令和7年7月1日に会社分割（吸収分割）によりA事業を株式会社乙社（以下「乙社」という。）より承継した。

以下の【資料】に基づき乙社の令和9年度（令和9年1月1日～令和9年12月31日）における納税義務の有無を判定しなさい。

なお、甲社及び乙社とも消費税課税事業者選択届出書は提出していない。

【資料】

1. 甲社の各課税期間における課税売上高

課　税　期　間	課税売上高（税抜金額）
令和7年4月1日～令和8年3月31日	9,917,000円
令和8年4月1日～令和9年3月31日	12,357,000円

2. 乙社の各課税期間における課税売上高

課　税　期　間	課税売上高（税抜金額）	左記の金額のうち特定期間中の課税売上高
令和7年1月1日～令和7年12月31日	11,370,000円	6,139,000円
令和8年1月1日～令和8年12月31日	11,142,000円	6,239,000円

解答

(1) 基準期間における課税売上高

11,370,000円 ＞ 10,000,000円　∴ 納税義務あり

解説

吸収分割があった場合における分割法人の納税義務の有無については、特例が設けられていません。そのため、通常どおり分割法人の基準期間における課税売上高が1,000万円を超えているか否かで納税義務の有無の判定を行います。

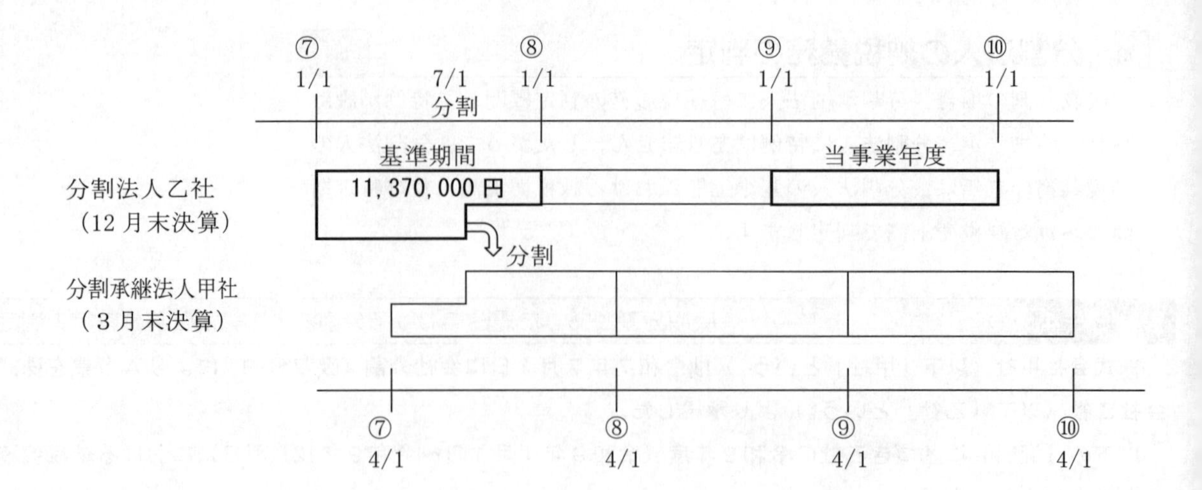
⑦
1/1
7/1
分割
⑧
1/1
⑨
1/1
⑩
1/1
基準期間
当事業年度
分割法人乙社
（12 月末決算）
11,370,000 円
分割
分割承継法人甲社
（３月末決算）
⑦
4/1
⑧
4/1
⑨
4/1
⑩
4/1

Chapter 10

合併があった場合の中間申告に係る納付税額の計算

教科書消費税法Ⅱ基礎完成編Chapter14で学習したように、中間申告の判定は、原則として前課税期間の支払済みの税額をもとに申告の有無を判定しますが、合併により事業規模が拡大している場合であっても合併前の事業規模で判定されてしまうことは、消費税の性質上ある不具合が生じます。ここでは、合併があった場合の中間申告の判定について見ていきましょう

Section 1 合併があった場合の中間申告に係る納付税額の計算

教科書消費税法Ⅱ基礎完成編Chapter14で学習したように中間申告の有無は、直前の課税期間の確定消費税額を基準に判定します。しかし、合併があった場合において事業が拡大しているにもかかわらず直前の課税期間の税額のみで判定を行うと、正しい事業規模での納税が行われないため、合併があった場合の中間申告の有無の判定について特例を設けています。

1 概要（法42②③⑤⑦）

計算

合併があった場合には、**合併法人の直前の課税期間の確定消費税額と被合併法人の合併前の課税期間の確定消費税額**[*01)]**の合計額で中間申告の有無を判定**します。

*01) 確定消費税額については、3を参照してください。

なお、特例による判定は、**合併を行った課税期間の合併があった日後における判定と合併事業年度の翌事業年度の判定**のみ行います。

また、**合併以外の事業承継に関する中間申告の判定の特例計算はありません。**

〈合併事業年度のイメージ〉

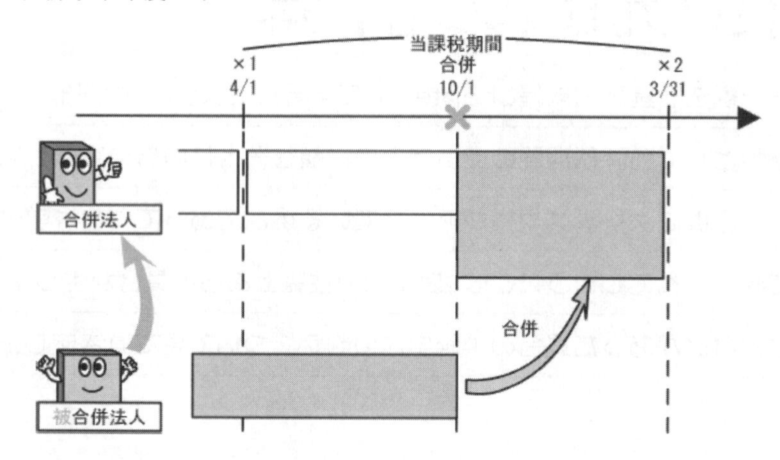

〈翌事業年度のイメージ〉

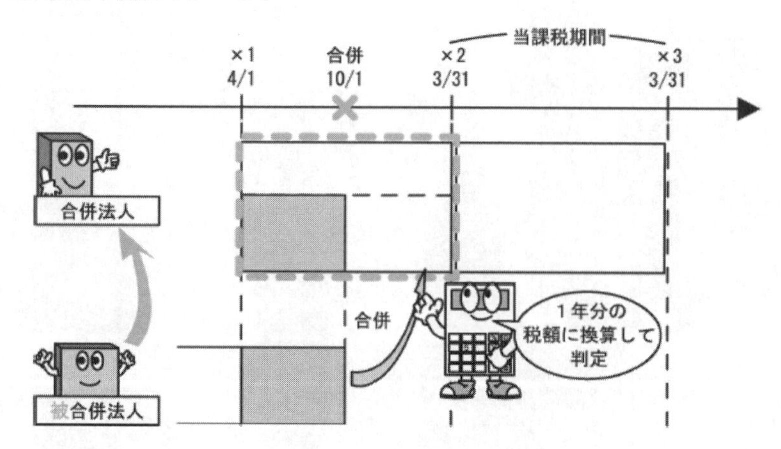

2 合併法人の中間申告に係る納付税額

合併法人の中間申告に係る納付税額の計算式は、(1)吸収合併の場合と(2)新設合併の場合で異なります。

(1) 吸収合併

合併法人の中間申告に係る納付税額 ＝ 合併法人の確定消費税額を基礎に計算した金額 ＋ 被合併法人の確定消費税額を基礎に計算した金額

(2) 新設合併

合併法人の中間申告に係る納付税額 ＝ 各被合併法人の確定消費税額を基礎に計算した金額*01) の合計額

*01) 新設合併の場合には、合併法人は新たに設立された法人であるため、計算の基礎となる期間がありません。そのため、被合併法人の確定消費税額のみの計算式となります。

3 被合併法人の確定消費税額の計算の基礎となる課税期間

被合併法人の確定消費税額を基礎に計算した金額は、原則として、被合併法人の**合併の日の前日の属する課税期間（被合併法人特定課税期間）**における確定消費税額に基づいて計算します。

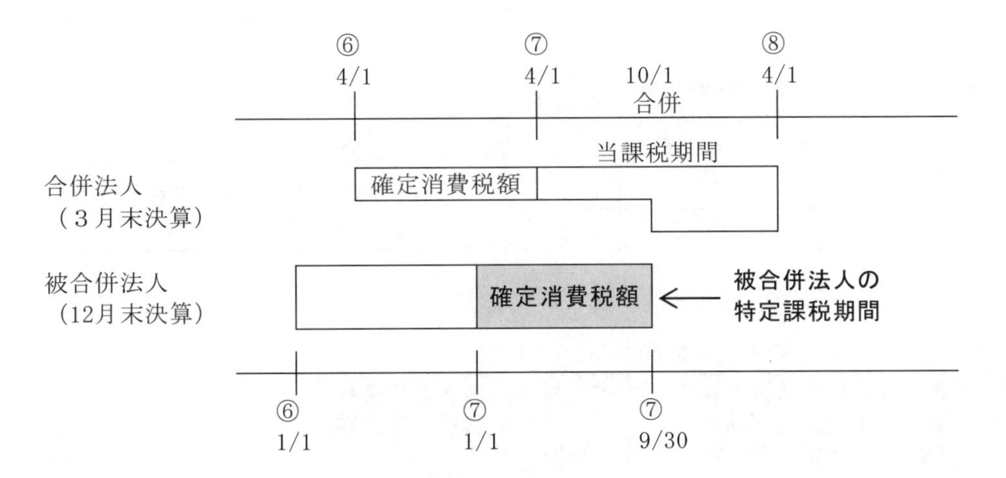

ただし、次のいずれかの場合には、**被合併法人特定課税期間の直前の課税期間における確定消費税額**を基礎として計算します。

1. 被合併法人特定課税期間が３ヵ月（六月中間申告の場合には６ヵ月）未満の場合

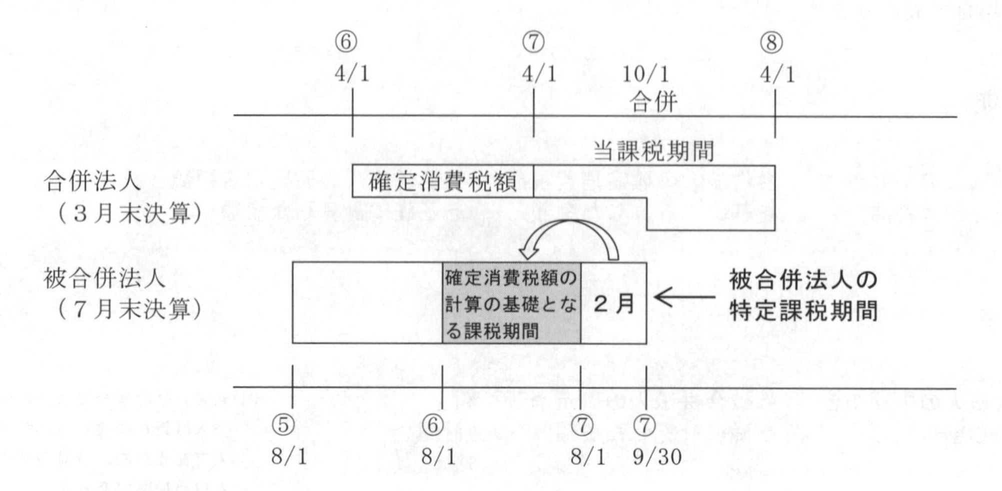

2. 被合併法人特定課税期間における確定消費税額が確定日までに確定していない場合

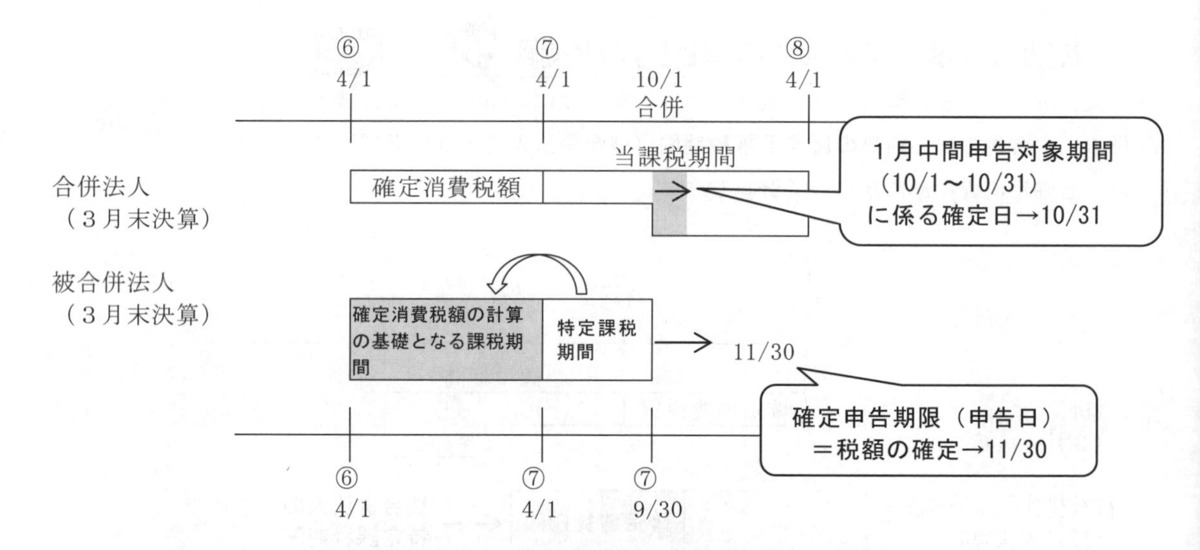

上記事項をまとめると以下のように整理することができます。

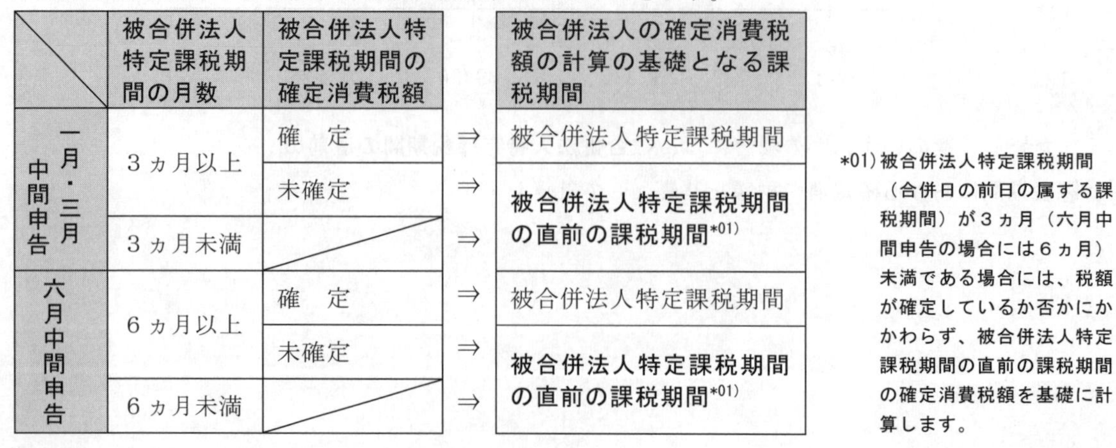

	被合併法人特定課税期間の月数	被合併法人特定課税期間の確定消費税額		被合併法人の確定消費税額の計算の基礎となる課税期間
一月・三月中間申告	３ヵ月以上	確　定	⇒	被合併法人特定課税期間
		未確定	⇒	被合併法人特定課税期間の直前の課税期間*01)
	３ヵ月未満		⇒	
六月中間申告	６ヵ月以上	確　定	⇒	被合併法人特定課税期間
		未確定	⇒	被合併法人特定課税期間の直前の課税期間*01)
	６ヵ月未満		⇒	

*01）被合併法人特定課税期間（合併日の前日の属する課税期間）が３ヵ月（六月中間申告の場合には６ヵ月）未満である場合には、税額が確定しているか否かにかかわらず、被合併法人特定課税期間の直前の課税期間の確定消費税額を基礎に計算します。

設例1－1 確定消費税額の計算の基礎となる課税期間

次の⑴～⑶の場合におけるB社の確定消費税額の計算の基礎となる課税期間を答えなさい。

なお、A社の事業年度は各年4月1日から3月31日までであり、B社の事業年度は各年1月1日から12月31日までである。また、合併法人の当課税期間は令和7年4月1日から令和8年3月31日までとする。

⑴　B社は令和6年10月1日にA社に吸収合併された。

⑵　B社は令和7年3月1日にA社に吸収合併された。

⑶　A社とB社は令和7年4月1日に合併し、C社を新たに設立した（六月中間申告の場合）。

解答　**B社の確定消費税額の計算の基礎となる課税期間**

⑴　令和6年1月1日～令和6年9月30日

⑵　令和6年1月1日～令和6年12月31日

⑶　令和6年1月1日～令和6年12月31日

解説

⑴　被合併法人特定課税期間が3ヵ月（又は6ヵ月）以上あるため、その課税期間が該当します。

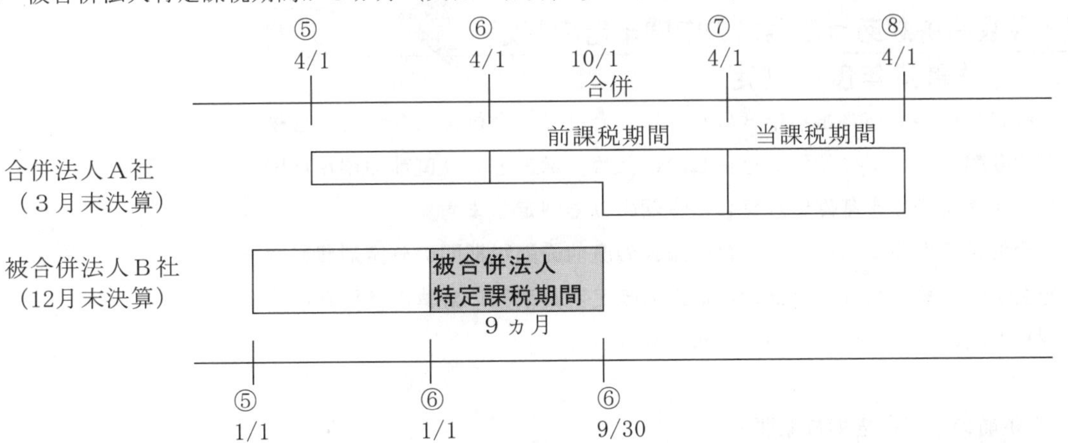

⑵　被合併法人特定課税期間が3ヵ月未満のため、その直前の課税期間が該当します。

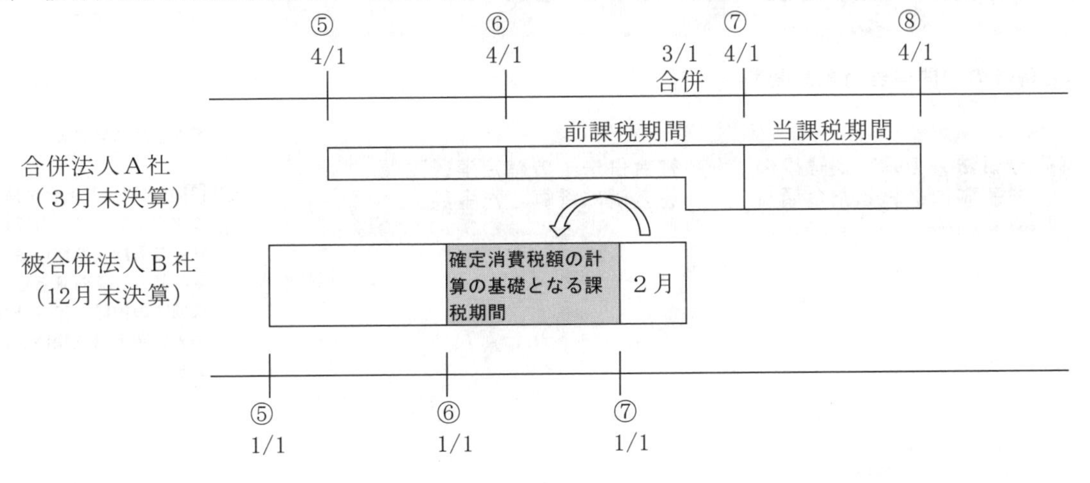

⑶　被合併法人特定課税期間が６ヵ月未満（六月中間申告の場合）のため、その直前の課税期間が該当します。

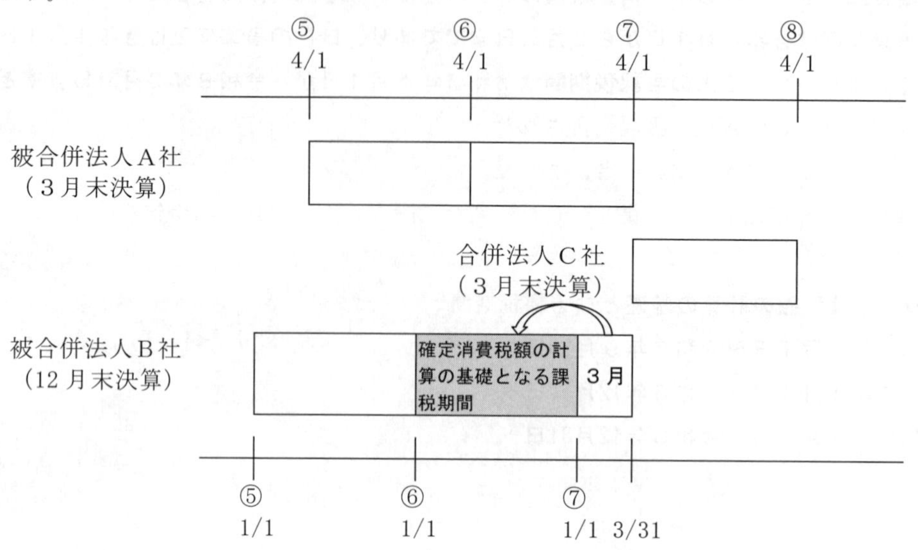

4　吸収合併があった場合の中間申告の判定

計算

1.　合併事業年度の判定

吸収合併があった事業年度の判定は、合併前と合併後に分けて、**合併前の期間**については特例が存在しないため、通常どおり**直前の課税期間の確定消費税額を基礎に計算した金額のみで判定**します。

合併後の期間については、**合併法人の直前の課税期間の確定消費税額を基礎に計算した金額と被合併法人の確定消費税額の計算の基礎となる課税期間の確定消費税額の合計額で判定**します。

<合併前の中間申告対象期間>

合併法人の確定消費税額を基礎に計算した金額*01)

<合併後の中間申告対象期間>

合併法人の確定消費税額*02)を基礎に計算した金額　＋　被合併法人の確定消費税額*03)を基礎に計算した金額

*01) 原則どおりの計算を行うということです。

*02) 原則と同じ計算です。

*03) 3 で確認した被合併法人の確定消費税額の計算の基礎となる課税期間の確定消費税額（計算対象となる課税期間の税額）を「被合併法人の確定消費税額」といいます。

〈合併法人の直前の課税期間の確定消費税額〉

合併法人の直前の課税期間に係る確定消費税額で**各中間申告対象期間の末日までに確定したもの**をいいます。

なお、一月中間申告に関しては、下記「確定日」までに確定したものを用います。

(1) その課税期間開始の日から２ヵ月を経過した日の前日までの間に終了した一月中間申告対象期間[*04)]

　その課税期間開始の日から２ヵ月を経過した日の前日

(2) (1)以外の中間申告対象期間

　一月中間申告対象期間の末日

*04) 一月中間申告の対象となる課税期間の期首から２ヵ月間を指します。詳しくは教科書消費税法Ⅱ基礎完成編Chapter14を参照してください。

(1) 一月中間申告対象期間

次の金額が400万円を超える場合には、一月中間申告を行います。

$$\frac{\text{合併法人の前課税期間の確定消費税額}}{\text{前課税期間の月数}}\ (\text{円未満切捨}) + \frac{\text{被合併法人の確定消費税額}}{\text{分子の基礎となった課税期間の月数}}\ (\text{円未満切捨})$$

〈具体例〉

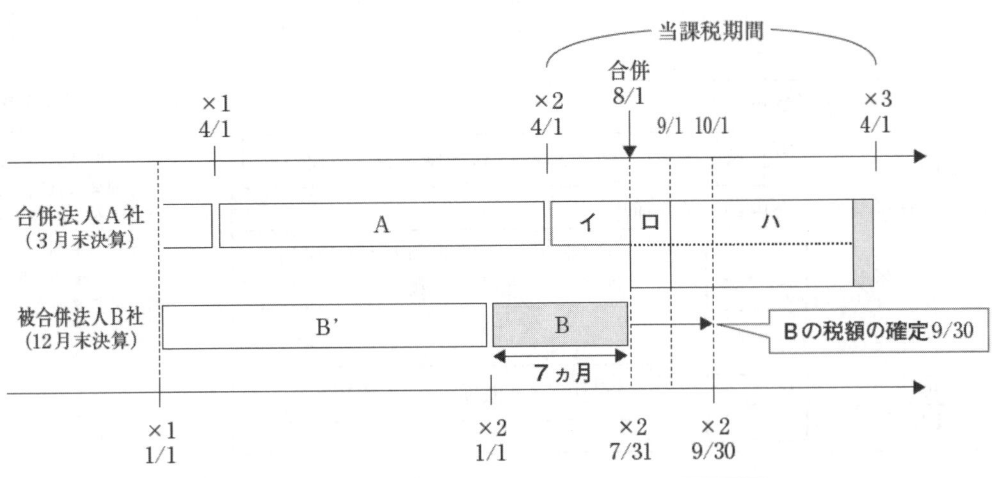

イ　4月～7月（合併前）

$\frac{A}{12}$ ← 合併前の期間であるため通常どおりの計算

ロ　8月（合併後）

$\frac{A}{12} + \boxed{\frac{B'}{12}}$ ← 確定日(8/31)にBが確定していないためB'を使う

ハ　9月～2月（合併後）

$\frac{A}{12} + \boxed{\frac{B}{7}}$ ← 9/30にBが確定しているためBを使う

⑵ 三月中間申告対象期間

次の金額が100万円を超える場合には、三月中間申告を行います。

$$\frac{\text{合併法人の前課税期間の確定消費税額}}{\text{前課税期間の月数}}\text{（円未満切捨）}\times 3$$

$$+\frac{\text{被合併法人の確定消費税額}}{\text{分子の基礎となった課税期間の月数}}\text{（円未満切捨）}\times\text{合併の日からその三月中間申告対象期間の末日までの期間の月数（その月数が３を超えるときは３）}^{*05)}$$

〈具体例〉

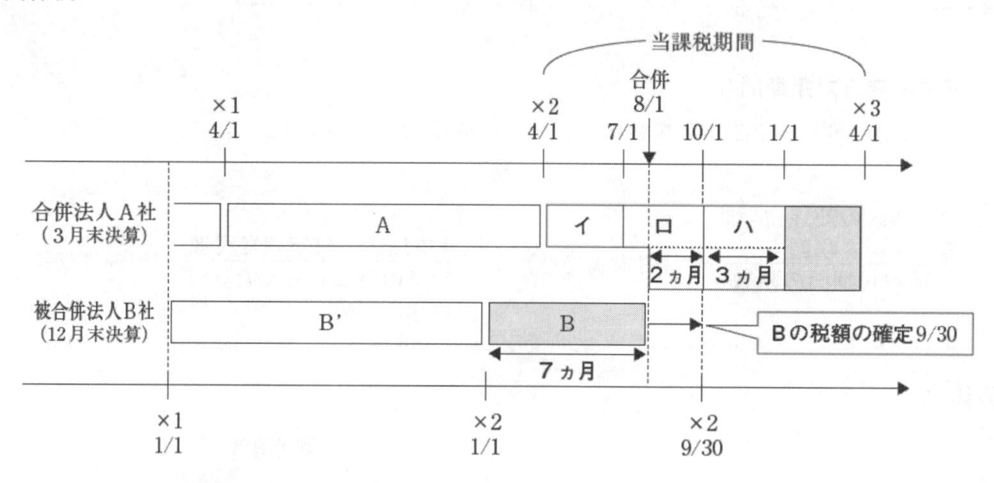

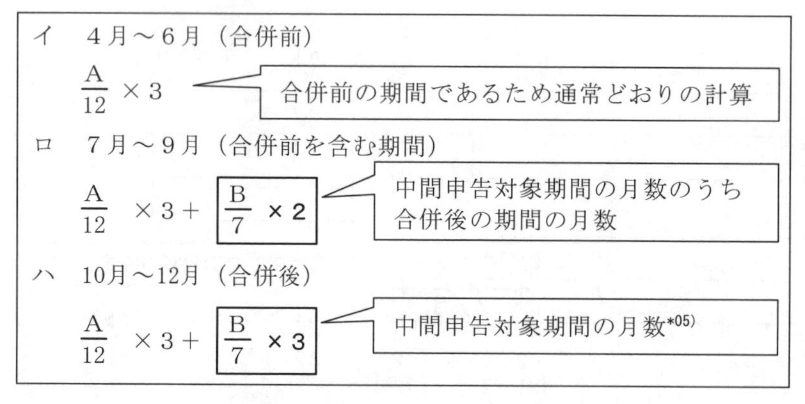

*05）規定上は上記算式のとおり「合併の日からその三月中間申告対象期間の末日までの期間の月数」となっていますが、合併があった日の属する中間申告対象期間以外は、その中間申告対象期間の月数をそのまま使用します。

⑶ 六月中間申告対象期間

次の金額が24万円を超える場合には、六月中間申告を行います。

$$\frac{\text{合併法人の前課税期間の確定消費税額}}{\text{前課税期間の月数}}\text{（円未満切捨）}\times 6$$

$$+\frac{\text{被合併法人の確定消費税額}}{\text{分子の基礎となった課税期間の月数}}\text{（円未満切捨）}\times\text{合併の日からその六月中間申告対象期間の末日までの期間の月数}$$

〈具体例〉

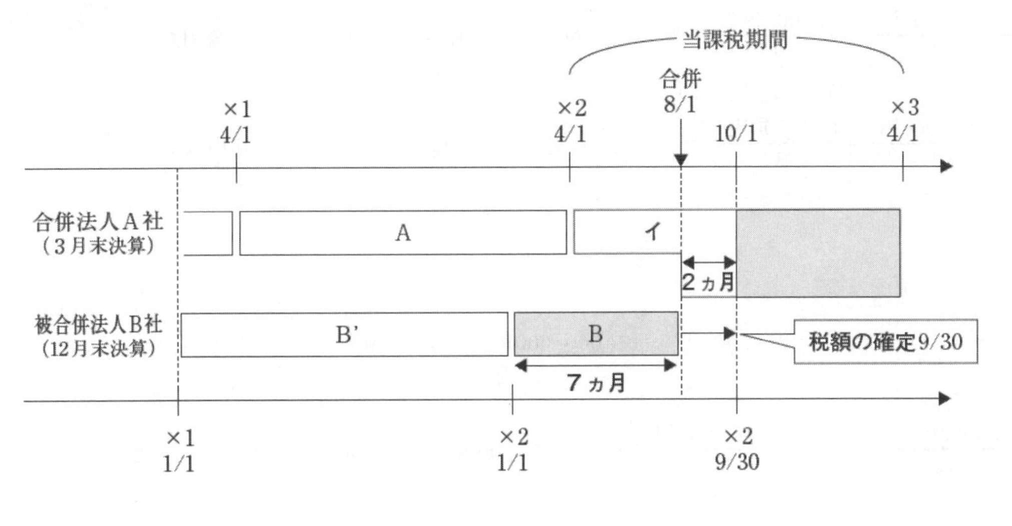

イ　4月～9月

$\frac{A}{12} \times 6 + \boxed{\frac{B}{7} \times 2}$ 　中間申告対象期間の月数のうち合併後の期間の月数

設例1－2　当課税期間に吸収合併があった場合の中間納付税額の計算

A株式会社（以下「A社」という。）は令和7年9月1日にB株式会社（以下「B社」という。）を吸収合併した。以下の【資料】に基づいて当課税期間（令和7年4月1日から令和8年3月31日）におけるA社の中間納付税額を計算しなさい。

【資料】

(1)　A社の前課税期間（令和6年4月1日～令和7年3月31日）における確定消費税額は3,000,000円であった。なお、A社の事業年度は毎年4月1日から3月31日までである。

(2)　B社の合併の日の前日の属する課税期間（令和7年1月1日～令和7年8月31日）における消費税額は840,000円であり、この消費税額は令和7年10月25日に申告及び納税されている。また、その前課税期間（令和6年1月1日～令和6年12月31日）の確定消費税額は1,500,000円であった。なお、B社の事業年度は毎年1月1日から12月31日までである。

解答

中間納付税額　2,690,000　円

解説

(1)　一月中間申告

①　判定

イ　4月、5月、6月、7月、8月

$\frac{3,000,000円}{12}$ ＝250,000円 ≦ 4,000,000円　　∴　適用なし

Ch 1 Ch 2 Ch 3 Ch 4 Ch 5 Ch 6 Ch 7 Ch 8 Ch 9 Ch 10 Ch 11 Ch 12 Ch 13 Ch 14 Ch 15 Ch 16 Ch 17

ロ　９月

$\dfrac{3,000,000円}{12}+\dfrac{1,500,000円}{12}$ *01) ＝375,000円 ≦ 4,000,000円　∴　適用なし

ハ　10月、11月、12月、１月、２月

$\dfrac{3,000,000円}{12}+\dfrac{840,000円}{8}$ *02) ＝355,000円 ≦ 4,000,000円　∴　適用なし

⑵　三月中間申告

①　判定

イ　４月～６月

$\dfrac{3,000,000円}{12}\times 3$ ＝750,000円 ≦ 1,000,000円　∴　適用なし

ロ　７月～９月

$\dfrac{3,000,000円}{12}\times 3+\dfrac{1,500,000円}{12}$ *01)*03) ＝875,000円 ≦ 1,000,000円　∴　適用なし

ハ　10月～12月

$\dfrac{3,000,000円}{12}\times 3+\dfrac{840,000円}{8}$ *02) ×３＝1,065,000円 ＞ 1,000,000円　∴　適用あり

②　中間納付税額

1,065,000円（百円未満切捨）×１回＝1,065,000円

⑶　六月中間申告

①　判定

$\dfrac{3,000,000円}{12}\times 6+\dfrac{1,500,000円}{12}$ *01)*03) ＝1,625,000円 ＞ 240,000円　∴　適用あり

②　中間納付税額

1,625,000円（百円未満切捨）

⑷　⑵＋⑶＝2,690,000円

*01)　被合併法人特定課税期間における確定消費税額が９月末日時点では未確定であるため、被合併法人特定課税期間の直前の課税期間における確定消費税額が計算の基礎となります。

*02)　被合併法人特定課税期間における確定消費税額が各中間申告対象期間の末日までに確定しているため、被合併法人特定課税期間の確定消費税額を使います。

*03)　合併後である９月の被合併法人の確定消費税額分のみを反映させるために３（又は６）ではなく１（合併後の期間の月数）を乗じます。

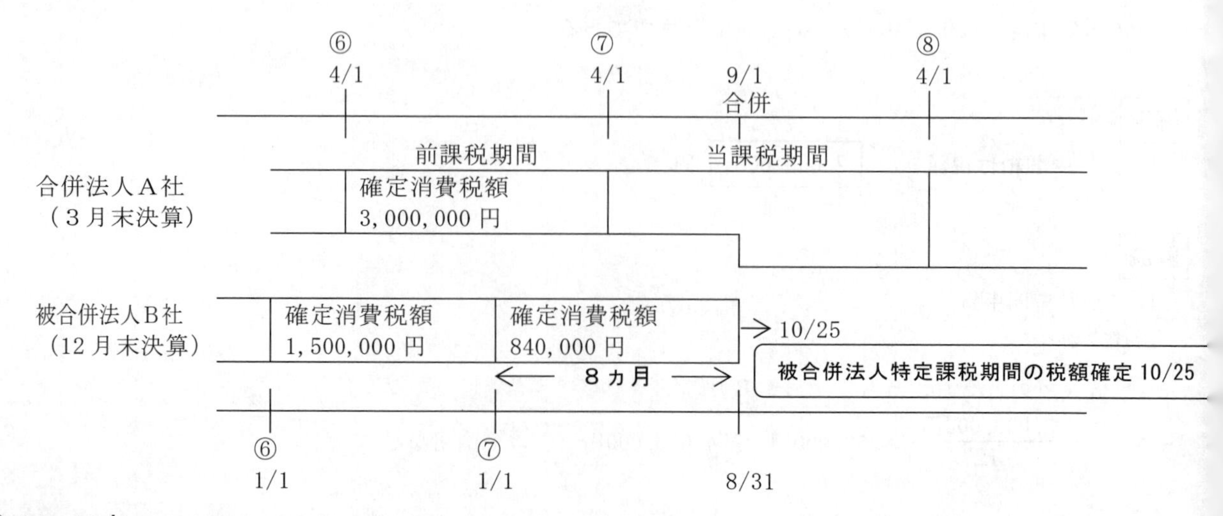

2.　合併事業年度の翌事業年度の判定

合併事業年度の翌事業年度の判定は、合併法人の直前の課税期間（合併があった課税期間）の確定消費税額が、合併法人の事業に係る部分の税額と被合併法人の事業に係る税額のうち合併後の期間の部分から構成されており、これを**合併後の事業規模に対する税額に修正**する必要があります。

そこで、合併法人の前課税期間の確定消費税額を基礎に計算した金額に被合併法人の合併の日の直前の課税期間の確定消費税額の月数を調整したものを加算し、合併後の事業規模に対する税額を出して中間納付税額を計算します。

(1)　一月中間申告対象期間

次の金額が400万円を超える場合には、一月中間申告を行います。

$$\frac{\text{合併法人の前課税期間の確定消費税額}}{\text{前課税期間の月数}}\text{（円未満切捨）}$$

$$+\frac{\text{被合併法人の確定消費税額}}{\text{分子の基礎となった課税期間の月数}}\text{（円未満切捨）}\times\frac{\text{前課税期間開始の日から合併の日の前日までの期間の月数}}{\text{合併法人の前課税期間の月数}}$$

〈具体例〉

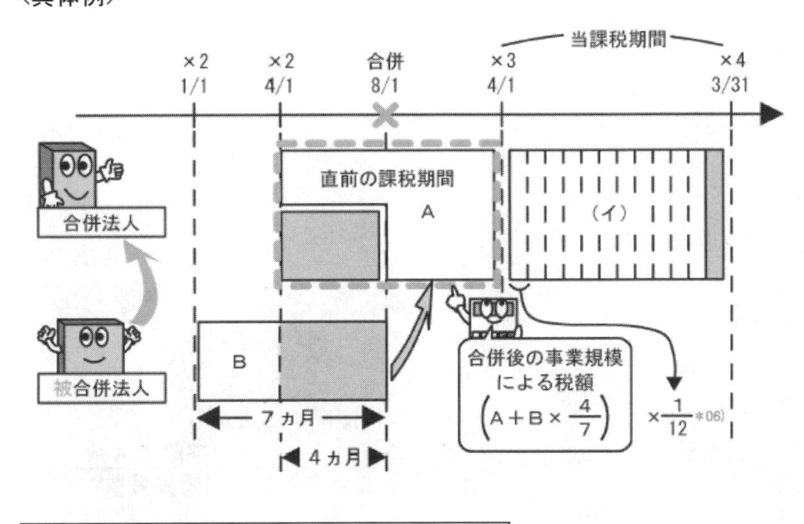

*06) 合併法人のＡの期間の税額に被合併法人のＢの期間の税額のうち■の部分に相当する税額を加算することで合併後の事業規模による１年分の税額となります。これをそれぞれ1/12、3/12、6/12した税額で判定します。条文上の判定とは異なりますが、このように押さえると理解しやすいです。

中間申告の判定

$$\frac{A}{12}+\frac{B}{7}\times\frac{4}{12}$$

⑵　三月中間申告対象期間

次の金額が100万円を超える場合には、三月中間申告を行います。

$$\frac{\text{合併法人の前課税期間の確定消費税額}}{\text{前課税期間の月数}}（円未満切捨）\times 3$$

$$+\frac{\text{被合併法人の確定消費税額}}{\text{分子の基礎となった課税期間の月数}}（円未満切捨）\times\frac{\text{前課税期間開始の日から合併の日の前日までの期間の月数}}{\text{合併法人の前課税期間の月数}}\times 3$$

〈具体例〉

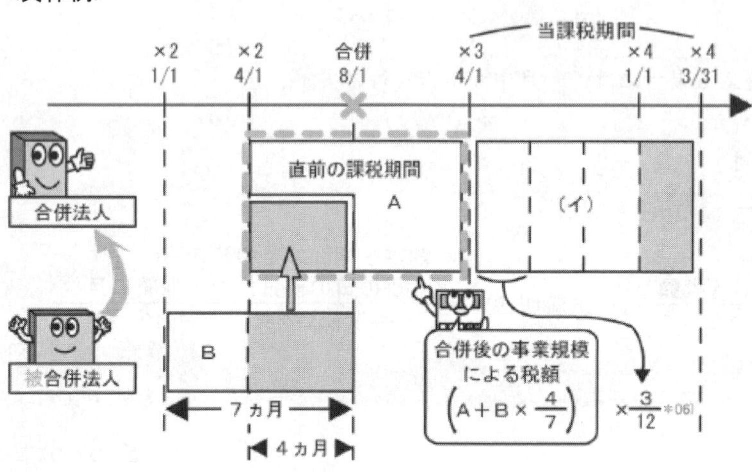

中間申告の判定

$\frac{A}{12}\times 3+\frac{B}{7}\times\frac{4}{12}\times 3$

⑶　六月中間申告対象期間

次の金額が24万円を超える場合には、六月中間申告を行います。

$$\frac{\text{合併法人の前課税期間の確定消費税額}}{\text{前課税期間の月数}}（円未満切捨）\times 6$$

$$+\frac{\text{被合併法人の確定消費税額}}{\text{分子の基礎となった課税期間の月数}}（円未満切捨）\times\frac{\text{前課税期間開始の日から合併の日の前日までの期間の月数}}{\text{合併法人の前課税期間の月数}}\times 6$$

〈具体例〉

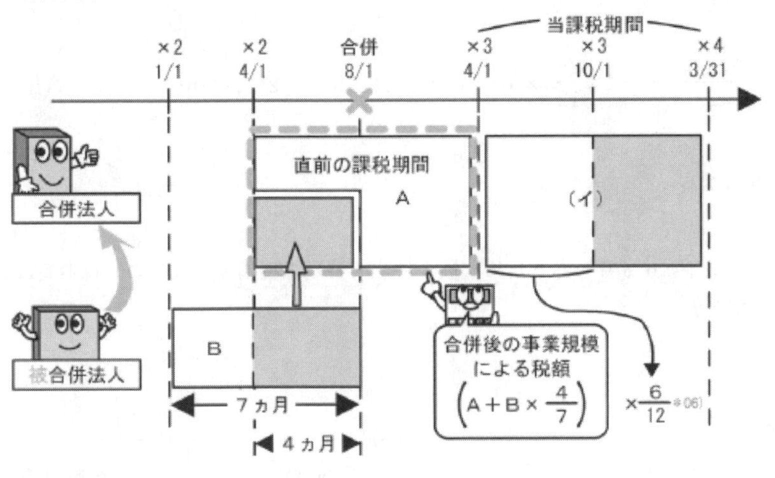

中間申告の判定
$\frac{A}{12}\times 6+\frac{B}{7}\times\frac{4}{12}\times 6$

設例１－３　前課税期間に吸収合併があった場合の中間納付税額の計算

Ａ株式会社（以下「Ａ社」という。）は令和６年６月１日にＢ株式会社（以下「Ｂ社」という。）を吸収合併した。以下の【資料】に基づいて当課税期間（令和７年４月１日から令和８年３月31日）におけるＡ社の中間納付税額を計算しなさい。

【資料】

⑴　Ａ社の前課税期間（令和６年４月１日～令和７年３月31日）における確定消費税額は3,600,000円であった。なお、Ａ社の事業年度は毎年４月１日から３月31日までである。

⑵　Ｂ社の合併の日の前日の属する課税期間（令和６年１月１日～令和６年５月31日）における消費税額は600,000円であり、その前課税期間（令和５年１月１日～令和５年12月31日）の確定消費税額は1,800,000円であった。なお、Ｂ社の事業年度は毎年１月１日から12月31日までである。

解答

中間納付税額　1,950,000　円

解説

⑴　一月中間申告

①　判定

$$\frac{3,600,000円}{12}+\frac{600,000円}{5}\times\frac{2}{12}=320,000円 \leqq 4,000,000円 \qquad \therefore\ 適用なし$$

⑵　三月中間申告

①　判定

$$\frac{3,600,000円}{12}\times 3+\frac{600,000円}{5}\times\frac{2}{12}\times 3=960,000円 \leqq 1,000,000円 \qquad \therefore\ 適用なし$$

⑶　六月中間申告

①　判定

$\frac{3,600,000円}{12}\times 6+\frac{1,800,000円}{12}$ *01) $\times\frac{2}{12}\times 6=1,950,000円 > 240,000円$　　∴　適用あり

②　中間納付税額

1,950,000円（百円未満切捨）

*01)　被合併法人特定課税期間が５ヵ月＜６ヵ月であるため、被合併法人特定課税期間の直前の課税期間における確定消費税額が計算の基礎となります。

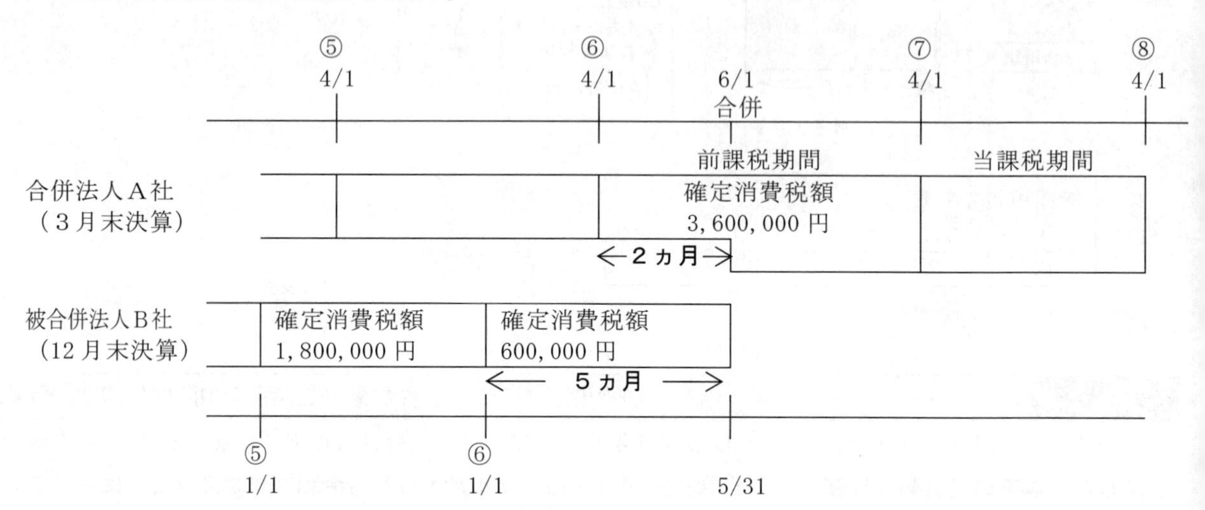

〈考え方〉

⑴　一月中間申告、⑵　三月中間申告

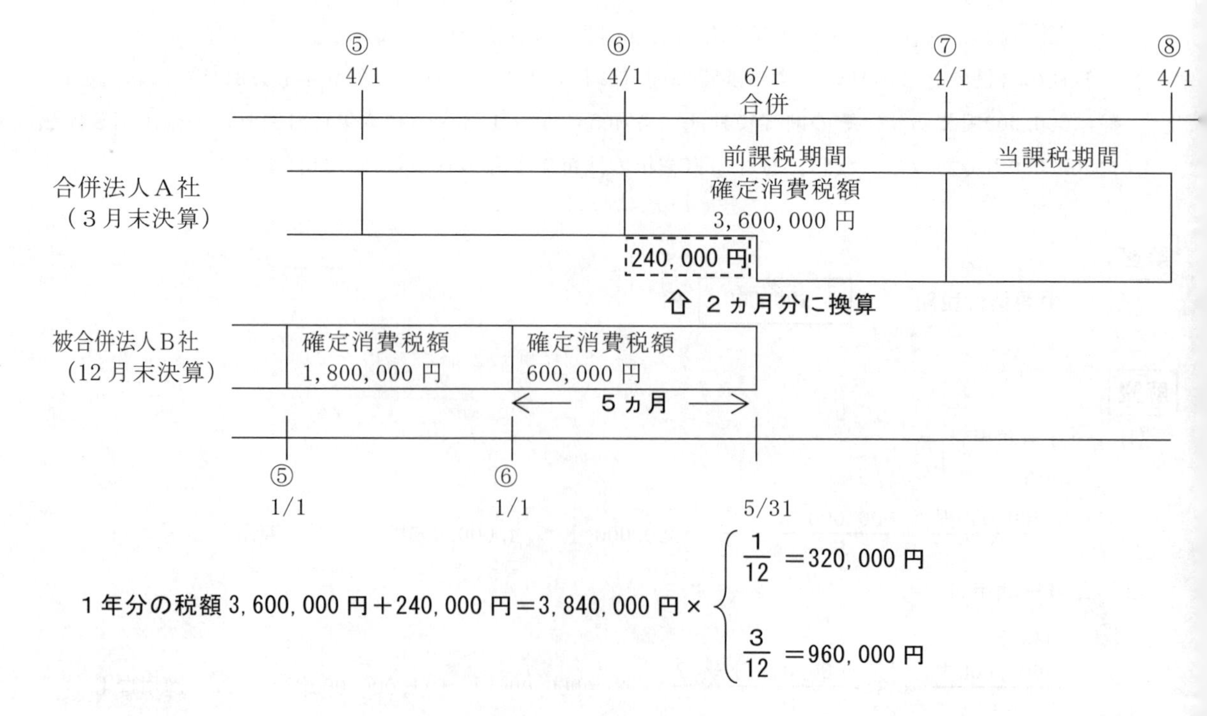

(2)　六月中間申告

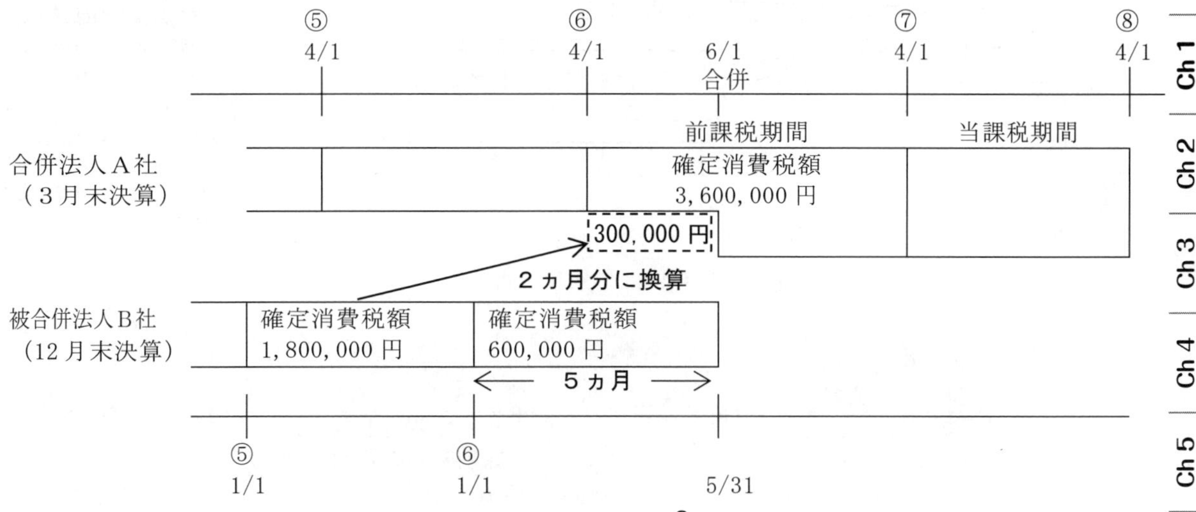

１年分の税額 3,600,000 円＋300,000 円＝3,900,000 円×$\frac{6}{12}$＝1,950,000 円

5　新設合併があった場合の中間申告の判定　計算

1.　合併事業年度の判定

新設合併があった事業年度の合併法人の判定は、合併法人の直前の課税期間がないため、**各被合併法人の確定消費税額の計算の基礎となる課税期間の確定消費税額の合計額で判定**します。

(1)　一月中間申告対象期間

次の金額が400万円を超える場合には、一月中間申告を行います。

$$\frac{\text{被合併法人の確定消費税額}}{\text{分子の基礎となった課税期間の月数}}\text{（円未満切捨）}+\frac{\text{被合併法人の確定消費税額}}{\text{分子の基礎となった課税期間の月数}}\text{（円未満切捨）}+\cdots$$

〈具体例〉

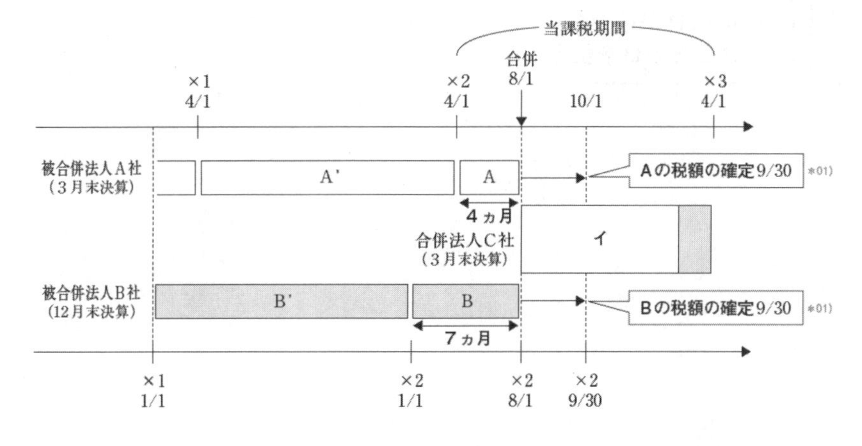

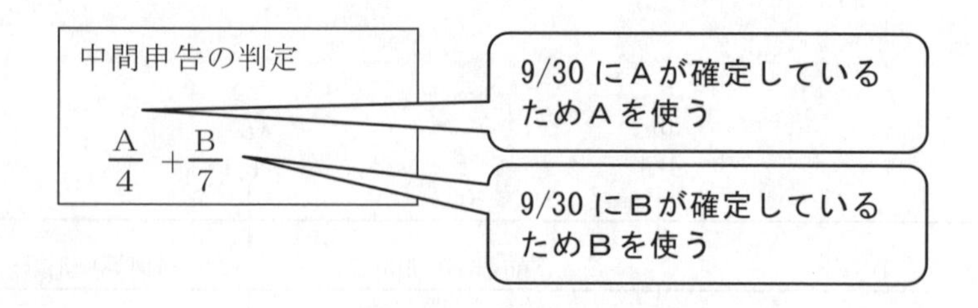

*01) 吸収合併と異なり新設合併の合併後最初の一月中間申告対象期間は、「その課税期間開始の日以後２ヵ月の期間」に含まれるため、確定日は原則どおり9/30となり、AやBが３ヵ月未満のときを除き、A'やB'の税額を使って計算することはありません。

⑵ 三月中間申告対象期間

次の金額が100万円を超える場合には、三月中間申告を行います。

$$\frac{\text{被合併法人の確定消費税額}}{\text{分子の基礎となった課税期間の月数}}\text{（円未満切捨）}\times 3+\frac{\text{被合併法人の確定消費税額}}{\text{分子の基礎となった課税期間の月数}}\text{（円未満切捨）}\times 3+\cdots$$

〈具体例〉

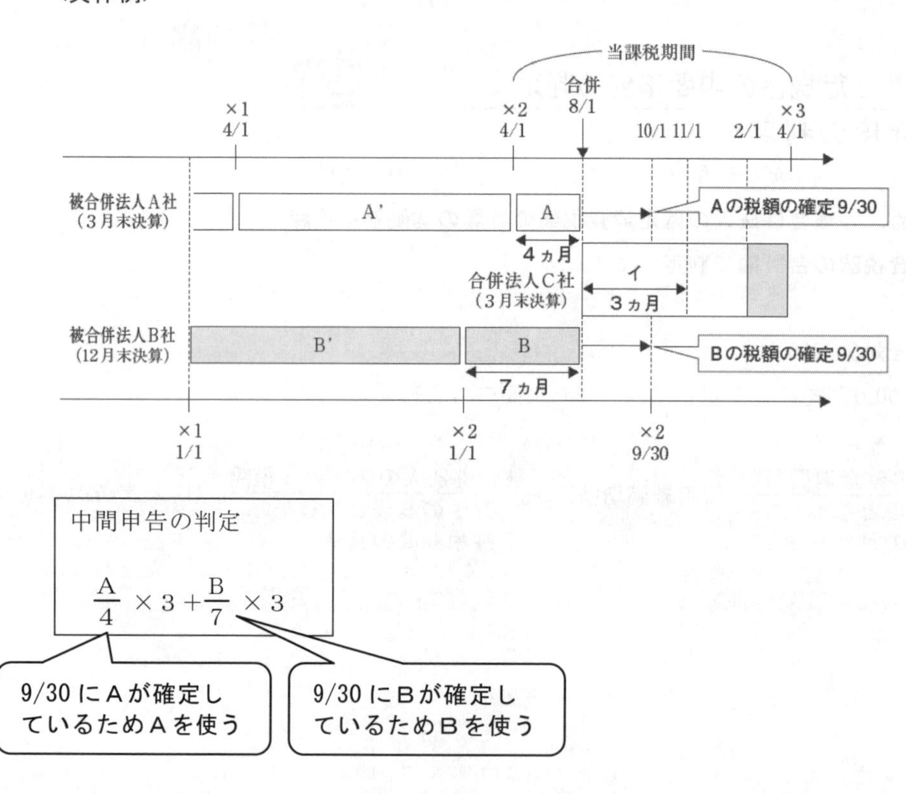

⑶　六月中間申告対象期間

次の金額が24万円を超える場合には、六月中間申告を行います。

$$\frac{\text{被合併法人の確定消費税額}}{\text{分子の基礎となった課税期間の月数}}（\text{円未満切捨}）\times 6 + \frac{\text{被合併法人の確定消費税額}}{\text{分子の基礎となった課税期間の月数}}（\text{円未満切捨}）\times 6 + \cdots$$

〈具体例〉

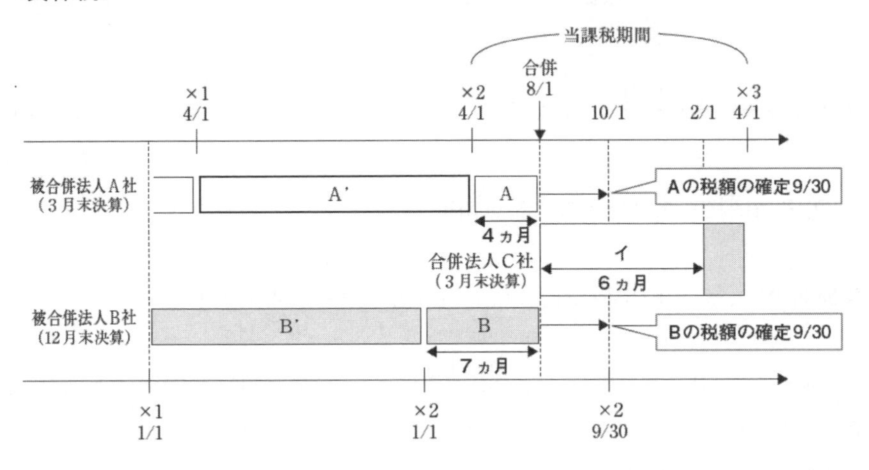

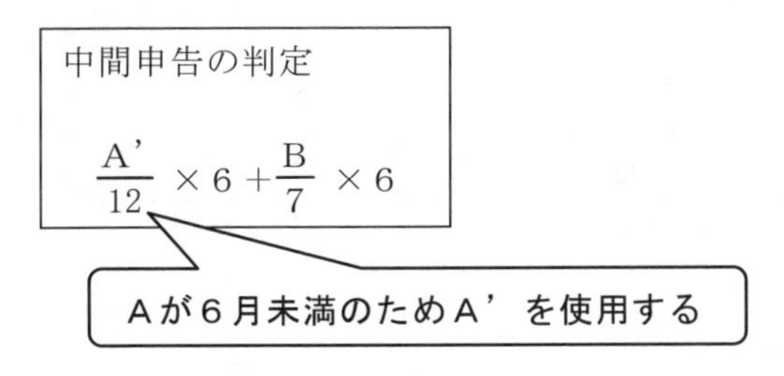

設例１－４　**新設合併があった場合の中間納付税額の計算⑴**

Ａ株式会社（以下「Ａ社」という。）とＢ株式会社（以下「Ｂ社」という。）は令和７年４月１日に合併し、Ｃ株式会社（以下「Ｃ社」という。）を新たに設立した。以下の【資料】に基づいてＣ社の当課税期間（令和７年４月１日から令和８年３月31日）における中間納付税額を計算しなさい。

【資料】

⑴　Ａ社の合併の日の前日の属する課税期間（令和６年４月１日～令和７年３月31日）における確定消費税額は4,200,000円である。なお、Ａ社の事業年度は毎年４月１日から３月31日である。

⑵　Ｂ社の合併の日の前日の属する課税期間（令和７年２月１日～令和７年３月31日）における消費税額は660,000円であり、その前課税期間（令和６年２月１日～令和７年１月31日）の確定消費税額は3,300,000円であった。なお、Ｂ社の事業年度は毎年２月１日から１月31日までである。

Ch 1 Ch 2 Ch 3 Ch 4 Ch 5 Ch 6 Ch 7 Ch 8 Ch 9 Ch 10 Ch 11 Ch 12 Ch 13 Ch 14 Ch 15 Ch 16 Ch 17

解答

中間納付税額　5,625,000 円

解説

(1) 一月中間申告

① 判定

$\frac{4,200,000円}{12}+\frac{3,300,000円}{12}$ *01)＝625,000円 ≦ 4,000,000円　∴ 適用なし

(2) 三月中間申告

① 判定

$\frac{4,200,000円}{12}\times 3$ *02) $+\frac{3,300,000円}{12}$ *01) $\times 3$ *02) ＝1,875,000円 ＞ 1,000,000円　∴ 適用あり

② 中間納付税額

1,875,000円（百円未満切捨）×３回＝5,625,000円

(3) 六月中間申告

六月中間申告対象期間中に三月中間申告が行われているため六月中間申告不要

*01) 被合併法人特定課税期間が２ヵ月＜３ヵ月であるため、被合併法人特定課税期間の直前の課税期間における確定消費税額が計算の基礎となります。

*02) それぞれ12で除した時点で円未満の端数処理を行います。

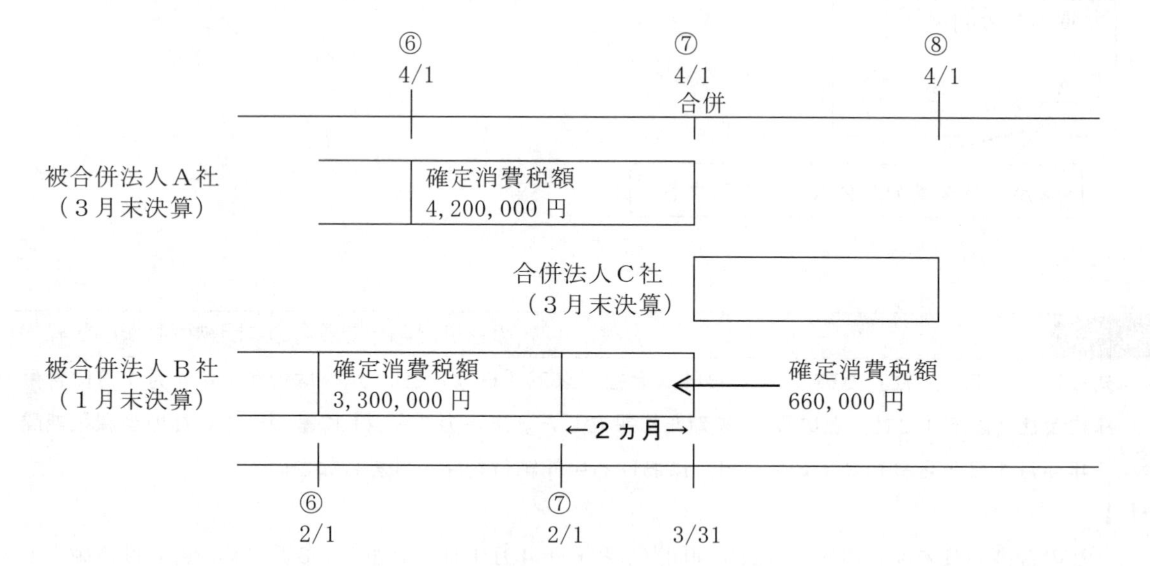

2. 合併事業年度の翌事業年度の判定

合併事業年度の翌事業年度の判定は、吸収合併と違い、直前の課税期間の確定消費税額が、すべて合併後の事業規模で構成されているため通常どおりの判定を行い、**特例による判定はありません。**

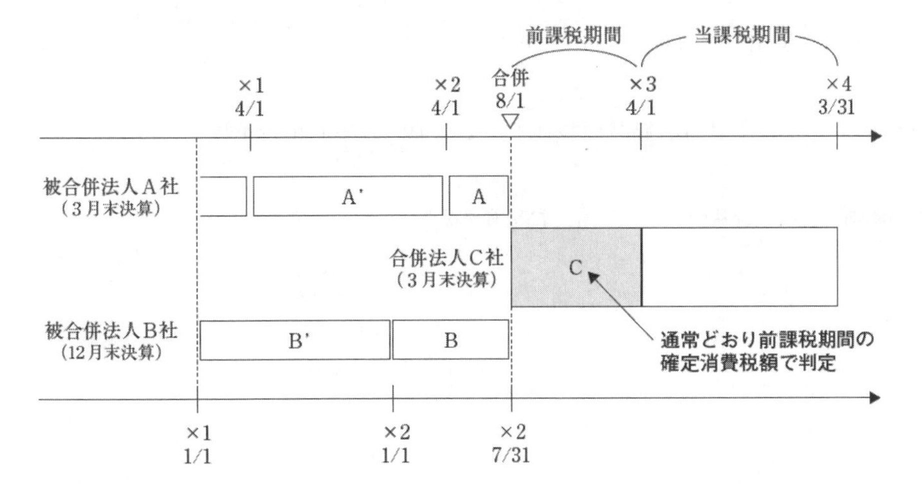

設例1－5 新設合併があった場合の中間納付税額の計算(2)

A株式会社（以下「A社」という。）とB株式会社（以下「B社」という。）は令和6年4月1日に合併し、C株式会社（以下「C社」という。）を新たに設立した。以下の【資料】に基づいてC社の当課税期間（令和7年4月1日から令和8年3月31日）における中間納付税額を計算しなさい。

【資料】

(1) A社の合併の日の前日の属する課税期間（令和5年4月1日～令和6年3月31日）における確定消費税額は4,200,000円である。なお、A社の事業年度は毎年4月1日から3月31日である。

(2) B社の合併の日の前日の属する課税期間（令和6年2月1日～令和6年3月31日）における消費税額は660,000円であり、その前課税期間（令和5年2月1日～令和6年1月31日）の確定消費税額は3,300,000円であった。なお、B社の事業年度は毎年2月1日から1月31日までである。

(3) C社の前課税期間(令和6年4月1日～令和7年3月31日)における消費税額は5,760,000円である。

解答

中間納付税額 4,320,000 円

解説

(1) 一月中間申告

① 判定

$\frac{5,760,000円}{12}$ ＝480,000円 ≦ 4,000,000円　∴ 適用なし

⑵　三月中間申告

①　判定

$$\frac{5,760,000円}{12} \times 3 = 1,440,000円 > 1,000,000円 \quad ∴ \quad 適用あり$$

②　中間納付税額

1,440,000円（百円未満切捨）×３回＝4,320,000円

⑶　六月中間申告

六月中間申告対象期間中に三月中間申告が行われているため六月中間申告不要

Ｃ社の設立２期目の中間納付税額の計算のため、通常どおり前課税期間の確定消費税額を使い計算を行う。

Chapter 11

簡易課税制度

消費税の対象となる事業者の規模は大小さまざまです、経理に何人もの人が携わっている大企業もあれば、個人で日々の業務から経理まで行わなければならい小規模な事業者も存在します。申告納税方式の消費税においては、事業者の誰もが自分で納付税額を計算しなければならないため、小規模の事業者に対しては、複雑な計算ができないことを想定し、特例措置を設ける必要があります。それが、この簡易課税制度です。

Section 1

簡易課税制度の概要

これまで学習してきた仕入れに係る消費税額の控除の計算は、取引のうち課税仕入れに該当するものを抜き出し、さらに３つの区分に区分経理を行い…と、とても複雑で難しい計算を行ってきました。

消費税の納税義務者には様々な規模の事業者がおり、この複雑な計算を行えない事業規模の事業者に対し、この方法による申告・納付を求めることは困難といえます。

これから学習する簡易課税制度は、そのような事業規模が比較的小さな事業者に着目した特例です。

1 簡易課税制度とは

1．簡易課税制度[*01]

仕入れに係る消費税額を計算する場合、事業者の課税期間における課税仕入れ等をもとに複雑な計算が行われます。これは、規模の小さな中小事業者にとって煩雑な事務手続となります。

そこで、消費税法では一定規模以下の中小事業者に対しては、これまで学習した原則的な仕入れに係る消費税額の計算方法に代えて、**課税標準額に対する消費税額のみから割合計算により仕入れに係る消費税額を計算できる簡易課税制度**を認めています。

*01) 条文のタイトルは、「中小事業者の仕入れに係る消費税額の控除の特例」となっていますが、一般的に簡易課税制度と呼ばれています。

2．簡易課税制度の考え方

簡易課税制度では、仕入れに係る消費税額を、「課税標準額に対する消費税額」のみから計算します[*02]。具体的には、**課税標準額に対する消費税額に**業種ごとに定められている**「みなし仕入率」という率を乗じて計算**します。

このみなし仕入率とは、業種ごとの原価率のイメージです。

したがって、今まで行ってきた原則の仕入れに係る消費税額の計算が、日々の仕入れを取引ごとに記帳し、売上原価を求める「三分法」の原価計算のイメージであるのに対し、簡易課税制度は、売上高に原価率を乗じて売上原価を求める「売価還元法」による原価計算のイメージとなります。

*02) 特定課税仕入れがある場合については、後述します。

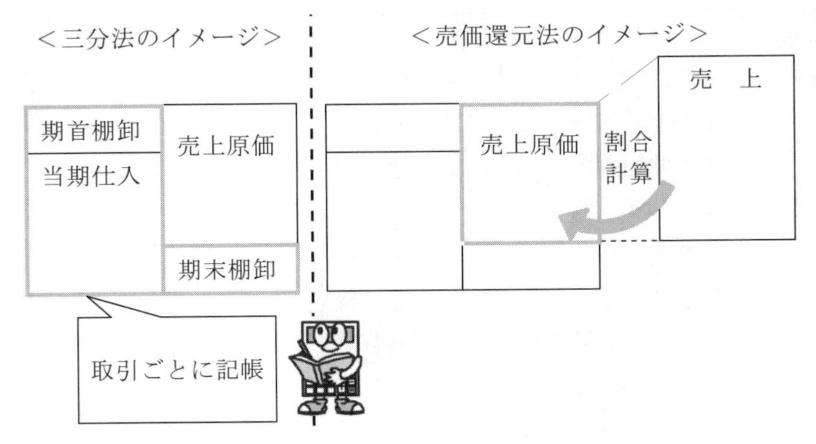

2 簡易課税制度の適用要件

1．適用要件（法37①）

課税事業者が、原則として以下の要件を**2つとも満たした場合**に簡易課税制度を適用することができます。

①　前課税期間末日までに**「簡易課税制度選択届出書」**[*01)]**を提出**している。 ②　**基準期間における課税売上高が5,000万円以下**である。

*01) 正式な名称は「消費税簡易課税制度選択届出書」です。

なお、簡易課税制度の適用が認められた場合には、**原則的な仕入税額控除の計算を行うことはできなくなります**[*02)]。

*02) 仮に、原則的な計算の方が納付税額が少なくなるとしても、簡易課税制度によって計算しなければなりません。

また、実際の課税仕入れ等をもとに計算を行う訳ではないので、**帳簿及び請求書等の保存は要件とされません**。

消費税法　〈中小事業者の仕入れに係る消費税額の控除の特例〉

法37条①　事業者（免税事業者を除く。）が、その納税地を所轄する税務署長にその基準期間における課税売上高が5,000万円以下である課税期間（分割等に係る課税期間を除く。）についてこの規定の適用を受ける旨を記載した届出書を提出した場合には、その届出書を提出した日の属する課税期間の翌課税期間（その届出書を提出した日の属する課税期間が事業を開始した日の属する課税期間その他の政令で定める課税期間である場合には、その課税期間）以後の課税期間（その基準期間における課税売上高が5,000万円を超える課税期間及び分割等に係る課税期間を除く。）については、課税標準額に対する消費税額から控除することができる課税仕入れ等の税額の合計額は、原則の規定にかかわらず、次に掲げる金額の合計額とする。この場合において、その金額の合計額は、その課税期間における仕入れに係る消費税額とみなす。

一　その事業者のその課税期間の課税資産の譲渡等（輸出免

税等の規定により消費税が免除されるものを除く。）に係る課税標準である金額の合計額に対する消費税額からその該課税期間における売上げに係る対価の返還等の金額に係る消費税額の合計額を控除した残額にみなし仕入率を乗じて計算した金額

二　その事業者のその課税期間の特定課税仕入れに係る課税標準である金額の合計額に対する消費税額からその課税期間における特定課税仕入れに係る対価の返還等を受けた金額に係る消費税額の合計額を控除した残額

設例1－1　　簡易課税制度適用の判定

当社の当課税期間の納税義務の有無の判定及び簡易課税制度の適用の有無の判定を行いなさい。なお、消費税簡易課税制度選択届出書については、前課税期間中に所轄税務署長に提出している。

また、基準期間における課税売上高は38,640,000円であった。

解答

(1)　納税義務の有無の判定

38,640,000円 ＞ 10,000,000円　　∴　納税義務あり

(2)　簡易課税制度の適用の有無の判定

①　消費税簡易課税制度選択届出書の提出あり

②　38,640,000円 ≦ 50,000,000円　　∴　簡易課税制度の適用あり

解説

簡易課税制度選択届出書の提出がある旨が問題文に記載されているときは、下記の適用の有無の判定を行います。

①　前課税期間末日までに「消費税簡易課税制度選択届出書」を提出している。

②　基準期間における課税売上高が5,000万円以下である。

このうち、②については納税義務の有無の判定と混同しないようにしましょう。納税義務の有無の判定における基準期間における課税売上高は1,000万円以下か否かです。

2. 簡易課税制度選択届出書の効力

簡易課税制度選択届出書の効力は、原則的にはその**届出書を提出した課税期間の翌課税期間の初日から**生じます。

したがって、簡易課税制度を適用したい場合には、適用したい課税期間の前課税期間の末日までに前もって届出書を提出しておく必要があります。

なお、**事業を開始した日の属する課税期間**は、前課税期間がないため、提出した課税期間での**即時適用が認められています**[*03]。

また、相続や吸収合併、吸収分割の場合の納税義務の免除の特例が適用されたことに伴い、相続や吸収合併、吸収分割が行われた課税期間の途中から課税事業者となってしまうケース[*04]における相続や吸

*03) 事業を開始した日の属する課税期間では基準期間がないため、届出書の提出のみ行えばその課税期間から適用できることとなります。なお、新設分割により設立された法人に関しては、特例による判定が別途必要となります。詳しくはSection 4を参照してください。

*04) この場合に適用が受けられるのは、被相続人、被合併法人、分割法人が簡易課税制度の適用を受けていた場合に限られます。

収合併、吸収分割があった日の属する課税期間においても、前課税期間の末日までに届出書を提出することは困難であるため即時適用が認められます。

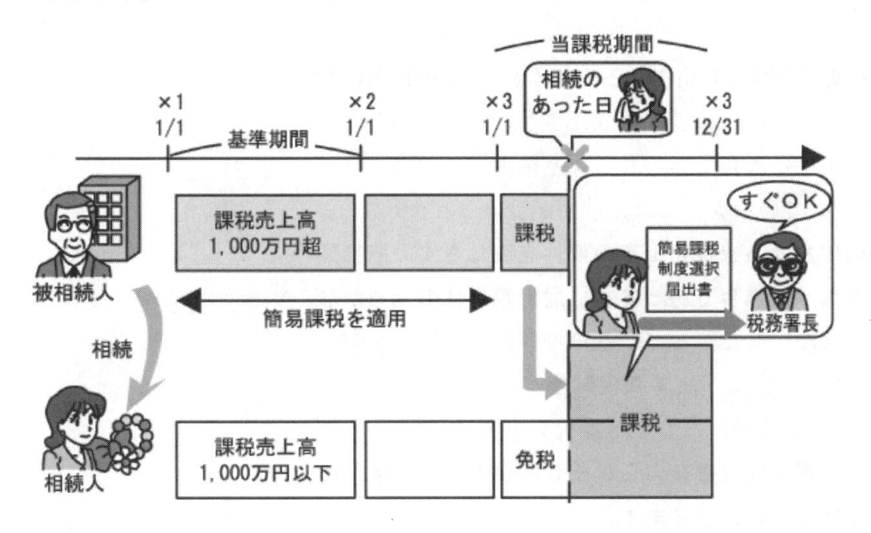

3. 簡易課税制度の適用をやめる場合（法37⑤～⑦）

簡易課税制度の適用をやめる場合、又は事業を廃止した場合には、**「簡易課税制度選択不適用届出書」**[*05]を提出しなければなりません。

ただし、この不適用届出書は、**簡易課税の効力が生じた課税期間の初日から２年を経過する日の属する課税期間の初日以後**でなければ提出できません。すなわち、２年間は簡易課税制度を継続適用しなければならないこととなります[*06]。

「簡易課税制度選択不適用届出書」を提出したら、**提出した日の属する課税期間の末日の翌日以後**（すなわち、翌課税期間）に、簡易課税制度の選択届出書は、その効力がなくなります。

*05) 正式名称は「消費税簡易課税制度選択不適用届出書」です。

*06) 事業を廃止する場合であれば、２年間の継続適用の制限はありません。したがって、その場合には、事業を廃止する課税期間に提出することとなります。

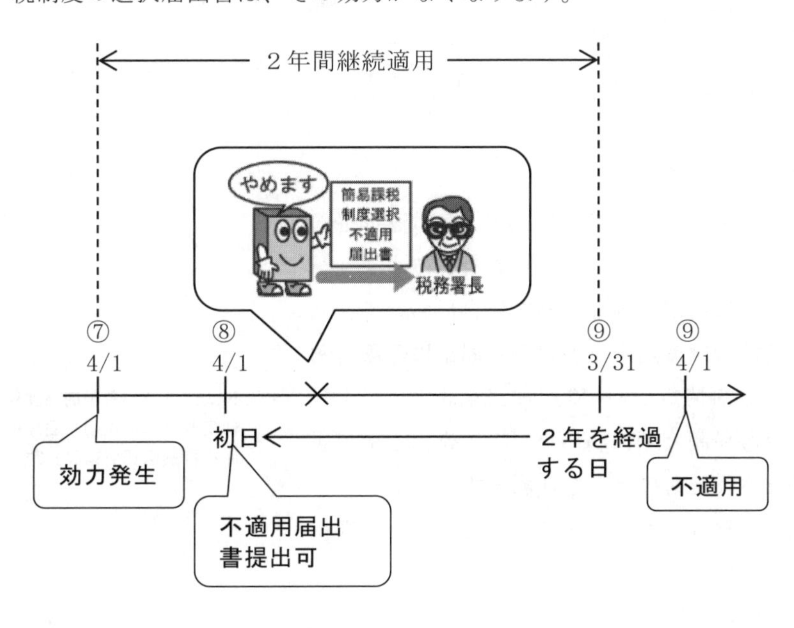

4.　簡易課税制度選択届出書の効力と簡易課税制度の適用有無（基通13－１－３）

簡易課税制度選択届出書の効力は、不適用届出書を提出するまで続きます。

ただし、簡易課税制度が実際に適用できるか否かは、「基準期間における課税売上高が5,000万円以下」の要件を満たさなければならないため、届出書が提出されている場合であっても、基準期間における課税売上高が5,000万円を超えている場合には、適用が受けられません。

そのため、**基準期間における課税売上高の要件を満たさず、簡易課税制度が適用できなくなった場合であっても、届出書自体の効力がなくなるわけではありません。**したがって、基準期間における課税売上高が5,000万円を超えたことにより簡易課税制度が適用されなかった課税期間後において、再び基準期間における課税売上高が5,000万円以下となった場合には、**不適用届出書を自ら提出しない限り、再度、簡易課税制度の適用を受けることとなります。**

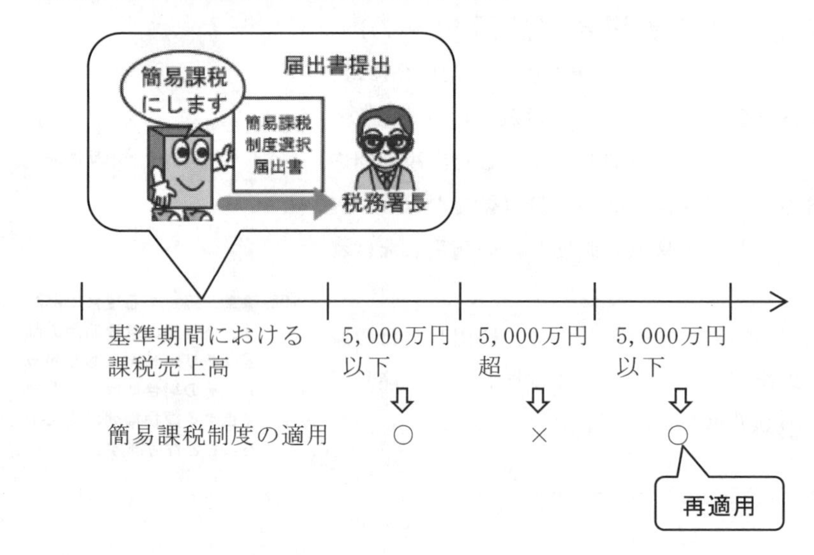

5.　宥恕規定（法37⑧、令57の２）

やむを得ない事情により、簡易課税制度選択届出書（又は選択不適用届出書）をその適用を受けようとし、又は受けることをやめようとする課税期間の初日の前日までに提出できなかった場合において、納税地の所轄税務署長に**「簡易課税制度選択（不適用）届出に係る特例承認申請書」**[*07]をやむを得ない事情がやんだ後、相当期間内に提出し承認を受けた場合には、簡易課税制度選択届出書（又は選択不適用届出書）が**提出期限までに提出されたものとみなされます。**

*07）正式には「消費税簡易課税制度選択（不適用）届出に係る特例承認申請書」です。

したがって、届出書の提出が遅れても、本来の適用を受けたい課税期間からの適用が可能となります。

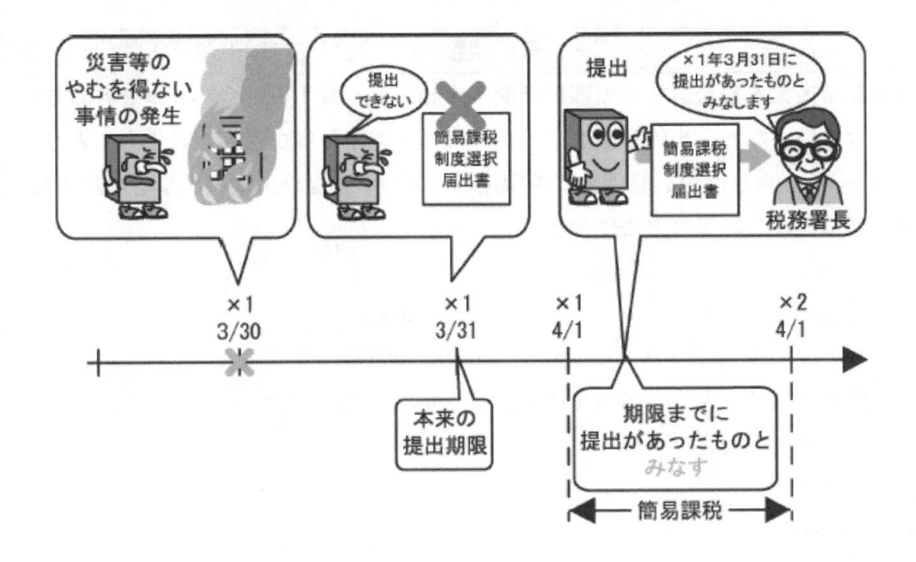

3 控除対象仕入税額の計算

1．控除対象仕入税額の計算式

簡易課税制度を適用する場合、控除対象仕入税額は以下のように計算します。

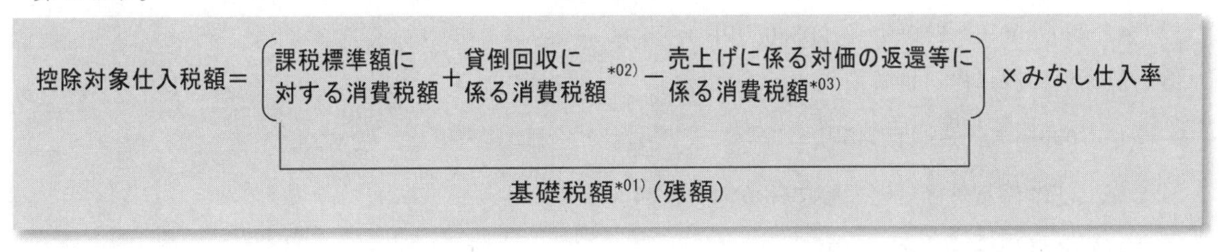

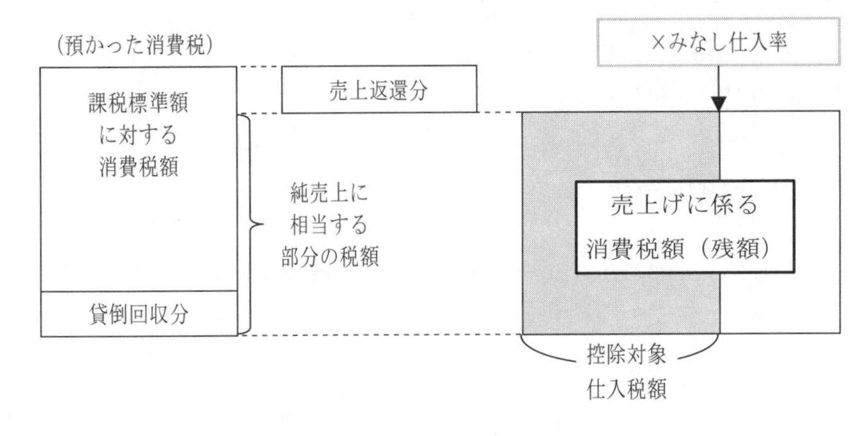

*01) この教科書では「基礎税額」と呼んでいきます。

*02) 貸倒回収に係る消費税額は、控除過大調整税額として「課税標準額に対する消費税額」とみなされるため、みなし仕入率の計算でも加算します。

*03) 原価計算でいうところの「純売上高」に原価率を乗じるイメージです。そのため、返品や値引などに係る税額である売上げに係る対価の返還等に係る消費税額を控除します。

上記の計算式のうち、みなし仕入率以外の項目は、すべてこれまでに学習したものです。したがって、簡易課税制度の論点では、**みなし仕入率の計算がポイントとなります。**

次のSection以降では、みなし仕入率の求め方を中心に詳しく学習していきましょう。

設例１－２　簡易課税制度における控除対象仕入税額の計算

次の【資料】から、衣料品販売業を営む当社の当課税期間（令和７年４月１日～令和８年３月31日）における納付税額を計算しなさい。なお、当課税期間においては簡易課税制度が適用されるものとし、みなし仕入率は80%とする。また、当社は税込経理方式を採用しており、設立以来課税事業者に該当し、課税標準額に対する消費税額は割戻し計算の方法による。

【資料】

⑴　課税売上高（すべて衣料品の販売による売上げ）　46,300,000円

⑵　償却債権取立益　160,000円

（前課税期間において貸倒処理していた前課税期間中の売掛金の回収額である。）

⑶　当課税期間の売上げに係る対価の返還等　412,000円

解答

納付税額　653,000 円

解説

⑴　課税標準額

46,300,000円×$\frac{100}{110}$＝42,090,909円　→　42,090,000円（千円未満切捨）

⑵　課税標準額に対する消費税額

42,090,000円×7.8％＝3,283,020円

⑶　貸倒れ回収に係る消費税額

160,000円×$\frac{7.8}{110}$＝11,345円

⑷　売上げに係る対価の返還等に係る消費税額

412,000円×$\frac{7.8}{110}$＝29,214円

⑸　控除対象仕入税額

(3,283,020円＋11,345円－29,214円)×80％＝2,612,120円

⑹　控除税額小計

29,214円＋2,612,120円＝2,641,334円

⑺　差引税額

3,283,020円＋11,345円－2,641,334円＝653,031円　→　653,000円（百円未満切捨）

⑻　納付税額

653,000円

2. 仕入れに係る消費税額の控除に関する適用関係

簡易課税制度を適用する場合には、原則の仕入れに係る消費税額の規定は適用されません。

これまで学習してきた仕入れに関する他の調整などの規定は、すべて原則の仕入れに係る消費税額の計算を行っていることが前提となっているため、**簡易課税制度を適用する場合には、これらの規定はすべて適用されない**こととなります。

なお、他の税額控除の規定（売上げに係る対価の返還等に係る消費税額の控除や貸倒れに係る消費税額の控除等）は、仕入れに係る消費税額の控除とは無関係なため、**簡易課税制度を採用した場合でも適用されます。**

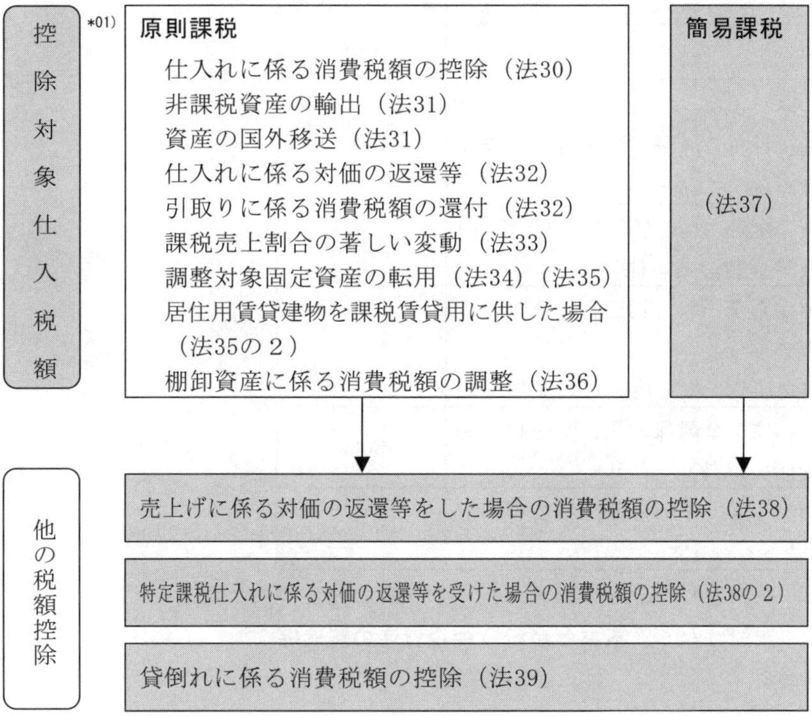

控除対象仕入税額 *01)

原則課税
- 仕入れに係る消費税額の控除（法30）
- 非課税資産の輸出（法31）
- 資産の国外移送（法31）
- 仕入れに係る対価の返還等（法32）
- 引取りに係る消費税額の還付（法32）
- 課税売上割合の著しい変動（法33）
- 調整対象固定資産の転用（法34）（法35）
- 居住用賃貸建物を課税賃貸用に供した場合（法35の２）
- 棚卸資産に係る消費税額の調整（法36）

簡易課税
（法37）

↓

他の税額控除
- 売上げに係る対価の返還等をした場合の消費税額の控除（法38）
- 特定課税仕入れに係る対価の返還等を受けた場合の消費税額の控除（法38の２）
- 貸倒れに係る消費税額の控除（法39）

*01)「控除対象仕入税額」について「原則」か「簡易」かを選択します。

Section 2

みなし仕入率

簡易課税の計算にあたり、最も重要となるのは、みなし仕入率の算定です。
「簡易」という名称がついていますが、少し複雑な計算をしていきますので、計算の意味をしっかりと理解しながら見ていきましょう。
また、業種ごとに様々な特徴がありますので、細かい点までしっかり確認しましょう。

1 みなし仕入率（令57①⑤、基通13－2－1）

理論 計算

消費税法では、6つの業種に区分し、それぞれにみなし仕入率を定めています。業種の区分とそれに対応するみなし仕入率は次のとおりです。

区分	内容	みなし仕入率
第一種事業	卸売業	90%
第二種事業	⑴小売業 ⑵農業、林業、漁業（飲食料品の譲渡を行う部分に限る	80%
第三種事業	⑴農業、林業、漁業（第二種事業以外） ⑵建設業、製造業　他	70%
第四種事業	第一種から第三種、第五種、第六種以外の事業 例）飲食店業、事業用固定資産の売却	60%
第五種事業	運輸通信業、金融保険業、サービス業（飲食店業以外）	50%
第六種事業	不動産業（第一種から第三種及び第五種以外）	40%

なお、事業区分の分類は、原則としてその事業者が行うすべての売上げに対して共通して適用される訳ではなく、**事業者が行う課税資産の譲渡等（課税売上げ）ごとに行います。**

2 各事業区分の詳細

1．第一種事業と第二種事業

第一種事業には卸売業が、**第二種事業には小売業**が該当します。

どちらも、他の者から購入した商品をその**性質及び形状を変更しない**[*01]で販売する事業である点は共通しています。

しかし、第一種事業は**他の事業者に対して**販売する事業であると規定されているのに対し、第二種事業は第一種事業に該当しない事業、すなわち通常は**消費者に対して**販売[*02]する事業である点が異なります。

なお、ここでいう卸売業や小売業とは、この要件に当てはまる場合をいうので、卸売業者や小売業者でない事業者（例えばサービス業を行う者）が、これらの販売をした場合でも第一種事業又は第二種事業に分類します。

*01）性質や形状を変更しない程度の行為には、例えば箱詰め等を行う行為等が該当します。

*02）第二種事業は、性質及び形状を変更しないで販売する事業で、他の事業者に販売する第一種事業に該当しないケースなので、例えば自動販売機での商品の売上げのように「不特定の者」に販売する場合も含まれます。

卸売業

小売業

2．第三種事業（基通13－2－5、13－2－6）

第三種事業として具体的に列挙されている事業は、次のとおりです。

①農業*03)　②林業*03)　③漁業*03)　④鉱業　⑤建設業 **⑥製造業（製造した棚卸資産を小売する事業を含む）***04) ⑦電気業、ガス業、熱供給業及び水道業 ⑧新聞・書籍等の発行、出版事業

建設業

製造業

卸売業・小売業は仕入れた物品の加工を行わないことを前提としているため、卸売業（他の事業者に販売する事業）や小売業（消費者等に対して販売する事業）であっても、**加工を伴う事業（製造小売業*05)等）であれば第三種事業に該当**します。

3．第五種事業（基通13－2－4）

第五種事業は、**運輸通信業、金融保険業、サービス業（飲食店業を除く*06)）**のうち、第一種から第三種事業（卸売業、小売業、製造業等）に該当しない事業をいいます。

なお、第五種事業に該当する事業には、次のような事業が該当します*07)。

①情報通信業、②運輸業・郵便業、③金融業・保険業*08) ④不動産業、物品賃貸業（不動産業に該当するものを除く。） ⑤学術研究、専門・技術サービス業*09) ⑥宿泊業、飲食サービス業（飲食サービス業に該当するものを除く。） ⑦生活関連サービス業・娯楽業、⑧教育・学習支援業 ⑨医療・福祉、⑩複合サービス事業 ⑪サービス業（他に分類されないもの）

*03) 農業、林業及び漁業のうち飲食料品の譲渡に係る事業は第二種事業に分類されます。

*04) 製造業のうち加工賃その他の料金を対価とする役務の提供（材料の支給を受けて加工のみを行う場合）は、第四種事業に該当します。

*05) 製造小売業とは、パン屋さんやケーキ屋さんがお店でパンやケーキを焼いて販売するケースや、精肉店がお店で揚げたコロッケを販売するケースのように、工場をもたずに店舗で直接製造を行い、販売する事業をいいます。

*06) 飲食店業は第四種事業の代表例の１つです。

*07) 総務省が公表している日本標準産業分類の大分類を判定の基礎にしています。

*08) 保険業は保険代理店業が該当します。

*09) 皆さんの目指す税理士業は専門サービス業に該当しますので、第五種事業に区分されます。

4. 第六種事業

第一種から第三種及び第五種以外の不動産業をいいます*10)。

*10) 詳細は 3 3.で学習します。

5. 第四種事業（基通13−2−7、13−2−8の3、13−2−9）

第四種事業は第一種事業、第二種事業、第三種事業、第五種事業、第六種事業のどれにも該当しない事業が該当し、例えば次のような事業が該当します。

①飲食店業　②事業用固定資産の売却 ③材料の支給を受けて外注加工を行う事業等*11)

*11) 第四種事業は、第一種事業から第三種事業までと第五種事業、第六種事業に該当しない事業という定義のため、他の５つの事業に当てはまらないものが消去法的に第四種事業に該当するものとされます。ただし、受験上は、すべての業種を押さえることは不可能であるため、ここに例示されているもののみ第四種事業に該当するものと押さえておきましょう。

事業用固定資産の売却

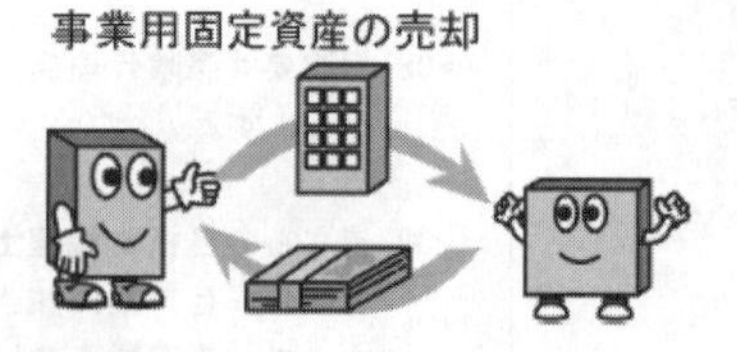

材料の支給を受けて
外注加工を行う事業

設例2－1　　事業区分の判定

それぞれに掲げる課税資産の譲渡等について、該当する事業区分を答えなさい。

⑴　飲食店業を営む事業者が、店内で飲食物を提供した際の売上高
⑵　物品販売業を営む事業者が、仕入れた商品を一般消費者へ販売した際の売上高
⑶　製造業を営む事業者が、製造した製品を他の事業者へ販売した際の売上高
⑷　不動産業を営む事業者が、所有するビルを事業用として賃貸することによるテナント料収入
⑸　卸売業を営む事業者が、商品を他の事業者へ販売した際の売上高
⑹　小売業を営む事業者が、不要になった備品を売却することによる売却収入

解答

⑴	第四種事業
⑵	第二種事業
⑶	第三種事業
⑷	第六種事業
⑸	第一種事業
⑹	第四種事業

解説

⑴　サービス業のうち飲食店業については、第四種事業に該当します。
⑵　仕入れた物品を加工せずに一般消費者へ販売する小売業は、第二種事業に該当します。
⑶　物品の加工を行う製造業については、販売相手にかかわらず第三種事業に該当します。
⑷　不動産業は、第六種事業に該当します。
⑸　仕入れた物品を加工せずに他の事業者へ販売する卸売業は、第一種事業に該当します。
⑹　事業用固定資産の売却は、第四種事業に該当します。

3 注意が必要な事業の分類

1. 物品を販売する事業（基通13－２－２、13－２－３）

物品を販売する事業のうち、**他の者から購入した商品の性質及び形状を変更しないで販売する**ものが、第一種事業（卸売業）又は第二種事業（小売業）に該当します。

なお、卸売業や小売業で必要に応じて行う以下のような行為は「性質及び形状を変更しない」ことに該当します。

・商標、ネーム等を貼付又は表示する行為
・組立て式の家具を組み立てて販売する行為
・複数の商品をセット商品として詰め合わせる行為*01)
・食料品小売店舗における**加熱を伴わない**程度の軽微な加工
（魚を三枚におろす行為、肉を挽肉にして販売する行為）

*01) お中元やお歳暮等のギフトセットのイメージです。

<商標、ネーム等を貼付又は表示する行為>

<組立て式の家具を組み立てて販売する行為>

<複数の商品をセット商品として詰め合わせる行為>

<物品を販売する事業のまとめ>

<table>
<tr><td colspan="2" rowspan="2"></td><td colspan="2">商品の性質及び形状の変更の有無</td></tr>
<tr><td>変更しない</td><td>変更する*02)</td></tr>
<tr><td rowspan="2">販売相手</td><td>他の事業者</td><td>第一種事業</td><td rowspan="2">第三種事業</td></tr>
<tr><td>主に消費者
(他の事業者以外)</td><td>第二種事業</td></tr>
</table>

*02) 商品の性質及び形状を変更する場合は、販売相手にかかわらず第三種事業に該当します。

設例２－２　注意が必要な事業の分類（物品販売業）

精肉店を営む当社の当課税期間における課税資産の譲渡等は、次のとおりであった。各事業区分に該当する課税売上高を計算しなさい。なお、金額は税込みである。

⑴	仕入れた生肉をレストラン（他の事業者）へ販売した売上高	8,520,000円
⑵	仕入れた生肉を一般消費者へ販売した売上高	10,451,000円
⑶	仕入れた生肉を材料にトンカツに調理して一般消費者へ販売した売上高	4,205,000円
⑷	仕入れた生肉を挽肉にして一般消費者へ販売した売上高	6,258,000円

解答

第一種事業	8,520,000	円
第二種事業	16,709,000	円
第三種事業	4,205,000	円

解説

⑴　購入した商品の性質及び形状を変更しないで他の事業者に販売する行為は卸売業に該当するため、第一種事業に区分されます。

⑵　購入した商品の性質及び形状を変更しないで一般消費者（他の事業者以外）に販売する行為は小売業に該当するため、第二種事業に区分されます。

⑶　加熱を伴う加工は、通常、購入した商品の性質及び形状を変更しているとされるため、その事業は製造小売業として第三種事業に区分されます。

⑷　食料品小売店舗において、生肉を挽肉にする等加熱を伴わない程度の軽微な加工は、商品の性質及び形状を変更しないことに該当します。また、一般消費者に販売しているため、第二種事業に区分されます。

以上より、各事業区分の課税売上高は次のように計算します。

第一種事業：⑴8,520,000円

第二種事業：⑵10,451,000円＋⑷6,258,000円＝16,709,000円

第三種事業：⑶4,205,000円

2. 製造業・建設業（基通13－２－５、13－２－７）

製造業や建設業は、基本的に**第三種事業**に該当します。ただし、一般的に製造業や建設業と呼ばれる事業でも、無償支給された材料等*03)に対して**加工を施してその対価を受領する役務の提供*04)は第四種事業**に該当します。

一方、自社で調達した材料を下請先に支給して、完成した製品を引き取って販売する事業（製造問屋といいます。）や、自社で受注した建設工事の全部を下請先に委託して建設する事業（工事の元請会社にあたります。）は、第三種事業に該当します*05)。

*03) 材料等の費用を負担しているか否かという点が区分のポイントとなります。

*04) 例えば、印刷された紙の支給を受けて製本する事業や支給された製品の組立てのみを行う事業等が該当します。

*05) この他、天然水を採取して瓶等に詰めて飲料水として販売する事業も第三種事業に該当します。

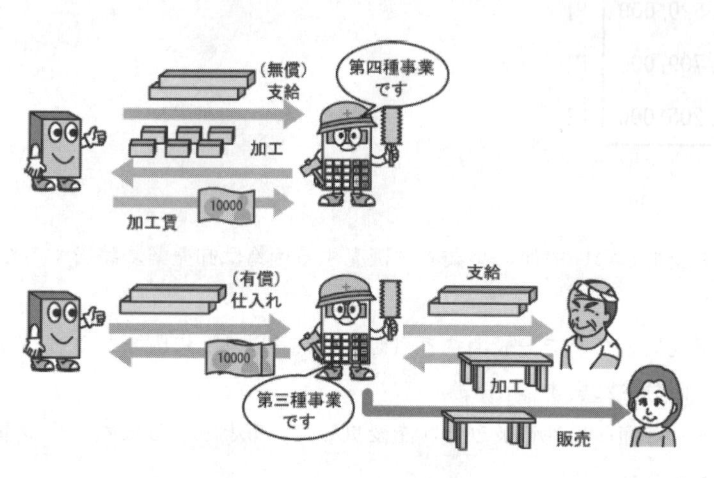

3. 不動産業

不動産業は第六種事業に該当しますが、これには**不動産（建物）の賃貸業や駐車場業、不動産の仲介・斡旋等のサービスのみを提供する事業**が該当します。

したがって、不動産業であっても他者から購入した建物*06)を販売する不動産販売業は実質的に卸売業（第一種事業）又は小売業（第二種事業）に区分されます。また、自社で建設した建物を販売する事業は実質的に建設業（第三種事業）として取り扱われます。

*06)「土地の売却」や「土地の貸付け」は非課税売上げなので、そもそも区分する必要はありません。

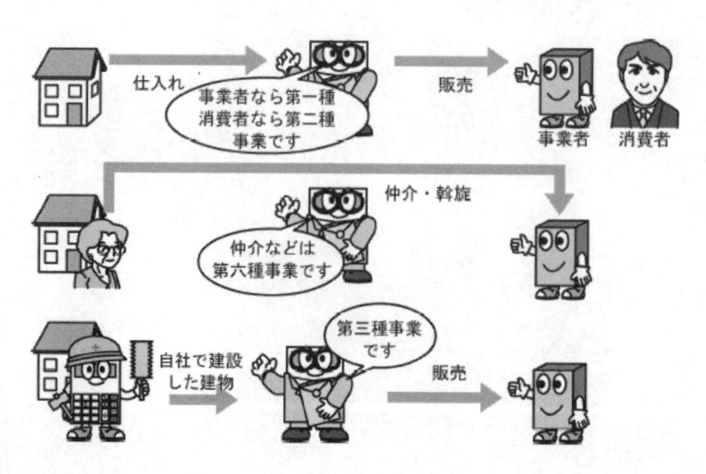

<table>
<tr><th colspan="3"></th><th>事業区分</th><th>考え方</th></tr>
<tr><td rowspan="3">不動産（建物）の販売</td><td rowspan="2">他者から購入した建物の販売</td><td>事業者へ販売</td><td>第一種事業</td><td>卸売業に該当</td></tr>
<tr><td>消費者へ販売</td><td>第二種事業</td><td>小売業に該当</td></tr>
<tr><td colspan="2">自社で建設した建物の販売</td><td>第三種事業</td><td>建設業に該当</td></tr>
<tr><td rowspan="5">不動産に関するサービスの提供</td><td colspan="2">自社保有の建物（事務所、店舗等）の賃貸</td><td rowspan="4">第六種事業</td><td rowspan="4">第六種事業に該当する「不動産業」</td></tr>
<tr><td colspan="2">駐車場の賃貸</td></tr>
<tr><td colspan="2">不動産の仲介・斡旋</td></tr>
<tr><td colspan="2">不動産の管理</td></tr>
<tr><td colspan="2">保険業務の代行*07)</td><td>第五種事業</td><td>金融保険業に該当</td></tr>
</table>

*07) 賃貸借契約を締結するときに一緒に保険契約を締結する場合の仲介を不動産業者が行うことがあり、この業務を指しています。

設例2－3　注意が必要な事業の分類（不動産業）

不動産業を営む当社の当課税期間における取引は次のとおりであった。各事業区分に該当する課税売上高を計算しなさい。なお、金額は税込みである。

(1) 時間貸し駐車場による駐車料金収入　2,420,000円

(2) 他の者から購入した土地付建物を一般消費者へ販売した際の売上高　16,800,000円
（うち、建物に係る部分は6,800,000円、土地に係る部分は10,000,000円である。）

(3) 他の事業者が行う土地の売買に対して受け取った仲介手数料収入　12,150,000円

(4) 賃貸借契約の締結にあたって保険業務の代行を行ったことによる代理店手数料収入
210,000円

(5) 当社で建設した建物を他の事業者へ販売したことによる売上高　13,500,000円

(6) 他の者から購入した建物を他の事業者へ販売した際の売上高　10,900,000円

解答

第一種事業	10,900,000	円
第二種事業	6,800,000	円
第三種事業	13,500,000	円
第五種事業	210,000	円
第六種事業	14,570,000	円

解説

(1) 駐車場業は不動産賃貸業であるため、第六種事業に区分されます。

(2) 加工を伴わない建物の売却で一般消費者へ販売する事業は、第二種事業に区分されます。なお、土地の売却は非課税売上げなので、計算には含めません。

(3) 不動産の仲介・斡旋業は、第六種事業に区分されます。

⑷　保険業務の代行は、金融保険業に該当するため、第五種事業に区分されます。
⑸　当社で建設した建物を販売する事業は建設業に該当するため、第三種事業に区分されます。
⑹　加工を伴わない建物の売却で他の事業者へ販売する事業は、第一種事業に区分されます。

以上より、各事業区分の課税売上高は次のように計算します。
第一種事業：⑹10,900,000円
第二種事業：⑵6,800,000円
第三種事業：⑸13,500,000円
第五種事業：⑷210,000円
第六種事業：⑴2,420,000円＋⑶12,150,000円＝14,570,000円

4.　飲食店業

飲食店業はサービス業の一種とも考えられますが、簡易課税制度における事業区分では、他のサービス業と同じ第五種事業には区分せず、**第四種事業に区分**されています。

第四種事業に該当する飲食店業の特徴は、**店内に飲食設備（飲食するスペース）がある点**です。したがって、飲食スペースを持たない宅配ピザ店や弁当店は第四種事業の飲食店業には該当せず、基本的には第三種事業の製造業に該当します*08)。

また、飲食スペースを持つ飲食店業については、店内で提供する料理とほぼ同じような料理を出前や仕出しとして提供する場合も第四種事業に該当します。

*08) 宅配ピザや弁当の製造は商品の性質及び形状を変更するものですから製造業（第三種事業）になります。ただし、飲料等加工せずに販売する行為は第一種事業又は第二種事業になります。

第四種事業

・飲食設備がある

・出前、仕出しとして提供

第三種事業

・宅配ピザ

・持ち帰り用の商品

<table>
<tr><td colspan="2" rowspan="2"></td><td colspan="2">飲食設備の有無</td></tr>
<tr><td>飲食設備あり</td><td>飲食設備なし</td></tr>
<tr><td rowspan="2">仕入れた商品のまま調理をせずに販売</td><td>持ち帰り販売用*09)</td><td colspan="2">第一種事業 or 第二種事業</td></tr>
<tr><td>店内飲食用に提供*10)</td><td rowspan="2">第四種事業</td><td></td></tr>
<tr><td rowspan="2">調理をして提供・販売</td><td>出前、仕出し、宅配等</td><td rowspan="2">第三種事業</td></tr>
<tr><td>持ち帰り用に製造した商品を販売</td><td>第三種事業</td></tr>
<tr><td colspan="2">店内にある酒等の自動販売機での販売（セルフサービスを目的としたもの）</td><td>第四種事業</td><td></td></tr>
</table>

*09) 喫茶店でのコーヒー豆の販売等が該当します。

*10) 店内飲食用に提供するものは、調理の有無に関係なく第四種事業に区分されます。したがって、飲食店で瓶ビールをそのまま提供しても第四種事業となります。

設例２－４　注意が必要な事業の分類（飲食店業）

飲食店業を営む当社（飲食設備を有している。）の当課税期間における取引は次のとおりであった。各事業区分に該当する課税売上高を計算しなさい。なお、金額は税込みである。

⑴　仕入れた食材を調理し、店内飲食用に提供したことによる売上高　21,501,000円

⑵　仕入れた食材を店内で飲食するために調理せず、そのままの状態で提供したことによる売上高　8,960,000円

⑶　持ち帰り用に調理した飲食物を店頭で販売したことによる売上高　4,820,000円

⑷　仕入れた飲食物を一般消費者に店頭で販売したことによる売上高　1,369,000円

⑸　調理した飲食物を仕出し弁当として販売することによる売上高　7,470,000円

解答

第二種事業	1,369,000	円
第三種事業	4,820,000	円
第四種事業	37,931,000	円

解説

⑴、⑵　店内飲食用に飲食物を提供する事業は、調理の有無に関係なく第四種事業に区分されます。

⑶　持ち帰り用に調理して販売する事業は、製造業の一種と考えて第三種事業に区分します。

⑷　仕入れた飲食物を加工せずに一般消費者へ販売する事業は、小売業と考えて第二種事業に区分します。

⑸　飲食店業を営む事業者が店内で提供する料理と同様の料理を仕出しや出前として提供する場合も、飲食店業の一種と考えて第四種事業に区分します。

以上より、各事業区分の課税売上高は次のように計算します。

第二種事業：⑷1,369,000円

第三種事業：⑶4,820,000円

第四種事業：⑴21,501,000円＋⑵8,960,000円＋⑸7,470,000円＝37,931,000円

5. 飲食店業以外のサービス業

飲食店業以外のサービス業は、**基本的に第五種事業に区分**されますが、以下のような事例には注意が必要です。

(1) 旅館等における飲食物の提供等（基通 13－2－8の2）

旅館やホテル等の**宿泊業は、基本的に第五種事業に該当**します。しかし、多くの旅館やホテルでは飲食物も提供しているため、第四種事業との区分が問題となります。そこで宿泊業に関しては、以下のように考えて区分することとなっています。

区分	事業区分
宿泊と飲食物に係る対価が区別されていないもの*11)	第五種事業
宿泊代とは別に受領した飲食物の対価*12)	第四種事業
宿泊者以外が利用できる食堂等で提供した飲食物の対価	第四種事業
自動販売機や売店で販売した飲食物の対価	第二種事業
旅館等に併設されたゲームコーナーの売上げ	第五種事業

*11) 「1泊2食付で○○円」という条件になっている場合です。

*12) 素泊まりで朝食が別料金の場合や、客室内の冷蔵庫（ミニバー）の売上げ等が該当します。

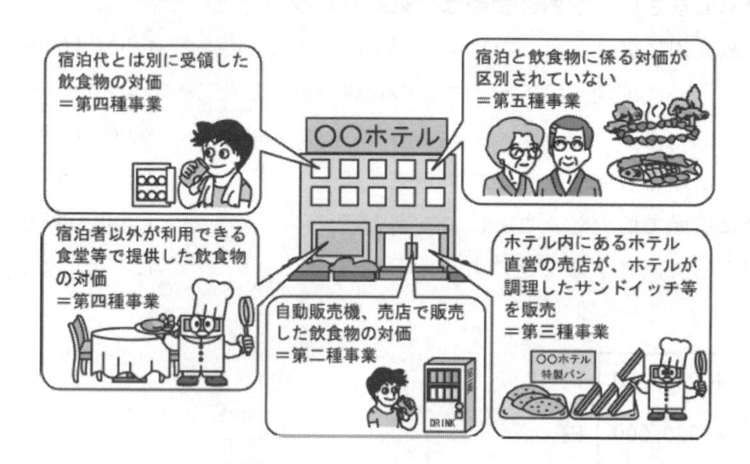

設例2－5　注意が必要な事業の分類（旅館業）

旅館業を営む当社の当課税期間における取引は次のとおりであった。各事業区分に該当する課税売上高を計算しなさい。なお、金額は税込みである。

(1)	宿泊料収入	31,200,000円
(2)	宿泊客以外の者へ旅館に併設する食堂で飲食物を提供したことによる収入	8,820,000円
(3)	旅館内の売店で仕入れた飲食物を一般客に販売したことによる収入	1,505,000円
(4)	旅館内の入浴施設を日帰り入浴で利用させることによる収入	4,279,000円

解答

第二種事業	1,505,000	円
第四種事業	8,820,000	円
第五種事業	35,479,000	円

解説

⑴　旅館業は基本的に第五種事業に区分されます。

⑵　宿泊者以外が利用できる食堂等で提供した飲食物の対価については、飲食店業に該当するため、第四種事業に区分されます。

⑶　旅館内の売店で飲食物を販売する事業は小売業に該当するため、第二種事業に区分されます。

⑷　宿泊以外でも、旅館の設備を利用して役務を提供するサービス業（飲食店業以外）に該当する場合には、他のサービス業と同じく第五種事業に区分されます。

以上より、各事業区分の課税売上高は次のように計算します。
第二種事業：⑶1,505,000円
第四種事業：⑵8,820,000円
第五種事業：⑴31,200,000円＋⑷4,279,000円＝35,479,000円

⑵　物品販売業の販売時のサービスやアフターサービス

物品販売業の中には、販売時にエアコンの取り付けや洋服の裾直しを行ったり、販売後の商品にアフターサービスを行ったりします。これは一種のサービス業になるとも考えられますが、物品の販売とも関連性があります。そこで、このようなサービスについては、以下のように区分することとなっています[*13)]。

販売時	取付工事費や裾直し代を無料サービスした場合	第一種事業 or 第二種事業
	取付工事費や裾直し代を別途受領した場合	第五種事業
アフターサービス	部品等を交換し、部品代のみを請求する場合	第一種事業 or 第二種事業
	修理を行い、修理代のみを請求する場合	第五種事業

*13) 基本的には、対価が「モノ（商品）」に対して支払われるものなのか、「サービス」に対して支払われるものかによって判断します。

6. 事業用固定資産等の売却（基通13－２－８）

事業用固定資産や段ボール等の梱包材といった**不用物品の売却**は、事業者が主として行う事業の種類にかかわらず、**第四種事業に該当**します。

ただし、**主に卸売業又は小売業を営む事業者が行う段ボール等の不要物品を売却**する取引は、その**不要物品が生じた事業区分（第一種事業又は第二種事業）に属する**ものとして処理することも認められます。

また、製造業等を営む事業者が事業に伴い生じた**加工くずや副産物等を売却**する取引は、**第三種事業**に区分されます。

7. 低額譲渡・みなし譲渡

低額譲渡とみなし譲渡も「資産の譲渡」に該当するため、必要に応じて区分する必要があります。その区分は、どのような資産を譲渡したかによって判断します。

他から購入した（加工等を行っていない）商品	第二種事業*14)
自己が製造した製品	第三種事業
事業用固定資産	第四種事業

*14) 低額譲渡は法人の役員に対する譲渡、みなし譲渡は個人事業者の家事消費や法人の役員に対する贈与なので、第一種事業（他の事業者に対する販売）には該当しません。また、資産の譲渡が前提となっているため、第五種事業にも該当しません。

8. 自動販売機による商品の販売

自動販売機で商品の販売が行われた場合の業種は、その自動販売機の使用状況により以下のように区分されます。

仕入商品を自動販売機で販売する場合	第二種事業
セルフサービスを目的として飲食店内に設置した自動販売機で仕入商品を販売する場合	第四種事業
他者の所有する自動販売機を設置し、設置に伴う手数料を収受する場合	第五種事業

設例２－６　注意が必要な事業の分類（その他）

家電製品の販売業を営む当社の当課税期間における取引は次のとおりであった。各事業区分に該当する課税売上高を計算しなさい。なお、金額は税込みである。

(1) 一般消費者に対して家電製品を販売したことによる収入　26,401,000円
なお、取付工事費等はサービスとして無料となっている。

(2) 他の事業者に対するテレビアンテナの取付工事代収入　3,160,000円

(3) 一般消費者に対する修理代収入　7,520,000円

(4) 不要となった陳列用棚の売却収入　750,000円

(5) 一般消費者への商品の販売事業により生じた不要物品（段ボール等）の売却収入　126,000円
なお、当該売却収入は、不要物品が生じた事業区分として処理する。

(6) 本社の休憩所に他社の自動販売機を設置したことに伴い収受した手数料収入　856,000円

(7) この他、仕入商品（仕入価額200,000円、通常の販売価額350,000円）を当社の役員へ贈与している。

解答

第二種事業	26,727,000	円
第四種事業	750,000	円
第五種事業	11,536,000	円

解説

⑴　物品販売時の取付工事費等を無料サービスした場合には、販売収入を第一種事業又は第二種事業に区分します。本問では、一般消費者に対するものなので第二種事業に区分します。

⑵、⑶　取付工事や修理そのものを対価とする収入は、サービス業に該当するものとして第五種事業に区分します。

⑷　事業用固定資産の売却は、第四種事業に区分します。

⑸　卸売業又は小売業に伴って生じた不要物品の売却収入は、その不要物品が生じた事業区分に属するものとして処理することができます。したがって、本問の場合は、一般消費者に対する販売に伴って生じたものであるため、第二種事業に区分します。

⑹　自動販売機を設置し、設置に伴い手数料を収受した場合は、第五種事業に区分します。

⑺　仕入れた商品を自社の役員に贈与（みなし譲渡）した場合には、第二種事業に区分します。なお、課税売上高は「通常の販売価額の50％」と「仕入価額」のいずれか大きい金額とします。

通常の販売価額の50％：350,000円×50％＝175,000円
仕入価額　　　　　　：200,000円
∴　いずれか大きい金額　200,000円

以上より、各事業区分の課税売上高は次のように計算します。
第二種事業：⑴26,401,000円＋⑸126,000円＋⑺200,000円＝26,727,000円
第四種事業：⑷750,000円
第五種事業：⑵3,160,000円＋⑶7,520,000円＋⑹856,000円＝11,536,000円

Section 3 2以上の事業を行っている場合のみなし仕入率

これまで学習したみなし仕入率は、事業者の課税売上げの区分ごとに定められています。しかし、この事業の分類は多岐にわたり、1人の事業者が1つの事業のみを行っていないケースも考えられます。

ここでは、事業者が2以上の事業を営んでいる場合にみなし仕入率をどのように計算したらよいのかを見ていきましょう。

1 原　則

計算

1．考え方（令57②）

簡易課税制度を適用している事業者は、課税資産の譲渡等に該当する各取引を、6つの区分に分類します。そのため、多くの事業者は2つ以上の事業を行っていることになります。

例えば、卸売業を営む事業者は、基本的に第一種事業に分類される取引が多くを占めますが、消費者に対しても販売していればその取引は第二種事業に該当しますし、課税期間の中途に事業用固定資産を売却していれば、その取引は第四種事業に該当します。

このような事業者のみなし仕入率は、原則として、**それぞれの課税売上げに対応する事業区分ごとのみなし仕入率を、全体の課税売上げに対する割合に応じて加重平均させた数値**とします。

$$\text{みなし仕入率}^{*01)} = \frac{A \times 90\%^{*02)} + B \times 80\% + C \times 70\% + D \times 60\% + E \times 50\% + F \times 40\%}{A + B + C + D + E + F}$$

A…第一種事業の課税売上げに係る消費税額
B…第二種事業の課税売上げに係る消費税額
C…第三種事業の課税売上げに係る消費税額
D…第四種事業の課税売上げに係る消費税額
E…第五種事業の課税売上げに係る消費税額
F…第六種事業の課税売上げに係る消費税額

$$\text{各事業の課税売上げに係る消費税額}^{*03)} = \text{各事業の課税売上げ} \times \frac{7.8}{110} - \text{各事業の売上げに係る対価の返還等} \times \frac{7.8}{110}$$

*01) 端数処理に関する規定がないため、割り切れないときはそのまま乗じます。

*02) 各事業ともこの段階で端数が生じた場合、一旦切り捨てます。

*03) 各事業の課税売上げに係る消費税額を求める際には、貸倒れ回収に係る消費税額を考慮しない額で計算します。

設例３−１　みなし仕入率の計算

以下に示した各事業区分の課税売上げに係る消費税額から、みなし仕入率を計算しなさい。

	課税売上げに係る消費税額
第一種事業	580,000円
第二種事業	960,000円
第三種事業	720,000円
第四種事業	1,100,000円
第五種事業	240,000円
第六種事業	400,000円
合計	4,000,000円

解答

みなし仕入率　0.6835

解説

$$\frac{580,000円\times90\%+960,000円\times80\%+720,000円\times70\%+1,100,000円\times60\%+240,000円\times50\%+400,000円\times40\%}{4,000,000円}$$

$$=\frac{2,734,000円}{4,000,000円}=0.6835$$

設例３−２　２以上の事業を行っている場合（原則）

以下の【資料】から、当課税期間（令和７年４月１日〜令和８年３月31日）における納付税額を計算しなさい。なお、当社の当課税期間は、簡易課税制度が適用されるものとする。また、当社は税込経理方式を採用しており、軽減税率が適用される取引は含まれておらず、課税標準額に対する消費税額は割戻し計算の方法による。

【資料】

１．卸売業の課税売上高　　15,200,000円（うち、返品・値引等880,000円）

２．小売業の課税売上高　　21,800,000円（うち、返品・値引等794,100円）

㈲　返品・値引等は、当課税期間の課税売上げに係るものである。

解答

納付税額　399,400 円

解説

⑴　課税標準額

15, 200, 000円＋21, 800, 000円＝37, 000, 000円

37, 000, 000円×$\frac{100}{110}$＝33, 636, 363円 → 33, 636, 000円（千円未満切捨）

⑵　課税標準額に対する消費税額

33, 636, 000円×7. 8％＝2, 623, 608円

⑶　売上げに係る対価の返還等に係る消費税額

880, 000円＋794, 100円＝1, 674, 100円

1, 674, 100円×$\frac{7.8}{110}$＝118, 708円

⑷　業種別消費税額

①　第一種事業

イ　15, 200, 000円×$\frac{7.8}{110}$＝1, 077, 818円

ロ　880, 000円×$\frac{7.8}{110}$＝62, 400円

ハ　イ－ロ＝1, 015, 418円

②　第二種事業

イ　21, 800, 000円×$\frac{7.8}{110}$＝1, 545, 818円

ロ　794, 100円×$\frac{7.8}{110}$＝56, 308円

ハ　イ－ロ＝1, 489, 510円

③　①＋②＝2, 504, 928円

⑸　控除対象仕入税額

①　基礎税額

2, 623, 608円－118, 708円＝2, 504, 900円

②　控除対象仕入税額

2, 504, 900円×$\frac{1,015,418円×90\%^{*01)}+1,489,510円×80\%^{*02)}}{2,504,928円}$＝2, 105, 460円

⑹　控除税額小計

2, 105, 460円＋118, 708円＝2, 224, 168円

⑺　差引税額

2, 623, 608円－2, 224, 168円＝399, 440円 → 399, 400円（百円未満切捨）

⑻　納付税額

399, 400円

*01) この段階で端数を一旦切り捨てます。1, 015, 418円×90％＝913, 876. 2円 → 913, 876円（切捨）

*02) この段階で端数を一旦切り捨てます。1, 489, 510円×80％＝1, 191, 608円

2 みなし仕入率の特例（75%ルール）

1. 75%ルールの概要

みなし仕入率については、課税売上げを事業ごとに区分した上で加重平均により求めた割合を適用するのが原則でした。

しかし、６つに区分した課税売上げの総額のうち、**特定１事業又は２事業の課税売上げの占める割合が高い場合**、加重平均したみなし仕入率を用いず、その特定１事業又は２事業のみなし仕入率のみを使って計算できるという特例があります*01)。

具体的には、**特定１事業又は２事業の課税売上げの合計が「全体の課税売上げの 75%以上を占める場合」**をいいます。

なお、この特例が認められるか否かを判定するための課税売上げは税抜金額を用います。したがって、全体の課税売上げや各事業の課税売上げを用いて割合を求める際には、以下のような計算を行って税抜金額を求める必要があります*02)。

*01) 原則どおりの加重平均したみなし仕入率を用いる計算も認められます。そのため受験上は有利になる方を選択することになります。

*02) みなし仕入率を計算するときは各事業の課税売上げに係る消費税額を用いますが、75%ルールの判定では「税抜の課税売上げ」を用いますので、間違えないようにしましょう。

$$\text{各事業又は全体の課税売上げ（税抜）} = \text{各事業又は全体の課税売上げ（税込）} \times \frac{100}{110} - \left(\text{各事業又は全体の売上返還等（税込）} - \text{各事業又は全体の売上返還等（税込）} \times \frac{7.8}{110} \times \frac{100}{78}\right)$$

2. 特定１事業が全体の75%以上である場合（令57③一）

２以上の事業を営む事業者で、**特定１事業の課税売上高が全体の75%以上を占める事業者**については、その 75%以上を占める事業のみなし仕入率をその事業者の課税売上げに係る消費税全体に対して適用することができます*03)。つまり、**すべての課税売上げが 75%以上を占める特定１事業に区分されるものとして計算する**ことになります。

*03) ただし、特例計算を行うことにより控除対象仕入税額が少なくなって、事業者にとって不利となることも考えられます。この場合は、原則どおりに加重平均したみなし仕入率を選択して控除対象仕入税額を計算します。

全体の 75%以上を占める特定１事業 上記以外の事業	⇒ すべて特定１事業の事業区分のみなし仕入率を適用

<具体例>

	課税売上高	
第一種事業	40,000	(8%)
第二種事業	20,000	(4%)
第三種事業	400,000	(80%) ⇒ 75%以上　特定１事業
第四種事業	15,000	(3%)
第五種事業	20,000	(4%)
第六種事業	5,000	(1%)
合計	500,000	

〈判定〉

$$\frac{\text{特定１事業の課税売上げ（税抜）}}{\text{全体の課税売上げ（税抜）}} \geqq 75\% \quad \therefore \quad \text{適用あり}$$

⑴ 特定１事業の課税売上げ（税抜）

各事業の課税売上げを下記の算式に基づき計算し、**最も金額が多いもので判定**します。

$$\text{各事業の課税売上げ（税抜）} = \text{各事業の課税売上げ（税込）} \times \frac{100}{110} - \left(\text{各事業の売上返還等（税込）} - \text{各事業の売上返還等（税込）} \times \frac{7.8}{110} \times \frac{100}{78}\right)$$

設例３－３　２以上の事業を行っている場合（特例１）

以下の【資料】から、当課税期間（令和７年４月１日～令和８年３月31日）における納付税額を計算しなさい。なお、当社の当課税期間は、簡易課税制度が適用されるものとする。また、当社は税込経理方式を採用しており、軽減税率が適用される取引は含まれておらず、課税標準額に対する消費税額は割戻し計算の方法による。

【資料】

１．小売業の課税売上高　　29,000,000円（うち、返品・値引等1,100,000円）

２．製造業の課税売上高　　5,000,000円（うち、返品・値引等　220,000円）

㈡ 返品・値引等は、当課税期間の課税売上げに係るものである。

解答

納付税額　**463,400** 円

解説

⑴ 課税標準額

29,000,000円＋5,000,000円＝34,000,000円

$34,000,000\text{円} \times \frac{100}{110} = 30,909,090\text{円}$ → 30,909,000円（千円未満切捨）

⑵ 課税標準額に対する消費税額

30,909,000円×7.8％＝2,410,902円

⑶ 売上げに係る対価の返還等に係る消費税額

1,100,000円＋220,000円＝1,320,000円

$1,320,000\text{円} \times \frac{7.8}{110} = 93,600\text{円}$

⑷ 業種別課税売上高

① 第二種事業

イ　$29,000,000\text{円} \times \frac{100}{110} = 26,363,636\text{円}$

ロ　1,100,000円－1,100,000円×$\frac{7.8}{110}$×$\frac{100}{78}$＝1,000,000円

ハ　イ－ロ＝25,363,636円

② 第三種事業

イ　5,000,000円×$\frac{100}{110}$＝4,545,454円

ロ　220,000円－220,000円×$\frac{7.8}{110}$×$\frac{100}{78}$＝200,000円

ハ　イ－ロ＝4,345,454円

③ 合計

①＋②＝29,709,090円

(5) 業種別消費税額

① 第二種事業

イ　29,000,000円×$\frac{7.8}{110}$＝2,056,363円

ロ　1,100,000円×$\frac{7.8}{110}$＝78,000円

ハ　イ－ロ＝1,978,363円

② 第三種事業

イ　5,000,000円×$\frac{7.8}{110}$＝354,545円

ロ　220,000円×$\frac{7.8}{110}$＝15,600円

ハ　イ－ロ＝338,945円

③ 合計

①＋②＝2,317,308円

(6) 控除対象仕入税額

① 基礎税額

2,410,902円－93,600円＝2,317,302円

② 原則法

2,317,302円×$\frac{1,978,363円×80\%＋338,945円×70\%}{2,317,308円}$＝1,819,946円

③ 特例（第二種事業）

$\frac{25,363,636円}{29,709,090円}$＝0.8537…　≧　75%　　∴　適用あり

2,317,302円×80%＝1,853,841円

④ 有利判定

②＜③　　∴　1,853,841円

(7) 控除税額小計

1,853,841円＋93,600円＝1,947,441円

(8) 差引税額

2,410,902円－1,947,441円＝463,461円　→　463,400円（百円未満切捨）

(9) 納付税額

463,400円

3.　特定２事業の課税売上げの合計が全体の75%以上の場合（令57③二）

３以上の事業を営む事業者で、**特定２事業の課税売上高の合計額が全体の75%以上を占める事業者**については、全体の75%以上を占める特定２事業のうち、**みなし仕入率の高い方の事業についてはその業種のみなし仕入率を使って計算**し、**残りの事業についてはすべて特定２事業のうちみなし仕入率の低い方の事業のみなし仕入率**を使って原則と同じ方法で計算することができます。

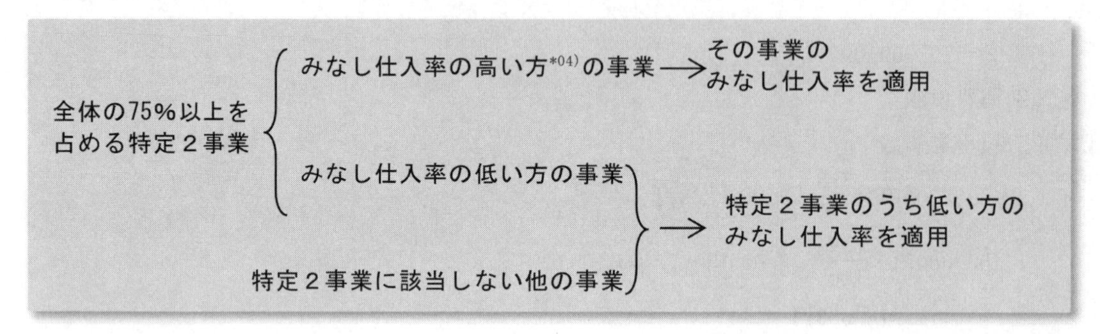

＜具体例＞

	課税売上高	消費税額	みなし仕入率の
第一種事業	35,000（35%）	2,730	高い方（特定２事業）
第二種事業	10,000（10%）	780	
第三種事業	45,000（45%）	3,510	低い方（特定２事業）
第四種事業	7,000（ 7%）	546	
第五種事業	2,000（ 2%）	156	
第六種事業	1,000（ 1%）	78	
合計	100,000	7,800	

*04) 特定２事業のうち金額の多い事業ではなく、みなし仕入率の高い事業です。

第１種以外のすべての業種に70%を適用

＜判定＞

$$\frac{\text{特定２事業の課税売上げの合計（税抜）}}{\text{全体の課税売上げ（税抜）}} \geqq 75\% \quad \therefore \ \text{適用あり}$$

＜特定２事業の課税売上げの合計が75%以上の場合のみなし仕入率＞

$$\frac{\text{みなし仕入率の高い方の事業(A)の課税売上げに係る消費税額} \times \text{(A)のみなし仕入率} + \left(\text{全体の課税売上げに係る消費税額} - \text{みなし仕入率の高い方の事業の課税売上げに係る消費税額}\right) \times \text{みなし仕入率の低い方の事業のみなし仕入率}}{\text{全体の課税売上げに係る消費税額}}$$

$$\frac{2{,}730\text{円} \times 90\% + (7{,}800\text{円} - 2{,}730\text{円}) \times 70\%}{7{,}800\text{円}} = \frac{6{,}006\text{円}}{7{,}800\text{円}} = 0.77$$

設例3－4　２以上の事業を行っている場合（特例２）

以下の【資料】から、当課税期間（令和７年４月１日～令和８年３月31日）における納付税額を計算しなさい。なお、当社の当課税期間は、簡易課税制度が適用されるものとする。また、当社は税込経理方式を採用しており、軽減税率が適用される取引は含まれておらず、課税標準額に対する消費税額は割戻し計算の方法による。

【資料】

１．第一種事業の課税売上高　14,000,000円

２．第二種事業の課税売上高　21,400,000円

３．第五種事業の課税売上高　7,510,000円

解答

納付税額　509,200 円

解説

⑴　課税標準額

14,000,000円＋21,400,000円＋7,510,000円＝42,910,000円

42,910,000円×$\frac{100}{110}$＝39,009,090円 → 39,009,000円（千円未満切捨）

⑵　課税標準額に対する消費税額

39,009,000円×7.8％＝3,042,702円

⑶　業種別課税売上高

①　第一種事業

14,000,000円×$\frac{100}{110}$＝12,727,272円

②　第二種事業

21,400,000円×$\frac{100}{110}$＝19,454,545円

③　第五種事業

7,510,000円×$\frac{100}{110}$＝6,827,272円

④　合計

①＋②＋③＝39,009,089円

⑷　業種別消費税額

①　第一種事業

14,000,000円×$\frac{7.8}{110}$＝992,727円

②　第二種事業

21,400,000円×$\frac{7.8}{110}$＝1,517,454円

③　第五種事業

7,510,000円×$\frac{7.8}{110}$＝532,527円

④　合計

①＋②＋③＝3, 042, 708円

⑸　控除対象仕入税額

①　基礎税額

3, 042, 702円

②　原則法

$$3,042,702円\times\frac{992,727円\times90\%+1,517,454円\times80\%+532,527円\times50\%}{3,042,708円}=2,373,675円$$

③　特例

イ　特定１事業（第二種事業）

$$\frac{19,454,545円}{39,009,089円}=0.4987\cdots < 75\% \quad \therefore \quad 適用なし$$

ロ　特定２事業（第一種事業、第二種事業）

$$\frac{12,727,272円+19,454,545円}{39,009,089円}=0.8249\cdots \geqq 75\% \quad \therefore \quad 適用あり$$

$$3,042,702円\times\frac{(※)\ 2,533,438円}{3,042,708円}=2,533,433円$$

㈱　992, 727円×90％*01)＋（3, 042, 708円－992, 727円）×80％*01)＝2, 533, 438円

④　有利判定

②　＜　③ロ　　∴　2, 533, 433円

⑹　差引税額

3, 042, 702円－2, 533, 433円＝509, 269円　→　509, 200円（百円未満切捨）

⑺　納付税額

509, 200円

*01) 特定２事業のうち、みなし仕入率の高い第一種事業に係る消費税額は、第一種事業のみなし仕入率90％を乗じます。残りの事業に係る消費税額は、すべて特定２事業のうちみなし仕入率の低い第二種事業のみなし仕入率80％を乗じます。

4.　有利判定の考え方

特定１事業の特例に該当する場合には、１事業のみで全体の課税売上げの75％を占めているため、当然のことながら特定１事業以外のどの事業の売上げと組み合わせても特定２事業の特例の適用を受けることができます。

この場合、①原則によるみなし仕入率、②特定１事業の特例をとった場合のみなし仕入率、③特定２事業の特例をとった場合のみなし仕入率のすべての組み合わせの中からいちばん有利な方法を選択しなければならず、その事業者が６事業すべての課税売上げを有する場合には最大で７パターンのみなし仕入率が考えられます。

また、特定１事業の特例に当てはまらない場合であっても、特定２事業の特例に該当するパターンが何パターンか出る可能性もあります。

この場合には次の順番で特定２事業の特例の有利判定を行い、原則や特定１事業の特例との比較を行います。

なお、金額による判定をするまでもなく、他の特例より不利となる

ことがわかるものについては、計算過程欄にコメントを付すことにより、計算を省略することも可能です。

〈特定２事業の特例の組み合わせの判定〉

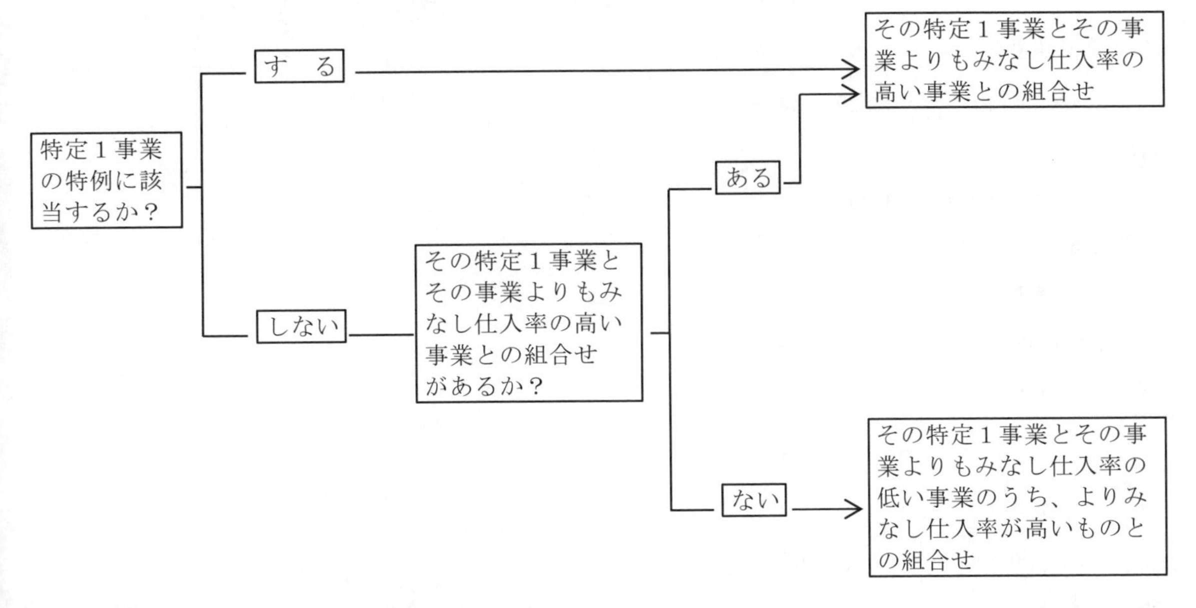

設例３－５　**２以上の事業を行っている場合（特例３）**

以下の【資料】から、当課税期間（令和７年４月１日～令和８年３月31日）における納付税額を計算しなさい。なお、当社の当課税期間は、簡易課税制度が適用されるものとする。また、当社は税込経理方式を採用しており、軽減税率が適用される取引は含まれておらず、課税標準額に対する消費税額は割戻し計算の方法による。

【資料】

１．第一種事業の課税売上高　　1,970,000円

２．第二種事業の課税売上高　　28,700,000円

３．第五種事業の課税売上高　　2,430,000円

解答　　納付税額　　455,400 円

解説

⑴　課税標準額

1,970,000円＋28,700,000円＋2,430,000円＝33,100,000円

33,100,000円×$\frac{100}{110}$＝30,090,909円　→　30,090,000円（千円未満切捨）

⑵　課税標準額に対する消費税額

30,090,000円×7.8％＝2,347,020円

⑶　業種別課税売上高

①　第一種事業

$$1,970,000円 \times \frac{100}{110} = 1,790,909円$$

② 第二種事業

$$28,700,000円 \times \frac{100}{110} = 26,090,909円$$

③ 第五種事業

$$2,430,000円 \times \frac{100}{110} = 2,209,090円$$

④ 合計

①＋②＋③＝30,090,908円

⑷ 業種別消費税額

① 第一種事業

$$1,970,000円 \times \frac{7.8}{110} = 139,690円$$

② 第二種事業

$$28,700,000円 \times \frac{7.8}{110} = 2,035,090円$$

③ 第五種事業

$$2,430,000円 \times \frac{7.8}{110} = 172,309円$$

④ 合計

①＋②＋③＝2,347,089円

⑸ 控除対象仕入税額

① 基礎税額

2,347,020円

② 原則法

$$2,347,020円 \times \frac{139,690円 \times 90\% + 2,035,090円 \times 80\% + 172,309円 \times 50\%}{2,347,089円} = 1,839,892円$$

③ 特例

イ 特定1事業（第二種事業）

$$\frac{26,090,909円}{30,090,908円} = 0.8670\cdots \geqq 75\% \qquad \therefore \ 適用あり$$

2,347,020円×80％＝1,877,616円

ロ 特定2事業（第一種事業、第二種事業）

$$\frac{1,790,909円 + 26,090,909円}{30,090,908円} = 0.9265\cdots \geqq 75\% \qquad \therefore \ 適用あり$$

$$2,347,020円 \times \frac{(※)\ 1,891,640円}{2,347,089円} = 1,891,584円$$

(※) 139,690円×90％＋（2,347,089円－139,690円）×80％＝1,891,640円

他の特例（第二種事業と第五種事業）は不利となるため判定省略*01)

④ 有利判定

③ロ ＞ ③イ ＞ ②　　∴ 1,891,584円

⑹ 差引税額

2,347,020円－1,891,584円＝455,436円 → 455,400円（百円未満切捨）

(7) 納付税額

455,400円

*01) 本問の場合、特定２事業の特例は、「第一種事業と第二種事業」の他に「第二種事業と第五種事業」の組合せも考えられますが、前者と比較したときに、後者は明らかに不利であることがわかるため、計算過程欄にコメントを付し計算過程を省略します。

3 軽減税率がある場合 計算

(1) 基礎税額の計算

軽減税率がある場合は、標準税率、軽減税率それぞれごとに次のとおり基礎税額を計算します。

標準税率の基礎税額

（標準税率の課税標準額に対する消費税額）＋（標準税率が適用される貸倒回収に係る消費税額）－（標準税率が適用される売上げ返還等対価に係る消費税額）

軽減税率の基礎税額

（軽減税率の課税標準額に対する消費税額）＋（軽減税率が適用される貸倒回収に係る消費税額）－（軽減税率が適用される売上げ返還等対価に係る消費税額）

(2) みなし仕入率の計算

軽減税率がある場合は、標準税率、軽減税率それぞれごとに次のとおりみなし仕入率を計算します。

① 原則法

・標準税率のみなし仕入率

$$みなし仕入率=\frac{A\times 90\%+B\times 80\%+C\times 70\%+D\times 60\%+E\times 50\%+F\times 40\%}{A+B+C+D+E+F}$$

A…標準税率が適用される第一種事業の課税売上げに係る消費税額

B…標準税率が適用される第二種事業の課税売上げに係る消費税額

C…標準税率が適用される第三種事業の課税売上げに係る消費税額

D…標準税率が適用される第四種事業の課税売上げに係る消費税額

E…標準税率が適用される第五種事業の課税売上げに係る消費税額

F…標準税率が適用される第六種事業の課税売上げに係る消費税額

・軽減税率のみなし仕入率

$$みなし仕入率=\frac{a\times 90\%+b\times 80\%+c\times 70\%+d\times 60\%+e\times 50\%+f\times 40\%}{a+b+c+d+e+f}$$

a…軽減税率が適用される第一種事業の課税売上げに係る消費税額

b…軽減税率が適用される第二種事業の課税売上げに係る消費税額

c…軽減税率が適用される第三種事業の課税売上げに係る消費税額

d…軽減税率が適用される第四種事業の課税売上げに係る消費税額

e…軽減税率が適用される第五種事業の課税売上げに係る消費税額

f…軽減税率が適用される第六種事業の課税売上げに係る消費税額

② 特例（特定２事業の課税売上げの合計が全体の75％以上*01)）の場合

・標準税率のみなし仕入率

$$\frac{\text{みなし仕入率の高い方の事業(A)の7.8\%課税売上げに係る消費税額}^{*02)} \times \text{(A)のみなし仕入率} + \left(\text{全体の7.8\%課税売上げに係る消費税額} - \text{みなし仕入率の高い方の事業の7.8\%課税売上げに係る消費税額}^{*02)}\right) \times \text{みなし仕入率の低い方}^{*02)}\text{の事業のみなし仕入率}}{\text{全体の7.8\%課税売上げに係る消費税額}}$$

・軽減税率のみなし仕入率

$$\frac{\text{みなし仕入率の高い方の事業(A)の6.24\%課税売上げに係る消費税額}^{*02)} \times \text{(A)のみなし仕入率} + \left(\text{全体の6.24\%課税売上げに係る消費税額} - \text{みなし仕入率の高い方の事業の6.24\%課税売上げに係る消費税額}^{*02)}\right) \times \text{みなし仕入率の低い方}^{*02)}\text{の事業のみなし仕入率}}{\text{全体の6.24\%課税売上げに係る消費税額}}$$

*01) 75％以上の判定は標準税率適用の課税売上高と軽減税率適用の課税売上高の合計額で行う。

*02) みなし仕入率の高い方、低い方の判定は標準税率と軽減税率を統一して行う

設例３－６　軽減税率の適用がある場合

以下の【資料】から、当課税期間（令和７年４月１日～令和８年３月31日）における納付税額を計算しなさい。なお、当社の当課税期間は、簡易課税制度が適用されるものとする。また、当社は税込経理方式を採用し、課税標準額に対する消費税額は割戻し計算の方法による。

【資料】

1．第一種事業の課税売上高　1,970,000円（内、軽減税率が適用される取引は788,000円である。）

2．第二種事業の課税売上高　28,700,000円（内、軽減税率が適用される取引は15,785,000円である。）

3．第三種事業の課税売上高　2,430,000円（内、軽減税率が適用される取引は2,187,000円である。）

解答

納付税額　407,200 円

解説

⑴　課税標準額

①　標準税率適用分

（1,970,000円－788,000円）＋（28,700,000円－15,785,000円）＋（2,430,000円－2,187,000円）＝14,340,000円

$14,340,000円 \times \frac{100}{110} = 13,036,363円$ → 13,036,000円（千円未満切捨）

②　軽減税率適用分

788,000円＋15,785,000円＋2,187,000円＝18,760,000円

$18,760,000円 \times \frac{100}{108} = 17,370,370円$ → 17,370,000円（千円未満切捨）

③　①＋②＝30,406,000円

(2) 課税標準額に対する消費税額

① 標準税率適用分

13,036,000円×7.8%＝1,016,808円

② 軽減税率適用分

17,370,000円×6.24%＝1,083,888円

③ ①＋②＝2,100,696円

(3) 業種別課税売上高

① 第一種事業

イ 標準税率適用分

1,970,000円－788,000円＝1,182,000円

$1,182,000円 \times \frac{100}{110} = 1,074,545円$

ロ 軽減税率適用分

$788,000円 \times \frac{100}{108} = 729,629円$

ハ イ＋ロ＝1,804,174円

② 第二種事業

イ 標準税率適用分

28,700,000円－15,785,000円＝12,915,000円

$12,915,000円 \times \frac{100}{110} = 11,740,909円$

ロ 軽減税率適用分

$15,785,000円 \times \frac{100}{108} = 14,615,740円$

ハ イ＋ロ＝26,356,649円

③ 第三種事業

イ 標準税率適用分

2,430,000円－2,187,000円＝243,000円

$243,000円 \times \frac{100}{110} = 220,909円$

ロ 軽減税率適用分

$2,187,000円 \times \frac{100}{108} = 2,025,000円$

ハ イ＋ロ＝2,245,909円

④ 合計

①＋②＋③＝30,406,732円

(4) 業種別消費税額

① 第一種事業

イ 標準税率適用分

$1,182,000円 \times \frac{7.8}{110} = 83,814円$

ロ 軽減税率適用分

$788,000円 \times \frac{6.24}{108} = 45,528円$

② 第二種事業

イ 標準税率適用分

$12,915,000円 \times \frac{7.8}{110} = 915,790円$

ロ 軽減税率適用分

$15,785,000円 \times \frac{6.24}{108} = 912,022円$

③ 第三種事業

イ 標準税率適用分

$243,000円 \times \frac{7.8}{110} = 17,230円$

ロ 軽減税率適用分

$2,187,000円 \times \frac{6.24}{108} = 126,360円$

④ 合計

イ 標準税率適用分

83,814円＋915,790円＋17,230円＝1,016,834円

ロ 軽減税率適用分

45,528円＋912,022円＋126,360円＝1,083,910円

(5) 控除対象仕入税額

① 基礎税額

イ 標準税率適用分

1,016,808円

ロ 軽減税率適用分

1,083,888円

② 原則法

イ 標準税率適用分

$1,016,808円 \times \frac{83,814円 \times 90\% + 915,790円 \times 80\% + 17,230円 \times 70\%}{1,016,834円} = 820,104円$

ロ 軽減税率適用分

$1,083,888円 \times \frac{45,528円 \times 90\% + 912,022円 \times 80\% + 126,360円 \times 70\%}{1,083,910円} = 859,026円$

ハ イ＋ロ＝1,679,130円

③ 特例

イ 特定1事業（第二種事業）

(a) 判定

$\frac{26,356,649円}{30,406,732円} = 0.8668\cdots \geqq 75\%$ ∴ 適用あり

(b) 標準税率適用分

1,016,808円×80％＝813,446円

(c) 軽減税率適用分

1,083,888円×80％＝867,110円

(d) (b)＋(c)＝1,680,556円

ロ　特定２事業（第一種事業、第二種事業）

(a)　判定

$$\frac{1,804,174円+26,356,649円}{30,406,732円}=0.9261\cdots \geqq 75\% \quad \therefore \quad 適用あり$$

(b)　標準税率適用分

$$1,016,808円\times\frac{83,814円\times90\%+(1,016,834円-83,814円)\times80\%}{1,016,834円}=821,826円$$

(c)　軽減税率適用分

$$1,083,888円\times\frac{45,528円\times90\%+(1,083,910円-45,528円)\times80\%}{1,083,910円}=871,662円$$

(d)　(b)＋(c)＝1,693,488円

他の特例（第二種事業と第三種事業）は不利となるため判定省略

④　有利判定

③ロ　＞　③イ　＞　②　　∴　1,693,488円

(6)　差引税額

2,100,696円－1,693,488円＝407,208円　→　407,200円（百円未満切捨）

(7)　納付税額

407,200円

4　区分していない事業がある場合の特例（令57④）　理論　計算

２以上の事業を営む事業者の事業のうち、事業ごとに金額を区分していない売上げがある場合には、その区分していない事業については、その**区分していない事業のうち最もみなし仕入率の低い事業に係る売上げとして、みなし仕入率を計算**します[*01]。

区分していない事業に係る課税売上げ	→	区分していない事業のうち最も低いみなし仕入率を適用

*01) 例えば、飲食店が店内での飲食による売上げと仕入れ商品の販売を行っている場合に、レジ等で売上げの分類を行っていないケースが該当します。
このケースでは、仕入れ商品の販売である第二種事業よりも店内での飲食による売上げである第四種事業の方がみなし仕入率が低いので、分類していないすべての売上げに第四種事業のみなし仕入率を適用します。

設例３－７　２以上の事業を行っている場合（区分経理していない場合）

以下の【資料】から、当課税期間（令和７年４月１日～令和８年３月31日）における納付税額を計算しなさい。なお、当社の当課税期間は、簡易課税制度が適用されるものとする。また、当社は税込経理方式を採用しており、軽減税率が適用される取引は含まれておらず、課税標準額に対する消費税額は割戻し計算の方法による。

【資料】

１．商品売上高　　39,520,000円

２．製品売上高　　 8,380,000円

(注)　当社の当課税期間における課税売上高のうち、当社で製造した製品の売上高は区分していたが、他社から仕入れた商品をそのまま販売する卸売業と小売業については、その内訳を区分していなかった。

解答　納付税額　679,300 円

解説

⑴　課税標準額

39,520,000円＋8,380,000円＝47,900,000円

47,900,000円×$\frac{100}{110}$＝43,545,454円 → 43,545,000円（千円未満切捨）

⑵　課税標準額に対する消費税額

43,545,000円×7.8％＝3,396,510円

⑶　業種別課税売上高

①　第二種事業

39,520,000円×$\frac{100}{110}$＝35,927,272円

②　第三種事業

8,380,000円×$\frac{100}{110}$＝7,618,181円

③　合計

①＋②＝43,545,453円

⑷　業種別消費税額

①　第二種事業

39,520,000円×$\frac{7.8}{110}$＝2,802,327円

②　第三種事業

8,380,000円×$\frac{7.8}{110}$＝594,218円

③　合計

①＋②＝3,396,545円

⑸　控除対象仕入税額

①　基礎税額

3,396,510円

②　原則法

3,396,510円×$\frac{2,802,327円×80\%^{*01)}+594,218円×70\%}{3,396,545円}$＝2,657,785円

③　特例（第二種事業）*02)

$\frac{35,927,272円}{43,545,453円}$＝0.8250… ≧ 75％　∴　適用あり

3,396,510円×80％＝2,717,208円

④　有利判定

②　＜　③　　∴　2,717,208円

⑹　差引税額

3,396,510円－2,717,208円＝679,302円 → 679,300円（百円未満切捨）

⑺　納付税額

679,300円

*01) 卸売業（第一種事業）と小売業（第二種事業）が区分されていないため、すべてみなし仕入率の低い第二種事業とみなして計算します。適用するみなし仕入率も第二種事業の80％となります。
*02) 商品売上高をすべて第二種事業とみなした結果、第二種事業の課税売上高が全体の75％以上となるので、特例による計算も行います。

5 特定課税仕入れがある場合

1. 概要

特定課税仕入れがある場合における簡易課税の控除対象仕入税額の計算は、みなし仕入率（課税資産の譲渡等）による控除対象仕入税額に、その課税期間の特定課税仕入れに係る課税標準である金額の合計額に対する消費税額からその課税期間における特定課税仕入れに係る対価の返還等を受けた金額に係る消費税額の合計額を控除した残額を加算した金額とされます。

なお、**この規定は、経過措置により当分の間適用されないこととされています。**

2. 特定課税仕入れがある場合の簡易課税制度における控除対象仕入税額

控除対象仕入税額

(1) みなし仕入率（課税資産の譲渡等）による控除対象仕入税額

(2) （特定課税仕入れに係る課税標準額に対する消費税額）－（特定課税仕入れに係る対価の返還等を受けた金額に係る消費税額の合計額）

(3) (1)＋(2)

設例３－８ 特定課税仕入れがある場合

以下の【資料】に基づき、事務機器の販売業を営む当社の当課税期間（令和７年４月１日～令和８年３月31日）における納付税額を計算しなさい。なお、当社の当課税期間は、簡易課税制度が適用されるものとし、課税標準額に対する消費税額は割戻し計算の方法による。また、当社は税込経理方式を採用しており、経過措置は考慮しないこととする。

【資料】

１．消費者に対する商品（事務機器）売上高　33,080,000円
２．特定課税仕入れに係る支払対価の額　1,000,000円
３．２．の特定課税仕入れに係る値引額　20,000円

解答

納付税額　469,100 円

解説

⑴　課税標準額

①　課税資産の譲渡等の対価の額

$33,080,000円 \times \frac{100}{110} = 30,072,727円$

②　特定課税仕入れに係る支払対価の額

1,000,000円

③　①＋②＝31,072,727円　→　31,072,000円（千円未満切捨）

⑵　課税標準額に対する消費税額

31,072,000円×7.8%＝2,423,616円

⑶　控除対象仕入税額

①　課税資産の譲渡等

イ　基礎税額

30,072,000円（千円未満切捨）×7.8%＝2,345,616円

ロ　控除対象仕入税額

2,345,616円×80%＝1,876,492円

②　特定課税仕入れ

1,000,000円×7.8%－20,000円×7.8%＝76,440円

③　合計

①＋②＝1,952,932円

⑷　特定課税仕入れに係る対価の返還等を受けた場合の消費税額の控除

20,000円×7.8%＝1,560円

⑸　控除税額小計

1,952,932円＋1,560円＝1,954,492円

⑹　差引税額

2,423,616円－1,954,492円＝469,124円　→　469,100円（百円未満切捨）

⑺　納付税額

469,100円

Section 4

簡易課税制度の適用に関する特例

簡易課税は、原則的な仕入税額控除の計算と異なり、適用要件が基準期間における課税売上高と届出書の提出のみであるため、届出書の提出時期や効力といった点が実務上での重要なポイントになっています。

ここでは、特殊なケースにおける簡易課税の適用の有無について見ていきましょう。

1 分割等があった場合の簡易課税の適用判定の特例

簡易課税の適用要件である基準期間における課税売上高5,000万円以下の判定を行う際、**新設分割などの分割等により法人の一部を分割した場合**には、会社分割があった場合の納税義務の免除の特例[*01]で学習したように**分割前の事業規模に戻して判定を行います。**

*01) 具体的な計算のやり方や要件は、Chapter 9 Section1及び2を確認してください。

これは、簡易課税の適用を受けるための意図的な事業分割を避けるためです。

判定は、**納税義務の判定と同じ計算を行い、その計算された金額が5,000万円以下か否かにより判定**します。

なお、**相続や合併、吸収分割についてはこのような特例はありません**ので、例えば合併によって前課税期間よりも事業規模が拡大していたとしても、自らの基準期間における課税売上高のみで適用の有無を判定します。

	納税義務の特例判定	簡易課税の特例判定
相続	○	×
吸収合併・新設合併	○	×
分割等	○	○
吸収分割	○	×

2 災害等があった場合の簡易課税制度適用に関する特例

理論

1. 概要（法37の２①）

災害等のやむを得ない理由が生じたことにより被害を受けた事業者が、被害を受けたことにより、災害等の理由が生じた日の属する課税期間（これを「**選択被災課税期間**」といいます。）から簡易課税制度の適用が必要となった場合[*01]には、その適用を受けることについて所轄税務署長の承認を受けることで**「簡易課税制度選択届出書」を選択被災課税期間の初日の前日に提出したものとみなす**特例があります。

すなわち、災害等のやむを得ない理由による場合で、所轄税務署長の承認を受けたときは、簡易課税制度選択届出書の原則的な規定にかかわらず、**提出した課税期間から簡易課税制度の選択が認められることとなります。**

*01) 災害等の影響でこれまでどおりの事務処理ができず、原則の仕入税額控除の計算が行えない場合の措置です。原則による仕入税額控除の計算は、仕入れを行った際の１件１件の課税仕入れ等の金額から計算を行うため、計算のもととなる請求書等の帳票がない場合には計算することができません。そこで簡易課税の適用を認めることにより、実際の仕入金額がわからない場合でも税額控除が可能となるように配慮しています。

消費税法<災害等があった場合の中小事業者の仕入れに係る消費税額の控除の特例の届出に関する特例>

法37の２①　災害その他やむを得ない理由が生じたことにより被害を受けた事業者（免税事業者及び簡易課税制度の適用を受ける事業者を除く。）が、その被害を受けたことにより、その災害その他やむを得ない理由の生じた日の属する課税期間（その基準期間における課税売上高が5,000万円を超える課税期間及び分割等に係る課税期間を除く。以下「選択被災課税期間」という。）につき簡易課税制度の適用を受けることが必要となった場合において、その選択被災課税期間につき簡易課税制度の適用を受けることについてその納税地を所轄する税務署長の承認を受けたときは、その事業者は簡易課税制度選択届出書をその承認を受けた選択被災課税期間の初日の前日にその税務署長に提出したものとみなす。この場合においては、簡易課税制度の選択に係る調整対象固定資産の仕入れ等を行った場合の規定は、適用しない。

2.　申請書の提出（法37の２②）

災害等があった場合の特例を受けようとする場合には、**災害その他やむを得ない理由のやんだ日から原則として２ヵ月以内**に、納税地の**所轄税務署長に申請書**[*02)] **を提出**しなければなりません。ただし、災害その他やむを得ない理由のやんだ日が選択被災課税期間の末日の翌日以後に到来する場合には、選択被災課税期間に係る確定申告書の提出期限までに申請書を提出すればよいこととなっています。

*02)「災害等による消費税簡易課税制度選択（不適用）届出に係る特例承認申請書」を提出します。

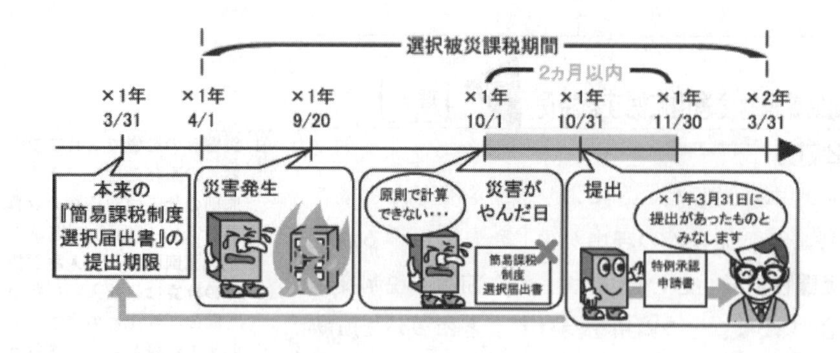

3 災害等があった場合の簡易課税制度不適用に関する特例

1. 概要（法37の２⑥）

簡易課税制度選択届出書を提出した場合、原則として、その届出書の効力が生じた日から２年を経過しなければ、簡易課税制度の適用をやめる簡易課税制度選択不適用届出書を提出することは認められません。

しかし、災害等のやむを得ない理由が生じたことにより被害を受けた事業者が、被害を受けたことにより、災害等の理由が生じた日の属する課税期間（これを「**不適用被災課税期間**」といいます。）において簡易課税制度の適用が不要となった場合*01)には、その適用を受けることについて所轄税務署長の承認を受けることで**「簡易課税制度選択不適用届出書」を不適用被災課税期間の初日の前日に提出したものとみなされます**。このとき、**選択届出書の効力が生じた日から２年経過していなくても、不適用の届出を行うことができます***02)。

*01) 災害等の影響で、課税売上げを上回る多額の設備投資が必要となった場合に、簡易課税制度を適用しない方が消費税の還付を受けることができ、有利になることがあります。

*02) 不適用届出書の提出に関して「２年間の継続適用」という規定と「不適用とする課税期間の初日の前日までの提出」という２つの原則的な規定に対する特例といえます。

> **消費税法<災害等があった場合の中小事業者の仕入れに係る消費税額の控除の特例の届出に関する特例>**
>
> 法37の２⑥　災害その他やむを得ない理由が生じたことにより被害を受けた事業者（簡易課税制度の適用を受ける事業者に限る。）が、その被害を受けたことにより、その災害その他やむを得ない理由の生じた日の属する課税期間（その課税期間の翌課税期間以後の課税期間のうち政令で定める課税期間を含む。以下「不適用被災課税期間」という。）につき簡易課税制度の適用を受けることの必要がなくなった場合において、その不適用被災課税期間につき簡易課税制度の適用を受けることをやめることについてその納税地を所轄する税務署長の承認を受けたときは、その事業者は簡易課税制度選択不適用届出書をその承認を受けた不適用被災課税期間の初日の前日にその税務署長に提出したものとみなす。この場合においては、簡易課税制度選択不適用届出書の提出制限の規定は、適用しない。

2. 申請書の提出（法37の２⑦）

災害等があった場合の特例を受けようとする場合には、**災害その他やむを得ない理由のやんだ日から原則として２ヵ月以内**に、納税地の**所轄税務署長に申請書を提出***03)しなければなりません。

*03)「災害等による消費税簡易課税制度選択（不適用）届出に係る特例承認申請書」を提出します。

Ch 1 Ch 2 Ch 3 Ch 4 Ch 5 Ch 6 Ch 7 Ch 8 Ch 9 Ch 10 Ch 11 Ch 12 Ch 13 Ch 14 Ch 15 Ch 16 Ch 17

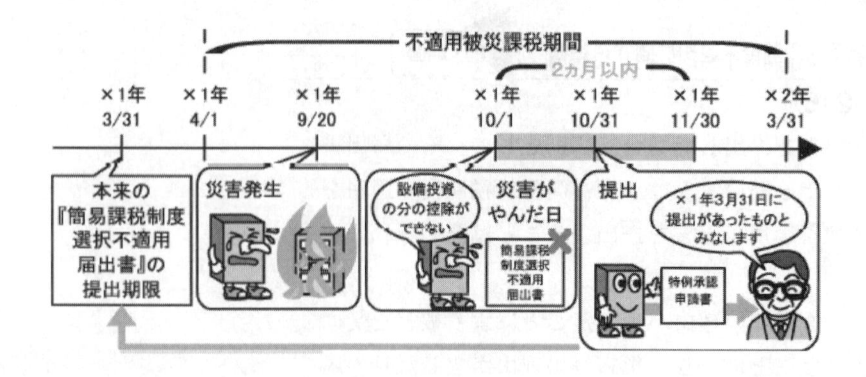

ただし、災害その他やむを得ない理由のやんだ日が不適用被災課税期間の末日の翌日以後に到来する場合には、不適用被災課税期間に係る確定申告書の提出期限までに申請書を提出することとなっています*04)。

*04)「選択被災課税期間」と同様の取扱いです。

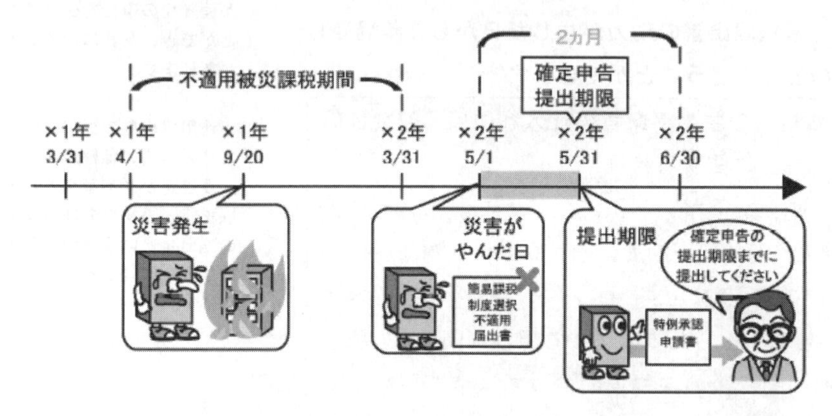

3. 翌課税期間以後の課税期間で適用を受ける場合（令57の3①） 2回目でOK!

簡易課税制度選択不適用届出に関する特例は、災害等の納税者の責めに帰さない事情による復旧費用等の増加に対し、簡易課税を適用することが不利となる状況に対する救済措置であるため、適用の対象となる「不適用被災課税期間」には、復旧作業が遅れたり、長引いたりすることも考慮し、**災害等が生じた課税期間だけでなく、翌課税期間以後を「不適用被災課税期間」とすることも認められています。**

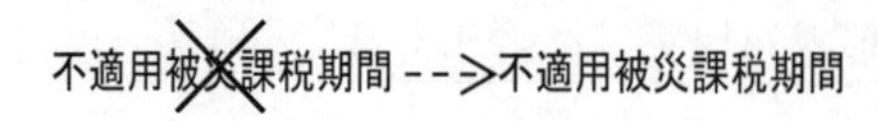

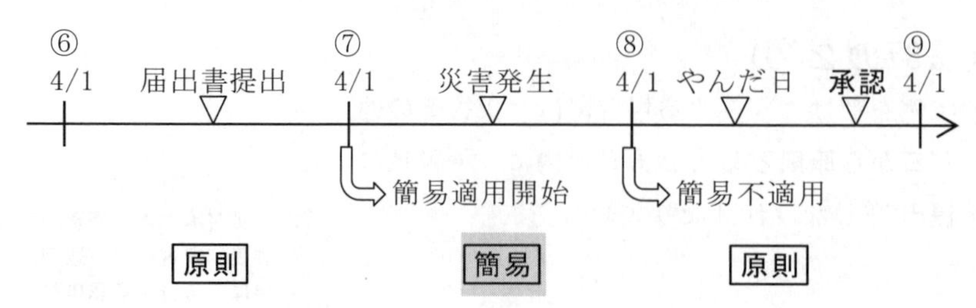

<法37⑧の宥恕規定[*05]と法37の２の違い>

災害等に係る簡易課税制度の選択（不適用）届出の承認に係る２つの特例規定は、以下の違いがあります。

(1) 適用課税期間

やむを得ない事情が生じた時期が法37⑧は「適用を受けたい課税期間の前課税期間」であり、この法37の２は「適用を受けたい課税期間」となります。

これは、法37⑧が選択の意思判断は前課税期間までにできているものの、手続きのみができなかったことへの救済規定であるのに対し、法37の２は、課税期間中に起きた事象により適用の有無に関する判断が事象が起きる前とは変わってしまったこと（震災等により、営業ができなくなってしまった等）による選択の判断に対する救済規定であるという立法趣旨における違いがあるためです。

(2) 提出制限

法37⑧では、通常どおり２年の継続適用が適用されることに対し、法37の２では、緊急性を要する特例であるため、２年継続することなく不適用とすることができます。

(3) やむを得ない理由の範囲

法37の２では、災害等による理由に限定されているのに対し、法37⑧では、災害等の他税務署長がやむを得ないと認めた理由も対象となります。

*05) 詳しくはSection１ 2 を参照してください。

第三種事業に該当する「農業」、「林業」及び「漁業」の取扱い

軽減税率制度の実施に伴い、令和元年10月1日の属する課税期間から令和5年9月30日の属する課税期間までの各課税期間については、軽減税率の対象となる飲食料品を生産する農林水産業については，その軽減税率の対象となる飲食料品の譲渡に係る部分について、第二種事業（改正前：第三種事業）に位置付けることとし、そのみなし仕入率は80%（改正前：70%）とすることとされました。

上記の改正内容を受け、令和5年10月1日より第二種事業については次のように改訂されました。

第二種事業

次に掲げる事業をいう。

イ　小売業

ロ　農業（飲食料品の譲渡を行う部分に限る。）

ハ　林業（飲食料品の譲渡を行う部分に限る。）

ニ　漁業（飲食料品の譲渡を行う部分に限る。）

改正の背景

令和元年 10 月１日より消費税の軽減税率制度を実施することとされたので、同日以後の消費税制度は複数税率となる。この複数税率の下で簡易課税制度を適用する場合、売上げ及び仕入れに適用される税率が同一であれば、簡易課税制度への影響はありませんが、例えば、第三種事業を営む事業者について、売上げ 1,000 に適用される税率が軽減税率（税額：80)、仕入れ 700 に適用される税率が標準税率（税額：70）であった場合、みなし仕入率（70%）を乗じて算出された仕入れに係る消費税額（税額：56）は、実態（税額：70）に比して過少に算出されることとなる。

改正では、軽減税率の対象となる飲食料品を生産する農林水産業について、みなし仕入率の見直しを行うこととされた。こうした農林水産業については、売上げは軽減税率が適用されるのに対し、仕入れは種子や肥料、農機具など、その大半について標準税率が適用されることから、上記の例のとおり、簡易課税制度を適用すれば、仕入れに係る消費税額が実態に比して過少に算出されることとなる。

そこで、軽減税率の対象となる飲食料品を生産する農林水産業については、その軽減税率の対象となる飲食料品の譲渡に係る部分について、第二種事業（改正前：第三種事業）に位置付けることとし、そのみなし仕入率は80%（改正前：70%）とすることとされた。

なお、軽減税率の対象とならない農林水産物を生産する事業については、引き続き第三種事業（みなし仕入率70%）となる。

Chapter 12

資産の譲渡等の時期の特例

消費税は、売上げの認識基準として引渡基準を採用しています。会計においては、簿記等で学習したように工事の請負において工事進行基準のような収益の認識基準が設けられています。会計と密接に結び付いた消費税においてもこれらを考慮する必要があるため、いくつかの特例を設けています。ここでは、そのような売上げの認識基準について見ていきましょう。

Section 1

資産の譲渡等の時期の特例

正しい消費税額の計算を行うためには、売上げがいつ計上されるべきであるかは重要な論点になります。教科書消費税法Ⅱ基礎完成編Chapter11において消費税法では発生主義に基づく引渡基準を売上計上時期の原則とすることを学習しましたが、会計や他の税法でさまざまな特例が認められていることに合わせて特例を設けています。ここでは、その計上時期の特例について見ていきましょう。

1 資産の譲渡等の時期の特例

理論

資産の譲渡等の時期は、原則として、**引渡しのあった日（引渡基準、発生主義）**となります*01)。これに対して４つの特例があります。

原則 ―― 引渡基準

特例 ―┬― 延払基準（リース譲渡）*02)
　　　├― 工事進行基準（工事の請負）*02)
　　　├― 現金基準（小規模事業者）*02)
　　　└― 収納基準（国又は地方公共団体）*03)

*01) 原則については教科書消費税法Ⅱ基礎完成編Chapter11を参照してください。

*02) 会計や所得税法又は法人税法の収益計上時期に消費税法も合わせるための特例です。

*03) 収納基準についてはChapter13で学習します。

Section 2 リース取引に係る資産の譲渡等の時期

長期にわたって使用する高額な資産に関しては、使用している際に多額の保守費用がかかる場合があります。そのため、資産を購入せず、リースで調達するケースが増えています。

このようなリース取引を行った場合に、リース資産の貸し手であるリース会社の売上げはどのように計上されているのでしょうか？

ここでは、リース取引を行ったリース会社の売上計上時期について見ていきましょう。

1 概要

理論 計算

リース取引は、所得税法上又は法人税法上リース取引の種類に応じて売買取引又は賃貸借取引とします。

消費税法においても、**リース取引の種類に応じて賃貸人（貸手）の資産の譲渡等の時期**[*01]**が異なります。**

*01) 資産の譲渡等に関する規定なので、リース取引の貸手（リース会社）の処理をメインとして見ていきます。

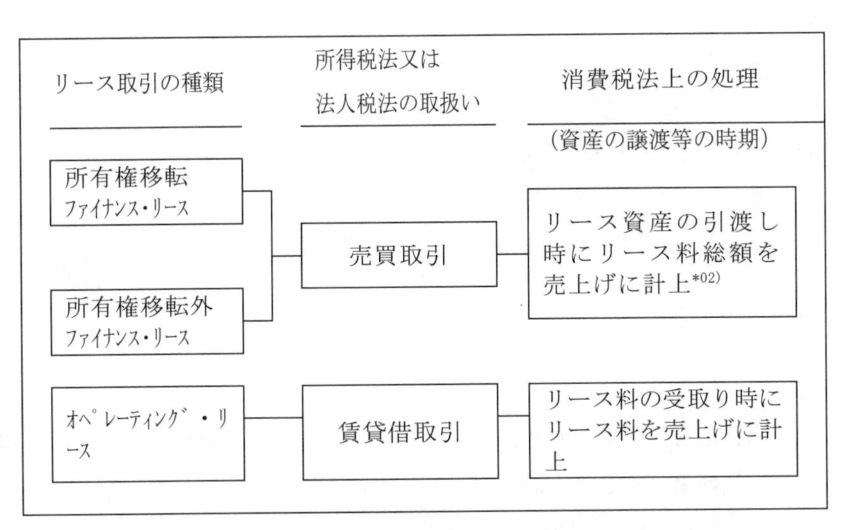

*02) リース契約書に利息相当額が明示されている場合、利息相当額は非課税売上げに計上します。

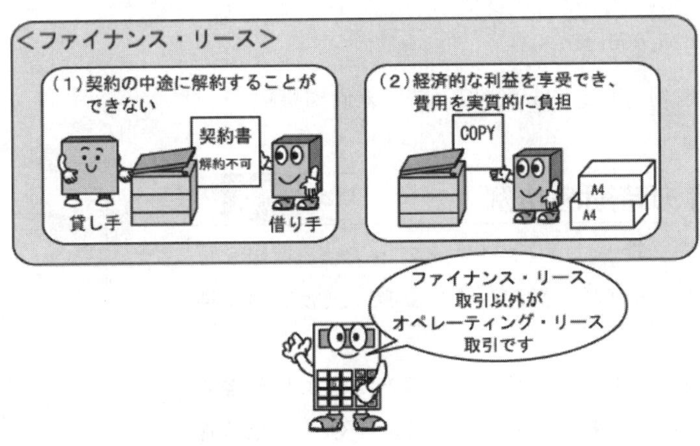

〈ファイナンス・リース取引の判定〉[*03]（所法67の2、法法64の2）

次の2つの要件を満たすリース取引をいいます[*04]。

⑴ 賃貸借期間の中途においてその契約の解除をすることができないものであること又はこれに準ずるものであること。

⑵ 賃借人がその賃貸借に係る資産からもたらされる経済的な利益のすべてを実質的に享受することができ、かつ、その資産の使用に伴って生ずる費用のすべてを実質的に負担すべきこととされていること

*03) 所得税法又は法人税法の論点ですので、消費税法では覚える必要はありません。

*04) ファイナンス・リース取引以外のリース取引が、オペレーティング・リース取引となります。

設例2−1　リース取引に係る資産の譲渡等の時期

次の【資料】について、当課税期間（令和7年4月1日から令和8年3月31日）の課税標準額を計算しなさい。なお、当社は当課税期間まで継続して課税事業者であり、以下の金額は消費税等込みの金額である。

【資料】

当社は、以下の資産のリース取引（所有権移転外ファイナンス・リース取引に該当）をした。

⑴ リース資産 ：車両（売買処理により経理）

⑵ リース契約日：令和7年4月1日

⑶ リース期間 ：5年

⑷ リース料総額：2,900,625円（うち275,625円が契約書に利息相当額として明示されている）

⑸ リース料の回収方法：令和8年3月31日より毎期末に580,125円ずつ回収

解答

課税標準額　2,386,000　円

解説

ファイナンス・リース取引については、原則として、リース資産を引き渡した課税期間にリース料総額を売上げに計上します。なお、契約書に利息相当額が明示されている場合は、利息相当額を非課税売上げに計上します。

2,900,625円−275,625円＝2,625,000円

2,625,000円×$\frac{100}{110}$＝2,386,363円 → 2,386,000円（千円未満切捨）

2 リース資産の譲渡等の時期の特例　理論　計算

1で学習したように、賃貸人（貸手）がファイナンス・リース取引を行った場合には、原則として、リース資産の引渡し時を資産の譲渡等の時期とします。

ただし、所得税法又は法人税法において、**延払基準の方法により経理することとしているときは、消費税法においても**売上げを繰り延べる**延払基準の適用が認められています。**

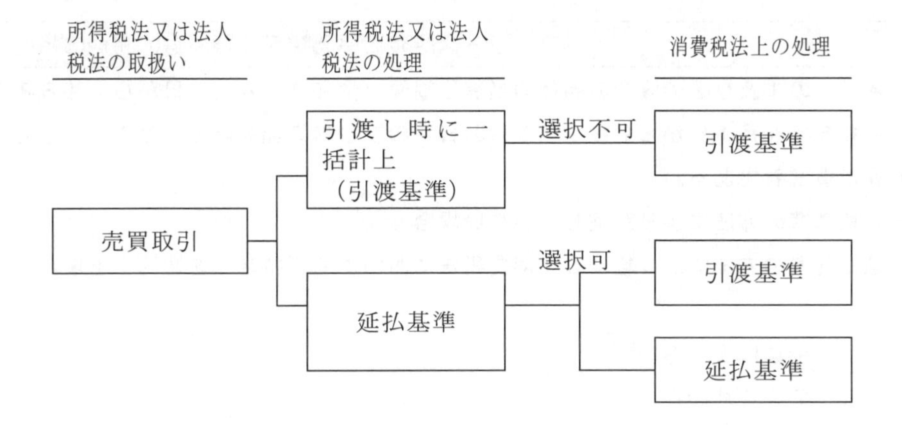

3 延払基準による計算（法16①②、令31）

延払基準を選択した場合の計算方法は、次のようになります。

(1) リース譲渡をした課税期間

売上高[*01]＝（リース譲渡に係る対価の額）－（支払期日の到来しない賦払金に係る対価の額（既に支払いを受けたものを除く））

支払期日が到来していないものでも、その**課税期間中に支払いを受けたもの**[*02]は、支払いを受けた課税期間で売上げを計上し、**繰り延べることはできません。**

(2) リース譲渡をした課税期間の翌課税期間以後

売上高＝支払期日の到来した賦払金に係る対価の額（既に支払いを受けたものを除く）

その課税期間に支払期日の到来したものであっても、**前課税期間以前にすでに売上計上されている部分は除きます。**

また、その課税期間に支払期日が到来しないものでもその課税期間中にすでに支払いを受けたものは**支払いを受けた課税期間に売上げを計上します。**

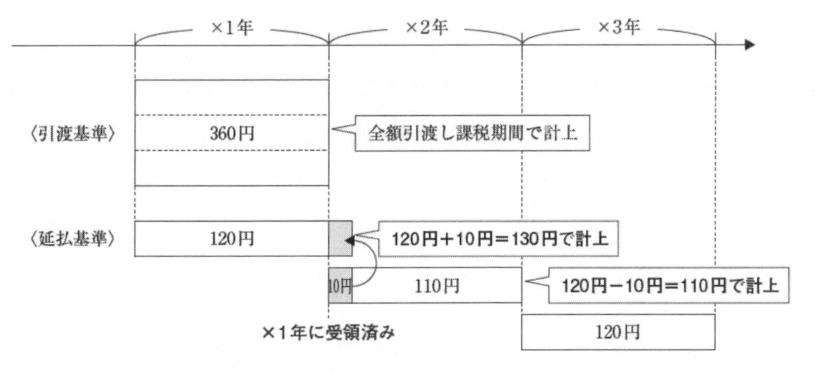

*01) リース譲渡の特例は非課税資産の譲渡等にも適用されます。
その場合、課税売上割合の計算において、延払基準により非課税売上高を計上します。

*02) 手形による受取りは、実質が回収できていないのと同じであるため、既に支払いを受けたものから除かれます。

設例2－2　リース譲渡に係る資産の譲渡等の時期の特例⑴

以下の【資料】に基づき、次の⑴及び⑵の場合の当社の当課税期間（令和7年4月1日から令和8年3月31日）と翌課税期間（令和8年4月1日から令和9年3月31日）の課税標準額を計算しなさい。なお、当社は設立以来継続して課税事業者である。

⑴　法人税法に規定する延払基準の方法により経理していない場合

⑵　法人税法に規定する延払基準の方法により経理し、消費税法においても延払基準を適用する場合

【資料】

リース譲渡に関する事項（金額は税込み）

① リース資産引渡日：令和7年4月10日

② リース料総額：3,300,000円

③ 賦払金の回収方法：令和7年4月30日を第1回目の支払期日とし、毎月末に110,000円ずつ30回の均等分割払い

④ 賦払金の回収状況：令和9年3月末日に令和9年4月末日回収予定の110,000円を合わせて受け取っている

解答

⑴	当課税期間	3,000,000	円
	翌課税期間	0	円
⑵	当課税期間	1,200,000円	円
	翌課税期間	1,300,000円	円

解説

⑴　法人税法に規定する延払基準の方法により経理していない場合

消費税法において延払基準を適用できないため、資産の譲渡等の時期の原則のとおり、引渡基準により計上します。

当課税期間　3,300,000円×$\frac{100}{110}$＝3,000,000円（千円未満切捨）

翌課税期間　0円

⑵　法人税法に規定する延払基準の方法により経理し、消費税法においても延払基準の適用を受ける場合

賦払金の支払期日の到来する課税期間に計上しますが、令和9年3月に受け取った令和9年4月末回収予定分は、令和9年3月に計上します。

当課税期間　リース料総額3,300,000円－$\left(\begin{array}{c}\text{支払期日の到来しない賦払金}\\ \text{110,000円×（30回－12回）}\end{array}\right)$＝1,320,000円

1,320,000円×$\frac{100}{110}$＝1,200,000円（千円未満切捨）

翌課税期間　回収期限到来分110,000円×12＋翌期到来当期回収110,000円＝1,430,000円

1,430,000円×$\frac{100}{110}$＝1,300,000円（千円未満切捨）

4 適用要件 理論

リース譲渡に係る資産の譲渡等の時期の特例の適用要件は、次のとおりです。

(1) **リース譲渡に該当する**資産の譲渡等を行っていること*01)

(2) リース譲渡に係る対価の額につき、**所得税法又は法人税法上延払基準の方法により経理**していること*02)

(3) この規定の適用を受ける旨を**申告書に付記***03)していること

*01) 所得税法や法人税法で規定されている売買取引とされるリース譲渡を行っているという意味です。

*02) 会計処理の際に延払基準を使って処理しているということです。

*03) 申告書の該当する場所に○印を付けるという意味です。

5 不適用となる場合（令32、33） 理論

次の3つのいずれかのケースに該当する場合には、**該当することとなった課税期間以後の課税期間において延払基準を適用することはできません。**

(1) 所得税法又は法人税法上、延払基準により経理しなかった場合

延払基準の適用を受けていた事業者が、所得税や法人税の計算において延払基準により経理しなかった場合には、**消費税法上の適用要件を満たさないため**延払基準の適用を受けることはできません。

(2) 消費税法上、延払基準を選択しなかった場合

延払基準の適用を受けていた事業者が、消費税の計算において**延払基準の適用を受けることを選択しなかった場合**には、所得税や法人税の計算で延払基準の適用を受けていたとしても、**消費税の計算のみ不適用とすることができます。**

(3) 納税義務の免除を受けることとなった場合等

課税事業者が免税事業者となった場合や免税事業者が課税事業者となった場合には、所得税や法人税の計算で延払基準の適用を受けていたとしても**消費税法上、適用を受けることはできません。**

6 不適用となる場合の計上時期 理論

上記の3つの事由により、延払基準が不適用となる場合には、次のそれぞれの課税期間で**支払期日の到来していない賦払金を一括して売上げに計上**します。

(1) 所得税法又は法人税法上、延払基準により経理しなかった場合

① 個人事業者

経理しなかった年の12月31日の属する課税期間

② 法人

経理しなかった決算に係る事業年度終了の日の属する課税期間

⑵ 消費税法上、延払基準を選択しなかった場合

その適用を受けないこととした課税期間

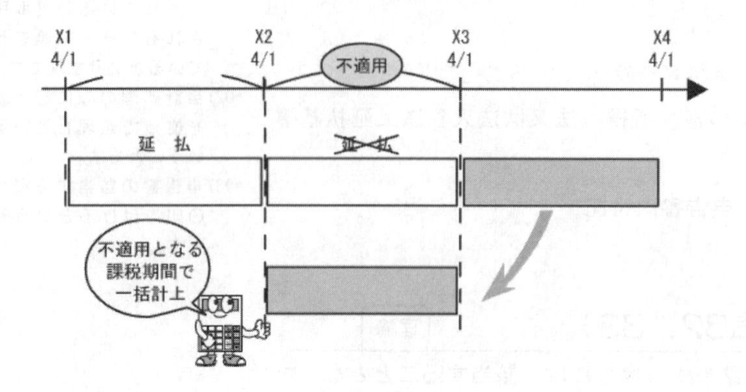

〈⑴のケースと⑵のケースの計上時期の違い〉

⑴のケースは、所得税や法人税の計上時期との取扱いの統一という観点から不適用とされるため、一括して計上を行う時期も所得税や法人税の計上時期とあわせて、その年や事業年度末で計上します。

これに対し、⑵は所得税や法人税の計上時期に関係なく、消費税における計算のみで適用しないため、適用をやめる課税期間で一括計上を行います。

したがって、⑴と⑵の計上時期は、原則的な課税期間においてはなんら変わりないですが、課税期間の特例を採用しているときのみ一括計上を行う時期に違いが出てきます。

〈⑴のケースで課税期間を３ヵ月としている場合〉

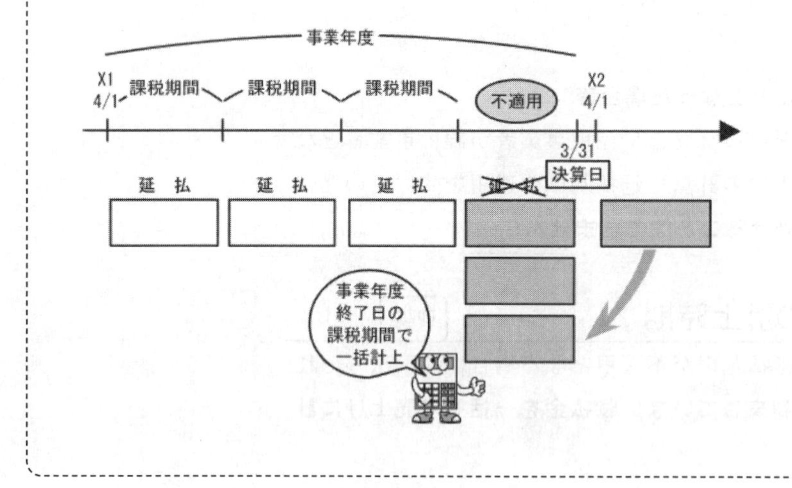

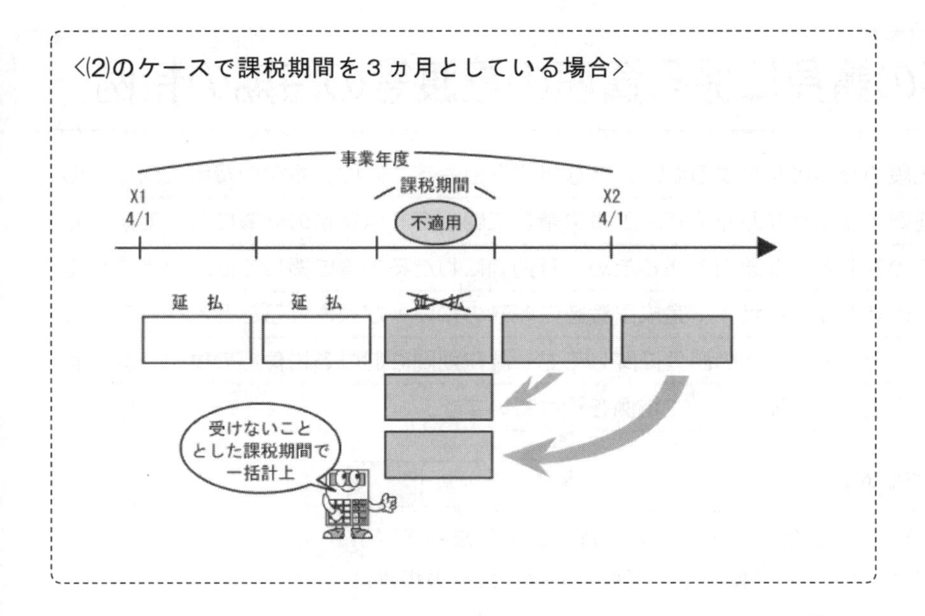

(3) 免税事業者となった場合や課税事業者となった場合

① 課税事業者が免税事業者となった場合
免税事業者となった課税期間の初日の前日の属する課税期間

② 免税事業者が課税事業者となった場合
課税事業者となった課税期間の初日の前日の属する課税期間

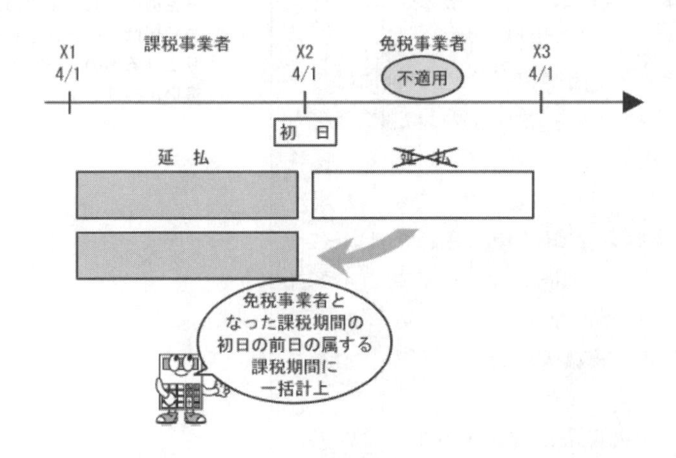

<免税事業者となった場合や課税事業者となった場合に不適用となる理由>

売上げに対し消費税が課税されるかどうかは、売上げが生じた課税期間が課税事業者なのか免税事業者なのかにより異なるため、延払基準により売上計上時期を繰り延べた後に納税義務の関係が変わってしまうと、本来納付されるはずの消費税が納付されなかったり、納付する必要のない消費税が納付されることとなってしまうという不合理が生じます。

この不合理を解消するため、納税義務の関係が変わる場合には、変わる前の課税期間で賦払金の残額を一括計上し、課税関係の調整を図ることとしています。

Section 3 工事の請負に係る資産の譲渡等の時期の特例

公共施設や商業ビルのように、大きな施設を建設するには、多額の費用と何年もの期間を要することがあります。工事の請負に関しても消費税の計算においては引渡基準での売上計上が原則であるため、長期間にわたる工事に関しては、原価の発生と収益の計上が対比せず、完成引渡時に多額の税負担が課されることとなってしまいます。そこで、工事の請負に関しても一課税期間における税負担の集中を避けるため、売上計上時期について特例を設けています。

1 概要（法17①②） 理論 計算

工事の請負に係る資産の譲渡等の時期については、**工事完成基準（引渡基準）**が原則となりますが、所得税法や法人税法では、**工事の規模により「長期大規模工事」と「工事」に分け**て特例を規定しています。

消費税法においては、**所得税や法人税の計算で工事進行基準を採用している場合に限り**[*01]、これらの規定により総収入金額又は益金の額に算入された期間を資産の譲渡等の時期とする（売上計上時期を繰り上げる）ことが認められています[*02]。

*01) 消費税法では、あくまでも選択適用だということを押さえておきましょう。

*02) リース譲渡の特例が売上げを後に繰り延べるものであったのに対し、工事の請負の特例は、売上げを前に繰り上げるものであるという違いがあります。

消費税法〈工事の請負に係る資産の譲渡等の時期の特例〉

第 17 条① 事業者が所得税法又は法人税法に規定する長期大規模工事（以下この条において「長期大規模工事」という。）の請負に係る契約に基づき資産の譲渡等を行う場合には、その長期大規模工事の目的物のうちこれらの規定に規定する工事進行基準の方法により計算した収入金額又は収益の額に係る部分については、その事業者は、これらの規定によりその収入金額が総収入金額に算入されたそれぞれの年の 12 月 31 日の属する課税期間又はその収益の額が益金の額に算入されたそれぞれの事業年度終了の日の属する課税期間において、資産の譲渡等を行ったものとすることができる。

② 事業者が所得税法又は法人税法に規定する工事（以下この条において「工事」という。）の請負に係る契約に基づき資産の譲渡等を行う場合において、その事業者がこれらの規定の適用を受けるためその工事の請負に係る対価の額につきこれらの規定に規定する工事進行基準の方法により経理することとしているときは、その工事の目的物のうちその方法により経理した収入金額又は収益の額に係る部分については、その事業者は、これらの規定によりその収入金額が総収入金額に算入されたそれぞれの年の 12 月 31 日の属する課税期間又はその収益の額が益金の額に算入されたそれぞれの事業年度終了の日の属する課税期間において、資産の譲渡等を行ったものとすることができる。

〈長期大規模工事の意義〉[*03)]

（所法 66①、所令 192①②、法法 64①、法令 129①②）

次の要件をすべて満たす工事をいいます。

⑴　着手の日から目的物の引渡しの期日までの期間が１年以上であること。

⑵　請負の対価の額が 10 億円以上であること。

⑶　請負の対価の額の２分の１以上が目的物の引渡しの期日から１年を経過する日後に支払われることが定められていないものであること[*04)]。

〈工事の意義〉（所法 66②、法法 64②）

工事のうち着手の日の属する年又は事業年度中に目的物の引渡しが行われないものに限るもの[*05)]とし、長期大規模工事を除きます。

*03) 長期大規模工事や工事の意義は、所得税法又は法人税法の論点ですので、消費税法では覚える必要はありません。

*04) 引渡しの期日から１年以内に代金の２分の１以上が回収される工事のことです。工事進行基準は、売上げに対する債権が確定していないため、規模の大きな工事の売上げを繰り上げることによる担税力の問題を考慮した上での措置です。

*05) 年又は事業年度をまたがる工事ということです。

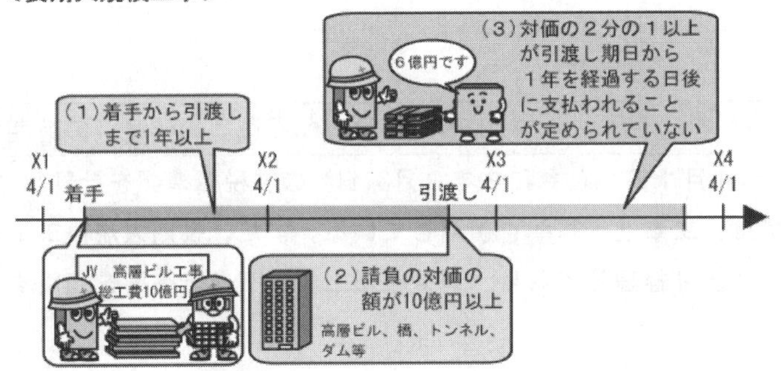

2　計算

計算

工事の請負の特例を選択した場合の計算方法は、次のようになります。

⑴　引渡し課税期間の直前課税期間まで

$$\text{売上高}=\text{請負に係る対価の額}\times\frac{\text{当課税期間末までに支出した原価の額}}{\text{見積工事原価}}-\text{前課税期間までの売上計上額}$$

⑵　引渡し課税期間

$$\text{売上高}=\text{請負に係る対価の額}-\text{前課税期間までの売上計上額}$$

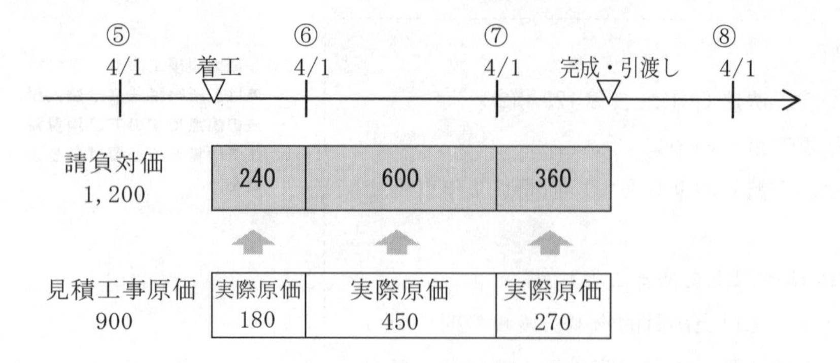

R５.4/1～R６.3/31までの課税期間

$$1,200 \times \frac{180}{900} = 240$$

R６.4/1～R７.3/31までの課税期間

$$1,200 \times \frac{180 + 450}{900} - 240 = 600$$

R７.4/1～R８.3/31までの課税期間

1,200－（240＋600）＝360

設例３－１　工事の請負に係る資産の譲渡等の時期の特例

次の【資料】より当課税期間（令和７年４月１日から令和８年３月31日）の課税標準額を計算しなさい。なお、当社は、長期大規模工事については、工事進行基準を適用している。また、長期大規模工事以外の工事についても法人税法上工事進行基準により経理しており、消費税法上も工事進行基準を適用することとしている。

【資料】（金額は税込金額である。）

⑴　Ａ工事（長期大規模工事に該当）
- ①　着　工　日：令和６年４月10日
- ②　完成予定日：令和９年５月10日
- ③　請負金額：2,100,000,000円
- ④　前課税期間売上計上額：910,000,000円
- ⑤　見積工事原価総額：1,500,000,000円
- ⑥　前課税期間工事原価発生額：650,000,000円
- ⑦　当課税期間工事原価発生額：520,000,000円

⑵　Ｂ工事（長期大規模工事以外の工事に該当）
- ①　着　工　日：令和７年８月10日
- ②　完成予定日：令和９年11月７日
- ③　請負金額：735,000,000円
- ④　見積工事原価総額：625,000,000円
- ⑤　当課税期間工事原価発生額：210,000,000円

解答

課税標準額　886,327,000　円

解説

(1)　A工事（工事進行基準）

$$2,100,000,000円 \times \frac{650,000,000円 + 520,000,000円}{1,500,000,000円} - 910,000,000円 = 728,000,000円$$

(2)　B工事（工事進行基準）

$$735,000,000円 \times \frac{210,000,000円}{625,000,000円} = 246,960,000円$$

(3)　課税標準額

$$(728,000,000円 + 246,960,000円) \times \frac{100}{110} = 886,327,272円 \rightarrow 886,327,000円（千円未満切捨）$$

〈課税仕入れ等の取扱い〉 2回目でOK!

資産の譲渡等の時期の特例は、売上げの計上時期に関する特例ですから、仕入れの時期に関して同様に適用することはできません。

したがって、課税仕入れ等に関しては、原則として課税仕入れ等を行った日（購入日等）の属する課税期間で仕入税額控除を行いますが、会計処理との調整から課税仕入れ等の計上時期に関し、次の２つの特例が認められています。

(1)　未成工事支出金（基通 11－３－５）

建設会社等が建設資材の購入等、建設のための課税仕入れ等に関し、未成工事支出金として経理し、目的物の引渡しをした日の属する課税期間における課税仕入れ等としているときは、継続適用を要件として認められます。

(2)　建設仮勘定（基通 11－３－６）

事務所や工場等の購入を行う事業者が、完成前に支払った設計や資材の購入等の建設に要する費用に関して、建設仮勘定として処理し、目的物の引渡しを受けた日の属する課税期間における課税仕入れ等とすることも認められます*01)。

*01) 建設代金の一部について手付金を支払い、建設仮勘定として経理した場合には、手付金に係る目的物が完成し、引渡しが行われるまで、手付金部分についての仕入税額控除はできません。

3　適用要件

理論

長期大規模工事と工事のどちらに該当するかにより、適用要件が異なります。

(1)　長期大規模工事

①　**長期大規模工事の請負**に係る契約に基づき資産の譲渡等を行っていること*01)。

②　この規定の適用を受ける旨を**申告書に付記**していること*02)。

*01) 所得税法や法人税法で規定されている長期大規模工事に該当する取引を行っているという意味です。

*02) 申告書の該当する場所に○印をつけるという意味です。

(2) 工事

① **工事の請負**に係る契約に基づき資産の譲渡等を行っていること[*03]。

② 工事の請負に係る対価の額につき所得税法又は法人税法上、工事進行基準の方法により経理していること[*04][*05]。

③ この規定の適用を受ける旨を**申告書に付記**していること[*02]。

*03) 所得税法や法人税法で規定されている工事に該当する取引を行っているという意味です。

*04) 会計処理の際に工事進行基準を使って処理しているということです。

*05) 長期大規模工事については、所得税法上又は法人税法上工事進行基準が強制適用されるため、経理に関する要件は入っていません。

<工事の場合>

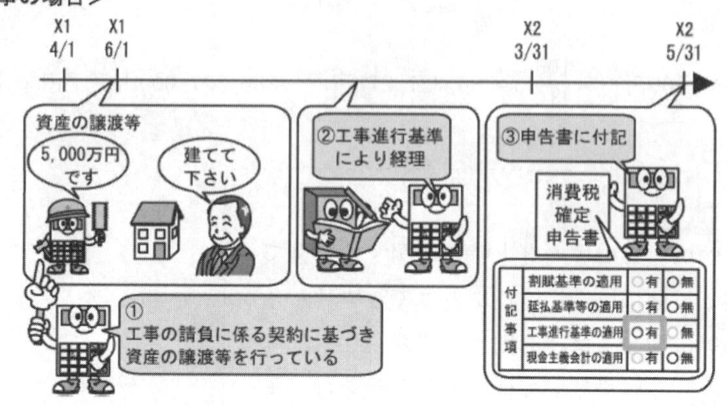

4 所得税法や法人税法での取扱い

理論

所得税法や法人税法においては、**長期大規模工事に関して**経理処理の方法にかかわらず**工事進行基準を強制適用**することとしています。したがって、経理処理の段階において、工事進行基準で経理していなかったとしても工事進行基準での計算を行わなければなりません。

これに対し、**工事に関して**は、決算における経理処理について**工事進行基準を採用している場合に限り**、工事進行基準での計算を認めています。

このことから、消費税法における適用では、**長期大規模工事に関しては、適用要件は必ず満たされていることになるのに対し、工事に関しては、所得税や法人税での経理処理を確認しなければなりません。**

5 原則と特例の選択（基通９－４－１）

理論

工事の請負に係る資産の譲渡等の時期の特例は、所得税法又は法人税法上、工事進行基準の方法により経理している場合に限り、消費税法上特例を適用することができます。

ただし、**消費税法における適用はあくまでも選択適用**であるため、所得税法又は法人税法上、工事進行基準の方法により経理している場合でも、消費税の計算において資産の譲渡等の時期を**引渡しのあった日とする原則を適用することが可能**です。

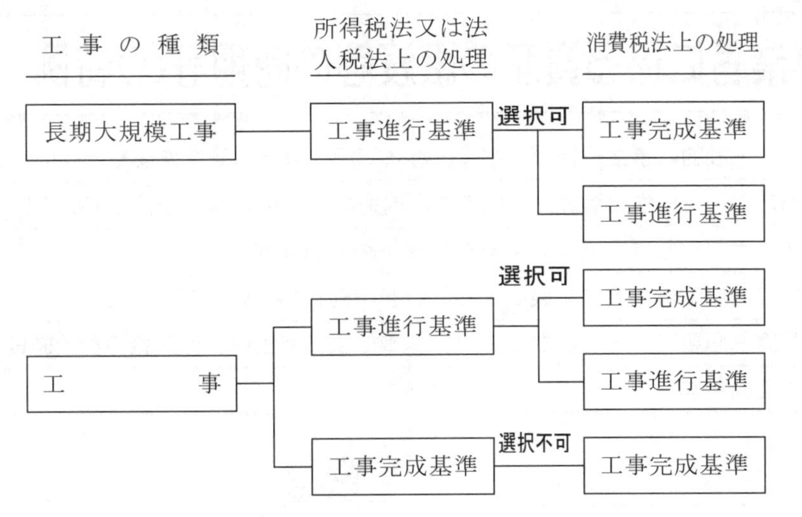

6 工事進行基準の不適用（法17②）

理論

工事に関して[*01]前課税期間まで工事進行基準の適用を受けていて、当課税期間に所得税法又は法人税法の計算において**工事進行基準による経理処理をしなかった場合**には、消費税の計算においても工事進行基準を適用することはできません。

そのため、**次の課税期間から工事進行基準は不適用**となります[*02]。

(1) 個人事業者
経理しなかった年の**12月31日の属する課税期間**[*03]

(2) 法人
経理しなかった**決算に係る事業年度終了の日の属する課税期間**[*03]

7 不適用となる場合の計上時期

理論

適用を受けなくなった課税期間の前課税期間までに計上した売上げと、請負対価との差額をその工事に係る目的物を引渡した課税期間で計上します。

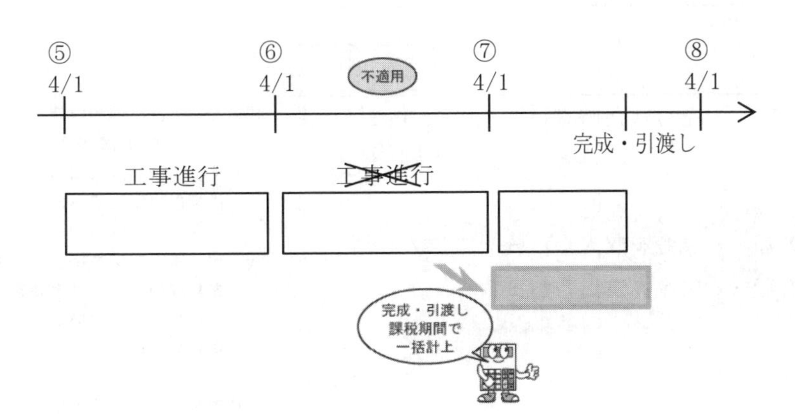

*01) 長期大規模工事は所得税や法人税の計算では工事進行基準が強制適用されます。よって、工事進行基準を適用することができない場合に該当するのは、工事だけになります。

*02) 延払基準と違い、工事進行基準に関しては納税義務が変わる場合に不適用となる規定はありません。

*03) 工事進行基準は確定していない売上げを計上するため、決算整理事項として処理されます。そのため、決算日（帳簿上の売上計上日）において、会計処理を行ったか否かで所得税や法人税の計算上、工事進行基準の適用が決まるので、消費税もこれに準じて決算日において適用可否が決まります。

Section 4

小規模事業者に係る資産の譲渡等の時期等の特例

個人事業者は、一般的に事業規模が小さく、複式簿記による帳簿を作成できないことが想定されるため、所得税の計算においては、現金の入出金管理しか行っていないような一部の事業者に対し現金基準による計算を認めています。

消費税の計算においては、発生主義による計算を原則としていますが、こういった事業者への配慮も必要であることから、現金基準による売上げ、仕入れの計上時期の特例を設けています。

1 概要（法18）

理論 計算

消費税法における資産の譲渡等の時期については、引渡基準が原則となります。ただし、個人事業者のうち、**所得税法上、現金基準により所得計算を行うことが認められた小規模事業者については、消費税法上も現金基準を認めています。**

消費税法<小規模事業者に係る資産の譲渡等の時期の特例>

第18条① 個人事業者で所得税法第67条（小規模事業者の収入及び費用の帰属時期）の規定の適用を受ける者の資産の譲渡等及び課税仕入れを行った時期は、その資産の譲渡等に係る対価の額を収入した日及びその課税仕入れに係る費用の額を支出した日とすることができる。

〈小規模事業者〉[*01]（所法67、所令195、197）

青色申告書を提出する居住者で、その年の前々年分の不動産所得及び事業所得の金額の合計額が300万円以下であり、「小規模事業者の収入及び費用の帰属時期の特例」の適用を受ける届出書を納税地の所轄税務署長に提出しているものをいいます。

*01) 小規模事業者は、所得税法の論点ですので、消費税法では覚える必要はありません。

2 計算

理論 計算

資産の譲渡等及び課税仕入れ[*01]を行った時期は、次のようになります。

資産の譲渡等に係る対価の額 → 現金を収入した日[*02]
課税仕入れに係る費用の額 → 現金を支出した日[*03]

*01) ここでは、他の特例と異なり資産の譲渡等だけでなく、課税仕入れについても併せて規定しています。

*02) 現金基準では売掛金は計上されないため、売掛金を計上した日ではないことに注意してください。

*03) 現金基準では買掛金は計上されないため、買掛金を計上した日ではないことに注意してください。

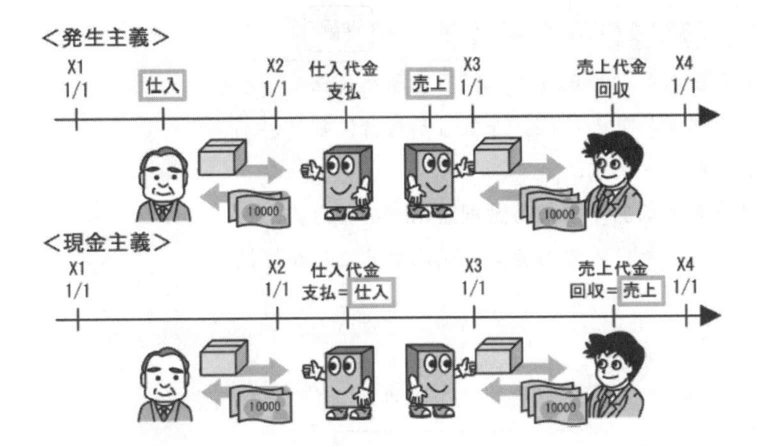

設例４－１　　小規模事業者に係る資産の譲渡等の時期等の特例⑴

次の【資料】から衣料品販売業を営む個人事業者Ａ（以下「Ａ」という。）の当課税期間（令和７年１月１日から令和７年12月31日）の課税標準額を計算しなさい。

なお、Ａは、所得税法上の小規模事業者に該当しており、消費税法上の「小規模事業者に係る資産の譲渡等の時期等の特例」の適用を受ける旨を確定申告書に付記している。

また、Ａは当課税期間まで継続して課税事業者であり、以下の金額は税込金額である。

【資料】

1. Ａの令和７年分の青色申告書記載の事業所得に係る収入金額　　11,000,000円
2. 1.以外に当課税期間末において未回収の売上げが2,200,000円ある。

解答

課税標準額　10,000,000　円

解説

小規模事業者に係る特例は現金基準によるため、未回収の売上げ（売掛金）は課税標準額に含めません。

$$11,000,000円 \times \frac{100}{110} = 10,000,000円（千円未満切捨）$$

3　適用要件（法18①②）

小規模事業者に係る資産の譲渡等の時期等の特例の適用要件は、以下のとおりです。

⑴　所得税法上**「小規模事業者の収入及び費用の帰属時期の特例」の適用を受けている**こと

⑵　この規定の適用を受ける旨を**申告書に付記している**こと[*01]

*01）申告書の該当する場所に〇印をつけるという意味です。

Ch 1 Ch 2 Ch 3 Ch 4 Ch 5 Ch 6 Ch 7 Ch 8 Ch 9 Ch 10 Ch 11 Ch 12 Ch 13 Ch 14 Ch 15 Ch 16 Ch 17

4 原則と特例の選択（基通9－5－1） 理論

小規模事業者に係る資産の譲渡等の時期等の特例は、所得税法上「小規模事業者の収入及び費用の帰属時期の特例」を受ける場合に限り、消費税法上特例を適用することができます。

ただし、**消費税法における適用はあくまでも選択適用**であるため、資産の譲渡等の時期を引渡しがあった日とする**原則を適用することが可能**です。

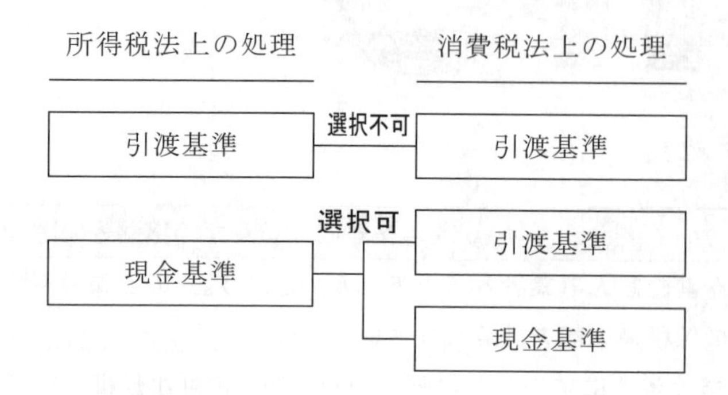

5 特例の適用を受けないこととなった場合（令40①）  理論

現金基準の特例の規定の適用を受けるようになり、その後、特例の規定の適用を受けないこととなった場合における資産の譲渡等及び課税仕入れを行った時期は次のようになります。

1. 資産の譲渡等

特例の適用を受けないこととなった課税期間の初日の前日において、次の算式により計算した残額の資産の譲渡等を行ったものとみなします。

（特例の適用を受けないこととなった課税期間の初日の前日における売掛金等の合計額）① － （特例の適用を受けることとなった課税期間の初日の前日における売掛金等の合計額）② ＝ （特例の適用を受けないこととなった課税期間の初日の前日において資産の譲渡等があったものとみなす）③

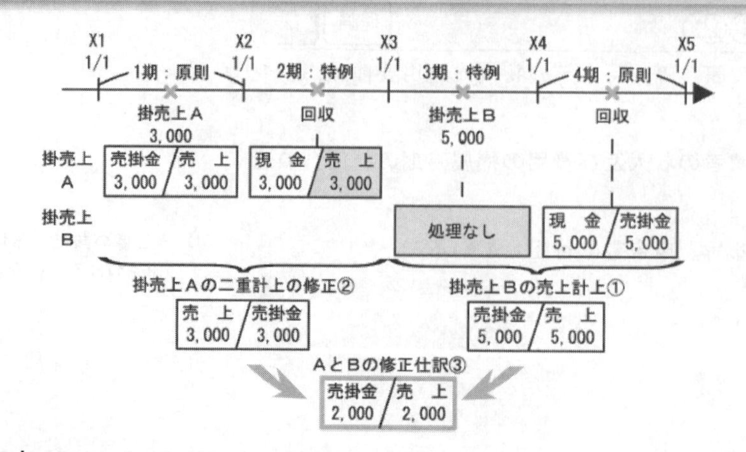

売上計上額

1期：原則（引渡基準）を適用しているため、3,000 円が売上計上額となります。

2期：特例（現金基準）を適用しているため、3,000 円が売上計上額となります。

3期：4期の初日（×4年 1/1）の前日（×3年 12/31）において、次の金額の資産の譲渡等を行ったものとみなします。

3期末売掛金 5,000 円①－1期末売掛金 3,000 円②＝2,000 円③[*01)]

4期：原則（引渡基準）を適用しているため、売上げは計上されません。

*01) 3,000円の売上げが2重に計上されているため、3期分を差額で計上することにより、トータルで8,000円の売上げになるように調整しています。

2. 課税仕入れ

資産の譲渡等と同様に、特例の規定の適用を受けないこととなった課税期間の初日の前日において、次の算式により計算した残額の課税仕入れを行ったものとみなします。

（特例の適用を受けないこととなった課税期間の初日の前日における買掛金等の合計額）－（特例の適用を受けることとなった課税期間の初日の前日における買掛金等の合計額）

＝（特例の適用を受けないこととなった課税期間の初日の前日において課税仕入れがあったものとみなす）

設例4－2　小規模事業者に係る資産の譲渡等の時期等の特例(2)

消費税法第18条の適用を受ける個人事業者Ａ氏の令和７年分の所得税の事業所得の収支内訳書よりＡ氏の令和７年分の課税標準額に対する消費税額を割戻し計算の方法により計算しなさい。なお、Ａ氏の令和７年分の所得については所得税法第67条に規定するいわゆる現金主義による所得計算の特例の適用を受けることができるが、令和８年分はこの特例の適用を受けることができなくなる。また、軽減税率が適用される取引は含まれていない。

収　支　内　訳　書（抜粋）

支出の部	金　額	収入の部	金　額
		国内商品売上高	48,000,000 円

（注１）　商品売上高はすべて現金で受取ったものである。なお、年初の売掛金の残高は3,000,000円、年末の売掛金の残高は3,650,000円である。

（注２）　Ａ氏は令和６年分の所得については現金主義の適用は受けていない。

解答

課税標準額に対する消費税額　3,449,706 円

解説　（単位円）

Ⅰ　課税標準額

48,000,000＋3,650,000－3,000,000＝48,650,000

$48,650,000 \times \frac{100}{110}$ ＝44,227,272 → 44,227,000（千円未満切捨）

Ⅱ　課税標準額に対する消費税額

44,227,000×7.8％＝3,449,706

小規模事業者に係る資産の譲渡等の時期等の特例（現金主義）の適用を受けないこととなった場合

1.　売上げの計算

現金主義最後の課税期間の売上げ ＋ 現金主義最後の日の売掛金等の残高 － 前回の発生主義最後の日の売掛金等の残高

Chapter 13

国、地方公共団体等に対する特例

国や、地方公共団体といった公共機関の中であっても病院や学校といった民間の企業と同じような業務を行う機関があります。こういった公共機関の運営は、一般に税金によって賄われていますが、民間の企業と同じように売上げが発生している場合には、同じように納税義務が発生しなければ公平であるとはいえません。そこで、これらの団体に納税義務が生じる代わりに、その特性を考慮し一定の特例規定を設けています。

Section 1 国、地方公共団体等に対する特例

これまで学習した消費税のさまざまな規定は一般の個人事業者や法人といった、いわゆる民間の団体を前提に見てきましたが、消費税は財貨やサービスの消費を課税の対象としているため、民間企業だけでなく、公共団体に関しても消費を伴う行為があれば課税の対象となる取引が発生するはずです。

しかし、こうした公共の団体に、民間の団体を前提とした規定を当てはめてしまうと、さまざまな不都合が生じてしまいます。

ここでは、こうした不都合をなくすために作られた公共の団体に対する特例規定を見ていきましょう。

1 概要

理論

消費税法における納税義務者には、国内において課税資産の譲渡等を行った事業者、外国貨物を保税地域から引き取る者が対象となっています*01)。

ここでは、**国、地方公共団体***02)、**公共法人***03)、**公益法人等***04)、**人格のない社団等***05)についてもこれらを行った場合には、納税義務を負い、消費税法が適用されます。

ただし、これらの法人等については、公共性が強く、一般の事業者と比較して特殊であることから、次の特例規定が設けられています。

国

地方公共団体

公共法人
（ＮＨＫ等）

公益法人
（日本相撲協会、経済同友会等）

人格のない社団等
（ＰＴＡ等）

国、地方公共団体等に対する特例
- 事業単位の特例（法60①）
- 資産の譲渡等の時期等の特例（法60②③）
- 仕入税額控除の特例（法60④⑤）
- 国又は地方公共団体の一般会計に係る業務の特例（法60⑥⑦）
- 申告期限の特例（法60⑧）

*01) 詳しくは、教科書消費税法Ⅱ基礎完成編Chapter 6 を参照してください。

*02) 都道府県や市町村等をいいます。

*03) 国や地方公共団体が行うべき公共的な事業を代行する法人をいいます。日本放送協会（NHK）や国立大学法人等が該当します。

*04) 公益（社会全般の利益）を目的とする事業を行う法人をいいます。

*05) 多数の者が一定の目的を達成するために結合した団体のうち法人格を有しないもので、ＰＴＡやマンション管理組合等が該当します。人格のない社団等は、消費税法では法人とみなされます。（法３）

Section 2 仕入税額控除に係る特例

消費税では、国や地方公共団体等が消費税の課税売上げとなる取引を行った場合には、一般の事業者と同じように消費税を預かり、納付することとしています。
この際、仕入れに係る消費税額は税額控除の対象となり、納付する税額の計算上、課税標準額に対する消費税額から控除されますが、一般の事業者と収入形態の違うこられの団体に同じように仕入税額控除を認めてしまうことは、ある問題点が生じるため、その調整を行わなければなりません。
ここでは、国や地方公共団体等の仕入税額控除に関する特例について見ていきましょう。

1 概要

理論 計算

国等は、補助金、交付金、寄附金等の対価性のない収入をその主な財源としています。この**対価性のない**[*01]**収入**（これを**特定収入**といいます。）をもとに課税仕入れを行った場合、仕入税額控除ができるかどうかが問題となります。

仕入税額控除は、事業者が仕入れの際に負担した消費税を、売上げに係る消費税から控除することで、税の累積を排除する制度であり、対価性のない収入をもとに課税仕入れを行って仕入税額控除ができると、次のような状態が考えられます。

*01) 対価性があるとは、資産の譲渡等に対して反対給付を受けることをいいます。
対価性がないとは、反対給付を伴わないことと考えましょう。
補助金や寄附金等は、何かの資産の譲渡等を行わずに給付のみを受けたものであるため、対価性がない収入となります。

〈具体例〉

公共法人Aの運営費が国からの補助金と本部ビル内にある自動販売機によるジュースの販売収入で賄われていたとします。

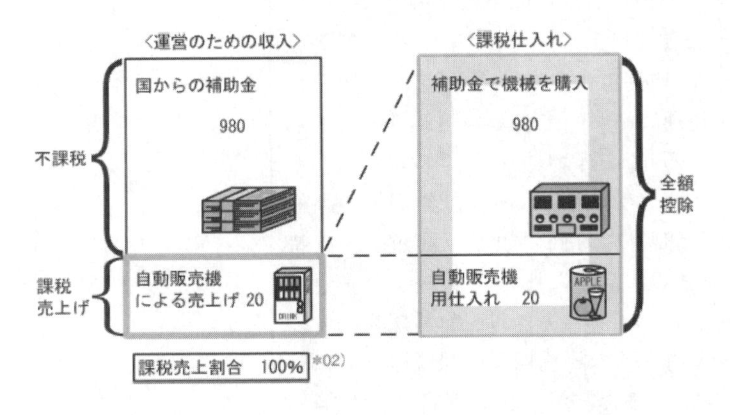

このケースの場合、課税の対象となる売上げが自動販売機の売上げのみとなります。非課税に該当する売上げがありませんから課税売上割合は100%です。仕入れに係る消費税額の控除の規定は、課税売上割合を乗じて計算するため、課税売上割合が100%であれば、課税仕入れ等の税額の全額が控除されます[*02]。

*02) 課税売上高５億円の基準は、ここでは考慮しないで考えます。
以下、このChapterでは、その課税期間の課税売上高は５億円以下であるという前提で説明していきます。

そのため、このような補助金で運営費のほとんどが賄われてしまうような公共団体等は、原則の仕入税額控除の規定のみで考えるとわずかながらでも課税売上げが生じれば、課税売上割合が100％となり、その仕入れに関する収入源泉に関係なく多額の税額控除が認められてしまう結果となります。

そこで、このような公共団体等の収入全体に対する補助金等の特定収入の割合（これを「**特定収入割合**」といいます。）が**全体の収入に対して５％を超える場合には、特定収入を源泉とした課税仕入れ等に対しては、税額控除を認めない**こととしています。

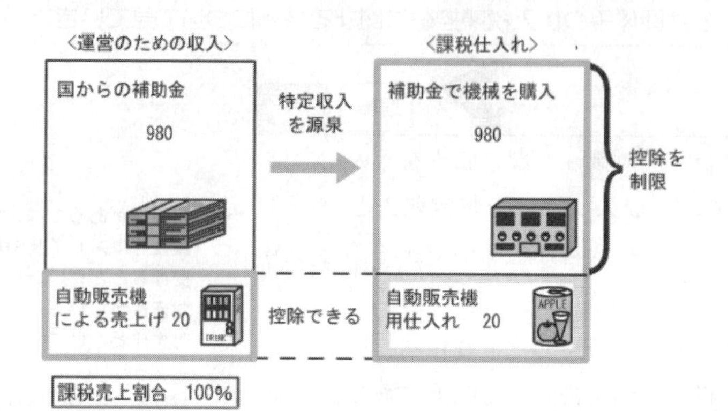

消費税法<国、地方公共団体等に対する仕入税額控除の特例>

法60条④　国若しくは地方公共団体（特別会計を設けて事業を行う場合に限る。）、別表第三に掲げる法人又は人格のない社団等（免税事業者を除く。）が課税仕入れを行い、又は課税貨物を保税地域から引き取る場合において、その課税仕入れの日又は課税貨物の保税地域からの引取りの日（その課税貨物につき特例申告書を提出した場合には、その特例申告書を提出した日又は特例申告に関する決定の通知を受けた日）の属する課税期間において資産の譲渡等の対価以外の収入（政令で定める収入を除く。以下「特定収入」という。）があり、かつ、その特定収入の合計額がその課税期間における資産の譲渡等の対価の額の合計額にその特定収入の合計額を加算した金額に比し僅少でない場合として政令で定める場合に該当するときは、簡易課税制度の適用を受ける場合を除き、その課税期間の課税標準額に対する消費税額から控除することができる課税仕入れ等の税額の合計額は、原則の規定にかかわらず、これらの規定により計算した場合におけるその課税仕入れ等の税額の合計額から特定収入に係る課税仕入れ等の税額として政令で定めるところにより計算した金額を控除した残額に相当する金額とする。この場合において、その金額は、その課税期間における仕入れに係る消費税額とみなす。

2 適用要件（法60④、令75③）

次の要件の**いずれも満たす場合**に、国、地方公共団体等に対して仕入税額控除の特例を適用します。

(1) **国若しくは地方公共団体の特別会計**[*01]、**別表第三に掲げる法人**又は**人格のない社団等**（免税事業者を除く。）[*02]が**課税仕入れ等を行っていること**。

(2) その課税仕入れ等の日の属する課税期間において**特定収入があること**。

(3) その課税期間における**特定収入割合が５％超**であること。

(4) **簡易課税制度の適用を受けていない**こと。

*01) 国若しくは地方公共団体の一般会計については、Section３で学習する「国又は地方公共団体の一般会計に係る業務の特例」の適用を受けるため、対象外となります。

*02) この教科書では、この規定の対象となる団体を「国等」と呼んでいきます。

<別表第三に掲げる法人>

一般財団法人、一般社団法人、医療法人、学校法人、公益財団法人、公益社団法人、健康保険組合、国立大学法人、社会福祉法人、宗教法人、商工会議所、税理士会、日本赤十字社、日本中央競馬会、日本放送協会、等

<人格のない社団等>（法２①七）

法人でない社団又は財団で代表者又は管理人の定めがあるものをいいます。具体的には、ＰＴＡ、町内会等が該当します。

3 特定収入

1. 特定収入（基通16－２－１）

資産の譲渡等の対価（消費税の課税の対象）以外の収入のうち、2. に掲げる「特定収入以外の収入」に該当しないものをいいます。

したがって、消費税法では、特定収入に該当するものが規定されているのではなく、特定収入に該当しないものを規定しており、これら以外の対価性のない収入を広く特定収入と呼んでいます。

具体的には、次のようなものが特定収入に該当します。

租税、補助金、交付金、寄附金、出資に対する配当金、保険金、損害賠償金、資産の譲渡等の対価に該当しない負担金、会費等、他会計からの繰入金、喜捨金（きしゃきん）等

2.　特定収入以外の収入（令75①）

資産の譲渡等の対価以外の収入のうち、次に掲げるものは特定収入となりません。

消費税法では、この**特定収入以外の収入を限定列挙しています。**

(1)　B/S取引による収入

その収入が損益取引にならないようなものをいいます。国等では民間の法人等と異なり、貸借対照表や損益計算書といったような財務諸表は一般的に作成されないため、簿記上は**B/S上の取引**（「（借）現金（貸）B/S科目」と仕訳されるような取引）であっても現金が手許に入ってくる取引については「収入」と捉えていきます。そこで、収入のうち、こういった**B/S上の取引は当然のことながら特定収入には該当しません**[*01)]。具体的には、次のようなものが該当します。

- ・借入金等[*02)]（他者からの借入れを行った際の収入）
- ・出資金（他者からの出資を受け入れたことによる収入）
- ・預金、貯金及び預り金（他者からお金を預かったことによる収入）
- ・貸付金回収金、返還金及び還付金（債権の回収をしたことによる収入）

*01) これは、例えば預金を引き出して現金として持っているような場合（「現金××／預金××」と仕訳されるような場合）を指しますので、このような取引を計算対象に加えてしまうことは、明らかに不合理といえます。

*02) 法令においてその返還又は償還のための補助金等の交付を受けることが想定されていないものに限ります。すなわち、条件のない普通の借入金が該当します。

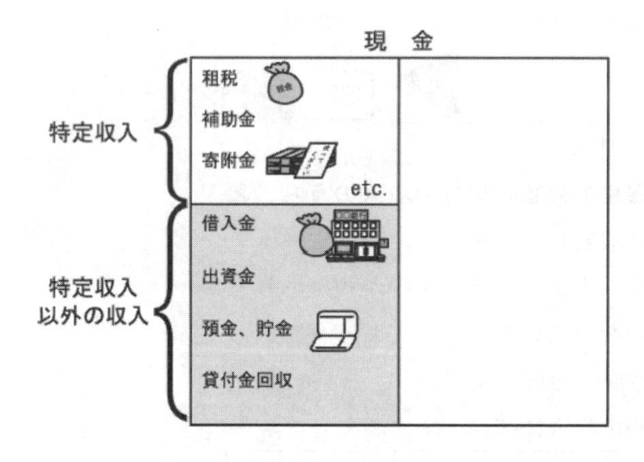

(2)　特定支出のためにのみ使用されている収入

その**収入の使途が課税仕入れや課税貨物の引取りに該当しない支出**（これらの支出を「**特定支出**」[*03)] といいます。）**に限定されているもの**をいいます。具体的には、その使途が次のようなものの支出に限定されている収入をいいます。

- ・土地の購入などの非課税仕入れ
- ・給与の支払いなどの不課税仕入れ
- ・国際運賃などの免税仕入れ

*03) 特定支出とは、次に掲げる支出以外の支出をいいます。
①課税仕入れに係る支払対価の額に係る支出
②課税貨物の引取価額に係る支出
③借入金等の返済金又は償還金に係る支出（詳しくはP13-8を参照してください。）
すなわち、その支出が最終的に課税仕入れ等とならないものをいいます。

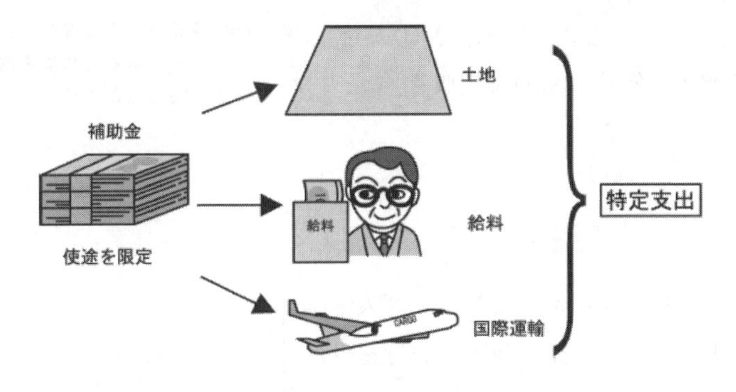

これらの仕入れは、課税仕入れ等ではないことから、そもそも仕入税額控除の対象とはならず、これから行う仕入税額控除の制限に関しては無関係であるため、使途をこれらの仕入れに限定している収入についても、その計算の範囲から除いていきます。

これらの特定収入以外の収入を「**非特定収入**」といいます。

3. 特定収入の分類（令75④）

特定収入は、資産の譲渡等の対価以外の収入のうち、**2.で限定列挙されている収入以外の収入が該当します**[*04)]。さらに、その特定収入も**①使途が課税仕入れ等に限定されている特定収入**と**②使途不特定の特定収入**の２つに分類されます。以上のことから、特定収入を分類していくと次の図のようになります。

*04) その使途が課税仕入れ等に限定されている収入は特定収入となります。

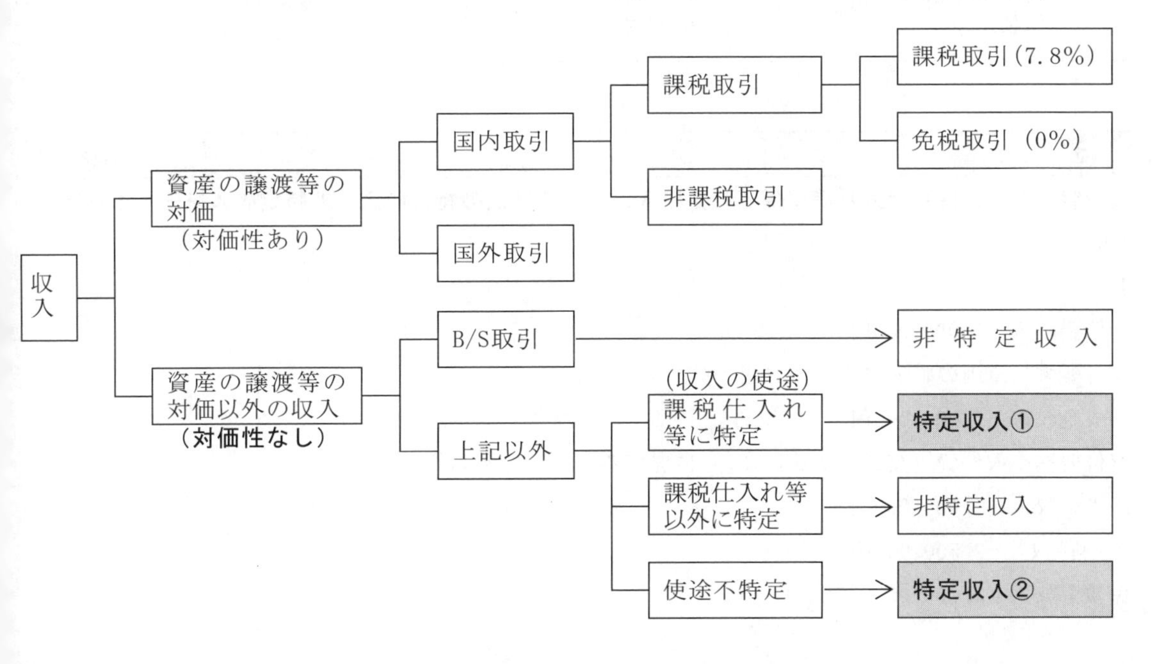

なお、使途の特定とは、**交付要綱等にその使途が定められていること**をいいますので、**補助金**[*05)]**や交付金、助成金等がこれに該当**し、これら以外のものは、たとえその使いみちが決まっている収入であったとしても使途不特定の特定収入[*06)]となります。

*05) 補助金等でも、その使途が土地の購入や、人件費の支出など課税仕入れ等以外に使用する旨が定められている場合には、非特定収入となります。

この使途が課税仕入れ等に特定されている特定収入（図①の特定収入）を「**課税仕入れ等に係る特定収入**（使途特定の特定収入）」といいます。

*06) 例えば、震災等の際、支援物資を送るために寄附を募る場合などです。

〈特定収入となる借入金等〉

施行令75条第１項で規定されている特定収入にならない借入金等は、法令においてその返還又は償還のための補助金等の交付を受けることが規定されていないものに限ります。

したがって、借入金等の償還等のための補助金等が交付される場合で、その借入金等が特定支出以外の支出に使用されるものであるときには、その借入金等は特定収入に該当します。

なお、この場合には、借入金等の返済のために、その後交付された補助金等は、非特定収入*07)となります。

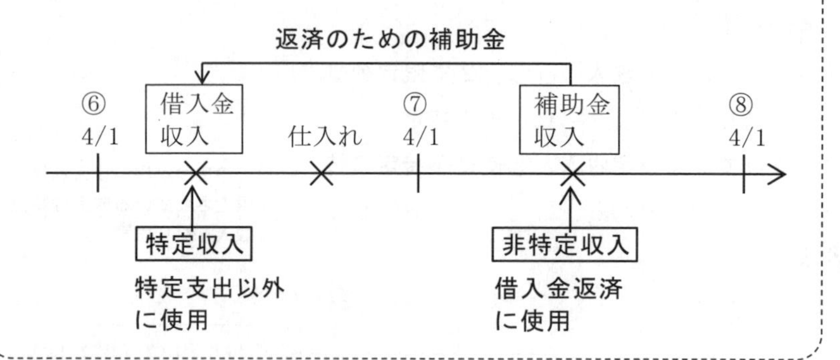

*07) 補助金の交付時期よりも前に対象資産等を購入しなければならない状況が前提としてあるときに、先行して借入金を原資として資産を取得していたとしても最終的に借入金返済のための補助金が交付されるのであれば、補助金で資産等を取得したものと変わらないため、借入金を特定収入とすることで、調整を図っています。
なお、この「補助金と紐付け」がされない借入金は、通常、非特定収入となるため注意しましょう。

設例２－１　収入の分類

次の【資料】から、課税仕入れ等に係る特定収入、使途不特定の特定収入、非特定収入をそれぞれ計算しなさい。

【資料】

⑴　補助金収入：7,000,000円
　　交付要綱に車両の購入に充てることが定められている。

⑵　助成金収入：5,000,000円
　　交付要綱に人件費（交通費等を除く。）に充てることが定められている。

⑶　配当金収入：1,000,000円

⑷　預金利息収入：2,500,000円

⑸　保険金収入：2,000,000円

解答

課税仕入れ等に係る特定収入	7,000,000　円
使途不特定の特定収入	3,000,000　円
非特定収入	5,000,000　円

解説

⑴　補助金収入

課税仕入れ等を行うためのものであるため、課税仕入れ等に係る特定収入になります。

⑵　助成金収入

使途が特定されていても、課税仕入れ等に係るものではないため、非特定収入になります。

⑶　配当金収入

使途が特定されていないため、使途不特定の特定収入になります。

⑷　預金利息収入

資産の譲渡等の対価（非課税売上げ）に該当し、特定収入となりません。

⑸　保険金収入

使途が特定されていないため、使途不特定の特定収入になります。

以上の内容から

課税仕入れ等に係る特定収入：⑴7,000,000円

使途不特定特定収入　　　　：⑶1,000,000円＋⑸2,000,000円＝3,000,000円

非特定収入　　　　　　　　：⑵5,000,000円

4 特定収入割合（令75③）

特定収入割合とは、その課税期間の**資産の譲渡等の対価の額の合計額に特定収入の合計額を加算した金額のうちに、特定収入の合計額の占める割合**をいいます。

この特定収入割合が**5％を超える**場合、**仕入税額控除の特例を適用**します。

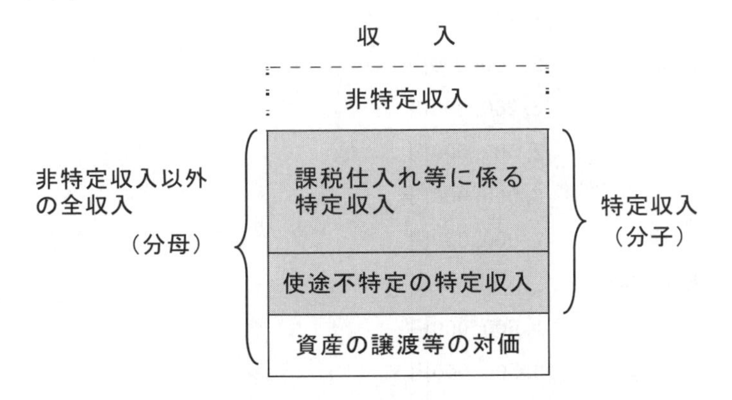

1.　資産の譲渡等の対価の額の合計額

次の算式のように計算します。

資産の譲渡等の対価の額の合計額 ＝税抜課税売上高＋輸出売上高＋非課税売上高＋国外売上高

基本的な計算は、課税売上割合の計算における「資産の譲渡等の対価の額の合計額」と同じですが、以下の点に注意が必要です。

⑴　**税抜課税売上高**

売上げに係る対価の返還等の金額は**控除しません**。

⑵　**非課税売上高**

有価証券の譲渡の対価の額のうち、課税売上割合の計算上５％を乗じるもの及び金銭債権の譲渡については、**５％を乗じないで全額を加えます**。

⑶　**国外売上高**

国外における資産の譲渡等の対価の額を加算します。例えば、国外における商品や固定資産の売却、役務の提供が該当します。

2.　特定収入の合計額

特定収入の合計額　＝課税仕入れ等に係る特定収入＋使途不特定の特定収入

設例２－２　特定収入割合の計算

次の【資料】より、課税売上割合、特定収入割合を計算しなさい。なお、当社は当課税期間（令和７年４月１日～令和８年３月31日）まで継続して課税事業者であり、以下の金額は税込みである。また、軽減税率が適用される取引は含まれていない。

【資料】

⑴	国内における課税売上高	91,875,000円
⑵	当課税期間の課税売上高に係る返品高	2,000,000円
⑶	国外における売上高	2,200,000円
⑷	預金利息収入	2,500,000円
⑸	有価証券の譲渡収入	3,000,000円
⑹	補助金収入 交付要綱に車両の購入に充てることが定められている。	7,000,000円
⑺	配当金収入	1,500,000円
⑻	保険金収入	3,500,000円
⑼	助成金収入 交付要綱に人件費（交通費等を除く。）に充てることが定められている。	5,000,000円

解答

課税売上割合	81,704,544円 / 84,354,544円
特定収入割合	12,000,000円 / 103,222,727円

解説

(1) 課税売上割合

① 課税売上高

イ　91,875,000円×$\frac{100}{110}$＝83,522,727円

ロ　2,000,000円－2,000,000円×$\frac{7.8}{110}$×$\frac{100}{78}$＝1,818,183円

ハ　イ－ロ＝81,704,544円

② 非課税売上高

2,500,000円＋3,000,000円×5％＝2,650,000円

③ 課税売上割合

$\frac{①}{①+②}=\frac{81,704,544円}{84,354,544円}$

(2) 特定収入割合

① 資産の譲渡等の対価の額

83,522,727円＋2,500,000円＋3,000,000円＋2,200,000円＝91,222,727円

② 特定収入の額

イ　使途特定　7,000,000円

ロ　使途不特定

1,500,000円＋3,500,000円＝5,000,000円

ハ　イ＋ロ＝12,000,000円

③ 特定収入割合

$\frac{②}{①+②}=\frac{12,000,000円}{103,222,727円}$

5 控除対象仕入税額（基本的な計算）

理論 計算

特定収入割合が5％を超える場合の控除対象仕入税額の計算は、まず、調整前控除税額（通常の計算による控除対象仕入税額）を計算し、その**調整前控除税額から、特定収入に係る課税仕入れ等の税額（調整税額）を控除して求めます。**

控除対象仕入税額＝調整前控除税額（通常の計算による控除対象仕入税額）－特定収入に係る課税仕入れ等の税額*01)（調整税額）

*01) 調整前控除税額から特定収入に係る課税仕入れ等の税額を控除して控除しきれない場合には、控除しきれない金額を課税標準額に対する消費税額に加算します。

特定収入に係る課税仕入れ等の税額＝課税仕入れ等に係る特定収入の税額＋使途不特定の特定収入に係る税額

1. 特定収入に係る課税仕入れ等の税額

⑴ 課税仕入れ等に係る特定収入の税額

特定収入のうち、課税仕入れ等に係る特定収入は、本来その使途が課税仕入れ等に特定されていることから、課税仕入れ等に係る特定収入を原資として行った課税仕入れ等は**全額控除の制限をかける**必要があります。

$$\text{課税仕入れ等に係る特定収入の税額} = \text{課税仕入れ等に係る特定収入}^{*02)} \times \frac{7.8}{110}$$

*02) 控除対象仕入税額のうち制限をかける部分は課税仕入れ等のうち、補助金等を充てた部分のみなので、仕入れの税額ではなく、収入の税額を求め調整の対象とします。

⑵ 使途不特定の特定収入に係る税額

使途不特定の特定収入とは、使途が不明であるため、その税額は、特定収入を原資とした課税仕入れ等に使用されている部分を明確に把握することができません。

そこで、**課税仕入れ等に係る特定収入を除いた収入全体のうちに、使途不特定の特定収入の占める割合**（**調整割合**といいます。）**を残りの仕入れに係る消費税額に乗じ**、その割合計算で便宜的に使途不特定の特定収入に係る税額を計算します。

$$\text{使途不特定の特定収入に係る税額} = \left(\text{調整前控除税額} - \text{課税仕入れ等に係る特定収入の税額}\right) \times \text{調整割合}$$

⑶ 調整割合

資産の譲渡等の対価の額の合計額に使途不特定の特定収入の合計額を加算した金額のうちに、使途不特定の特定収入の合計額の占める割合をいいます*03)。

*03) 課税仕入れ等に係る特定収入は含まれないことに注意しましょう。

$$\frac{\text{使途不特定の特定収入の合計額}}{\text{資産の譲渡等の対価の額の合計額} + \text{使途不特定の特定収入の合計額}}$$

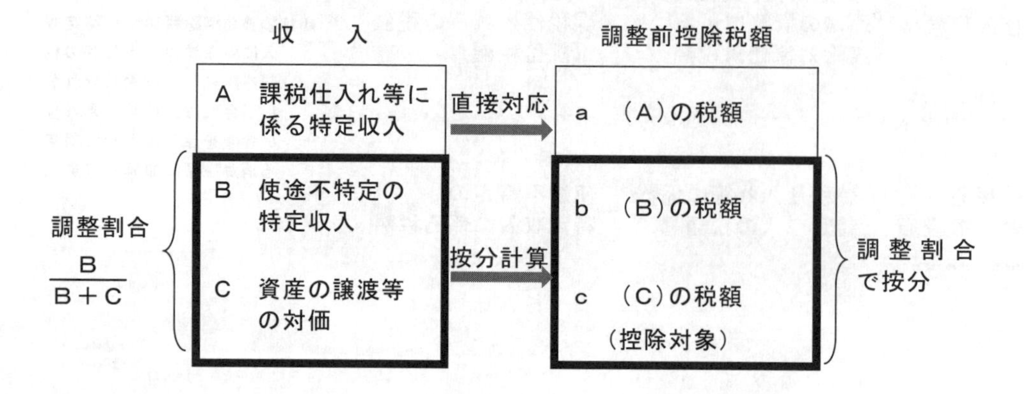

次の<**具体例**>を使って、調整後の控除対象仕入税額の求め方を確認していきます。

<**具体例**>

1　収入　　15,500円
　　課税商品売上げ　2,000円（税抜）
　　寄附金　　　　　8,000円
　　機械の購入に使途が特定されている補助金　5,500円
2　支出　　11,000円
　　課税商品仕入れ　5,500円（税込）
　　機械購入　　　　5,500円（税込）
3　課税売上割合　100%
4　調整割合　　　　80%

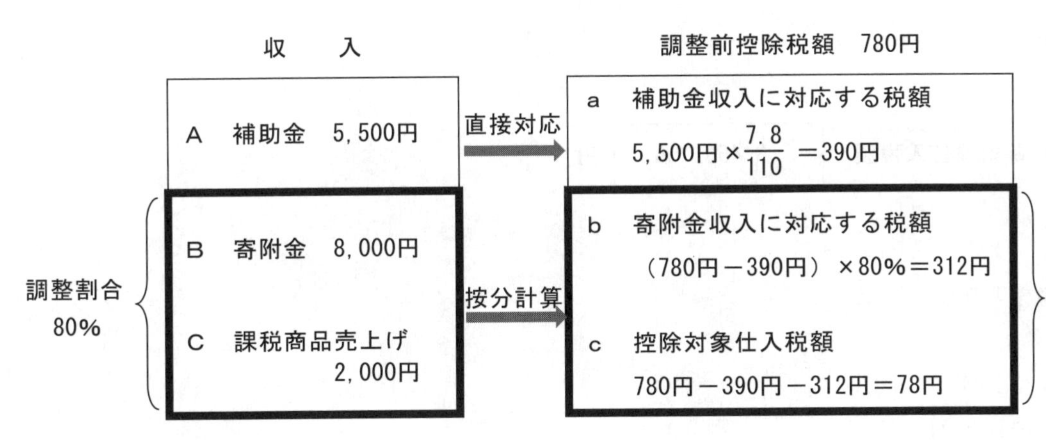

(1)　調整前控除税額

$11,000円 \times \frac{7.8}{110} = 780円$

(2)　調整税額

①　課税仕入れ等に係る特定収入の税額(a)

$5,500円 \times \frac{7.8}{110} = 390円$

②　使途不特定の特定収入に係る税額(b)

780円（(1)の税額）－390円（(2)①の税額）＝390円

390円×80%（**調整割合**）＝312円

③　①＋②＝702円

(3)　控除対象仕入税額

780円（(1)の税額）－702円（(2)③の税額）＝78円

設例２－３　控除対象仕入税額の計算（全額控除）

次の【資料】より、控除対象仕入税額を割戻し計算の方法により計算しなさい。

なお、当社は当課税期間（令和７年４月１日～令和８年３月31日）まで継続して課税事業者である。また、軽減税率が適用される取引は含まれていない。

【資料】

⑴　特定収入

①　補助金収入（使途が課税仕入れ等に特定）　7,300,000円

②　補助金収入（使途が特定されていない）　4,200,000円

⑵　課税仕入れ等（税込み）

①　課税資産の譲渡等にのみ要するもの　52,000,000円

②　その他の資産の譲渡等にのみ要するもの　3,150,000円

③　課税資産の譲渡等とその他の資産の譲渡等に共通して要するもの　6,300,000円

⑶　課税売上割合：96％（課税売上高は５億円以下とする。）

⑷　特定収入割合：25％

⑸　調整割合　　：10％

解答

控除対象仕入税額　3,455,755　円

解説

⑴　課税売上割合

96％　≧　95％

課税売上高　≦　５億円

∴　按分計算は不要

⑵　調整前控除対象仕入税額

52,000,000円＋3,150,000円＋6,300,000円＝61,450,000円

61,450,000円×$\frac{7.8}{110}$＝4,357,363円

⑶　特定収入に係る課税仕入れ等の税額

①　特定収入割合

25％　＞　５％　　∴　調整あり

②　調整割合　　10％

③　調整税額

イ　7,300,000円×$\frac{7.8}{110}$＝517,636円

ロ　（4,357,363円－イ）×10％＝383,972円

ハ　イ＋ロ＝901,608円

⑷　調整後控除対象仕入税額

4,357,363円－901,608円＝3,455,755円

6 全額控除以外の場合の控除対象仕入税額の計算  計算

全額控除以外の場合の控除対象仕入税額の計算では、調整前控除税額の計算が個別対応方式と一括比例配分方式の選択が可能なため、調整後の控除対象仕入税額も**両者の方法で計算し、有利な方を選択**します。

なお、それぞれの計算による調整税額は、下記の**「課税仕入れ等に係る特定収入の税額」の求め方に違い**があるだけです

1. 個別対応方式の場合

〈控除対象仕入税額〉

(1) 調整前控除対象仕入税額（通常の計算による控除対象仕入税額）

(2) 特定収入に係る課税仕入れ等の税額（調整税額）

① 特定収入割合

② 調整割合

③ 課税仕入れ等に係る特定収入の税額

イ （課税資産の譲渡等にのみ要する課税仕入れ等に使途が特定されている特定収入）$\times \frac{7.8}{110}$

ロ （共通して要する課税仕入れ等に使途が特定されている特定収入）$\times \frac{7.8}{110}$ ×課税売上割合

ハ イ＋ロ

④ 使途不特定の特定収入に係る税額

((1)－(2)③) ×調整割合

⑤ ③＋④

(3) 調整後控除対象仕入税額

(1)－(2)⑤

〈課税仕入れ等に係る特定収入の税額の計算〉

課税仕入れ等に係る特定収入をその使途に応じて、下記の３つの区分に分類し、区分ごとに税額を計算します。

(1) 課税資産の譲渡等にのみ要する課税仕入れ等に使途が特定されている特定収入

（例：課税製品製造用の機械の購入に使途が特定されている補助金）

→課税仕入れ等の税額が全額控除されるため、課税仕入れ等に係る特定収入の税額も**全額調整対象**となります。

(2) その他の資産の譲渡等にのみ要する課税仕入れ等に使途が特定されている特定収入

（例：身体障害者用物品製造用の機械の購入に使途が特定されている補助金）

→課税仕入れ等の税額が全額控除されないため、課税仕入れ等に係る特定収入の税額も**全額調整対象となりません。**

⑶　**共通して要する課税仕入れ等に使途が特定されている特定収入**

（例：本部備品の購入に使途が特定されている補助金）

→課税仕入れ等の税額のうち課税売上割合を乗じた部分のみが控除の対象となるため、課税仕入れ等に係る特定収入の税額も**課税売上割合を乗じた部分のみが調整の対象**となります。

次の**〈具体例〉**を使って、調整後の控除対象仕入税額の求め方を確認していきます。

〈具体例〉

1　収入　　22,650円

　課税商品売上げ　　1,000円（税抜）

　利息収入　　1,000円

　寄附金　　8,000円

　補助金　　12,650円（内訳：商品梱包用機械4,400円、本部備品8,250円）

2　支出　　20,900円

　課税商品仕入れ　　5,500円（税込）

　その他の課税仕入れ　　2,750円（税込価格、共通して要する課税仕入れに該当）

　商品梱包用機械　　4,400円（税込）

　本部備品　　8,250円（税込）

3　課税売上割合：50%

4　特定収入割合：$\frac{20,650円}{22,650円}$

5　調整割合　　：80%

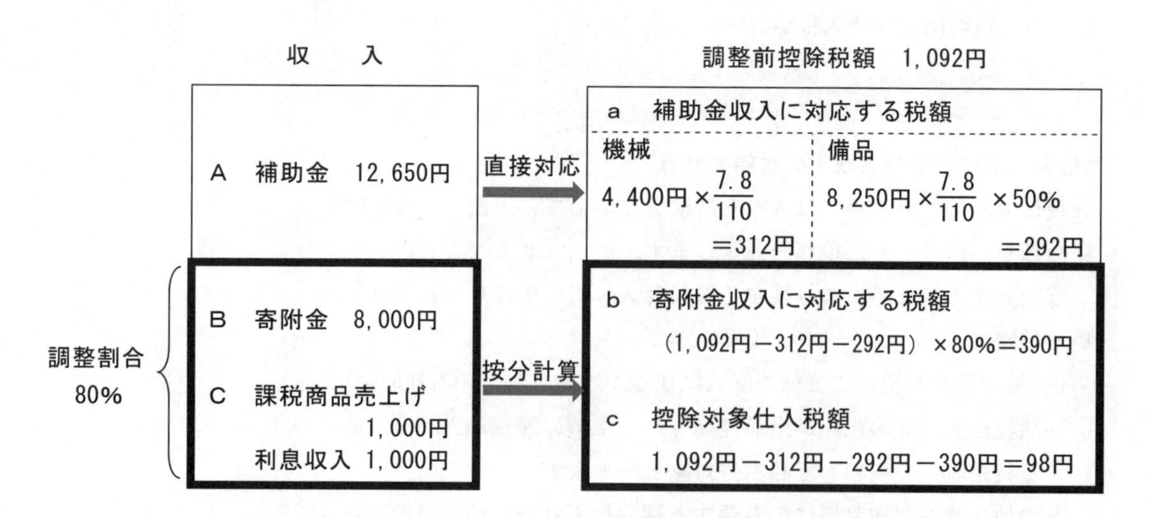

⑴　調整前控除対象仕入税額

①　課税資産の譲渡等にのみ要するもの

5,500円＋4,400円＝9,900円

9,900円×$\frac{7.8}{110}$＝702円

② 共通して要するもの

2,750円＋8,250円＝11,000円

$11,000円\times\frac{7.8}{110}=780円$

③ 調整前控除対象仕入税額

702円＋780円×50％＝1,092円

(2) 特定収入に係る課税仕入れ等の税額（調整税額）

① 特定収入割合

$\frac{20,650円}{22,650円}=0.9116\cdots > 5\%$　∴ 調整あり

② 調整割合　80％

③ 課税仕入れ等に係る特定収入の税額

イ　$4,400円\times\frac{7.8}{110}=312円$

ロ　$8,250円\times\frac{7.8}{110}\times50\%=292円$

ハ　イ＋ロ＝604円

④ 使途不特定の特定収入に係る税額

（1,092円－604円）×80％＝390円

⑤ ③＋④＝994円

(3) 調整後控除対象仕入税額

1,092円－994円＝98円

設例２－４　控除対象仕入税額の計算（個別対応方式）

次の【資料】より、個別対応方式による控除対象仕入税額を割戻し計算の方法により計算しなさい。

なお、当社は当課税期間（令和７年４月１日～令和８年３月31日）まで継続して課税事業者である。また、軽減税率が適用される取引は含まれていない。

【資料】

(1) 特定収入

① 補助金収入（使途が課税仕入れ等に特定）	11,300,000円
内訳：課税資産の譲渡等にのみ要する課税仕入れ等に使途が特定　7,300,000円	
共通して要する課税仕入れ等に使途が特定　4,000,000円	
② 交付金収入	6,600,000円
交付金収入については使途が特定されていない	

(2) 課税仕入れ等（税込み）

① 課税資産の譲渡等にのみ要するもの	52,000,000円
② その他の資産の譲渡等にのみ要するもの	3,100,000円
③ 課税資産の譲渡等とその他の資産の譲渡等に共通して要するもの	6,200,000円

(3) 課税売上割合：90％

(4) 特定収入割合：25％

(5) 調整割合　：10％

解答　控除対象仕入税額　2,979,033　円

解説

⑴　課税売上割合

90%　<　95%

∴　按分計算が必要

⑵　調整前控除対象仕入税額

①　課税資産の譲渡等にのみ要するもの

$52,000,000円 \times \frac{7.8}{110} = 3,687,272円$

②　その他の資産の譲渡等にのみ要するもの

$3,100,000円 \times \frac{7.8}{110} = 219,818円$

③　共通して要するもの

$6,200,000円 \times \frac{7.8}{110} = 439,636円$

④　調整前控除対象仕入税額

3,687,272円＋439,636円×90%＝4,082,944円

⑶　特定収入に係る課税仕入れ等の税額

①　特定収入割合

25%　>　5%　　∴　調整あり

②　調整割合　　10%

③　課税仕入れ等に係る特定収入の税額

イ　$7,300,000円 \times \frac{7.8}{110} = 517,636円$

ロ　$4,000,000円 \times \frac{7.8}{110} \times 90\% = 255,272円$

ハ　イ＋ロ＝772,908円

④　使途不特定の特定収入に係る税額

（4,082,944円－772,908円）×10%＝331,003円

⑤　③＋④＝1,103,911円

⑷　調整後控除対象仕入税額

4,082,944円－1,103,911円＝2,979,033円

2.　一括比例配分方式の場合

課税仕入れ等の税額のうち課税売上割合を乗じた部分のみが控除の対象となるため、課税仕入れ等に係る特定収入の税額も**課税売上割合を乗じた部分のみが調整の対象**となります。

<控除対象仕入税額>

(1)　調整前控除対象仕入税額（通常の計算による控除対象仕入税額）

(2)　特定収入に係る課税仕入れ等の税額（調整税額）

①　特定収入割合

②　調整割合

③　課税仕入れ等に係る特定収入の税額

課税仕入れ等に係る特定収入 $\times \frac{7.8}{110}$ ×課税売上割合

④　使途不特定の特定収入に係る税額

((1)－(2)③)　×調整割合

⑤　③＋④

(3)　調整後控除対象仕入税額

(1)－(2)⑤

次の**<具体例>**を使って、調整後の控除対象仕入税額の求め方を確認していきます。

<具体例>

1　収入　　22,650円

課税商品売上げ	1,000円	（税抜）
利息収入	1,000円	
寄附金	8,000円	
補助金	12,650円	（内訳：商品梱包用機械4,400円、本部備品8,250円）

2　支出　　20,900円

課税商品仕入れ	5,500円	（税込）
その他の課税仕入れ	2,750円	（税込価格、共通して要する課税仕入れに該当）
商品梱包用機械	4,400円	（税込）
本部備品	8,250円	（税込）

3　課税売上割合：50%

4　特定収入割合：$\frac{20,650円}{22,650円}$

5　調整割合　　：80%

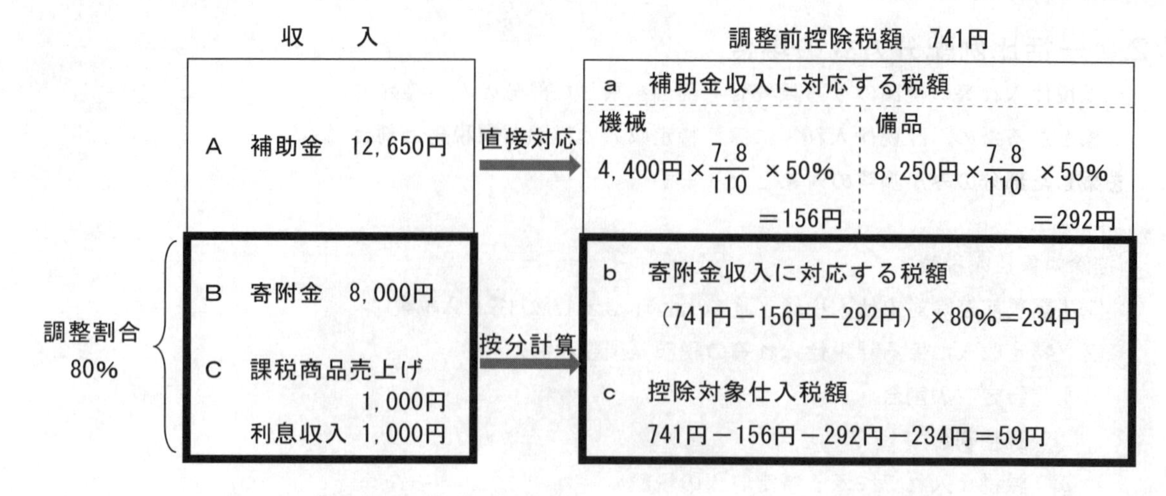

⑴　調整前控除対象仕入税額

$20,900円 \times \frac{7.8}{110} \times 50\% = 741円$

⑵　特定収入に係る課税仕入れ等の税額（調整税額）

①　特定収入割合

$\frac{20,650円}{22,650円} = 0.9116\cdots > 5\%$　　∴　調整あり

②　調整割合　　80%

③　課税仕入れ等に係る特定収入の税額

$12,650円 \times \frac{7.8}{110} \times 50\% = 448円$

④　使途不特定の特定収入に係る税額

（741円－448円）×80%＝234円

⑤　③＋④＝682円

⑶　調整後控除対象仕入税額

741円－682円＝59円

設例2－5　控除対象仕入税額の計算（一括比例配分方式）

次の【資料】より、一括比例配分方式による控除対象仕入税額を割戻し計算の方法により計算しなさい。

なお、当社は当課税期間（令和７年４月１日～令和８年３月31日）まで継続して課税事業者である。また、軽減税率が適用される取引は含まれていない。

【資料】

(1) 特定収入

① 補助金収入（使途が課税仕入れ等に特定）　11,300,000円

内訳：課税資産の譲渡等にのみ要する課税仕入れ等に使途が特定　7,300,000円

共通して要する課税仕入れ等に使途が特定　4,000,000円

② 交付金収入　6,600,000円

交付金収入については使途が特定されていない

(2) 課税仕入れ等（税込み）

① 課税資産の譲渡等にのみ要するもの　52,000,000円

② その他の資産の譲渡等にのみ要するもの　3,100,000円

③ 課税資産の譲渡等とその他の資産の譲渡等に共通して要するもの　6,200,000円

(3) 課税売上割合：90%

(4) 特定収入割合：25%

(5) 調整割合　：10%

解答

控除対象仕入税額　2,871,819　円

解説

(1) 課税売上割合

90% ＜ 95%

∴ 按分計算が必要

(2) 調整前控除対象仕入税額

① 課税仕入れ等の税額の合計額

52,000,000円＋3,100,000円＋6,200,000円＝61,300,000円

61,300,000円×$\frac{7.8}{110}$＝4,346,727円

② 調整前控除対象仕入税額

4,346,727円×90%＝3,912,054円

(3) 特定収入に係る課税仕入れ等の税額

① 特定収入割合

25% ＞ 5%　　∴ 調整あり

② 調整割合　10%

③ 課税仕入れ等に係る特定収入の税額

11,300,000円×$\frac{7.8}{110}$×90%＝721,144円

④　使途不特定の特定収入に係る税額

（3,912,054円－721,144円）×10％＝319,091円

⑤　③＋④＝1,040,235円

⑷　調整後控除対象仕入税額

3,912,054円－1,040,235円＝2,871,819円

Section 3 国、地方公共団体等に対するその他の特例

Section 1で学習したように、国、地方公共団体等に対する消費税の計算等についてはさまざまな特例規定が設けられています。

ここでは、そのうち納税義務者や資産の譲渡等の時期等の仕入税額控除以外の特例を見ていきましょう。

1 事業単位の特例（法60①） 理論

国や地方公共団体[*01)]**が一般会計**[*02)]**に係る業務として行う事業**又は**特別会計**[*03)]**を設けて行う事業**については、業務の内容が異なるため、一般会計又は特別会計ごとに**一の法人が行う事業とみなし**て、消費税法の規定を適用します。

これは、法人であれば事業所がいくつあったとしても一法人単位で消費税の計算を行うのに対し、**国や地方公共団体は「会計」を単位として消費税の計算を行うという特例**です。

例えば、水道局や市立病院、地方競馬等は地方公共団体の一機関ですが、これらの機関が市役所等で行う一般会計に関する業務と一緒に計算されるのは合理的ではありません。そのため、こういった独立した機関はその機関単位で消費税の計算を行います。

なお、特別会計のうち、取引の相手先が専ら一般会計となる特別会計は例外として一般会計とみなして計算します。

*01) ここでは、国と地方公共団体に限定しています。

*02) 一般会計とは、国や地方公共団体が基本的業務を行うために必要な支出（歳出）と収入（歳入）を管理する会計をいいます。

*03) 特別会計とは、国や地方公共団体が特定の事業や特定の資金の運用を行う場合に、一般会計と区別して行う会計をいいます。

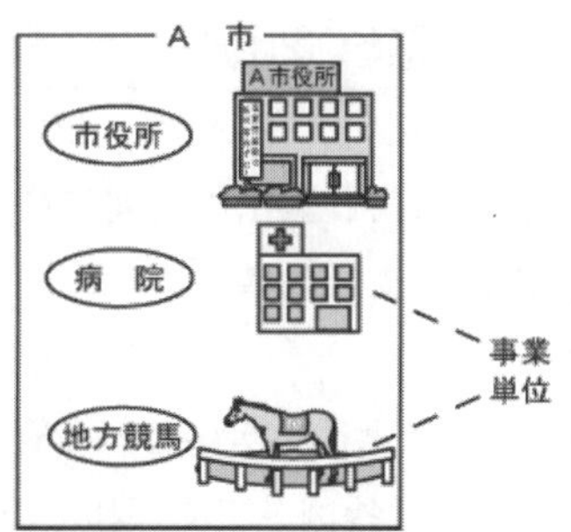

> **消費税法〈事業単位の特例〉**
>
> 法60条①　国若しくは地方公共団体が一般会計に係る業務として行う事業又は国若しくは地方公共団体が特別会計を設けて行う事業については、その一般会計又は特別会計ごとに一の法人が行う事業とみなして、この法律の規定を適用する。ただし、国又は地方公共団体が特別会計を設けて行う事業のうち政令で定める特別会計を設けて行う事業については、一般会計に係る業務として行う事業とみなす。

<特別会計のうち一般会計とみなすもの>（令72①）

特別会計のうち、専ら特別会計を設ける国又は地方公共団体が一般会計に対して資産の譲渡等を行うものについては、一般会計とみなされます。

一般会計とみなされる特別会計の範囲（基通16－1－1）

⑴　専ら、一般会計の用に供する備品を調達して、一般会計に引渡すことを目的とする特別会計

⑵　専ら、庁用に使用する自動車を調達管理して一般会計の用に供することを目的とする特別会計

⑶　専ら、一般会計において必要とする印刷物を印刷し、一般会計に引き渡すことを目的とする会計

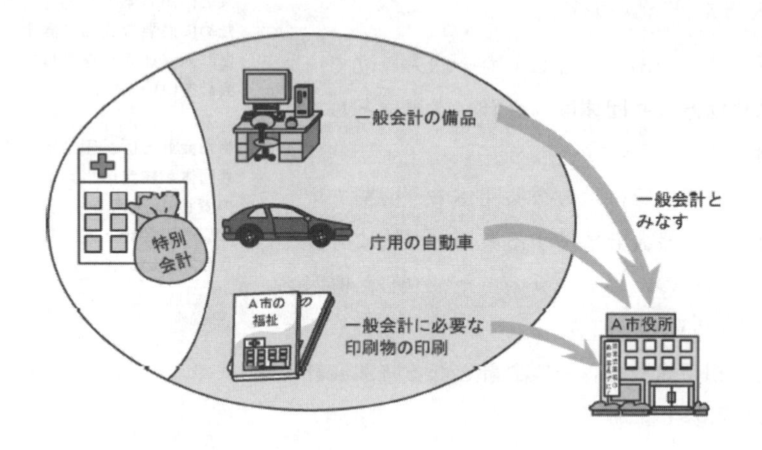

2　資産の譲渡等の時期等[*01]の特例（法60②③）　理論

資産の譲渡等の時期は、原則として、引渡しのあった日となります。しかし、国や地方公共団体の会計は、歳入及び歳出の帰属年度が定められており、**歳入は収納基準**により、**歳出は支払基準**により会計処理が行われています。

そこで、消費税法においても、国や地方公共団体等が行った資産の譲渡等の時期及び課税仕入れ等の時期については特例が認められています。

*01) ここは、売上げだけでなく仕入れについても含まれています。

1.　資産の譲渡等の時期

その**対価を収納すべき会計年度の末日**に行われたものとすることができます。

2.　課税仕入れ及び保税地域からの引取りの時期

その**費用の支払いをすべき会計年度の末日**に行われたものとすることができます。

<資産の譲渡等の時期等の特例>

発生主義

⑦
1/1

⑦
12/31

国等の会計

A市役所

対価を収納すべき
会計年度の末日に
行われたものとする
ことができます

消費税法<資産の譲渡等の時期等の特例>

法60条②　国又は地方公共団体が行った資産の譲渡等、課税仕入れ及び課税貨物の保税地域からの引取りは、政令で定めるところにより、その資産の譲渡等の対価を収納すべき会計年度並びにその課税仕入れ及び課税貨物の保税地域からの引取りの費用の支払をすべき会計年度の末日に行われたものとすることができる。

3　国又は地方公共団体の一般会計に係る業務の特例　理論

1.　税額控除（法60⑥）

国や地方公共団体の一般会計については、課税標準額に対する消費税額から控除することができる消費税額の合計額は、**課税標準額に対する消費税額と同額とみなします**[*01]。

*01) 要するに、納付税額や還付税額はないということです。

2.　納税義務の免除等の適用除外（法60⑦）

国や地方公共団体の一般会計については、小規模事業者に係る納税義務の免除、中間申告、確定申告、小規模事業者の納税義務の免除の規定が適用されなくなった場合等の届出、帳簿の備付け等の規定は、適用されません[*02]。

*02) 結果として、一般会計に関しては税額が算出されず、申告も行わなくてよいことから、消費税に関しては何も行わなくてよいこととなります。

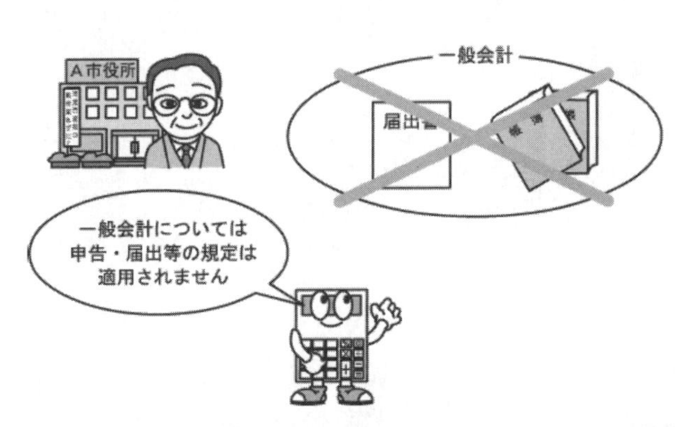

4 申告期限の特例（法60⑧） 理論

消費税の申告期限は、原則として、課税期間の末日の翌日から２ヵ月以内とされています。しかし、国や地方公共団体等については、経理方法が他の法令で定められており、原則の申告期限では対応できないため、**申告期限の特例**が設けられています。

1. 確定申告書の提出期限（令76②）

課税期間の末日の翌日から以下の期間内に提出します。

⑴ 国：**５月以内**

⑵ 地方公共団体（⑶を除く）：**６月以内**

⑶ 地方公共団体の経営する企業で一定のもの：**３月以内**

⑷ 公益法人等のうち一定のもの：**６月以内**で納税地の所轄税務署長が承認する期間内

Chapter 14

特殊論点

ここでは、個人事業者の法人と異なる計算上の注意点や、事業承継があった場合の特殊な取扱い、調整対象固定資産を購入した場合の納税義務、簡易課税の適用に関する特例、課税売上割合の特例といったこれまでとは違った問題が出題された場合の特殊論点について見ていきましょう。

Section 1

個人事業者の税額計算の注意点

これまで学習してきた消費税の税額計算は、事業者が法人であることを前提とした問題を中心に学習してきましたが、ここでは、消費税のもう１つの「事業者」である「個人事業者」の場合の取扱いについて見ていきます。
法人との取扱いの違いに注意しながら、個人事業者特有の取扱いを確認しましょう。

1 個人事業者の概要 計算

消費税の納税義務者である「事業者」には、**個人事業者**と**法人**があります。どちらも事業を行う主体である点は相違ありませんが、事業を行うために法的に人格が定められた法人に対し、個人事業者はあくまで事業を行う一個人にすぎませんので、その行う行為については、事業として行う行為の他に、個人としての立場で行う行為が考えられます。消費税の計算は、教科書消費税法Ⅱ基礎完成編Chapter２で学習したように「事業者が事業として」行う行為のみが課税の対象の要件を満たす取引となりますので、個人事業者の場合は、その行う行為に対し、**事業として行っているか否かの判定が必要となります。**

消費税法〈定義〉
第２条①四　事業者　個人事業者及び法人をいう。

消費税法〈課税の対象〉
第４条①　国内において事業者が行った資産の譲渡等（特定資産の譲渡等に該当するものを除く。）及び特定仕入れ（事業として他の者から受けた特定資産の譲渡等をいう。）には，この法律により，消費税を課する。
②　保税地域から引き取られる外国貨物には，この法律により，消費税を課する。

消費税法〈資産の譲渡等〉
第２条①八　事業として対価を得て行われる資産の譲渡及び貸付け並びに役務の提供（代物弁済による資産の譲渡その他対価を得て行われる資産の譲渡若しくは貸付け又は役務の提供に類する行為として政令で定めるものを含む。）をいう。

〈課税対象の４要件（特定仕入れを除く。）〉
⑴　国内において行うものであること
⑵　事業者が事業として行うものであること
⑶　対価を得て行われるものであること
⑷　資産の譲渡及び貸付け並びに役務の提供であること

<事業としての意義>

「事業として」とは、「対価を得て行われる資産の譲渡及び貸付け並びに役務の提供」が反復、継続、独立して行われることをいいます。

これは、事業に該当するかどうかの判断基準として所得税法では「規模」を用いることに対し、消費税ではその規模に関係なく、独立性や継続性等を用いるということを意味します。

したがって、例えば個人の住宅を一時的に他人に賃貸し、対価を得る場合等も消費税では事業として行う行為となります。

2 注意すべき具体的な取扱い　計算

1. 事業用固定資産の購入と売却

⑴ 固定資産を購入した場合の課税仕入れ等の判定

固定資産を購入した場合に、その購入が事業として行われたか否かの判定は、その資産の**購入時の用途**が事業用か否かで判定します。

なお、事業としてか否かの判定は、あくまでも購入時点での用途が事業用か否かで行いますので、家事用として購入した後、その資産を事業用に転用したとしてもその用途変更した時点では事業としての課税仕入れ等に該当しません。

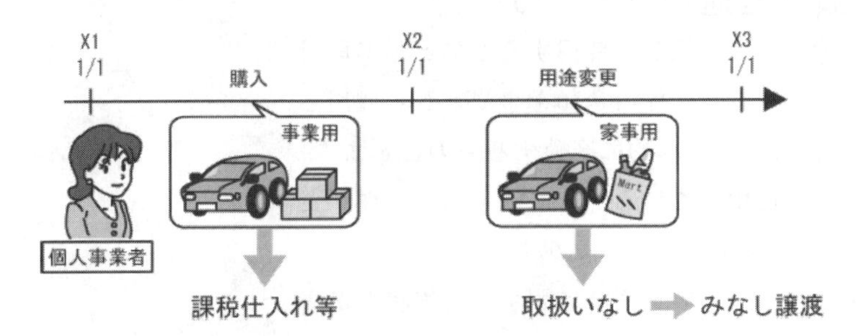

⑵ 事業用固定資産を売却した場合の課税売上げの判定

固定資産を売却した場合に、その売却が事業として行われたか否かの判定は、その資産の**売却時の使用状況が事業用か否か**で判定します。

すなわち、購入時と同様に、用途で考えることとなりますが、購入時点で家事用資産として購入したものであっても、その後事業の用に供し、売却時点では事業用となっていた場合には、事業用資産として取り扱います*01)。

また、売却時点の使用状況のみで判定しますので、その売却の目的が「事業用資金取得のため」等の事業に関する目的であったとしても、売却時点で事業として使用していない資産であれば事業用資産の売却に該当しません*02)。

*01) この場合、売却時には課税売上げとなりますが、購入時には課税仕入れとなりません。

*02) 事業用資金取得のために不動産を売却するイメージです。

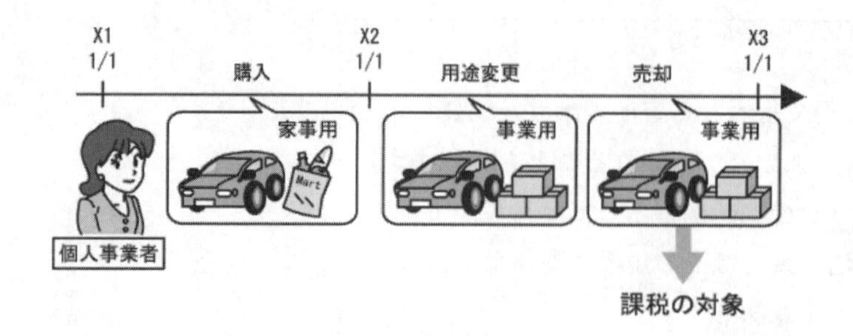

<固定資産の購入・売却における「事業用」の判定基準>

購入した資産が事業用資産に該当する場合、会計上は「(借) 固定資産 (貸) 現金等」といった仕訳が切られ、貸借対照表に計上されることとなります。

また、売却した資産が事業用資産に該当する場合は、売却した資産が貸借対照表に計上されているため「(借) 現金等 (貸) 固定資産」という仕訳が切られ、帳簿価額を減額します。

このように、消費税における固定資産の購入や売却が消費税の計算に含めることとなる事業用資産に該当するかどうかは、単純に購入、売却時に貸借対照表に計上されている資産か否かという点を考慮するとイメージしやすくなります。

2. 事業共用資産の譲渡（基通10－１－19）

個人事業者が、**事業と家事の用途に共通して使用するものとして取得した資産を譲渡**した場合には、その譲渡に係る金額を事業として使用している部分と家事使用に係る部分とに合理的に区分するものとします。

この場合において、**事業として使用している部分に係る対価の額が資産の譲渡等の対価の額**（消費税の課税対象）となります。

例えば、店舗併用住宅のように１つの固定資産に関する使用状況が事業部分と家事部分の双方が含まれているケースが該当します。

このような場合には、**使用割合等により按分**し、按分後の事業部分の金額を資産の譲渡等の対価の額（消費税の課税対象）とします。

<具体例>

店舗併用住宅の売却価額　　80,000,000円

（店舗と自宅の使用割合４：６、土地と建物の時価比率７：３）

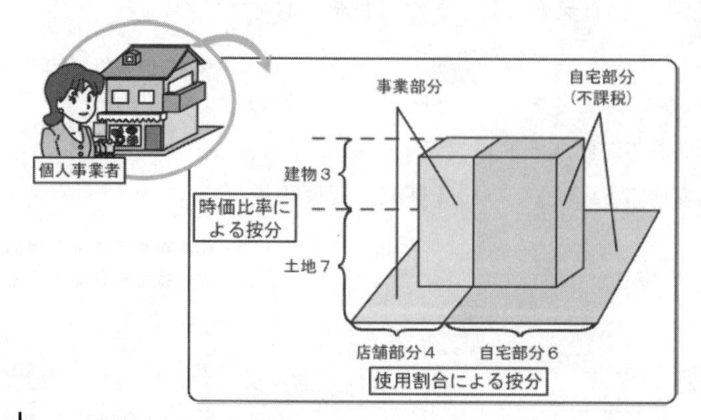

課税売上げ（建物の売却額）

$$80,000,000円\times\frac{4}{4+6}\times\frac{3}{3+7}=9,600,000円$$

非課税売上げ（土地の売却額）

$$80,000,000円\times\frac{4}{4+6}\times\frac{7}{3+7}=22,400,000円$$

3. 事業共用資産の取得（基通11－１－４）

個人事業者が、**資産を事業と家事の用途に共通して消費し、又は使用するものとして取得**した場合には、その**家事消費又は家事使用に係る部分は課税仕入れに該当しません。**

この場合において、この資産の取得に係る課税仕入れに係る支払対価の額は、売却と同様にこれらの資産の消費又は使用の実態に基づく合理的な基準により計算します。

例えば、**2.**と同様に店舗併用住宅の購入を行った場合には、**使用割合等を使って按分**し、按分後の事業部分の金額を課税仕入れに係る支払対価の額とします。

〈具体例〉

店舗併用住宅の購入対価　　80,000,000円

（店舗と自宅の使用割合４：６、土地と建物の時価比率７：３）

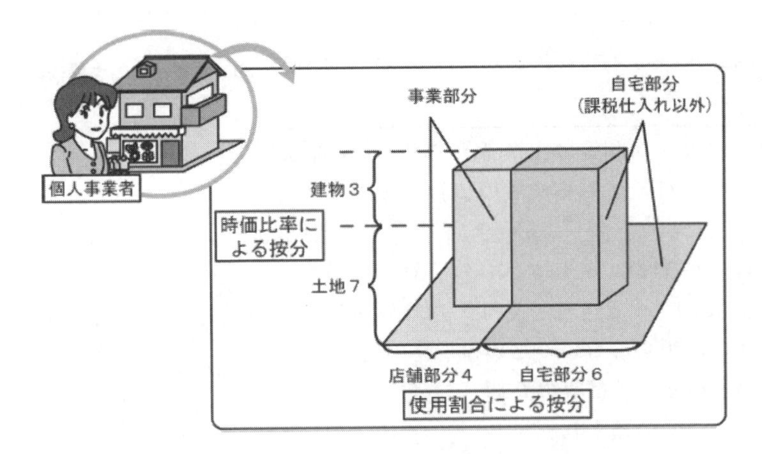

課税仕入れ（建物の購入対価）

$$80,000,000円\times\frac{4}{4+6}\times\frac{3}{3+7}=9,600,000円$$

※　土地の購入対価は非課税仕入れとなるため、求める必要はありません。

4. 家事消費等（基通５－３－１）

「**個人事業者**が棚卸資産等の**事業用資産を家事のために消費**し、又は使用した場合におけるその消費又は使用」は、対価を得て行われた資産の譲渡とみなされ、**課税の対象に含まれます。**

この場合に「家事のために消費し、又は使用した場合」には、個人事業者本人が消費し、又は使用した場合のほか、個人事業者と生計を一にする親族*03)が消費し、又は使用した場合も含まれます。

*03) 生計を一にする親族とは、実際に同居している親族や、同居はしていないが就学等の理由で生活費の送金等を行っている場合等が該当します。
なお、実際に同居している場合であっても、明らかに互いに独立した生活を営んでいると認められる場合はこれに該当しません。

5. 低額譲渡の不適用

個人事業者には低額譲渡の規定の適用はありません*04)。したがって、例えば個人事業者が親族等に著しく低い対価で棚卸資産等の譲渡を行ったとしても、その著しく低い対価の額がそのまま資産の譲渡等の対価の額となります*05)。

*04) 低額譲渡の規定は、「法人が資産をその役員に著しく低い対価で譲渡した場合」の規定であるため、個人事業者には適用されません。
詳しくは教科書消費税法Ⅱ基礎完成編Chapter 5 を参照してください。

*05) 時価相当額を対価の額とみなすことはありません。

6. 付随行為（基通５－１－７）

個人事業者が行った付随行為のうち、「事業として」に該当するか否かは下記のとおりとなります。

該当するもの	・職業運動家、作家、映画・演劇等の出演者等で事業者に該当するものが対価を得て行う他の事業者の広告宣伝のための役務の提供 ・職業運動家、作家等で事業者に該当するものが対価を得て行う催物への参加又はラジオ放送若しくはテレビ放送等に係る出演その他これらに類するもののための役務の提供 **・事業の用に供している建物、機械等の売却** **・利子を対価とする事業資金の預入れ** **・事業遂行のための取引先又は使用人に対する利子を対価とする金銭等の貸付け** ・新聞販売店における折込広告 ・浴場業、飲食業等における広告の掲示
該当しないもの	**・事業に供していない有価証券等、ゴルフ場利用株式等の譲渡** **・家事用固定資産の譲渡** ・趣味で所有している絵画等の譲渡

設例１－１　個人事業者の税額計算上の注意点

不動産賃貸業を営む個人事業者甲（以下「甲」という。）の当課税期間（令和７年１月１日～令和７年12月31日）の収入に関する状況は次の【資料】のとおりである。

これに基づき、甲の当課税期間の消費税の課税標準額を計算しなさい。

【資料】

⑴　マンションの売却収入　125,000,000円

居住用マンションとして賃貸していた建物及び敷地を本年11月30日に売却したものである。なお、２フロアを甲の住宅として使用しており、賃貸の用に供している部分と甲の自宅の使用割合は８：２である。また、マンションの建物と敷地の時価の比率は３：７である。

⑵　パソコンの売却収入　50,000円

甲が自宅で使用していたものを前課税期間に賃貸物件の管理用に供したものである。

⑶　ゴルフ会員権の売却収入　250,000円

⑷　自家用車の売却収入　150,000円

甲が事業用車両の購入に当たり、自家用車を下取りに出した際の下取価額である。

解答

課税標準額　27,318,000 円

解説

⑴　居住用マンションは、賃貸の用に供していた部分のみが「事業として」に該当するため、使用割合８：２で按分し、事業用部分を抜き出します。

また、売却価額には敷地に係るものも含まれているため、上記按分により算出した事業用部分をさらに建物と敷地の時価の比率３：７で按分し、事業用の建物の売却価額を算出します。

⑵　パソコンは売却時に事業の用に供しているため、事業としての譲渡に該当し、課税標準に含まれます。

⑶　ゴルフ会員権の売却は問題文において「事業の用に供している」旨の記載がないため、事業としての売却に該当しないため、課税標準に含めません。

⑷　自家用車の下取り（譲渡）は、事業用資産取得のためであっても、下取り（譲渡）時に事業の用に供していないため、課税標準に含めません。

マンション建物の売却125,000,000円$\times\frac{8}{8+2}\times\frac{3}{3+7}$＋パソコン売却50,000円＝30,050,000円

30,050,000円$\times\frac{100}{110}$＝27,318,181円 → 27,318,000円（千円未満切捨）

Section 2

事業承継があった場合の注意点

相続、合併、分割、現物出資、事後設立等さまざまな事業承継の形態がありますが、消費税の計算においては、どのような点に注意したらよいのでしょうか？

ここでは、事業承継が行われた際に特に気をつけなければならない点について確認していきましょう。

1 事業承継があった場合の取扱いの概要

相続、合併、分割[*01]により事業や資産が別の者に引き継がれたとしても、消費税における資産の譲渡等には該当せず、課税関係は生じません。

これは、相続を単に事業の代替わりと捉えて、被相続人が行っていた事業が相続人により引き続き行われていくという考えによるものです。

一方、単に代替わりといっても形式上申告を行う名義は変更されるため、引き継いだ相続人は被相続人とは別人格として申告しなければなりません。

そこで、形式上は別人格である相続人と被相続人の間で相続により**事業が承継された場合には、事業の継続性を考慮してさまざまな調整を行います。**

なお、**合併や分割による事業承継もこれと同様に考えます。**

*01) 相続、合併、分割による承継を「包括承継」といい、包括承継に該当するものは、資産の移転の時に課税関係が生じません。

2 仕入れに係る対価の返還等があった場合（法32③⑥⑦）

相続人が、被相続人により行われた課税仕入れにつき仕入れに係る対価の返還等を受けた場合には、その**相続人が行った課税仕入れにつき仕入れに係る対価の返還等を受けたものとみなして、仕入れに係る対価の返還等の特例を適用**します。

なお、合併、分割の場合も同様の取扱いをします。

また、相続人が被相続人による保税地域からの引取りに係る課税貨物に係る消費税額の還付を受ける場合も相続人が保税地域から引取る課税貨物について還付を受けたものとみなします[*01]。

*01) この場合も通常のケースと同様に、被相続人等が仕入れを行った課税期間が免税事業者であった場合には、原則的には適用を受けません。ただし、後述する棚卸資産の調整との関係で適用されるケースもあります。

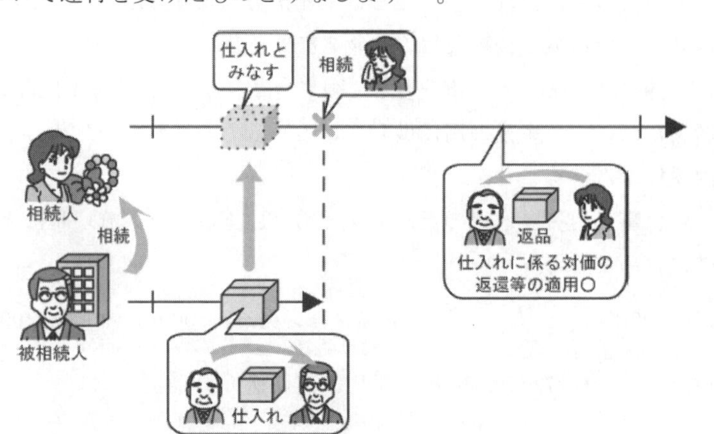

3 売上げに係る対価の返還等に係る消費税額の控除（法38③④）

相続人が、被相続人により行われた課税資産の譲渡等につき売上げに係る対価の返還等をした場合には、その**相続人が行った課税資産の譲渡等につき売上げに係る対価の返還等をしたものとみなし**て、売上げに係る対価の返還等に係る消費税額の控除の規定を適用します*01)。

なお、合併、分割の場合も同様の取扱いをします。

*01) この場合も通常のケースと同様に、被相続人等が課税資産の譲渡等を行った課税期間が免税事業者であった場合には適用を受けられません。

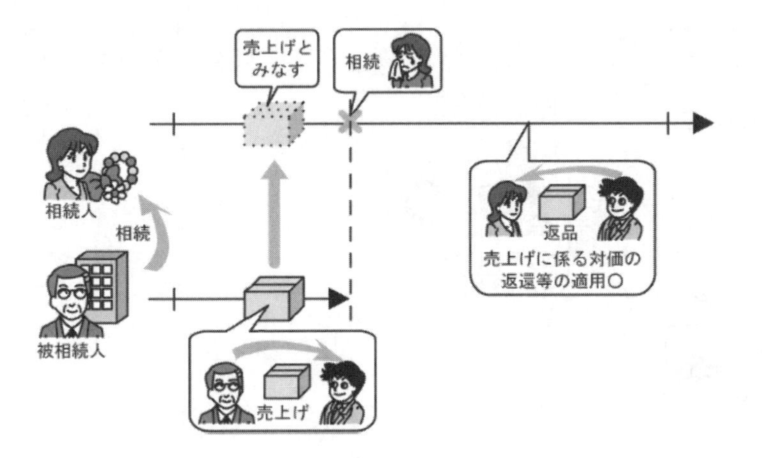

4 貸倒れに係る消費税額の控除（法39④⑥）

相続人が、被相続人により行われた課税資産の譲渡等の相手方に対する売掛金その他の債権について貸倒れの事実が生じたときは、その**相続人が課税資産の譲渡等を行ったものとみなし**て貸倒れに係る消費税額の控除の規定を適用します*01)。

なお、合併、分割の場合も同様の取扱いをします。

*01) この場合も通常のケースと同様に、被相続人等が課税資産の譲渡等を行った課税期間が免税事業者であった場合には適用を受けられません。

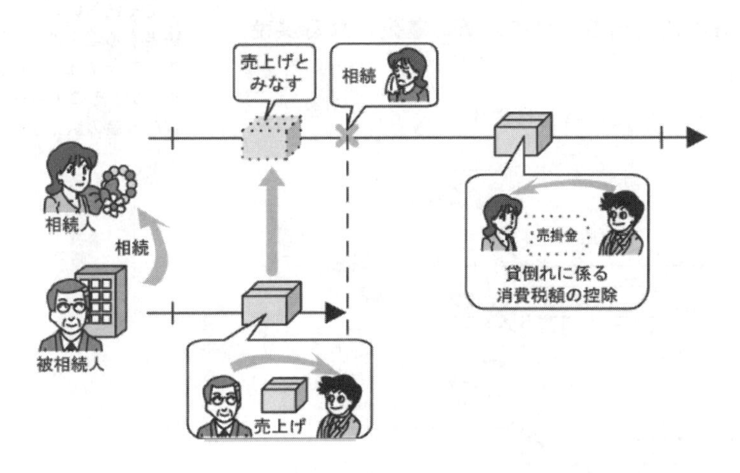

5 貸倒れの回収があった場合(法39⑤⑥)

理論 計算

相続人が、被相続人について貸倒れに係る消費税額の控除の規定が適用された課税資産の譲渡等の税込価額の全部又は一部を領収した場合には、その**相続人が貸倒れに係る消費税額の控除の適用を受けたものとみなし**て、控除過大調整税額の規定を適用します[*01]。

なお、合併、分割の場合も同様の取扱いをします。

*01) この場合も通常のケースと同様に、被相続人等の貸倒れが生じた課税期間が免税事業者であった場合には適用を受けられません。

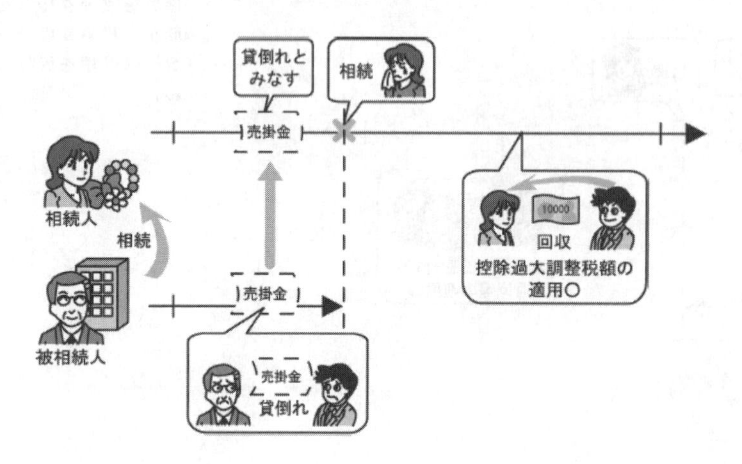

6 棚卸資産に係る消費税額の調整

理論 計算

1. 免税事業者が課税事業者となった場合（法36①）

免税事業者が、相続があった場合の納税義務の免除の特例[*01]により相続のあった日の翌日から課税事業者となった場合において、**課税事業者となった日の前日において免税期間中に購入した棚卸資産を有している**ときは、その棚卸資産に係る消費税額を、その**課税事業者となった日の属する課税期間の仕入れに係る消費税額の計算の基礎となる課税仕入れ等の税額とみなします。**

なお、合併、分割の場合も同様の取扱いをします。

*01) 相続人が納税義務の免除の特例（法10①）の適用により、年の中途から課税事業者となるケースの取扱いです。（詳しくはChapter 7を参照してください。）
該当する場合には、課税事業者となった日の前日に棚卸を行い、その金額をベースに棚卸資産の調整を行います。

相続
相続の日
免税事業者 免税事業者 課税事業者
相続人
相続
相続の日に保有している棚卸資産が対象
被相続人
課税事業者 課税事業者

2.　相続等があった場合（法36③）

課税事業者である相続人が、相続により免税事業者である被相続人から事業を承継した場合において、相続人がその被相続人が免税期間中に購入した棚卸資産を相続により引き継いだときは、その棚卸資産に係る消費税額を、その相続人の**相続があった日の属する課税期間の仕入れに係る消費税額の計算の基礎となる課税仕入れ等の税額とみなします。**

なお、合併、分割の場合も同様の取扱いをします。

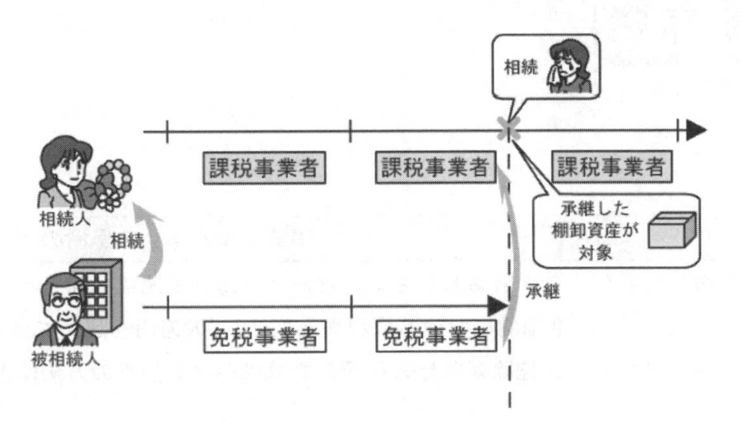

〈法 36 条１項と３項の違い〉

法 36 条第１項（　　）書きの対象としている棚卸資産は、もともと免税事業者であった相続人が被相続人の事業を承継したことにより、法 10 条第１項（相続があった場合の納税義務の免除の特例）の適用を受け、相続のあった日の翌日から課税事業者となるケースにおいて、その課税事業者となった日の前日において相続人本人が所有していた棚卸資産です。

一方、法 36 条第３項の対象としている棚卸資産は、免税事業者であった被相続人から引き継いだ被相続人死亡時の棚卸資産となります。

相続等があった場合にはどちらのケースの調整を行うべきかを問題文上で確認する必要があるので注意しましょう。

3.　仕入れに係る対価の返還等との関係 

2 で学習したように、被相続人が免税事業者である期間中に行った課税仕入れにつき相続人が対価の返還等を受けたとしても、本来は仕入返還の処理の対象となりません。しかし、**被相続人から引継いだ棚卸資産について棚卸資産に係る消費税額の調整の適用を受けて税額控除の対象としたものに対し、仕入れに係る対価の返還等が生じた場合には、調整の対象となります。**

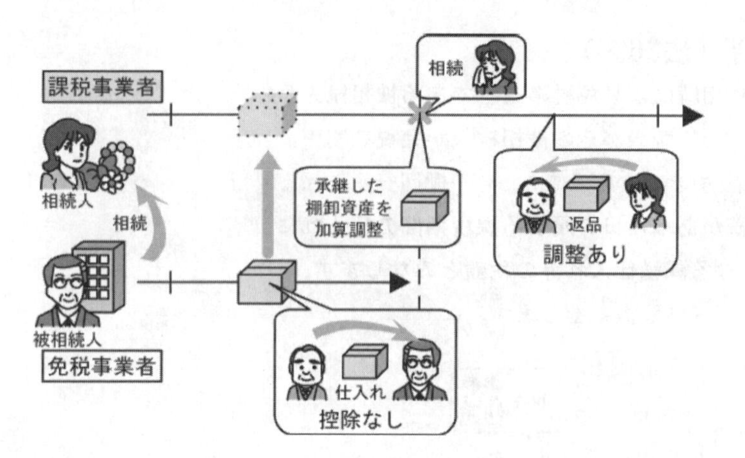

設例２－１　　事業承継があった場合の注意点⑴

次の【資料】に基づき、相続人Ｂの控除税額小計を計算しなさい。なお、当課税期間は令和７年１月１日から令和７年12月31日までの１年間であり、基準期間における課税売上高は1,000万円を超えている。また、軽減税率が適用される取引は含まれておらず、控除対象仕入税額の計算は割戻し計算の方法による。

【資料】

⑴　相続人Ｂは、令和７年９月１日に被相続人Ａの事業を相続している。

⑵　相続人Ｂの当課税期間における消費税に関する事項は次のとおりである。

①　課税仕入高　　12,700,000円

②　仕入割戻　　2,625,010円

すべて被相続人Ａが令和７年１月１日から令和７年８月31日の間に行った課税仕入れに係るものである。

③　売上値引　　3,150,007円

すべて被相続人Ａが令和７年１月１日から令和７年８月31日の間に行った課税売上げに係るものである。

④　貸倒損失　　315,004円

内訳は、以下のとおりである。

イ　貸付金に係るもの　　105,000円

ロ　被相続人Ａが令和７年１月１日から令和７年８月31日の間に行った国内課税売上げに対する売掛金に係るもの　　210,004円

⑵　相続人Ｂの当課税期間の課税売上割合は99％であり、当課税期間の課税売上高（税抜）は20,000,000円である。

⑶　被相続人Ａは、事業開始以来死亡時まで継続して課税事業者であった。

解答

控除税額小計　　952,663　円

解説

⑴　課税売上割合

99%　≧　95%

課税売上高　　20,000,000円　≦　500,000,000円

∴　按分計算は不要

⑵　控除対象仕入税額

①　課税仕入れ

$12,700,000円 \times \frac{7.8}{110} = 900,545円$

②　仕入返還等

$2,625,010円 \times \frac{7.8}{110} = 186,137円$

③　控除対象仕入税額

900,545円－186,137円＝714,408円

⑶　売上げの返還等対価に係る消費税額

$3,150,007円 \times \frac{7.8}{110} = 223,364円$

⑷　貸倒れに係る消費税額

$210,004円 \times \frac{7.8}{110} = 14,891円$

⑸　控除税額小計

714,408円＋223,364円＋14,891円＝952,663円

7 調整対象固定資産に係る消費税額の調整  計算

被相続人が取得した調整対象固定資産を承継した相続人には、調整対象固定資産に係る消費税額の調整の規定が適用されます。なお、合併、分割の場合も同様の取扱いをします。

1. 課税売上割合が著しく変動した場合（法33①）

相続により調整対象固定資産を引き継いだ場合において、その調整対象固定資産に関する仕入れに係る消費税額の調整の要否を判定する際に用いる仕入れ等の課税期間の課税売上割合は、**被相続人が調整対象固定資産の課税仕入れ等を行った課税期間の課税売上割合**とし、通算課税売上割合は**被相続人の仕入れ等の課税期間開始の日から３年を経過する日の属する相続人の課税期間を第３年度の課税期間**として、その第３年度の課税期間の末日までの課税売上割合を通算して求めます。

次の〈**具体例**〉を使って確認していきます。

〈**具体例**〉

被相続人Ａが令和５年８月10日に取得した調整対象固定資産を、相続人Ｂが令和６年10月５日に相続し、当課税期間（令和７年１月１日～令和７年12月31日）末時点においても保有している場合に、被相続人Ａ及び相続人Ｂの各年度の課税売上割合が以下のようであったとします。

	令和５年	令和６年	令和７年
被相続人Ａの課税売上割合	$\frac{800円}{4,000円}$	$\frac{1,600円}{2,000円}$	
相続人Ｂの課税売上割合	$\frac{6,400円}{8,000円}$	$\frac{8,000円}{10,000円}$	$\frac{9,100円}{10,000円}$

このケースでは、仕入れ等の課税期間は被相続人が調整対象固定資産を購入した令和５年となり、仕入れ等の課税期間の課税売上割合は $\frac{800円}{4,000円}$ ＝**20%**となります。

また、第３年度の課税期間は、被相続人Ａの仕入れ等の課税期間である令和５年の開始の日である令和５年１月１日から３年を経過する日（令和７年12月31日）の属する相続人Ｂの課税期間である令和７年（令和７年１月１日～令和７年12月31日）となります。

このときに通算課税期間は、次のようにとります。

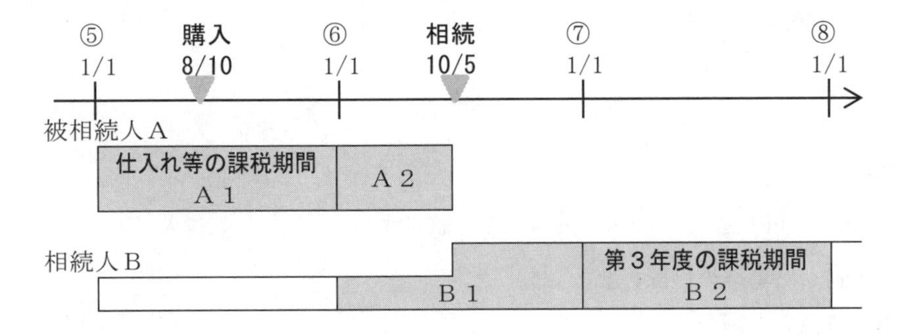

通算課税期間＝A１＋A２＋B１＋B２

したがって、通算課税売上割合は、次のようになります。

$$\frac{800円＋1,600円＋8,000円＋9,100円}{4,000円＋2,000円＋10,000円＋10,000円}＝\frac{19,500円}{26,000円}＝0.75$$

なお、合併や分割の場合も同様の取扱いをします。

設例２－２　事業承継があった場合の注意点⑵

次の【資料】に基づいて甲社の当課税期間（令和７年４月１日～令和８年３月31日）における調整税額を計算しなさい。なお、甲社及び乙社はいずれの課税期間も消費税の納税義務を有している。

【資料】

⑴　甲社は令和６年10月１日に乙社を吸収合併している。

⑵　甲社は乙社を吸収合併するにあたって、乙社が令和５年８月10日に取得した調整対象固定資産（税込金額3,300,000円）を引き継いでおり、甲社は当課税期間末日において当該調整対象固定資産を保有している。また、乙社は設立以来、課税売上割合が95％未満となる課税期間は一括比例配分方式により仕入れに係る消費税額を計算している。

⑶　甲社の売上高

	前々課税期間 (R5.4.1～R6.3.31)	前課税期間 (R6.4.1～R7.3.31)	当課税期間 (R7.4.1～R8.3.31)
課税売上高（税抜）	265,450,000円	257,865,000円	265,270,000円
非課税売上高	66,362,500円	64,466,250円	30,348,750円

⑷　乙社の売上高

	前々課税期間 (R5.4.1～R6.3.31)	前課税期間 (R6.4.1～R6.9.30)
課税売上高（税抜）	15,750,000円	17,685,000円
非課税売上高	141,750,000円	1,965,000円

解答

調整税額　　140,400 円

解説

⑴　調整対象固定資産の判定

$3,300,000円 \times \frac{100}{110} = 3,000,000円 \geqq 1,000,000円$　　∴　該当する

⑵　課税売上割合が著しく変動した場合の控除税額の調整

①　仕入れ等の課税期間の課税売上割合

$\frac{15,750,000円}{15,750,000円 + 141,750,000円} = \frac{15,750,000円}{157,500,000円} = 0.1$

②　通算課税売上割合

イ　課税売上高

15,750,000円＋17,685,000円＋257,865,000円＋265,270,000円＝556,570,000円

ロ　非課税売上高

141,750,000円＋1,965,000円＋64,466,250円＋30,348,750円＝238,530,000円

ハ　通算課税売上割合

$\frac{イ}{イ+ロ} = \frac{556,570,000円}{795,100,000円} = 0.7$

③　著しい変動の判定

$\frac{0.7 - 0.1}{0.1} = 6 \geqq 50\%$

0.7－0.1＝0.6 ≧　5％　　∴著しい増加

④　調整税額

イ　調整対象基準税額

$3,300,000円 \times \frac{7.8}{110} = 234,000円$

ロ　調整税額

(a)　234,000円×0.1＝23,400円

(b)　234,000円×0.7＝163,800円

(c)　(b)－(a)＝140,400円

合併により乙社の調整対象固定資産を引き継いだ甲社の当課税期間が第3年度の課税期間に該当するため、当課税期間で課税売上割合が著しく変動した場合の控除税額の調整を行うことになります。なお、この場合における通算課税売上割合は、乙社の仕入れ等の課税期間から前課税期間までと、甲社の合併事業年度である前課税期間から当課税期間までを通算課税期間とし、その通算課税期間における割合となります。

2. 転用があった場合（法34①、法35①）

相続により被相続人が購入した調整対象固定資産を引き継いだ相続人が、**被相続人がその資産を購入した日から３年以内に転用した場合**には、その相続人がその転用した課税期間で相続人自身が取得した場合と同様に調整税額を算定します。

次の<**具体例**>を使って確認していきます。

<**具体例**>

被相続人Ａが令和５年８月１日に課税業務用として取得した調整対象固定資産を令和６年10月５日に相続人Ｂが相続し、当課税期間（令和７年１月１日～令和７年12月31日）の７月１日にその調整対象固定資産を課税業務用から非課税業務用に転用したとします。

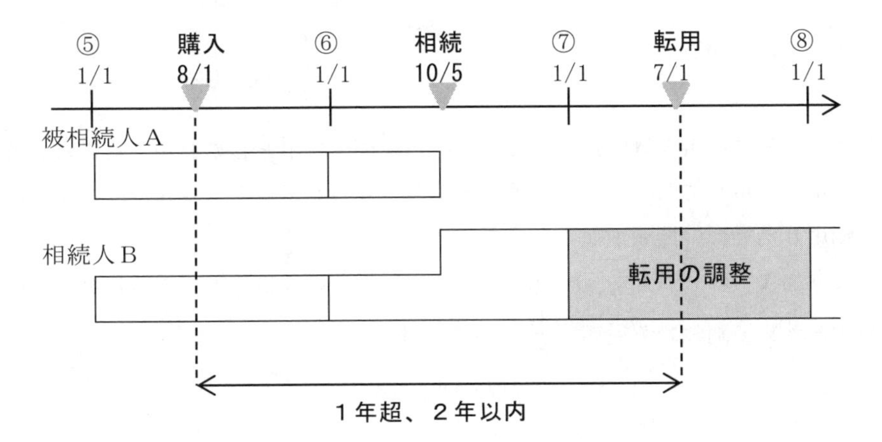

この場合に、被相続人Ａがその調整対象固定資産を取得した令和５年８月１日から、相続人Ｂが転用した令和７年７月１日までが１年超２年以内の期間となるため、令和７年で相続人Ｂが転用の調整をすることとなります。

なお、合併、分割の場合も同様の取扱いをします。

設例２－３　事業承継があった場合の注意点(3)

次の【資料】に基づいて甲社の当課税期間（令和７年４月１日～令和８年３月31日）における調整税額を計算しなさい。なお、甲社及び乙社はいずれの課税期間も消費税の納税義務を有している。

【資料】

(1)　甲社は令和６年８月１日に乙社を吸収合併している。

(2)　甲社は乙社を吸収合併するにあたって、乙社が令和４年10月10日に取得した調整対象固定資産（税込金額3,300,000円）を引き継いでいる。なお、乙社は当該調整対象固定資産については、課税資産の譲渡等にのみ要するものとして仕入れに係る消費税額の計算を行っている。

(3)　甲社は、令和７年５月25日に(2)の調整対象固定資産を非課税業務用に転用している。

解答

調整税額　78,000 円

解説

⑴　調整対象固定資産の判定

$3,300,000円 \times \frac{100}{110} = 3,000,000円 \geqq 1,000,000円$　∴　該当する

⑵　調整対象固定資産を転用した場合の控除税額の調整

①　調整割合

課税業務用から非課税業務へ転用

令和４年10月10日～令和７年５月25日 → ２年超、３年以内　∴ $\frac{1}{3}$

②　調整税額

$3,300,000円 \times \frac{7.8}{110} \times \frac{1}{3} = 78,000円$

合併により乙社の調整対象固定資産を引き継いだ甲社が、乙社が課税業務用として取得した資産を当課税期間において非課税業務用に転用しており、乙社の取得日から甲社の転用日までが３年以内であるため、調整対象固定資産を転用した場合の控除税額の調整を行います。

なお、乙社の取得日である令和４年10月10日から甲社の転用した日である令和７年５月25日までの期間が２年超３年以内に該当するため、調整対象税額の$\frac{1}{3}$を調整します。

8 現物出資及び事後設立の場合の資産の引き継ぎ

2回目でOK! 計算

分割等[*01]のうち、**現物出資及び事後設立**により[*02]新たに法人を設立する場合の、その**資産の引継ぎは売買として扱われます**。そのため、新設分割子法人は、引き継いだ資産を新たに取得したものとします。

したがって、新設分割子法人が**引き継いだ資産の中に課税仕入れに該当する資産がある場合には、仕入税額控除の対象となります**。

*01) 新設分割、現物出資、事後設立のことです。

*02) 新設分割は包括承継に当たるため、相続や合併と同様にその資産の移転は資産の譲渡等に該当しませんが、現物出資や事後設立は包括承継に当たりませんので、その承継は売買に該当します。

1. 新設分割の場合

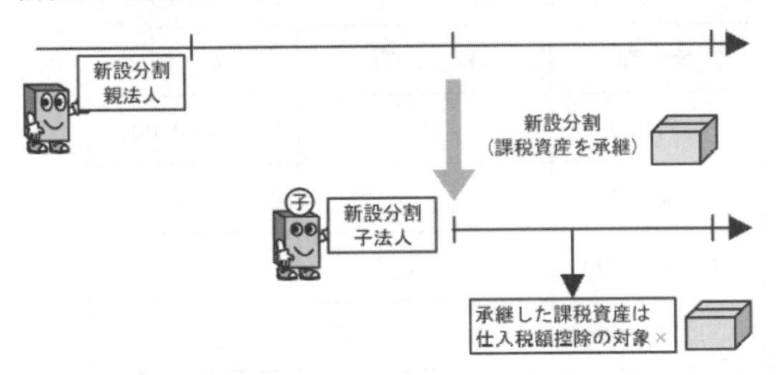

2. 現物出資及び事後設立

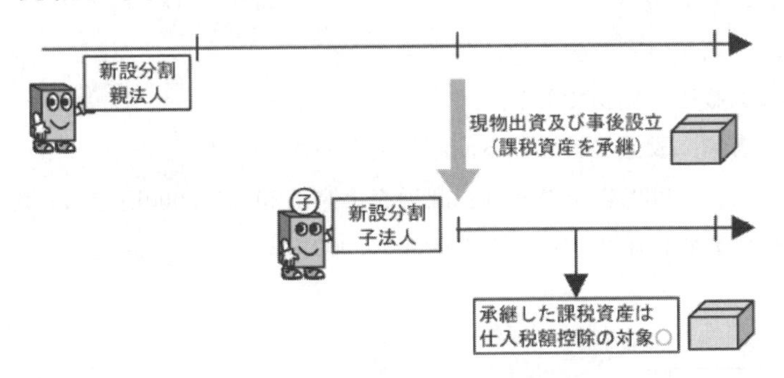

<売掛金を引き継いだ場合>

現物出資及び事後設立により新設分割子法人が新設分割親法人から、売掛金を引き継いだ場合は、新設分割子法人が新設分割親法人から売掛金（債権）を購入したものとして取り扱います。

そのため、新設分割子法人が課税資産の譲渡等を行って取得した売掛金とはいえず、貸倒れの事実が生じたとしても貸倒れに係る消費税額の控除の規定は適用できません[*03]。

*03) 新設分割により売掛金を引き継いでいる場合には、貸倒れの税額控除の規定を適用できます。

設例２－４　現物出資及び事後設立の場合の資産の引継ぎ

次の【資料】から甲社の控除対象仕入税額を割戻し計算の方法により計算しなさい。

【資料】

⑴　甲社は、当課税期間（令和７年４月１日～令和８年３月31日）に乙社からの現物出資により設立された法人である。

⑵　甲社の設立時の貸借対照表は、次のとおりである。なお、下記資産の金額は時価を付している。また、乙社は甲社の発行済株式のすべてを取得している。

貸　借　対　照　表　　（単位：円）

借　　方	金　額	貸　　方	金　額
売　掛　金	5,750,000	資　本　金	25,000,000
棚　卸　資　産	2,500,000		
建　　物	15,000,000		
器　具　備　品	1,750,000		

①　「売掛金」は、乙社の取引先Ａ社に対する売掛債権であり、この債権に係る事業を甲社が引き継いだことにより譲り受けたものである。

②　「棚卸資産」は、すべて課税商品（家電製品）に該当する。

③　「建物」は、商品の販売に係る店舗建物である。

④　「器具備品」は、商品販売店舗に設置されている商品陳列ケースである。

⑶　甲社の当課税期間の課税売上割合は95％以上であり、課税売上高は80,000,000円であった。

⑷　上記以外に当課税期間の課税仕入れに該当するものが50,000,000円ある。

解答

控除対象仕入税額　4,910,454　円

解説

甲社は、現物出資により設立されているため、資産の引き継ぎは売買として取り扱われます。したがって、引き継ぐ資産のうち課税仕入れとなるものは税額控除の対象となります。

課税売上割合　　95％以上

課税売上高　　80,000,000円 ≦ 500,000,000円

∴　按分計算は不要

控除対象仕入税額

棚卸資産2,500,000円＋建物15,000,000円＋器具備品1,750,000円＋その他50,000,000円＝69,250,000円

69,250,000円×$\frac{7.8}{110}$＝4,910,454円

Section 3 調整対象固定資産の課税仕入れ等を行った場合の届出の制限

消費税では調整対象固定資産に該当する資産は高額であり、税額控除の金額も大きくなることから、仕入時の状況のみで税額控除を完結させずに控除税額を第３年度で調整する規定が設けられていますが、課税事業者の選択や簡易課税制度等を利用し、この調整の適用を回避させることを防ぐため、届出の提出自体に制限を設けています。ここでは、届出の提出が制限されるケース等を確認していきましょう。

1 概要

理論

課税事業者の選択や**新設法人の納税義務の免除の特例**により、課税事業者が強制される期間[*01]に調整対象固定資産の仕入れ等を行った場合には、その後、課税事業者選択不適用届出書を提出し、**免税事業者となることや簡易課税制度を適用すること**[*02]**により、著しい変動の調整を回避することができます。**

これは、課税事業者選択届出書の提出や新設法人の規定により、**課税事業者として強制される期間が２年**となっていることに対し、第３年度の課税期間で調整する**著しい変動の規定は原則３年**を経過する日の属する課税期間で調整することを前提としているためです。

*01) ２年継続適用の制限を受ける期間のことです。納税義務に関しては教科書消費税法Ⅱ基礎完成編Chapter６を、簡易課税制度に関してはChapter11を参照してください。

*02) 簡易課税制度を選択した場合は、原則の計算による仕入税額控除が不適用となるため、これに係る各種調整等の規定（法31～法36）も適用対象外となります。

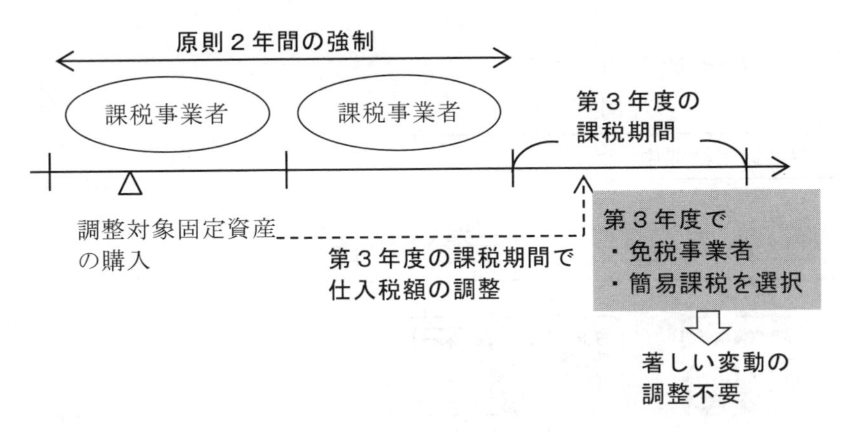

このような適用期間のズレを利用した租税回避行為を防止するため、調整対象固定資産を購入した場合の、課税事業者の選択や新設法人の納税義務の免除の特例の適用に係る**課税事業者選択不適用届出書の提出制限**と**簡易課税制度選択届出書の提出制限**の規定が設けられています。

2 課税事業者を選択した場合の課税事業者選択不適用届出書の提出制限（法9⑦） 理論

1. 概要

課税事業者を選択した事業者は、原則として課税事業者を選択した課税期間の初日から２年を経過する日の属する課税期間の初日以後であれば、課税事業者選択不適用届出書を提出することができます。

しかし、課税事業者の選択の継続適用期間中に調整対象固定資産の仕入れ等を行った場合には、その**仕入れ等の日の属する課税期間の初日から３年を経過する日の属する課税期間の初日以後**でなければ、課税事業者選択不適用届出書を提出することはできません[*01]。

*01) ３年間の提出制限の期間中のいずれかの課税期間で調整対象固定資産を売却しても３年間の提出制限は継続されます。ただし、この場合には、課税期間の末日保有要件を満たさないため著しい変動の調整は行いません。

(1) 原則

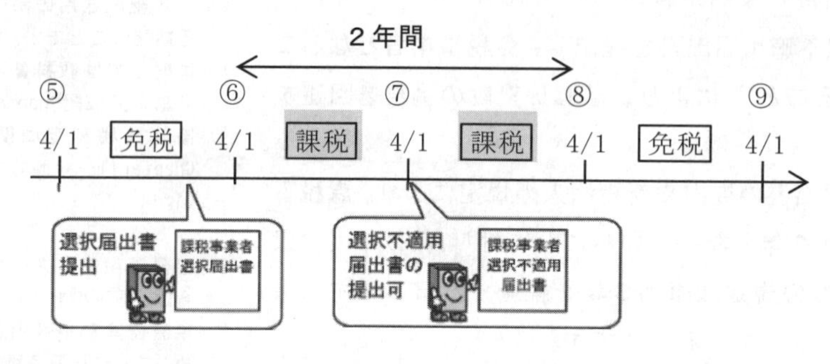

(2) 調整対象固定資産を購入した場合の制限（特例）

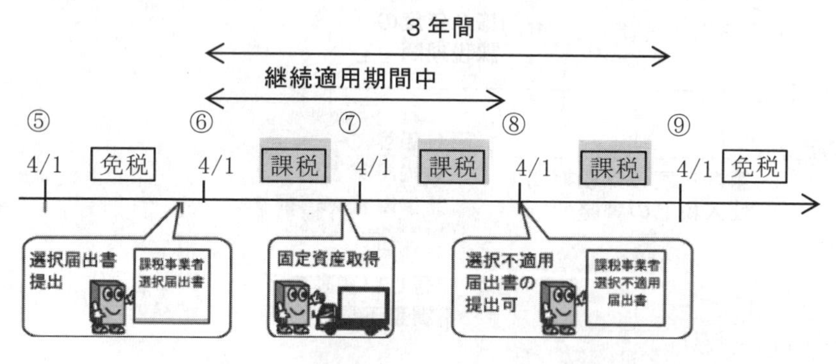

2. 届出がなかったものとみなす場合

課税事業者の選択の継続適用期間中に調整対象固定資産の仕入れ等を行った場合には、その仕入れ等を行った課税期間から特例の規定が適用されます。そのため、その課税期間の初日から調整対象固定資産の仕入れ等の日までの間に課税事業者選択不適用届出書を提出していた場合には、その**届出書の提出はなかったものとみなされます**。

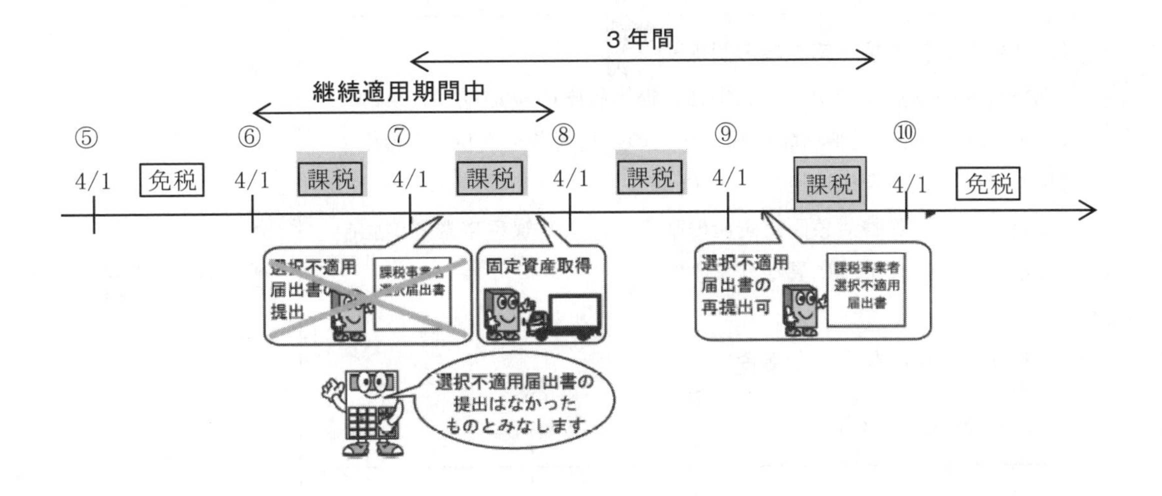

3 新設法人が調整対象固定資産の仕入れ等を行った場合（法12の2②）

理論

新設法人に該当する場合、新設法人の納税義務の免除の特例の規定が適用され、設立第１期・第２期において納税義務の免除を受けることはできません*01)。

これに加え、新設法人が、**基準期間のない事業年度に含まれる各課税期間中に調整対象固定資産の仕入れ等を行った場合**には、その新設法人は**調整対象固定資産の仕入れ等の日の属する課税期間からその課税期間の初日以後３年を経過する日の属する課税期間までの各課税期間**における課税資産の譲渡等及び特定課税仕入れについては、納税義務は免除されません。

*01) 新設法人とは、基準期間がなく、かつ、その事業年度開始の日における資本金の額又は出資の金額が1,000万円以上である法人をいいます。

(1) 通常の特例

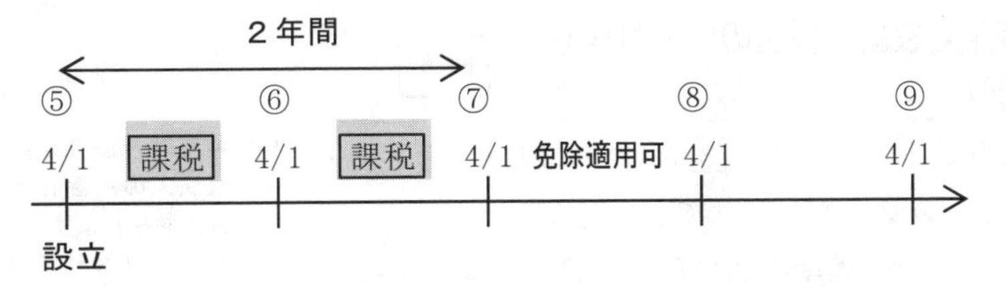

(2) 調整対象固定資産を取得した場合*02)

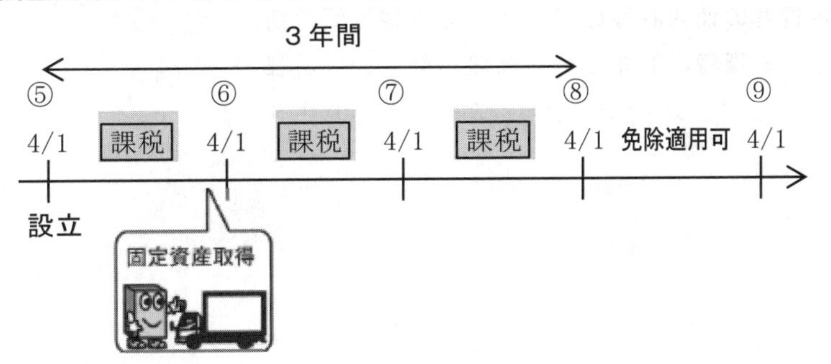

*02) ３年間の強制適用の期間中のいずれかの課税期間で調整対象固定資産を売却しても３年間の規定は継続されます。ただし、この場合には、課税期間の末日保有要件を満たさないため著しい変動の調整は行いません。

<法 12 条の２第１項と第２項の関係> 

調整対象固定資産を購入した場合の提出制限の規定(法 12 の２②)は、法 12 の２①（基準期間がない法人の納税義務の免除の特例）の適用を受けない場合に適用されます。

したがって、調整対象固定資産の購入日により課税事業者が強制される期間が次のように異なります[*03]。

*03) 4 の法12の３第１項と第２項の関係も同じです。

(1) 設立初年度に購入した場合

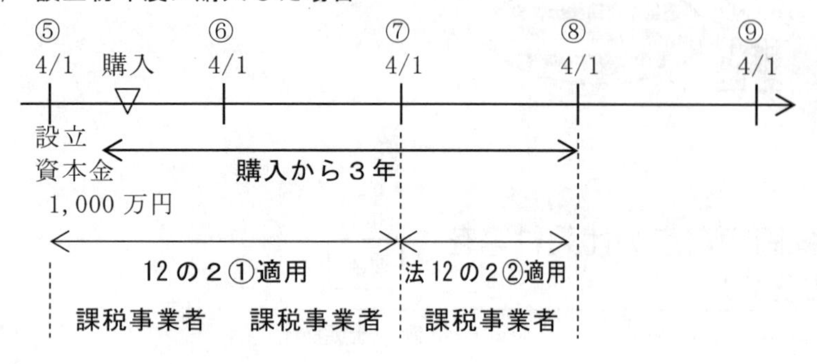

(2) 設立第２期に購入した場合

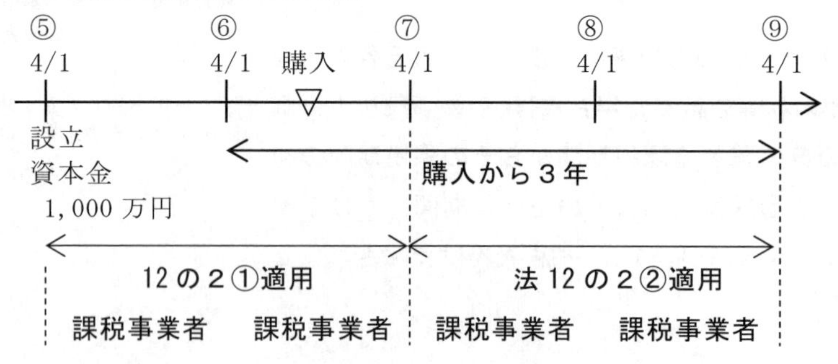

4 特定新規設立法人が調整対象固定資産の仕入れ等を行った場合（法12の3③） 理論

特定新規設立法人[*01]に該当する場合には、3 と同様に設立後第１期・第２期において納税義務の免除を受けることはできません。

これに加え、特定新規設立法人が、**基準期間のない事業年度に含まれる各課税期間中に調整対象固定資産の仕入れ等を行った**場合には、その特定新規設立法人は**調整対象固定資産の仕入れ等の日の属する課税期間の初日以後３年を経過する日の属する課税期間までの各課税期間**における課税資産の譲渡等及び特定課税仕入れについては、納税義務は免除されません。

*01) 特定新規設立法人とは大規模法人の子会社等にあたる法人を指します。
詳しくは教科書消費税法Ⅱ基礎完成編Chapter 6 を参照してください。

(1)　通常の特例

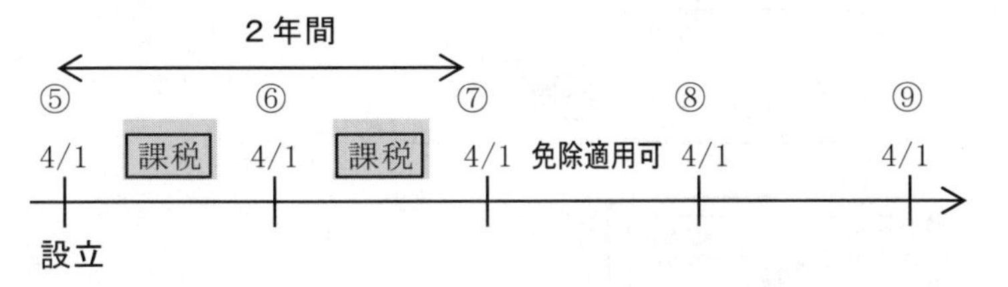

(2)　調整対象固定資産を取得した場合[*02)]

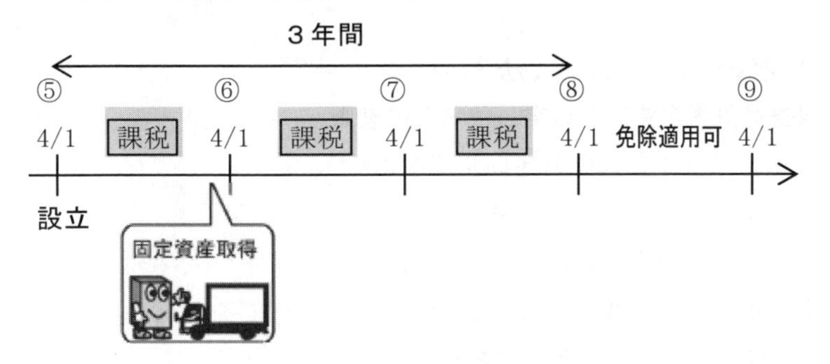

*02) 3年間の強制適用の期間中のいずれかの課税期間で調整対象固定資産を売却しても3年間の規定は継続されます。ただし、この場合には、課税期間の末日保有要件を満たさないため著しい変動の調整は行いません。

5　簡易課税制度選択届出書の提出制限　理論

1.　課税事業者の選択に係る提出制限（法37③一）

課税事業者の選択の継続適用期間中に調整対象固定資産の仕入れ等を行った場合には、その**仕入れ等の日の属する課税期間の初日から3年を経過する日の属する課税期間の初日の前日までの期間**は、簡易課税制度選択届出書を提出することはできません。

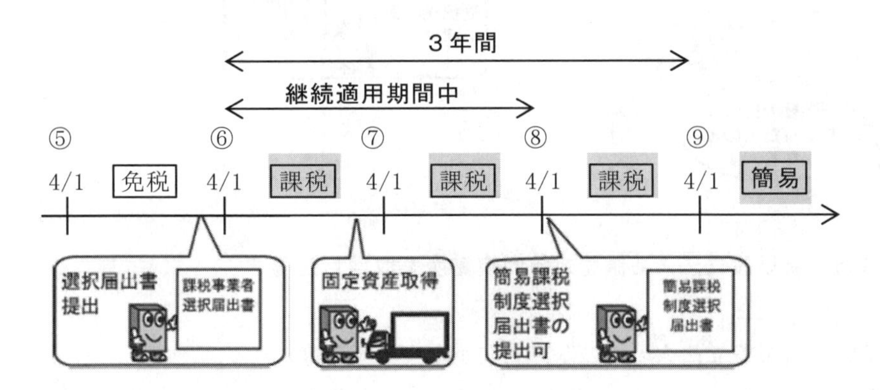

2.　新設法人又は特定新規設立法人に係る提出制限（法37③二）

新設法人又は特定新規設立法人が、基準期間のない事業年度に含まれる各課税期間中に調整対象固定資産の仕入れ等を行った場合には、その新設法人又は特定新規設立法人は**調整対象固定資産の仕入れ等の日の属する課税期間の初日から3年を経過する日の属する課税期間の初日の前日までの期間**は、簡易課税制度選択届出書を提出することはできません。

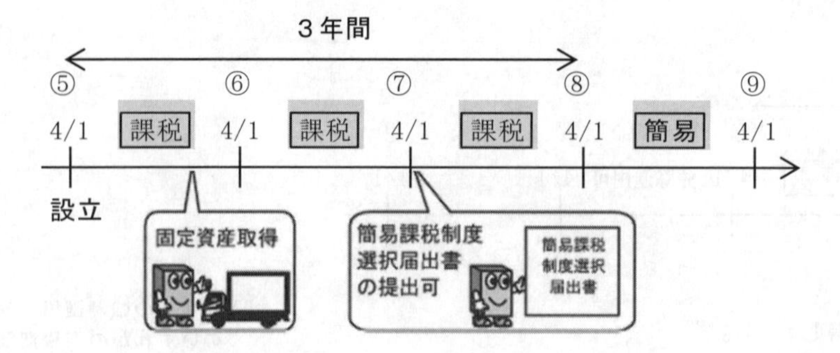

3. 提出がなかったものとみなす場合（法37④）

(1) 課税事業者を選択して調整対象固定資産を取得した場合の制限

課税事業者の選択の継続適用期間中に調整対象固定資産の仕入れ等を行った場合には、その仕入れ等を行った課税期間から特例の規定が適用されます。そのため、その課税期間の初日から調整対象固定資産の仕入れ等の日までの間に簡易課税制度選択届出書を提出しているときは、その**届出書の提出はなかったものとみなされます**。

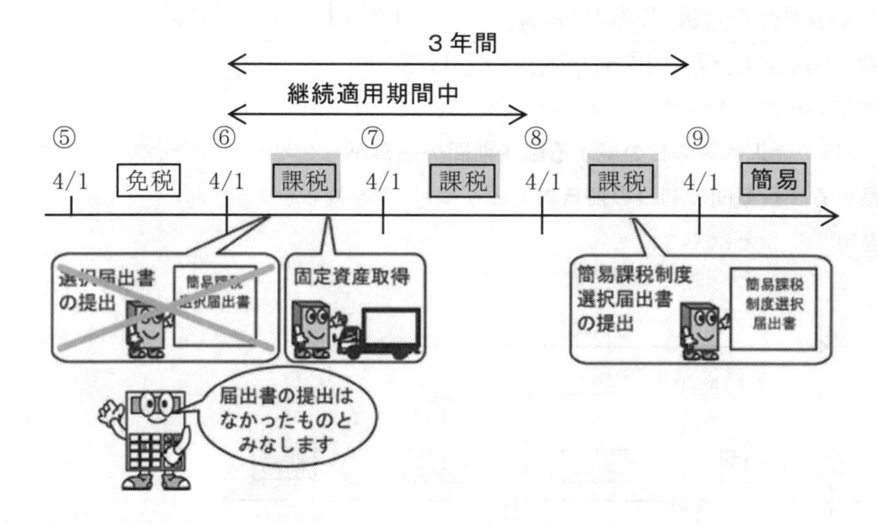

(2) 新設法人又は特定新規設立法人で調整対象固定資産を取得した場合の制限

新設法人又は特定新規設立法人のその基準期間がない事業年度中に調整対象固定資産の仕入れ等を行った場合には、その仕入れ等を行った課税期間から特例の規定が適用されます。

そのため、その課税期間の初日から調整対象固定資産の仕入れ等の日までの間に簡易課税制度選択届出書を提出しているときは、その**届出書の提出はなかったものとみなされます**。

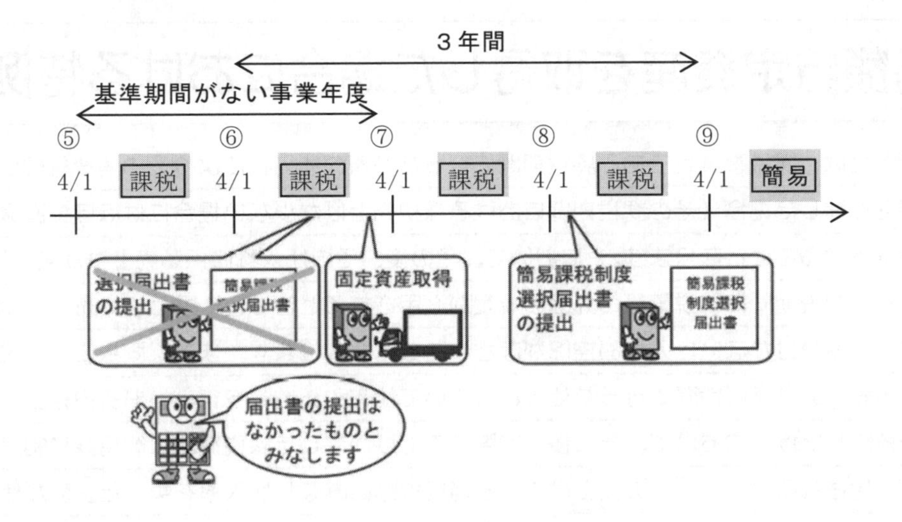

4. 事業を開始した課税期間等から簡易課税制度の適用を受ける場合（法37③ただし書き）

事業者が**事業を開始した日の属する課税期間等から**簡易課税制度の適用を受ける場合には、調整対象固定資産の仕入れ等を行った後でも**簡易課税制度選択届出書を提出することができます**[*01]。

*01) 設立当初から簡易課税制度を適用する場合には、これまでどおり、その課税期間から適用されるので注意しましょう。

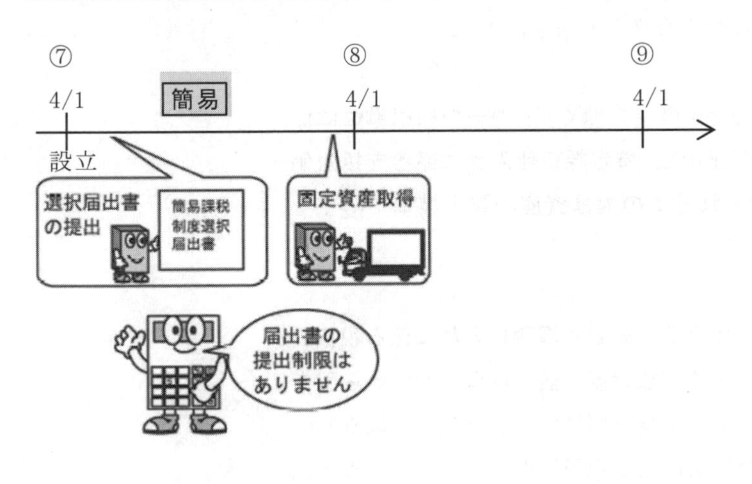

Section 4 高額特定資産を取得した場合における特例

たとえば、課税事業者である課税期間に行った多額の仕入れによりその消費税相当額を控除した場合（その課税期間における課税売上げが少ない場合にはほぼ全額還付を受けることとなります。）において、その後、その仕入れに係る売上げが実際に生じた課税期間に納税義務の免除の規定が適用されるときは、結果として売上げ（納税）に結び付かない仕入税額控除がなされたこととなります。また、同様に、課税事業者である課税期間に行った仕入れについて仕入税額控除を行い、消費税相当額を控除した場合において、その後、実際に売上げが生じた課税期間に簡易課税制度が適用されるときは、その売上げに係る消費税額にみなし仕入率を乗じた金額が仕入税額として控除されるため、結果として同一の仕入れに対して二重に仕入税額控除がされたこととなります。これらの租税回避行為を防止するために、高額特定資産を取得した場合の特例規定が設けられています。

1 高額特定資産（法12の4①、令25の5） 理論

次に掲げる金額が**1,000万円以上の棚卸資産及び調整対象固定資産**（以下「対象資産」という。）を高額特定資産とします。

(1) 対象資産（自ら建設等をした対象資産を除く。）の**一の取引単位に係る課税仕入れに係る税抜支払対価の額、特定課税仕入れに係る支払対価の額又は保税地域から引き取られるその対象資産の課税標準**である金額

(2) 自ら建設等をした対象資産の建設等に要した**課税仕入れに係る税抜支払対価の額、特定課税仕入れに係る支払対価の額及び保税地域から引き取られる課税貨物の課税標準である金額**（原材料費及び経費に係るものに限り、消費税の納税義務の免除又は簡易課税制度の適用を受ける課税期間中に行ったものに係る金額を除く。）の合計額

2 高額特定資産を取得した場合の納税義務の免除の特例（法12の4①） 理論

(1) 納税義務の免除の特例

高額特定資産の**仕入れ等の日の属する課税期間の翌課税期間から**その高額特定資産の**仕入れ等の日の属する課税期間の初日以後３年を経過する日の属する課税期間までの各課税期間**における課税資産の譲渡等及び特定課税仕入れについては、納税義務は免除されない。

⑵ 高額特定資産の仕入れ等の日

① 自ら建設等をした高額特定資産以外の対象資産

イ 国内において対象資産の課税仕入れを行った場合

その課税仕入れを行った日

ロ 保税地域から対象資産の引き取りを行った場合

その対象資産を引き取った日

② 自ら建設等をした高額特定資産

自己建設高額特定資産の建設等に要した費用（1⑵に規定する費用をいう。）の額が1,000万円以上となった日

⑶ ３年を経過する日の属する課税期間

① 自ら建設等をした高額特定資産以外の対象資産

その高額特定資産の**仕入れ等の日の属する課税期間の初日以後３年を経過する日の属する課税期間**

② 自ら建設等をした高額特定資産

自己建設高額特定資産の**建設等が完了した日の属する課税期間の初日以後３年を経過する日の属する課税期間**

〈図解〉

① 自ら建設等をした高額特定資産以外の対象資産

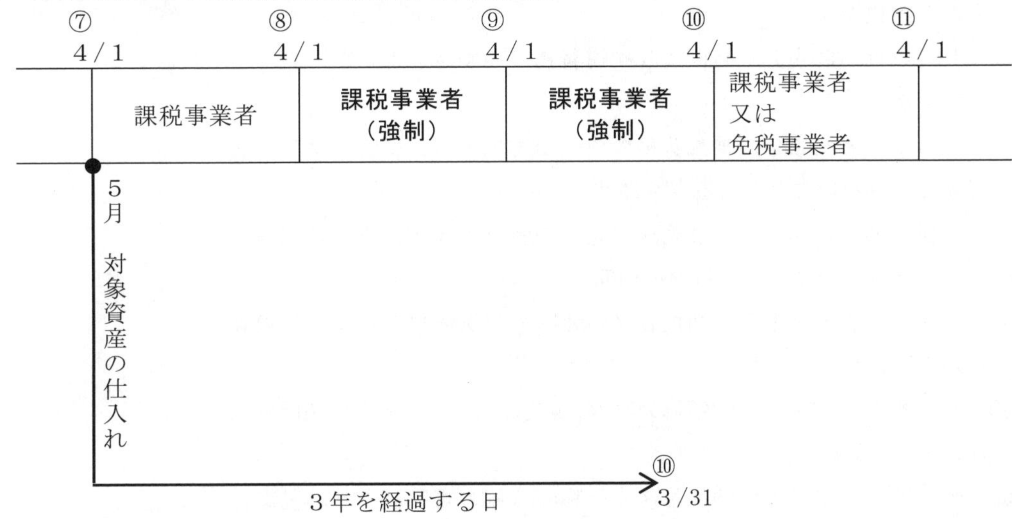

②　自ら建設等をした高額特定資産

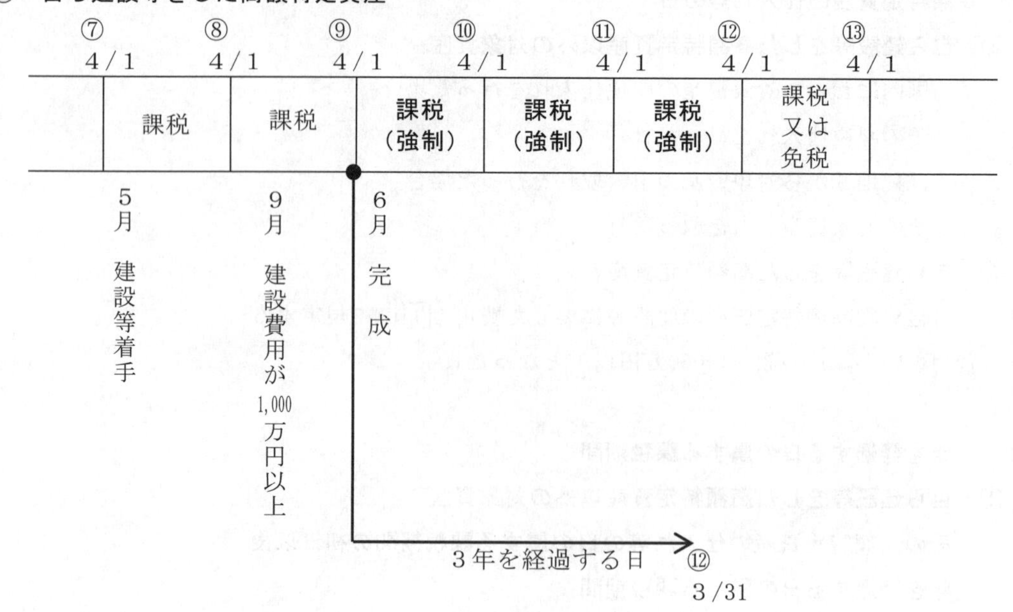

(4)　適用除外

3年を経過する日の属する課税期間までの各課税期間が下記の課税期間に該当する場合を除く

①　基準期間における課税売上高が1,000万円を超える課税期間
②　課税事業者選択届出書の提出により納税義務が免除されないこととなる課税期間
③　特定期間の課税売上高により納税義務が免除されないこととなる課税期間
④　相続があった場合の納税義務の免除の特例の規定により納税義務が免除されないこととなる課税期間
⑤　合併があった場合の納税義務の免除の特例の規定により納税義務が免除されないこととなる課税期間
⑥　分割等があった場合の納税義務の免除の特例の規定により納税義務が免除されないこととなる課税期間
⑦　新設法人の納税義務の免除の特例の規定により納税義務が免除されないこととなる課税期間
⑧　特定新規設立法人の納税義務の免除の特例の規定により納税義務が免除されないこととなる課税期間

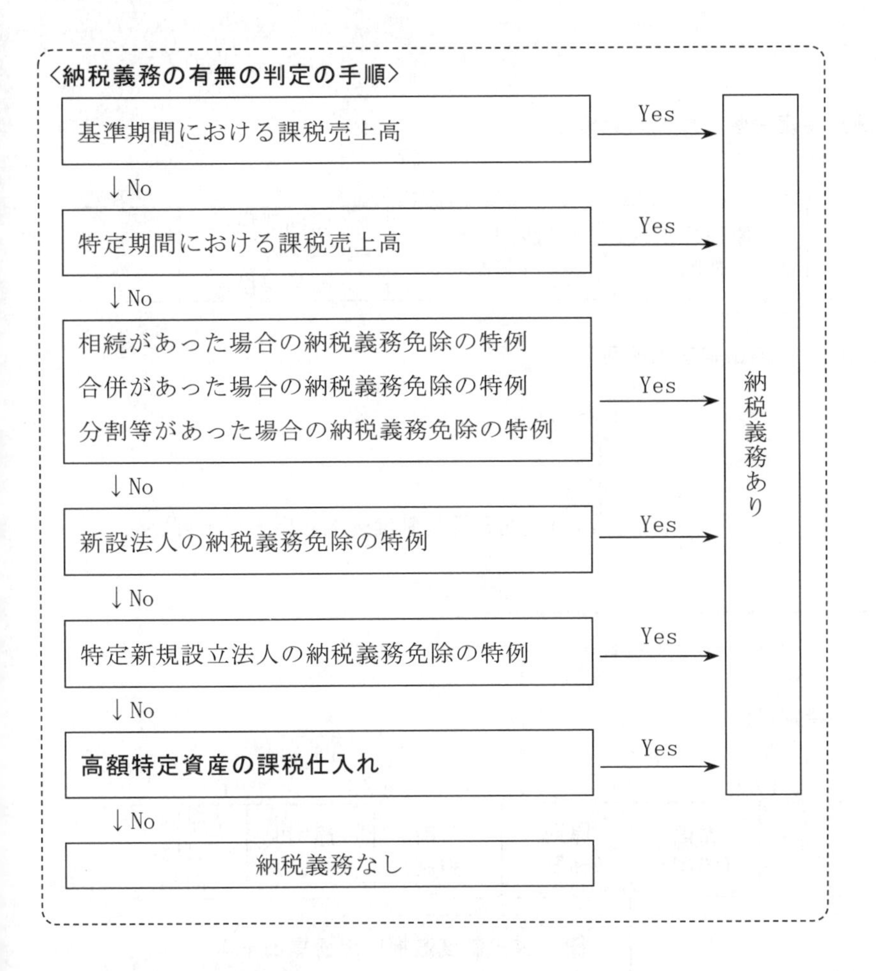

⑸　簡易課税制度選択届出書の提出制限（法37③三）

対象事業者	高額特定資産を取得した場合の納税義務の免除の特例の適用を受ける事業者
提出期間制限	高額特定資産の**仕入れ等の日の属する課税期間の初日から同日**（自ら建設等をした高額特定資産である場合にあっては、その自己建設高額特定資産の建設等が完了した日の属する課税期間の初日）**以後３年を経過する日の属する課税期間の初日の前日**までの期間簡易課税制度選択届出書を提出することができない

<図解>

① 自ら建設等をした高額特定資産以外の対象資産

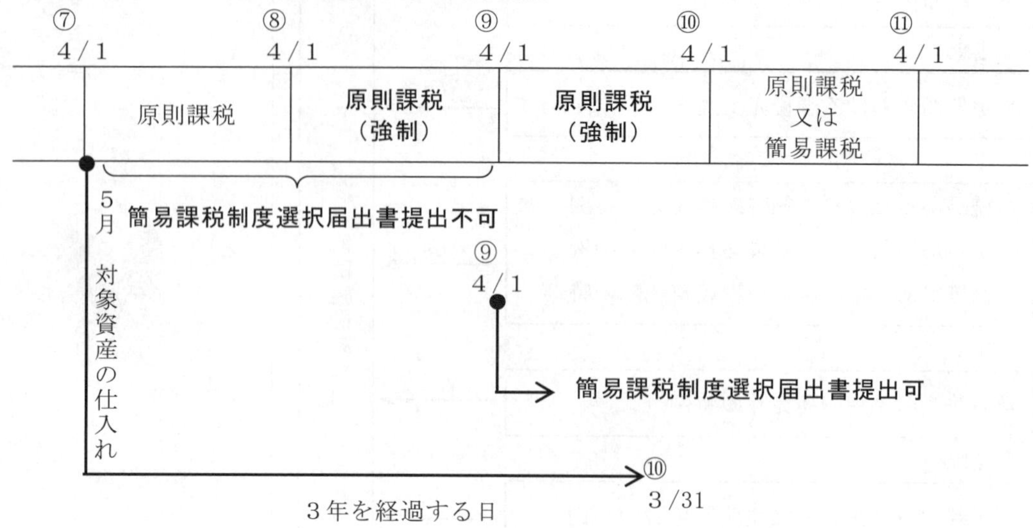

② 自ら建設等をした高額特定資産

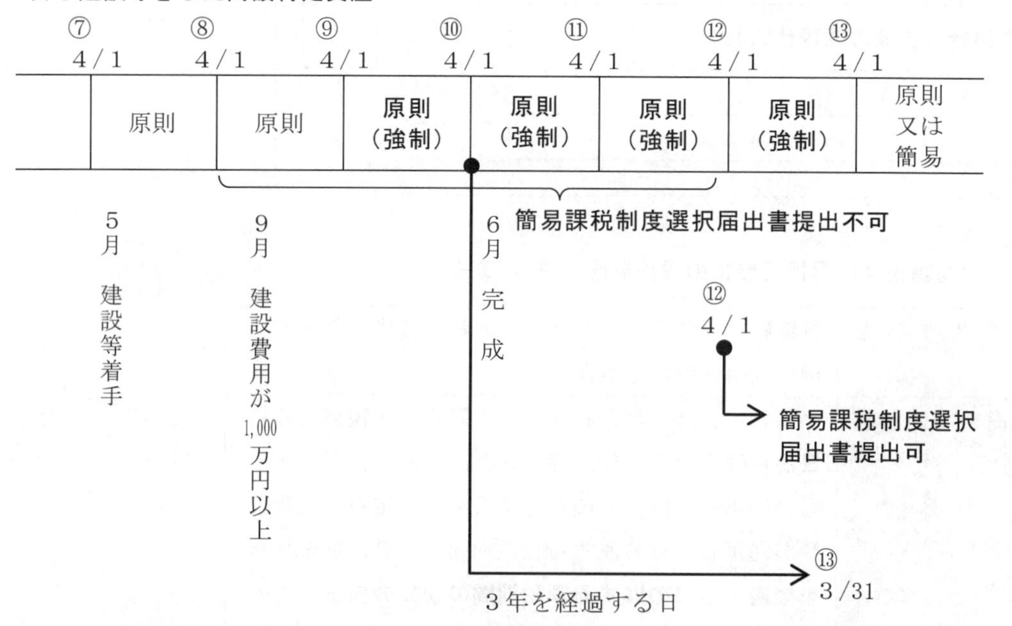

3 棚卸資産の調整措置の適用を受けることとなった場合の特例（法12の4②） 理論

(1) 納税義務の免除の特例

事業者が**高額特定資産である棚卸資産**若しくは**課税貨物**又は**調整対象自己建設高額資産**[*01)]**について納税義務が免除されないこととなった場合の棚卸資産に係る消費税額の調整の規定の適用を受けた場合**には、この規定の**適用を受けた課税期間の翌課税期間から**この規定の**適用を受けた課税期間の初日以後3年を経過する日の属する課税期間までの各課税期間**における課税資産の譲渡等及び特定課税仕入れについては、**納税義務は免除されない**。[*02)]

*01) 他の者との契約に基づき、若しくはその事業者の棚卸資産として自ら建設等をした棚卸資産

*02) 2(4)と同じく基準期間における課税売上高が1,000万円を超える課税期間、課税事業者の選択、前年等の課税売上高の特例、一定の相続、一定の合併、一定の分割等、新設法人、特定新規設立法人の特例並びに

2の適用を受けている課税期間を除く。

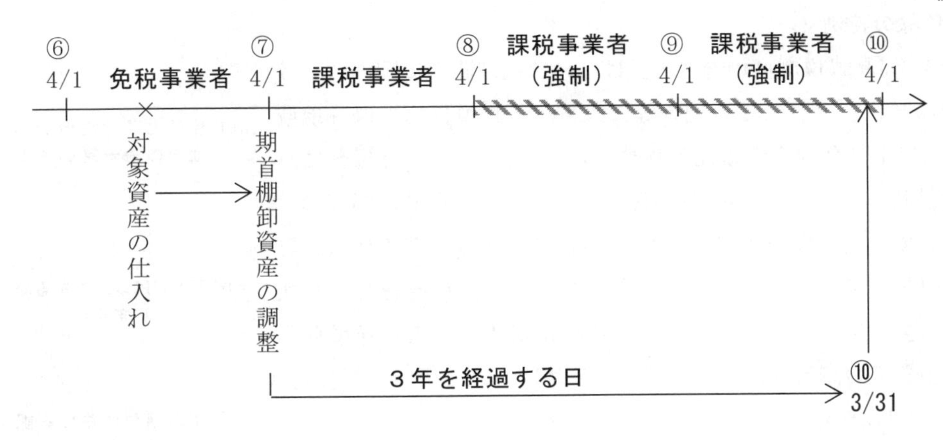

(2) 簡易課税制度選択届出書の提出制限(法37③四)

対象事業者	高額特定資産等について棚卸資産の調整措置の適用を受けることとなった事業者
提出期間制限	高額特定資産である棚卸資産若しくは課税貨物又は調整対象自己建設高額資産について**棚卸資産の調整措置の適用を受けた課税期間の初日から同日以後3年を経過する日の属する課税期間の初日の前日までの期間**

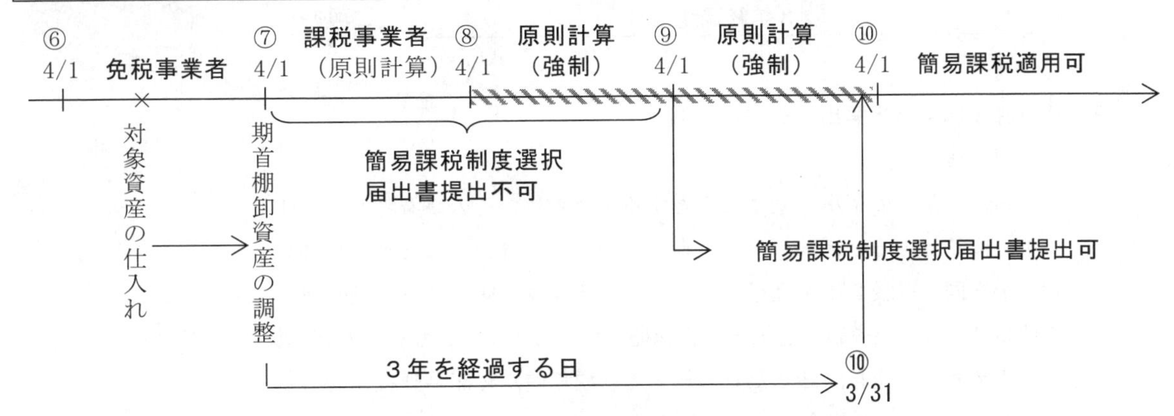

4 金地金等の仕入れ等を行った場合の特例（法12の4③） 理論

(1) 納税義務の免除の特例

課税事業者が、簡易課税制度の適用を受けない課税期間中に国内における金地金等*01)の課税仕入れ又は金地金等に該当する課税貨物の保税地域からの引取り（以下「金地金等の仕入れ等」という。）を行った場合において、その課税期間中のその金地金等の仕入れ等の金額の合計額が高額である場合*02)として一定の場合に該当するときは、その金地金等の仕入れ等を行った課税期間の翌課税期間からその金地金等の仕入れ等を行った課税期間の初日以後３年を経過する日の属する課税期間までの各課税期間*03)における課税資産の譲渡等及び特定課税仕入れについては、納税義務免除の規定は、適用しない。

*01) 金若しくは白金の地金その他一定の資産をいう。

*02) 200 万円以上である場合をいいます。

*03) 基準期間における課税売上高が 1,000 万円を超える課税期間、及び課税事業者の選択又は前年等の課税売上高による特例、一定の相続、一定の合併、一定の分割等、新設法人、特定新規設立法人の特例並びに高額特定資産を取得した場合の特例の適用を受ける課税期間を除く。

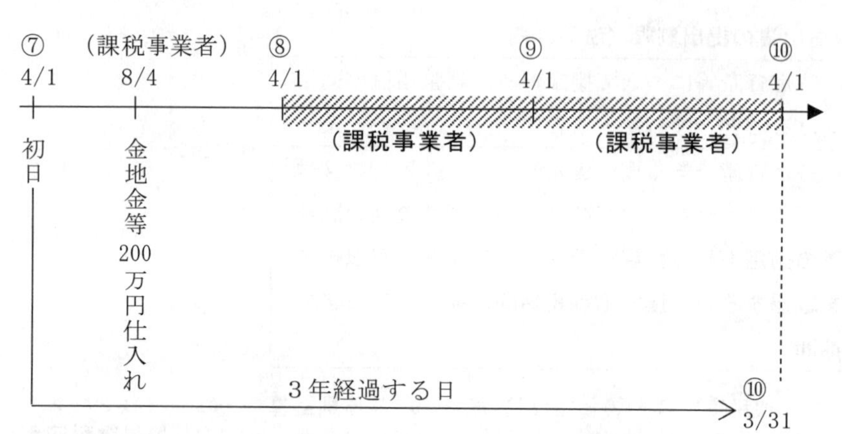

(2) 簡易課税制度選択届出書の提出制限

① 提出制限

簡易課税制度の適用を受けようとする事業者は、その事業者が上記(1)の規定に該当するときは、その金地金等の仕入れ等を行った課税期間の初日から同日以後３年を経過する日の属する課税期間の初日の前日までの期間は、簡易課税制度選択届出書を提出することができない。ただし、その事業者が事業を開始した日の属する課税期間から簡易課税制度の適用を受けようとする場合は、この限りでない。

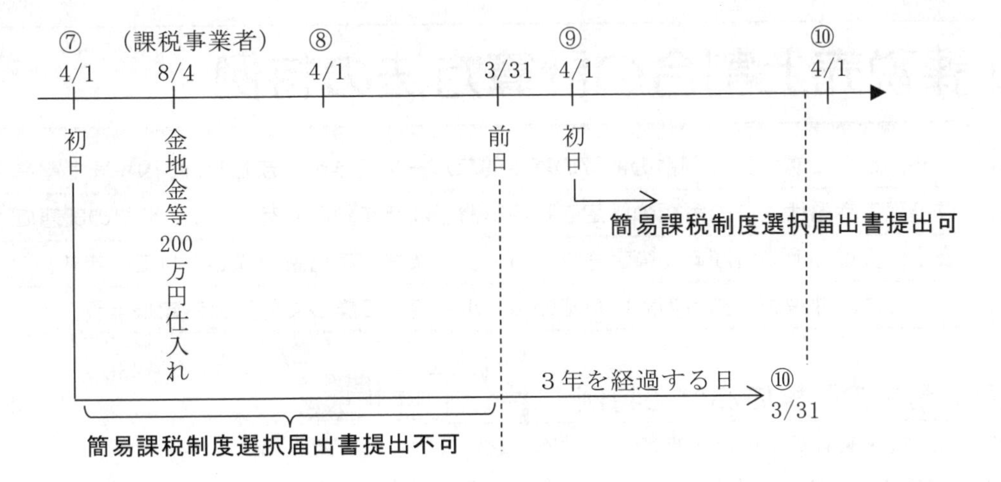

② 提出がなかったものとみなす場合

①の場合において、その金地金等の仕入れ等日の属する課税期間の初日からその仕入れ等の日までの間に簡易課税制度選択届出書をその納税地の所轄税務署長に提出しているときは、その届出書の提出はなかったものとみなす。

Section 5 課税売上割合の計算方法の特例

Chapter７で課税売上割合の計算の基本的なルールを学習しましたが、課税売上割合は控除できる仕入れの金額の算定に直接影響を及ぼす割合であるため、取引の実態に反し、課税売上割合が低く算定されないようさまざまな措置が講じられています。
ここでは、課税売上割合の計算方法のルールについて詳しく見ていきましょう。

1 課税売上割合の計算における特例

理論 計算

課税売上割合とは、事業者がその課税期間中に国内において行った資産の譲渡等の対価の額の合計額のうちに、その事業者がその課税期間中に国内において行った課税資産の譲渡等の対価の額の合計額の占める割合をいいます。これを算式であらわすと以下のようになります。

$$\text{課税売上割合}=\frac{\text{課税資産の譲渡等の対価の額の合計額}}{\text{資産の譲渡等の対価の額の合計額}}$$

$$=\frac{\text{課税売上げ（税抜）＋免税売上げ}}{\text{課税売上げ（税抜）＋免税売上げ＋非課税売上げ}}$$

課税売上割合は、あくまでも仕入れに係る消費税額を計算するための基準として使われる割合であり、消費税における取引の分類上、課税の対象に含まれる取引に係る対価の額を用いて計算しますが、**課税売上割合の計算をする上でのみ**、分母や分子の金額に算入させることが好ましくないものについて計上しない旨の規定が設けられているなど、一定の措置が講じられています。

2 資産の譲渡等の対価に含まれないもの

理論 計算

次のものについては、課税売上割合の計算上、資産の譲渡等の対価の額の合計額に含まれません。

1. 支払手段等*01)の譲渡（令48②一）

支払手段とは、紙幣、硬貨、小切手、手形などの決済手段をいいます。これらを譲渡するということは、代金の支払いや両替などを意味します。

支払手段の譲渡は、取引の分類上非課税売上げに該当しますが、代金の支払いや両替などを行う都度、非課税売上げが計上されることは、課税売上割合が不合理に低く計算されることになるため、課税売上割合の計算に算入しないこととしています。

*01) 支払手段のほか、資金決済に関する法律第２条第５項に規定する暗号資産及び国際通貨基金協定第15条に規定する特別引出権（SDR）がこれに該当します。なお、受験上は必要ではありません。

支払手段の範囲（基通６－２－３）
⑴　銀行券、政府紙幣及び硬貨（収集品及び販売用は除く。）
⑵　小切手（旅行小切手を含む。）、為替手形、郵便為替及び信用状
⑶　約束手形
⑷　上記に類するもの
⑸　電子マネー

2.　資産の譲渡等の対価として取得した金銭債権の譲渡（令48②二）

金銭債権の譲渡は非課税取引となり、その譲渡に係る対価の額は、課税売上割合の計算上、資産の譲渡等の対価の額の合計額に含まれます。

しかし、**資産の譲渡等を行った者がその対価として取得した金銭債権（売掛債権）の譲渡**は、「**同一債権に係る一事業者間での売上げの重複計上**」を避けるため、課税売上割合の計算上、資産の譲渡等の対価の額に算入しません。

⑴　通常の金銭債権（例：貸付金）

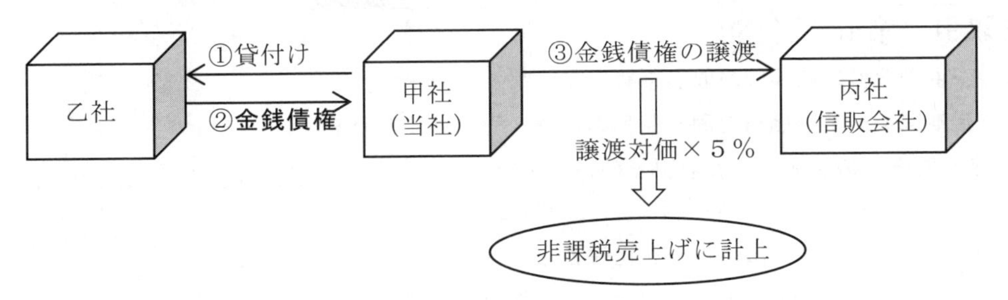

⑵　資産の譲渡等の対価として取得した金銭債権（例：売掛金）

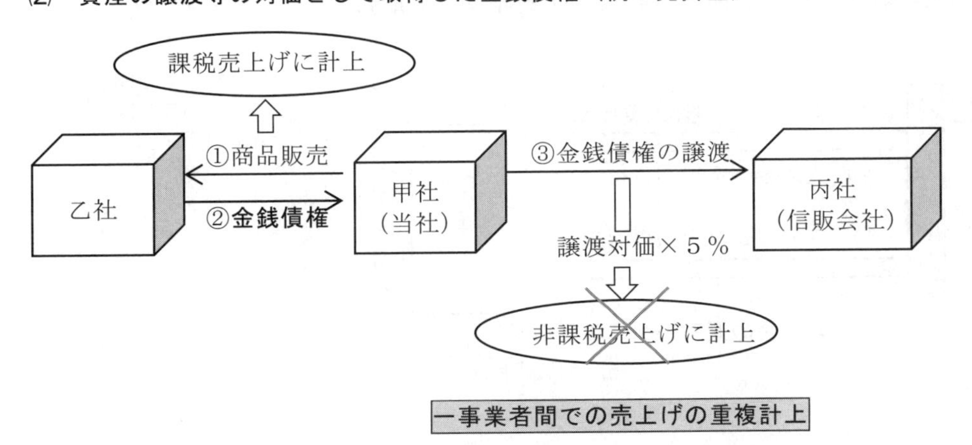

3. 売現先取引（令48②三）2回目でOK!

売現先取引とは、**一定期間後一定の価格で同一銘柄の債券を買い戻すことをあらかじめ約定した債券の譲渡**に係る取引をいいます*02)。

*02) 下記[3]の買現先取引と違い「債券の譲渡」が「先に」行われるため、売現先取引と押さえましょう。

売却価格と買戻し価格があらかじめ決定されているため、債券の売買の形式を取っていますが、実質的には**債券を担保とした短期の資金調達手段**です。そのため、課税売上割合の計算上、有価証券の譲渡として取り扱わず、**金銭の借入れ**として取り扱われ、課税売上割合の計算上、何ら考慮されません。

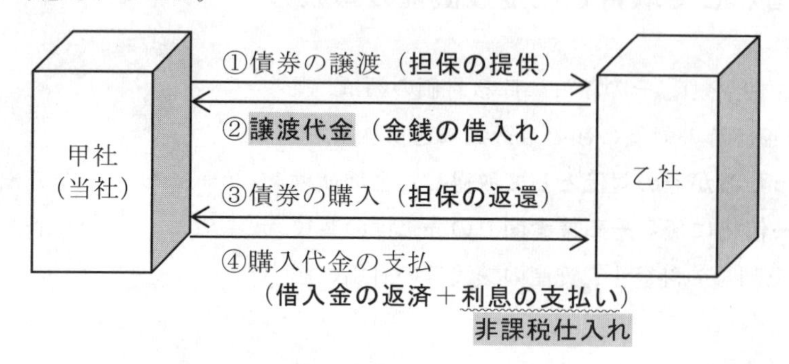

3 非課税売上高の注意点 計算

1. 買現先取引（令48③）2回目でOK!

上記[2] 3.の売現先取引の相手側の取引を買現先取引といいます。

すなわち、**一定期間後一定の価格で同一銘柄の債券を売り戻すことをあらかじめ約定した債券の購入**に係る取引をいいます*01)。

*01) 上記[2]の売現先取引と違い「債券の購入」が「先に」行われるため、買現先取引と押さえましょう。

購入価格と売戻し価格があらかじめ決定されているため、債券の売買の形式を取っていますが、実質的には**債券を担保とした金銭の貸付け**に該当します。したがって、課税売上割合の計算では、売戻しに係る対価の額のうち、**利息相当額**（売戻し価格－購入価格）**を非課税売上げに計上**します。

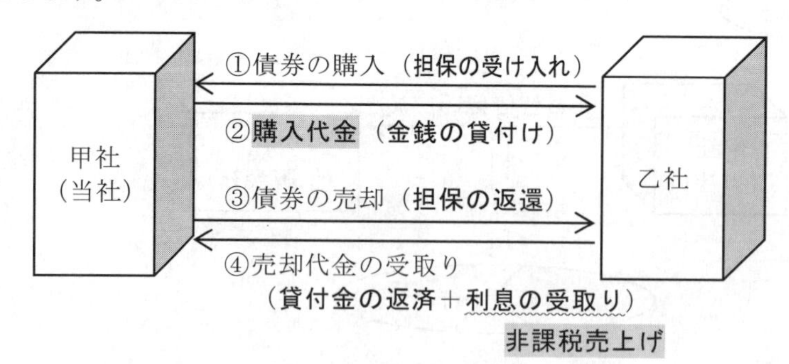

なお、売戻しの際、債券の売却価額よりも購入代金が大きく**差損が生じる場合**には、その差損相当額を課税売上割合の計算上、**非課税売上げから控除**します。

2.　金銭債権の譲受け（令48④）

第三者が、当初の債権者から貸付金その他の金銭債権を譲り受ける行為は、**利子を対価とする金銭の貸付け**に該当します。そのため、**利息相当額**を課税売上割合の計算上、非課税売上げに計上します。

（例）　丙社（当社）は、甲社が乙社に対して有していた売上債権500円を甲社から450円で購入し、当該債権を乙社から500円で回収した。

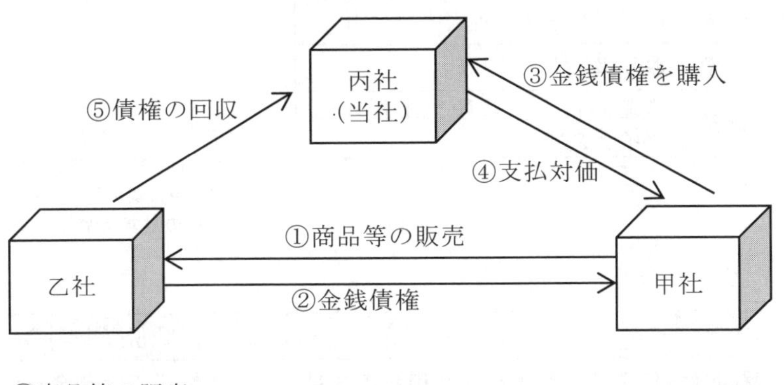

①商品等の販売

（甲社）	（借方）	債　　権	500円	（貸方）	売　　上	500円

③甲社の売上債権を購入

（当社）	（借方）	債　　権	450円	（貸方）	現　　金	450円

⑤債権の回収

（当社）	（借方）	現　　金	500円	（貸方）	債　　権	450円
					受取利息	**50円**

⇩

金銭債権の譲受けに係る対価の額

3.　有価証券等の譲渡（令48⑤）

有価証券等の譲渡を行った場合には、有価証券等の種類により、下記の金額を譲渡対価の額とします。

種　　類		譲渡対価の額
有価証券	国債、地方債、社債、株式、受益証券、ＣＰ、海外譲渡性預金*02)	譲渡対価の額の**５％相当額**
有価証券に類するもの	登録国債、金銭債権（貸付金、預金、国内譲渡性預金）	
	合名会社等の出資者持分*03)	譲渡対価相当額
	資産の譲渡等の対価として取得した金銭債権*04)	全額計上しない

*02) 譲渡性預金とは、他者に譲渡可能な預金をいいます。

*03) 株式会社における株主の権利である株式を合名会社、合資会社、合同会社といった会社法上の持分会社では「持分」といいます。

*04) 詳しくは、2 2.を参照してください。

4. 国債等の償還差損（令48⑥）

国債や社債といった債券の額面金額と発行価額との差額（償還差損益）は消費税法上、**利子を対価とした金銭の貸付け**に該当するため、非課税売上げとなり、課税売上割合を構成します。

ここで、社債には下記の３つの発行形態があり、それぞれの場合における課税売上割合の取扱いは、以下のとおりです。

なお、償還差損益は、これらの債券を償還した課税期間で計上します。

発行形態		課税売上割合の取扱い
割引発行	額面金額 ＞ 発行価額	償還差益を非課税売上げに計上
平価発行	額面金額 ＝ 発行価額	取り扱いなし
打歩発行	額面金額 ＜ 発行価額	償還差損を**非課税売上げからマイナス**[*05]

*05) 償還差損が発生している場合には、社債に関する利払いの有無に関係なく、非課税売上げの計算上でマイナスします。

設例５－１　　課税売上割合の計算

次の【資料】から当社の当課税期間（令和７年４月１日～令和８年３月31日）の課税売上割合を計算しなさい。なお、軽減税率が適用される取引は含まれていない。

【資料】

1.　当課税期間の売上高　　192,000,000円

　なお、売上高の内訳は、以下のとおりであり、すべて課税資産の譲渡等に該当する。

　⑴　国内売上高　　176,000,000円

　⑵　輸出売上高　　16,000,000円

2.　株式売却額　　40,000,000円

3.　合同会社の出資持分の売却額　　12,360,000円

4.　土地売却額　　30,000,000円

5.　A社債の償還額　　11,640,000円

　これは、発行価額12,000,000円のA社債が当課税期間に満期により償還されたことにより受け取った金額である。

6.　手形の売却額　　5,800,000円

　額面金額6,000,000円の手形を銀行で割引いたことによる額面金額と割引料の差額である。

7.　売掛金の売却額　　47,500,000円

　商品販売に係る売掛金50,000,000円を信販会社に売却した際の売却額である。

解答

課税売上割合　　80 **%**

解説

債権や有価証券などに係る取引については、非課税売上高に計上すべきものか否か、また、有価証券の場合には対価の額がいくらになるのかを押さえておきましょう。

(1) 課税売上高

$176,000,000円 \times \frac{100}{110} + 16,000,000円 = 176,000,000円$

(2) 非課税売上高

株式売却40,000,000円×５％＋出資持分売却12,360,000円*01)＋土地売却30,000,000円

－Ａ社債償還損（12,000,000円－11,640,000円）*02)＝44,000,000円

(3) 課税売上割合

$\frac{(1)}{(1)+(2)} = \frac{176,000,000円}{220,000,000円} = 0.8$

*01) 出資持分は有価証券に類するものですが、売却価額全額を非課税売上げに計上します。

*02) 社債に償還損が生じている場合には、非課税売上高から直接マイナス計上します。

なお、手形の売却は支払手段の譲渡に該当し、売掛金の売却は資産の譲渡等の対価として取得した金銭債権の譲渡に該当するため、非課税売上高に計上しません。

Section 6 居住用賃貸建物の取得に係る税額控除

住宅の貸付けのための建物の取得に係る仕入税額については、住宅家賃に対応するものとして、本来仕入税額控除の対象となるべきものではないが、作為的に課税売上割合を95%以上にするなどして仕入税額控除を行う事例が散見されるため、令和2年10月1日以後に行う居住用賃貸建物の仕入れについて、仕入税額控除制度の適用を認めないこととされました。

1 仕入税額控除の制限（法30⑩）

仕入れに係る消費税額の控除の規定は、事業者が国内において行う住宅の貸付けの用に供しないことが明らかな建物以外の**居住用賃貸建物**[*01]**に係る課税仕入れ等の税額については、適用しない。**

*01) 高額特定資産又は調整対象自己建設高額資産に該当する居住用賃貸建物に限る。

2 居住用賃貸建物を課税賃貸用に供した場合等の仕入れに係る消費税額の調整（法35の2）

理論 計算

⑴ 概　要

上記[1]により**仕入税額控除制度を適用しないこととされた居住用賃貸建物に係る課税仕入れ等の税額について、**その**居住用賃貸建物の仕入れ等の日から同日の属する課税期間の初日以後3年を経過する日の属する課税期間の末日までの間に**その居住用賃貸建物を**住宅の貸付け以外の貸付けの用に供した場合**又は**譲渡した場合**には、その**居住用賃貸建物に係る課税仕入れ等の税額に一定の方法により計算した課税賃貸割合又は課税譲渡割合を乗じて計算した金額に相当する消費税額を**その**第3年度の課税期間**又は**譲渡をした日の属する課税期間の仕入れに係る消費税額に加算**する。

⑵ 居住用賃貸建物を課税賃貸用に供した場合

① 適用要件

次の要件に該当する場合には、第3年度の課税期間において仕入れに係る消費税額を調整する必要があります。

イ　居住用賃貸建物に係る課税仕入れ等の税額について上記[1]の規定の適用を受けている。

ロ　第3年度の課税期間の末日においてその居住用賃貸建物を保有している。

ハ　調整期間に住宅の貸付け以外の貸付けの用に供したとき

② 第３年度の課税期間

居住用賃貸建物の仕入れ等の日の属する課税期間の開始の日から３年を経過する日の属する課税期間をいう。

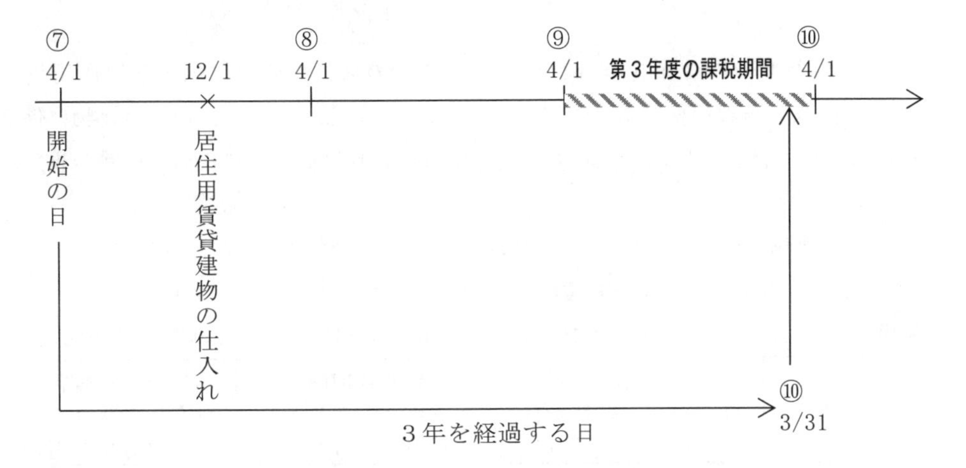

③ 調整期間

居住用賃貸建物の仕入れ等の日から第３年度の課税期間の末日までの間をいう。

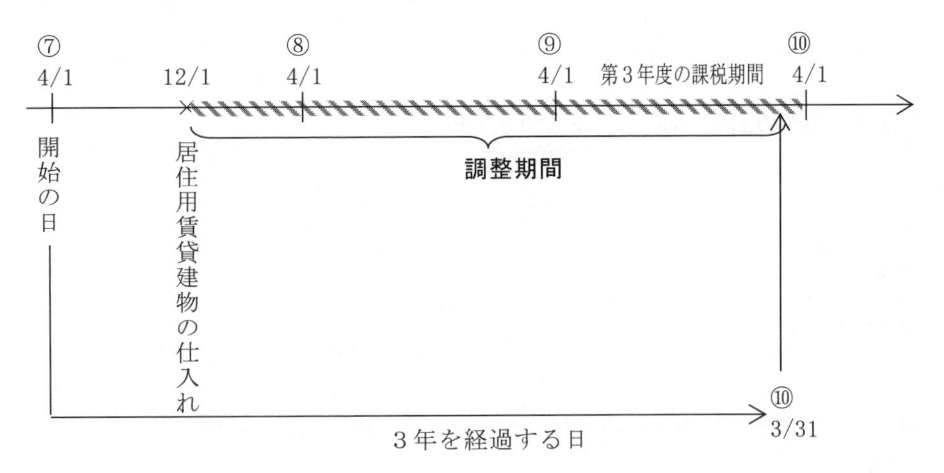

④ 調整税額

イ 調整税額の計算

調整税額（加算）＝居住用賃貸建物に係る課税仕入れ等の税額×課税賃貸割合

ロ 課税賃貸割合

その事業者が調整期間に行ったその居住用賃貸建物の貸付けの対価の額（税抜金額）の合計額のうちにその事業者が調整期間に行ったその居住用賃貸建物の貸付け（課税賃貸用に供したものに限る。）の対価の額の合計額の占める割合をいう。

$$\frac{\text{調整期間における賃料収入のうち課税売上げとなる金額（税抜き）}}{\text{調整期間における賃貸料の総額（税抜き）}}$$

設例6－1　居住用賃貸建物を課税賃貸用に供した場合等1

次の資料から当社の当課税期間（令和7年4月1日から令和8年3月31日）における仕入れに係る消費税額の調整税額を計算しなさい。

〔資料〕

(1)　当社は前々課税期間中の令和5年 12 月1日に住宅の貸付けの用に供する居住用賃貸建物22,000,000円を購入し当課税期間末日現在保有している。なお、当該居住用賃貸建物に係る課税仕入れの税額については、消費税法第30条に規定する仕入れに係る消費税額の控除の規定は適用されていない。

(2)　(1)の居住用賃貸建物の一部について入居者から事務所用に使用したいと申し出があったため、令和7年12月1日から(1)の居住用賃貸建物の一部を事務所用として契約変更した。

(3)　(1)の居住用賃貸建物に係る当課税期間末日までの期間に係る賃貸料収入は以下のとおりであった。

	前々課税期間 自令和5年4月1日 至令和6年3月31日	前課税期間 自令和6年4月1日 至令和7年3月31日	当課税期間 自令和7年4月1日 至令和8年3月31日
居住用住宅に係る賃貸料収入	3,840,000円	11,520,000円	11,040,000円
事務所用建物に係る賃貸料収入（税込価額）	0円	0円	1,210,000円

解答

仕入れに係る消費税額の調整税額　62,400　円

解説　（単位：円）

(1)　課税賃貸割合

①　課税賃貸料収入の額

$1,210,000 \times \frac{100}{110} = 1,100,000$

②　非課税賃貸料収入の額

3,840,000＋11,520,000＋11,040,000＝26,400,000

③　課税賃貸割合

$\frac{①}{①+②} = \frac{1,100,000}{27,500,000} = 0.04$

(2)　調整税額

$22,000,000 \times \frac{7.8}{110} \times 0.04 = 62,400$

(3)　居住用賃貸建物を譲渡した場合

①　適用要件

次の要件に該当する場合には、居住用賃貸建物を譲渡した課税期間において仕入れに係る消費税額を調整する必要があります。

イ　居住用賃貸建物に係る課税仕入れ等の税額について上記 1 の規定の適用を受けている。

ロ　居住用賃貸建物の全部又は一部を調整期間に他の者に譲渡したとき

② 調整税額

イ 調整税額の計算

調整税額（加算）＝居住用賃貸建物に係る課税仕入れ等の税額×課税譲渡等割合

ロ 課税譲渡等割合

その事業者が居住用賃貸建物の仕入れ等の日からその居住用賃貸建物を他の者に譲渡した日までの間（「課税譲渡等調整期間」という。）に行ったその居住用賃貸建物の貸付けの対価の額の合計額とその事業者が行ったその居住用賃貸建物の譲渡対価の額の合計額のうちにその事業者が課税譲渡等調整期間に行ったその居住用賃貸建物の貸付け（課税賃貸用に供したものに限る。）の対価の額の合計額とその事業者が行ったその居住用賃貸建物の譲渡の対価の額の合計額の占める割合をいう。

$$\frac{\text{課税譲渡等調整期間における賃料収入のうち課税売上げとなる金額（税抜き）}+\text{居住用賃貸建物の譲渡対価の額（税抜き）}}{\text{課税譲渡等調整期間における賃貸料の総額（税抜き）}+\text{居住用賃貸建物の譲渡対価の額（税抜き）}}$$

設例6－2 居住用賃貸建物を課税賃貸用に供した場合等2

次の資料から当社の当課税期間（令和７年４月１日から令和８年３月31日）における仕入れに係る消費税額の調整税額を計算しなさい。

〔資料〕

⑴ 当社は前々課税期間中の令和５年 12 月１日に住宅の貸付けの用に供する居住用賃貸建物 22,000,000 円を購入している。なお、当該居住用賃貸建物に係る課税仕入れの税額については、消費税法第 30 条に規定する仕入れに係る消費税額の控除の規定は適用されていない。

⑵ ⑴の居住用賃貸建物の一部について入居者から事務所用に使用したいと申し出があったため、令和７年 12 月１日から⑴の居住用賃貸建物の一部を事務所用として契約変更した。

⑶ 当社は⑴の居住用建物を令和８年１月 31 日に 14,690,500 円で国内の不動産会社に譲渡している。

⑷ ⑴の居住用賃貸建物に係る譲渡日までの賃貸料収入は以下のとおりであった。

	前々課税期間 自令和５年４月１日 至令和６年３月31日	前課税期間 自令和６年４月１日 至令和７年３月31日	当課税期間 自令和７年４月１日 至令和８年３月31日
居住用住宅に係る賃貸料収入	3,840,000 円	11,520,000 円	9,360,000 円
事務所用建物に係る賃貸料収入（税込価額）	0 円	0 円	605,000 円

解答

仕入れに係る消費税額の調整税額 561,600 円

解説　（単位：円）

⑴　課税譲渡割合

①　課税賃貸料収入の額

$605,000 \times \frac{100}{110} = 550,000$

②　居住用賃貸建物の譲渡対価の額

$14,690,500 \times \frac{100}{110} = 13,355,000$

③　非課税賃貸料収入の額

$3,840,000 + 11,520,000 + 9,360,000 = 24,720,000$

④　課税譲渡等割合

$\frac{①+②}{①+②+③} = \frac{13,905,000}{38,625,000} = 0.36$

⑵　調整税額

$22,000,000 \times \frac{7.8}{110} \times 0.36 = 561,600$

Chapter 15

適格請求書発行事業者

令和５年10月１日から導入されましたインボイス制度のうち、適格請求書発行事業者の登録、義務等を見ていきます。

Section 1

適格請求書発行事業者の登録

仕入税額控除制度の適用を受けるには、原則として、適格請求書又は適格簡易請求書の保存が必要となります。適格請求書又は適格簡易請求書は、課税資産の譲渡等を行う事業者における適用税率や消費税額等に関する認識をその課税資産の譲渡等を受ける他の事業者に正しく伝達するための手段です。そのため、その作成・交付ができる者を課税事業者に限定するとともに、他の事業者から交付を受けた請求書等が適格請求書又は適格簡易請求書に該当することを客観的に確認するための仕組みとして適格請求書発行事業者登録制度が必要になりました。

ここではその適格請求書発行事業者の登録について見ていきましょう。

1 適格請求書発行事業者の登録（法57の2①） 理論

国内において課税資産の譲渡等を行い、又は行おうとする事業者であって、適格請求書の交付をしようとする事業者（免税事業者を除く*01)。）**は、税務署長の登録を受けることができます。**

*01) 免税事業者が適格請求書発行事業者となるためには、課税事業者を選択することで、適格請求書発行事業者となることができます。

適格請求書等の作成・交付ができる者を課税事業者に限定する必要があるかについては、

・ **免税事業者は，その売上げに消費税に相当する額は含まれない**ことから、他の事業者に対して伝達すべき消費税額等は認識されず、**免税事業者が発行する請求書等に消費税額等を記載して、別途消費税相当額を受け取るといったことは消費税の仕組み上予定されていない**こと

・ 適格請求書等の交付に当たっては、**消費税法の規定に基づき適用税率を判断し、その適用税率や消費税額等を正確に記載することが義務付けられる**以上、その義務付けの対象となる事業者に、事務負担等の観点から消費税を納める義務だけでなく**帳簿の記帳義務が免除される免税事業者を含めることは適当でない**こと

が理由として挙げられます。そのため、課税資産の譲渡等について適格請求書等を交付しようとする課税事業者は、あらかじめ税務署長に、適格請求書発行事業者として登録を受けることが求められることとなります。

一方、**事業者の中には、専ら最終消費者を相手方とした取引のみを行う事業者も存在します。**適格請求書発行事業者となった場合には、課税事業者からの求めに応じた適格請求書等の交付や交付した適格請求書等の写しの保存など一定の義務の履行等が求められることとなりますが，このような**専ら最終消費者を相手方とした取引のみを行う事業者は、課税事業者として消費税の納税義務を負う事業者であっても取引の相手方から適格請求書等の交付を求められることがない**ため、必ずしも適格請求書発行事業者の登録を受ける必要はありません。そのため，**登録を受けることを希望する事業者のみが選択的に登録を受ける制度となっています。**

2 適格請求書発行事業者の申請

理論

(1) 事業者の申請（法57の２②）

適格請求書発行事業者の登録を受けようとする課税事業者は、一定の事項を記載した申請書をその納税地の所轄税務署長に提出しなければなりません。

(2) 申請書の記載事項（規26の２①）

① 申請者の氏名又は名称、納税地及び法人番号

② 申請者が特定国外事業者[*01]である場合には、申請者が特定国外事業者である旨、税務代理人の氏名又は名称、税務代理人の事務所の名称及び所在地

③ 申請者が特定国外事業者以外の国外事業者である場合には、国内において行う資産の譲渡等に係る事務所、事業所その他これらに準ずるものの所在地

④ その他参考となるべき事項[*02]

(3) 免税事業者の登録（令70の２）

免税事業者が、課税事業者となる課税期間[*03]の初日から登録を受けようとする場合には、税務当局側の事務処理期間を踏まえ、その課税期間の初日から起算して15日前の日までに登録申請書を提出しなければなりません。

(4) 登録（法57の２③）

税務署長は、申請書の提出を受けた場合には、遅滞なく審査を行い、登録拒否する場合を除いて、登録をしなければなりません。

*01) 国内において行う資産の譲渡等に係る事務所、事業所その他これらに準ずるものを国内に有しない国外事業者

*02) 登録拒否要件に該当しないこと等を記載します。

*03) 基準期間における課税売上高等が1,000万円を超えることにより課税事業者となる場合と、課税事業者を選択して課税事業者となる場合です。

3 登録の拒否（法57の２⑤）

理論

税務署長は、適格請求書発行事業者の登録を受けようとする事業者からの申請について遅滞なく審査をすることとされていますが、その結果、次のいずれかの事実に該当すると認めるときは、登録を拒否することができるとされています。

(1) 特定国外事業者以外の事業者である場合

① 納税管理人[*01]を定めるべき事業者が納税管理人の届出をしていないこと

② 消費税法の規定に違反して罰金以上の刑に処せられ、その執行を終わり、又は執行を受けることがなくなった日から２年を経過しない者であること

(2) 当該事業者が特定国外事業者である場合

① 消費税に関する税務代理の権限を有する税務代理人がいないこと

② 納税管理人の届出をしていないこと[*02]

③ 現に国税の滞納があり、かつ、その滞納額の徴収が著しく困難であること

*01) 納税義務者に代わり、納税に関する一切の手続き（納税通知書の受領、納税、還付通知の受領、還付金の受領など）を行う方をいいます。

*02) 特定国外事業者以外の事業者（主に国内事業者）であれば、通常、納税管理人を置く必要がないため、納税管理人を定めるべき事業者に限って届出をしていない

④　正当な理由のない無申告、又は、著しく徴収困難な滞納があることにより適格請求書発行事業者の登録を取り消された場合に、その取消しの日から１年を経過しない者であること

⑤　消費税法の規定に違反して罰金以上の刑に処せられ、その執行を終わり、又は執行を受けることがなくなった日から２年を経過しない者であること

ことが登録拒否要件となりますが、特定国外事業者であれば、適格請求書発行事業者の登録申請を行うこと自体が国税に関する事項を処理することに該当することから、全ての特定国外事業者において納税管理人の届出をしていないことが登録拒否要件となっています。

4 適格請求書発行事業者の公表（法57の2④） 理論

適格請求書等の作成・交付ができる者は課税事業者に限定されており、取引の相手方が課税事業者として適格請求書等を発行できる事業者であることを客観的に確認するための仕組みとして、適格請求書発行事業者を公表する仕組みが設けられています。

税務署長は適格請求書発行事業者の登録を適格請求書発行事業者登録簿に一定の事項を登載し、その適格請求書発行事業者登録簿に登載された事項を速やかに公表します。

5 適格請求書発行事業者の取消し（法57の2⑥） 理論

適格請求書発行事業者において今後適格請求書の交付を行うことが想定されない場合や適格請求書発行事業者としての適正性に問題があると認められる場合に、税務署長がその登録を取り消すことができます。

⑴　特定国外事業者以外の事業者である場合

①　１年以上所在不明*01)であること

②　事業を廃止したと認められること

③　法人が合併により消滅したと認められること

④　納税管理人を定めなければならない事業者が，納税管理人の届出をしていないこと

⑤　消費税法の規定に違反して罰金以上の刑に処せられたこと

⑥　虚偽の記載をした登録申請書を提出し登録を受けた者であること

⑵　当該事業者が特定国外事業者である場合

①　事業を廃止したと認められること

②　法人が合併により消滅したと認められること

③　申告期限までに税務代理権限証書が提出されていないこと

④　納税管理人を定めるべき事業者が納税管理人の届出をしていないこと

⑤　期限内申告書の提出がなかったことについて正当な理由がないこと

⑥　現に徴収が著しく困難な滞納があること

⑦　消費税法の規定に違反して罰金以上の刑に処せられたこと

⑧　虚偽の記載をした登録申請書を提出し登録を受けた者であること

*01) 消費税の申告書の提出がないなどの場合において、文書の返戻や電話の不通をはじめとして、事業者と必要な連絡が取れないときなどが該当します。
特定国外事業者である場合には、所在が不明であることの実質的な確認が困難であると想定されることから,「１年以上所在不明であること」は登録取消要件に含まれていません。

6 登録事項の変更（法57の2⑧⑨） 理論

適格請求書発行事業者は、**適格請求書発行事業者登録簿に登載された事項に変更があったとき**は、その旨を記載した**届出書を、速やかにその納税地の所轄税務署長に提出**しなければなりません。

税務署長は、その届出書の提出を受けた場合には、**遅滞なくその届出に係る事項を適格請求書発行事業者登録簿に登載**して、**変更の登録をし、速やかに公表**しなければなりません。

7 登録の失効（法57の2⑩） 理論

適格請求書発行事業者が、次に掲げる場合に該当することとなった場合には、**それぞれに定める日に、適格請求書の登録は、その効力を失います。**

⑴ **その適格請求書発行事業者が登録の取消しを求める旨の届出書をその納税地の所轄税務署長に提出した場合**[*01)]
　その提出があった日の属する課税期間の末日の翌日

⑵ **その適格請求書発行事業者が事業を廃止した場合**
　事業を廃止した日の翌日

⑶ **その適格請求書発行事業者である法人が合併により消滅した場合**
　その法人が合併により消滅した日

*01) 適格請求書発行事業者となった者は、登録を受けた日の属する課税期間以後の課税期間については、基準期間における課税売上高が1,000万円以下等であるとしても免税事業者となることができません。したがって、免税事業者となる場合には、あらかじめ適格請求書発行事業者の登録の取消しをする必要があります。

Section 2 適格請求書発行事業者の義務

複数税率の下で前段階税額控除の仕組みを適正に機能させるためには、売手側における適用税率の認識と仕入手側における適用税率の認識を一致させるために、売手側に必要な情報を記載した請求書等の発行を義務付けるとともに、その請求書等の保存を仕入税額控除の適用要件とする必要があります。また、そうした仕組みを機能させる観点から、課税事業者として適正な請求書等を発行できる者であることが、他の事業者から確認できる仕組みも必要となってきます。

ここでは、その適格請求書発行事業者の義務について見ていきましょう。

1 適格請求書の交付義務（法57の4①） 理論

複数税率制度の下で課税仕入れを行った事業者が正確に税額計算を行うためには、適用税率・消費税額等が別記された適格請求書（インボイス）が必要不可欠となります。

そのため，適格請求書を交付しようとする課税事業者にはあらかじめ税務署長の登録を受けることを求め、登録を受けた適格請求書発行事業者に対して、国内において課税資産の譲渡等（輸出取引等の消費税が免除されるものを除く。）を行った場合において、その課税資産の譲渡等を受ける他の事業者（免税事業者を除く。）から求められた場合には、**原則として、一定の事項を記載した請求書、納品書その他これらに類する書類（適格請求書）を交付する義務を課しています。**

2 適格請求書の記載事項（法57の4①） 理論

適格請求書とは，次の事項を記載した**請求書、納品書その他これらに類する書類**をいいます。

⑴ **適格請求書発行事業者の氏名**又は**名称**及び**登録番号**

⑵ **課税資産の譲渡等を行った年月日**（又は取引の対象となる期間）

⑶ **課税資産の譲渡等に係る資産又は役務の内容**（軽減対象課税資産の譲渡等である場合には、資産の内容及び軽減対象課税資産の譲渡等である旨*01)）

⑷ **課税資産の譲渡等に係る税抜価額**又は**税込価額を税率の異なるごとに区分して合計した金額**及び**適用税率**

⑸ **消費税額等**

⑹ **書類の交付を受ける事業者の氏名**又は**名称**

*01) 軽減対象課税資産の譲渡等であることが客観的に明らかであるといえる程度の表示がされていればよいです。

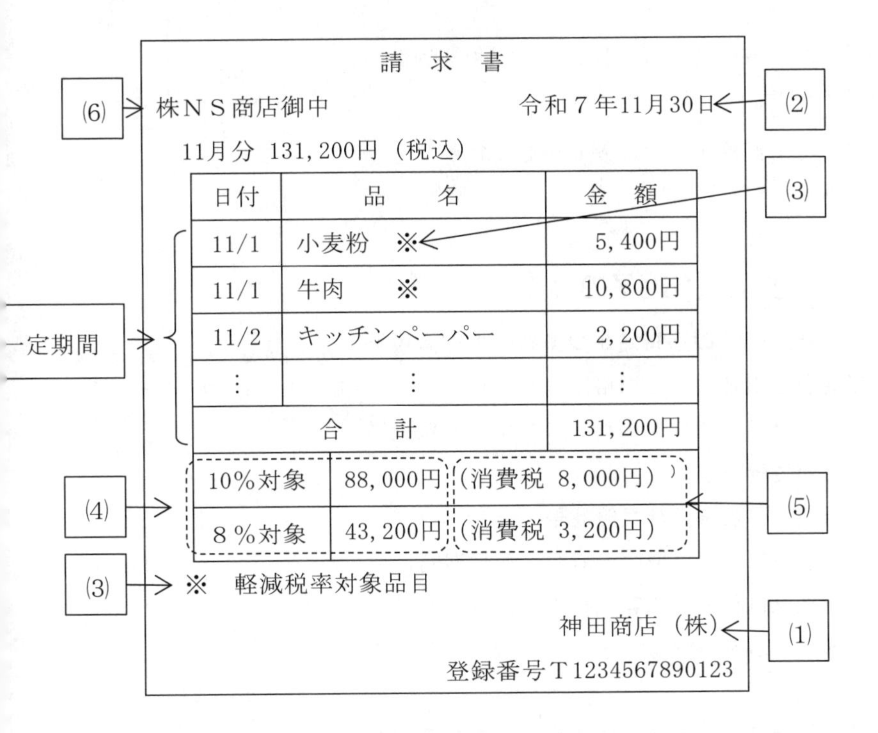

請　求　書

株ＮＳ商店御中　　令和７年11月30日

11月分 131,200円（税込）

日付	品　名	金　額
11/1	小麦粉　※	5,400円
11/1	牛肉　※	10,800円
11/2	キッチンペーパー	2,200円
⋮	⋮	⋮
合　計		131,200円
10％対象	88,000円	（消費税 8,000円）
８％対象	43,200円	（消費税 3,200円）

※　軽減税率対象品目

神田商店（株）

登録番号Ｔ1234567890123

3 適格請求書の交付義務が免除される取引（令70の9②） 理論

適格請求書発行事業者が、国内において課税資産の譲渡等を行った場合において、取引の相手方からの求めに応じて適格請求書の交付義務が生じますが、事業の性質上、適格請求書を交付することが困難な次の課税資産の譲渡等については、適格請求書の交付義務そのものを免除することとされています。

(1) 公共交通機関である船舶，バス又は鉄道等による旅客の運送

公共交通機関において行われる旅客の運送のうち一定のものについては、その役務の提供の都度、適格請求書の交付を行うことは現実的ではありません。そこで、旅客の運送（税込価額が３万円未満のもの*01)に限る。）については、適格請求書の交付義務が免除されています。

*01)「３万円未満のもの」の判定については、１回の取引ごとで行い、１の商品やサービスごとに判定するものではありません。

(2) 卸売市場及び協同組合等による一定の委託販売

卸売市場、協同組合等を通じた流通形態の中には、どの生産者の農林水産物かを把握せずに流通させる仕組みとなっているものがあり、こうした形態のものについては、課税事業者から出荷された農林水産物と免税事業者から出荷された農林水産物の区分は困難となっています。

(3) 適格請求書を交付することが著しく困難な課税資産の譲渡等

上記(1)、(2)のほか、課税資産の譲渡等の対価の額が通常少額であり、かつ、その課税資産の譲渡等が不特定かつ多数の者に対して行われるものであって、取引の状況等から適格請求書を交付することが著しく困難なものとして、次の取引について適格請求書の交付義務が免除されています。

① 自動販売機又は自動サービス機により行われるもの（税込価額が3万円未満のもの*01)に限ります。）

② 郵便切手類のみを対価として郵便ポストに差し出して行われる郵便物及びゆうパックの配送

4 適格簡易請求書の記載事項（法57の4②） 理論

適格請求書発行事業者が、**小売業等*01)の不特定かつ多数の者に課税資産の譲渡等を行う一定の事業を行う場合**には、適格請求書に代えて、次に掲げる事項を記載した請求書，納品書その他これらに類する書類（**適格簡易請求書**）を**交付することができます。**

*01) 小売業、飲食店業、写真業、旅行業、タクシー業、駐車場業（不特定かつ多数の者に対して行うものに限る。）

⑴ **適格請求書発行事業者の氏名**又は**名称及び登録番号**

⑵ **課税資産の譲渡等を行った年月日**（又は取引の対象となる期間）

⑶ **課税資産の譲渡等に係る資産又は役務の内容**（軽減対象課税資産の譲渡等である場合には、資産の内容及び軽減対象課税資産の譲渡等である旨）

⑷ **課税資産の譲渡等に係る税抜価額**又は**税込価額を税率の異なるごとに区分して合計した金額**

⑸ **消費税額等**又は**適用税率**

適格簡易請求書の記載事項については、小売業等の不特定かつ多数の者と取引を行う事業者の現実の取引実態を踏まえ、適格請求書の記載事項のうち、**書類の交付を受ける事業者の氏名又は名称の記載が不要**とされるとともに、**消費税額等と適用税率のいずれか一方の記載で足りる**ものとされています。

5 適格返還請求書の記載事項（法57の4③） 理論

売上げに係る対価の返還等を行う適格請求書発行事業者は、次に掲げる事項を記載した請求書、納品書その他これらに類する書類（**適格返還請求書**）**を交付しなければなりません**。ただし、事業の性質上、適格返還請求書を交付することが困難な一定の課税資産の譲渡等*01)については、適格返還請求書の交付義務が免除されています。

*01) 適格返還請求書の交付が困難な課税資産の譲渡等とは、3の取引となります。

⑴ **適格請求書発行事業者の氏名**又は**名称及び登録番号**

⑵ **売上げに係る対価の返還等を行う年月日**及びその**売上げに係る対価の返還等に係る課税資産の譲渡等を行った年月日**

⑶ **売上げに係る対価の返還等に係る課税資産の譲渡等に係る資産又は役務の内容**（軽減対象課税資産の譲渡等である場合には，資産の内容及び軽減対象課税資産の譲渡等である旨）

⑷ **対価の返還等に係る税抜価額**又は**税込価額を税率の異なるごとに区分して合計した金額**

⑸ **対価の返還等の金額に係る消費税額等**又は**適用税率**

6 修正適格請求書等の交付（法57の4④） 理論

適格請求書、適格簡易請求書又は適格返還請求書を交付した適格請求書発行事業者は、これらの書類の**記載事項に誤りがあった場合**には、**修正した適格請求書、適格簡易請求書又は適格返還請求書を交付**しなければなりません。

7 電磁的記録の提供（法57の4⑤） 理論

適格請求書発行事業者は、**適格請求書、適格簡易請求書**又は**適格返還請求書の交付に代えて**、これらの書類の記載事項に係る**電磁的記録を提供することができます**。ここでいう電磁的記録とは、電子計算機を使用して作成する国税関係帳簿書類の保存方法等の特例に関する法律に規定する電磁的記録*01)をいいます。

*01) 光ディスク，磁気テープ等の記録用の媒体に記録、保存された状態をいいます。

8 保存期間（法57の4⑥、令70の13①） 理論

適格請求書、適格簡易請求書又は**適格返還請求書**を交付した適格請求書発行事業者（これらの書類に係る電磁的記録を提供した適格請求書発行事業者を含む。）は、これらの**書類の写し**（又は電磁的記録）**を保存**しなければなりません。

適格請求書発行事業者は、交付した書類の写し又は提供した電磁的記録を整理し、その**交付し**、又は**提供した日の属する課税期間の末日の翌日から２月を経過した日から７年間**、これを**納税地**又はその取引に係る**事務所等に保存**しなければなりません。

第１－(3)号様式

国内事業者用

適格請求書発行事業者の登録申請書

収受印

【１／２】

この申請書は、令和五年十月一日から令和十二年九月二十九日までの間に提出する場合に使用します。

令和　年　月　日			
	申請者	（フリガナ）	
		住所又は居所（法人の場合）本店又は主たる事務所の所在地	（〒　－　） ◎（法人の場合のみ公表されます） （電話番号　－　－　）
		（フリガナ）	
		納税地	（〒　－　） （電話番号　－　－　）
		（フリガナ）	
		氏名又は名称	◎
		（フリガナ）	
		（法人の場合）代表者氏名	
＿＿＿＿税務署長殿		法人番号	

この申請書に記載した次の事項（◎印欄）は、適格請求書発行事業者登録簿に登載されるとともに、国税庁ホームページで公表されます。
1　申請者の氏名又は名称
2　法人（人格のない社団等を除く。）にあっては、本店又は主たる事務所の所在地
なお、上記１及び２のほか、登録番号及び登録年月日が公表されます。
また、常用漢字等を使用して公表しますので、申請書に記載した文字と公表される文字とが異なる場合があります。

下記のとおり、適格請求書発行事業者としての登録を受けたいので、消費税法第57条の２第２項の規定により申請します。

事業者区分	この申請書を提出する時点において、該当する事業者の区分に応じ、□にレ印を付してください。 ※　次葉「登録要件の確認」欄を記載してください。また、免税事業者に該当する場合には、次葉「免税事業者の確認」欄も記載してください（詳しくは記載要領等をご確認ください。）。	
	□　課税事業者（新たに事業を開始した個人事業者又は新たに設立された法人等を除く。）	
	□　免税事業者（新たに事業を開始した個人事業者又は新たに設立された法人等を除く。）	
	□　新たに事業を開始した個人事業者又は新たに設立された法人等	
	□　事業を開始した日の属する課税期間の初日から登録を受けようとする事業者 ※　課税期間の初日が令和５年９月30日以前の場合の登録年月日は、令和５年10月１日となります。	課税期間の初日 令和　年　月　日
	□　上記以外の課税事業者	
	□　上記以外の免税事業者	
税理士署名	（電話番号　－　－　）	

※税務署処理欄	整理番号		部門番号		申請年月日	年　月　日	通信日付印　年　月　日	確認
	入力処理	年　月　日	番号確認		身元確認	□ 済 □ 未済	確認書類　個人番号カード／通知カード・運転免許証 その他（　）	
	登録番号	T						

注意　1　記載要領等に留意の上、記載してください。
2　税務署処理欄は、記載しないでください。
3　この申請書を提出するときは、「適格請求書発行事業者の登録申請書（次葉）」を併せて提出してください。

Chapter 16

信託

信託やファンドという言葉は、最近では一般的になってきましたが、どういったものなのか、なかなか正確な内容を理解するのは難しいところです。ここでは、信託の意味について学習するとともに、消費税における信託の取り扱いについて見ていきましょう。

Section 1 信託

個人が持っている財産の運用をプロに任せる「信託」という制度は、近年「投資信託」や「ファンド」という言葉が一般化してきたことで広く知られるようになってきました。その一方で信託の種類も複雑化し、なかなかイメージを捉え辛いものとなっています。ここでは、信託という考え方を学習した上で、消費税法における取扱いについて見ていきましょう。

1 概要　理論

1. 信託とは

信託とは、信託財産の所有者（これを「**委託者**」といいます。）が自己の保有する財産の管理・運用を任せられる他者（通常は信託銀行等の専門機関が行います。これらの者を「**受託者**」といいます。）に財産の管理・運用をする権利を移転させ、その管理・運用の結果発生した利益を別の者（「**受益者**」といいます。）に与えることをいいます。

受託者は、委託者から委託された財産を自己の財産とは別に管理し、その運用も受益者のために行わなければならない義務を負います。

なお、委託者が自己の財産から生ずる利益を自分で享受することも可能であり、この場合には「委託者＝受益者」となります。

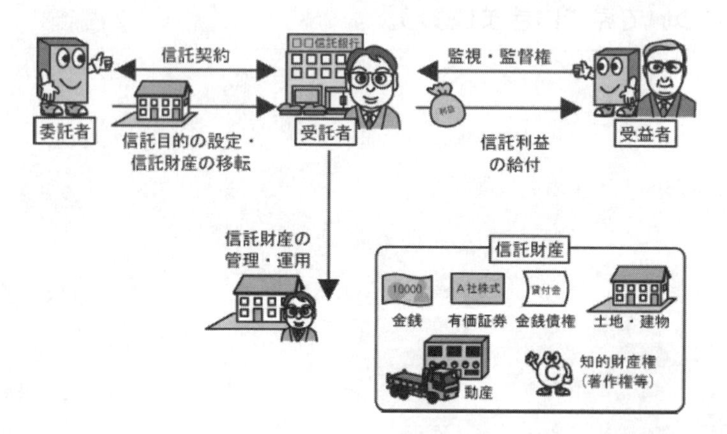

2. 課税上の取扱い

信託では、委託者から受託者へ信託財産の所有権が譲渡されます。しかし、これは受益者にすべての利益を享受させるために行う形式的な譲渡にすぎません。したがって、**その譲渡は資産の譲渡等に該当しない**ものとされ、その**信託財産の運用から生じる取引は、受益者に帰属する**ものとされます。

ただし、集団投資信託*01)、法人課税信託*02)等については、受託者が資産の譲渡等を行ったものとされます*03)。

*01) 集団投資信託とは、一般的な金融機関等で購入することができる公社債投資信託や証券投資信託等のイメージです。

*02) 法人課税信託については、後ほど詳しく見ていきます。

*03) 形式的な権利だけでなく、実質的にも譲渡されたものとされるということです。

2 受益者等課税信託 理論

1. 信託財産に係る資産の譲渡等の帰属（法14①）

受益者等課税信託とは、形式的な所有者が受託者である場合に、実質的に捉えて、受益者がその信託財産に属する資産を有するものとみなされる信託をいいます。

受益者等課税信託における信託財産に係る資産等取引[*01]**は、受益者の資産等取引とみなし**て消費税法の規定が適用されます。

*01) 資産等取引とは、資産の譲渡等、課税仕入れ及び課税貨物の保税地域からの引取りをいいます。

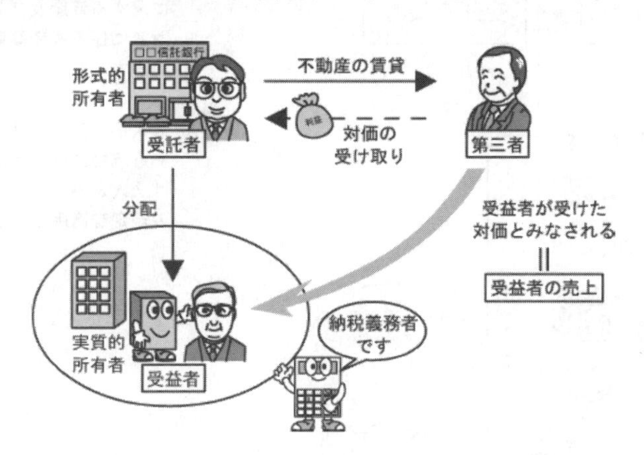

2. 受益者の範囲（法14①②） 

受益者には、受益者としての権利を現に有する者だけでなく、みなし受益者が含まれます。

受益者	受益者としての権利を現に有する者
みなし受益者	下記の要件を満たす者 ①信託を変更する権限を現に有することとされている かつ ②信託財産の給付を受けることとされている

3 法人課税信託 理論

1. 信託資産等及び固有資産等の帰属（法15①②③）

法人課税信託とは、法人税法第２条第29号の２に規定する信託をいい、受託者に対して信託ごとに法人税が課されるものをいいます。

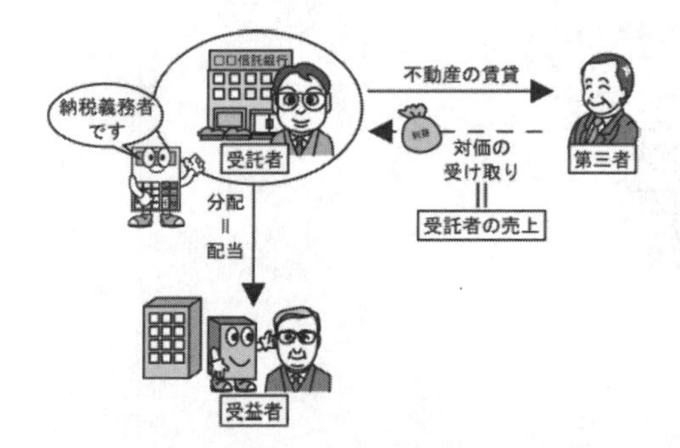

法人課税信託は、**受託者の本来の事業に係る固有資産等**[*01]**と信託事業に係る信託資産等**[*02]**とを明確に区別し、それぞれ別の者とみなして消費税法の規定を適用**します[*03]。

ここで、固有資産等が帰属する受託者を**固有事業者**、信託資産等が帰属する受託者を**受託事業者**といいます。

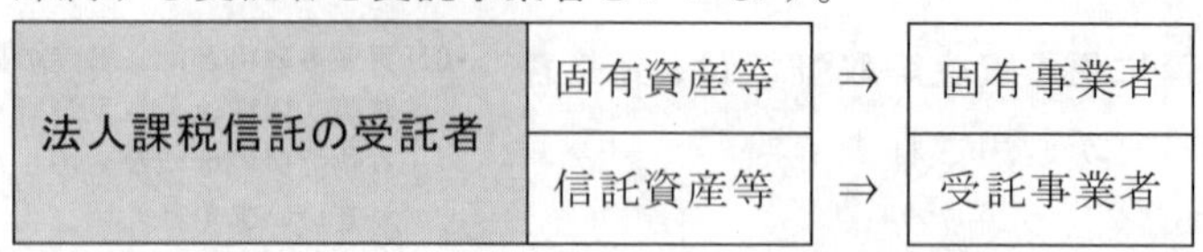

法人課税信託の受託者	固有資産等	⇒	固有事業者
	信託資産等	⇒	受託事業者

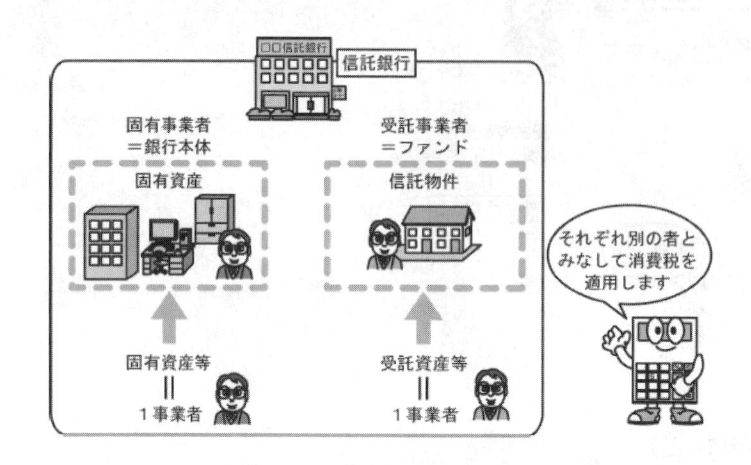

*01) 固有資産等とは、法人課税信託の信託資産等以外の資産及び資産等取引をいいます。
すなわち、信託銀行等の信託業務とは無関係な業務に係る資産や取引を指します。

*02) 信託資産等とは、信託財産に属する資産及びその信託財産に係る資産等取引をいいます。

*03) 個人事業者が受託事業者である場合には、受託事業者は法人とみなして消費税法の規定を適用します。

2. 法人課税信託の納税義務者

(1) 固有事業者の納税義務の判定（法15④、令27①）

固有事業者の納税義務の判定は、**固有事業者自体の基準期間における課税売上高と受託事業者のその基準期間に対応する期間における課税売上高の合計**で判定します。

すなわち、固有事業者と受託事業者は消費税の計算を行う事業単位としては別々のものとしていますが、本来は同じ法人における資産等取引を分けているにすぎないため、**納税義務の判定においては分けずに行う**というものです。

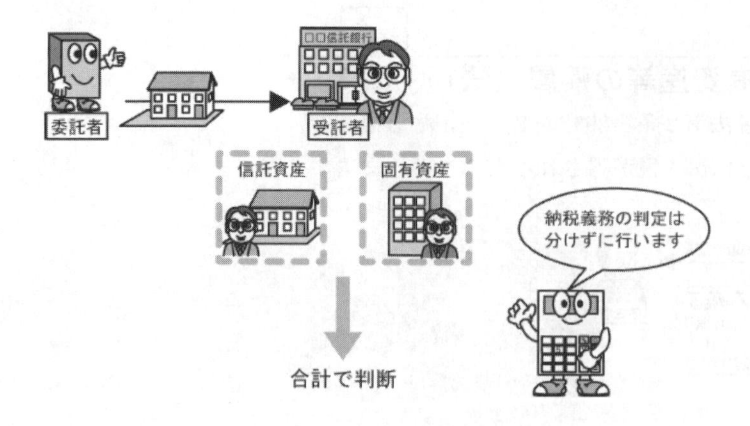

$$\left(\begin{array}{l}\text{固有事業者のその課税期}\\\text{間に係る基準期間におけ}\\\text{る課税売上高(A)}\end{array}\right)+\left(\begin{array}{l}\text{受託事業者のその基準期}\\\text{間に対応する期間におけ}\\\text{る課税売上高(B)}\end{array}\right)\begin{array}{l}> \text{1,000万円} \rightarrow \text{納税義務あり}\\\leqq \text{1,000万円} \rightarrow \text{納税義務なし}\end{array}$$

受託事業者のその基準期間に対応する期間における課税売上高(B)とは、**固有事業者の基準期間の初日から同日以後1年を経過する日までの間に終了**した受託事業者の各事業年度における課税売上高をいいます[*04)]。

*04) 相続等の納税義務の判定と同じように合計して判定するイメージです。

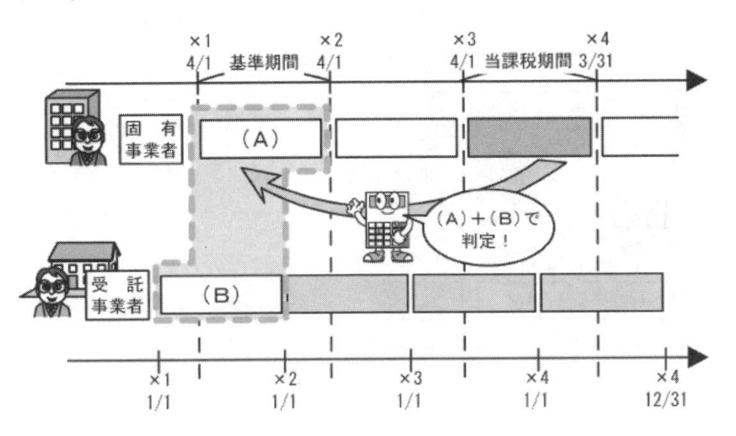

(2) 受託事業者の納税義務の判定（法15⑥）

受託事業者の納税義務の判定は、受託事業者の基準期間における課税売上高をそのまま採用するのではなく、次の手順によって判定します。

> ① 受託事業者の**その課税期間の初日の属する固有事業者の課税期間を探します。**
> ② ①の固有事業者の課税期間の納税義務の判定を行います。

②の固有事業の課税期間による判定は(1)の判定がそのまま適用されます[*05)]ので、結果として、①の期間について、(1)の算式のとおりに判定します。

*05) (A)の課税期間をベースに上記(1)の算式を使って計算します。すなわち、固有事業者の納税義務の判定と同額で判定するということです。

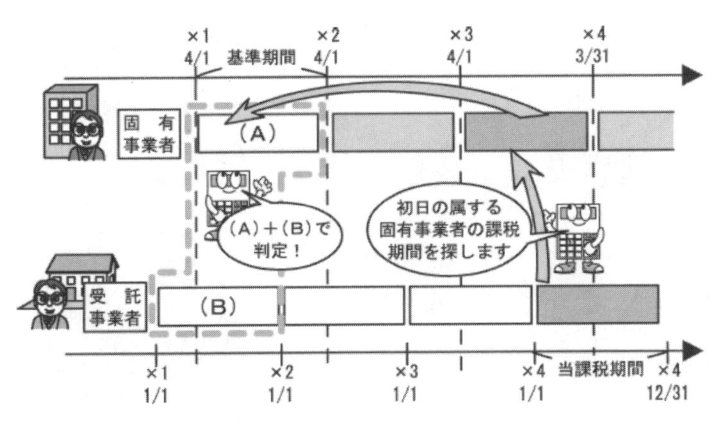

⑶ 受託事業者の簡易課税制度の適用（法15⑧、基通４－４－２）

受託事業者の簡易課税の適用に関する判定については、受託事業者単独で簡易課税の適用の判定は行わず、**固有事業者の適用の有無に従います。**

具体的には、**受託事業者のその課税期間の初日の属する固有事業者の課税期間において、固有事業者が簡易課税の適用を受ける場合に限り**、受託事業者も簡易課税を適用します。

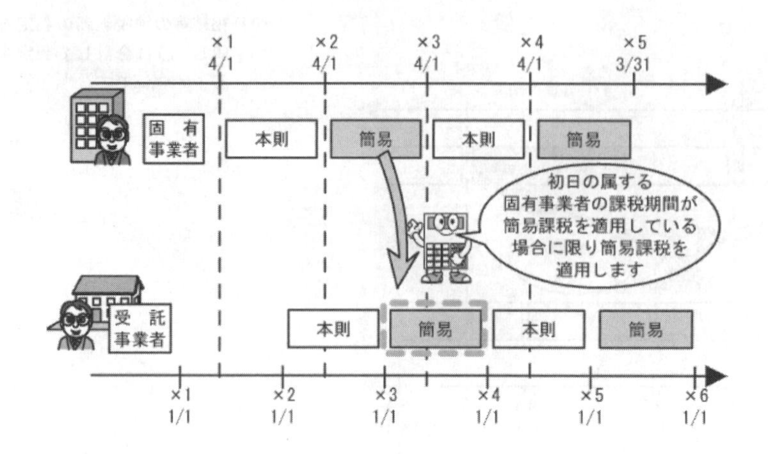

⑷ 受託事業者が提出できない届出等（法15⑪）

次の届出又は申請は固有事業者のみが提出でき、受託事業者が提出することはできません。そのため、**これらの届出等に関する規定は受託事業者には適用できません**[*06]。

① 消費税課税事業者選択（不適用）届出書
② 消費税簡易課税制度選択（不適用）届出書
③ 災害等による消費税簡易課税制度選択（不適用）届出に係る特例承認申請書
④ 課税事業者届出書
⑤ 消費税課税事業者選択（不適用）届出に係る特例承認申請書
⑥ 消費税簡易課税制度選択（不適用）届出に係る特例承認申請書

*06）次の規定は受託事業者も適用できるため、受託事業者ごとにこれらの規定に関する届出書又は申請書を提出する必要があります。
・課税期間の短縮の特例
・課税売上割合に準ずる割合

4 資産の譲渡等に類する行為（令2三、令45②五） 理論

教科書消費税法Ⅱ基礎完成編Chapter 2で学習した課税の対象では、**「特定受益証券発行信託**[*01]**又は法人課税信託の委託者が金銭以外の資産の信託をした場合におけるその資産の移転等」**は資産の譲渡等に類する行為として課税の対象に含まれることとなっています。

これは、事業者が自己の所有している資産を信託財産として受託者に委託した場合に、**その委託については資産の譲渡があったものとして消費税の課税の対象に含む**というものです。

なお、受益者等課税信託[*02]が法人課税信託に該当することとなった場合にも、これと同様に委託者の委託した資産の譲渡があったものとされます。

信託における資産の移転があった場合の対価の額は、**「その資産の移転の時の価額」**となります。

*01) 特定受益証券発行信託とは、受益証券発行信託（受益権の証券化が認められた信託）のうち、法人税法に定める要件を満たすものをいいます。

*02) 資産の移転等の時に資産の譲渡等に類する行為として課税の対象に含まれなかった信託に係るものです。

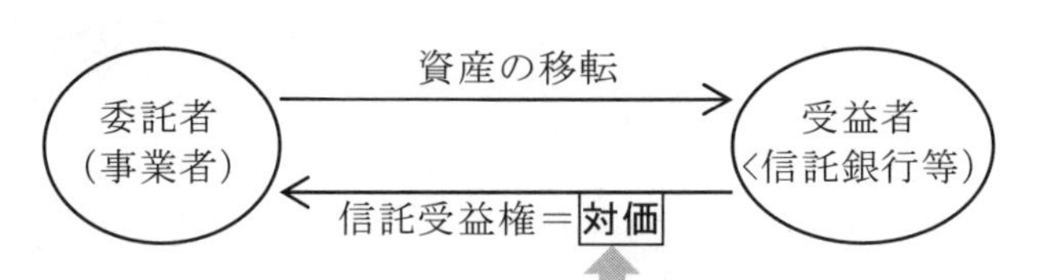

Chapter 17

届出等

これまで学習してきた論点の中で、さまざまな種類の「届出」や「申請」、「許可」というものを見てきました。ここでは、このような届出等についての特徴を比較しながらもう一度おさらいしましょう。

Section 1

届出等

消費税法は届出の税法といわれるほど、届出書の提出の有無で納税者の有利、不利が異なるケースが多くみられます。ここまで学習した中にも簡易課税制度や課税事業者の選択等さまざまな届出規定がありました。

ここでは、消費税に関する届出書等の内容や提出時期等についてまとめて見ていきましょう。

1 概要

理論

消費税では、事業者が各種規定の適用を受ける場合やさまざまな規定の適用要件に該当する事実が生じた場合に、納税地の所轄税務署長に届出等の提出が必要となります。

届出等には**「届出」**、**「承認」**、**「許可」**の３つがあります。

2 届出

理論

届出とは、事業者が必要な書類を提出することによって、**所轄税務署長の判断に関係なく、特定の効力が生じるもの**をいいます。

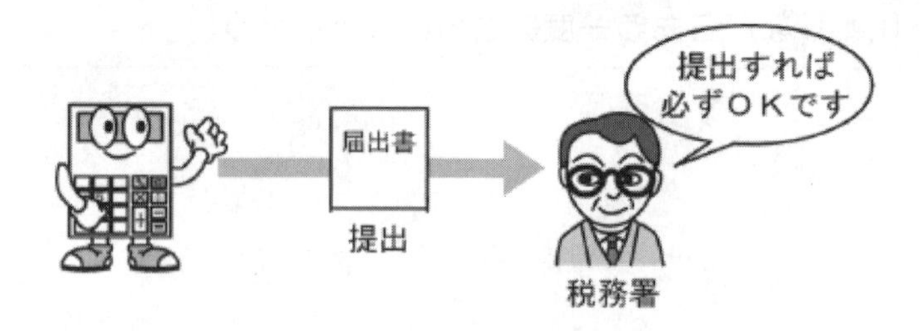

届出は、その性格から次の２つに分けられます。

1. その規定を選択する（又は不適用とする）ことを税務署長に意思表示するための届出

	届出書	提出が必要な場合	提出期限
課税事業者の選択	消費税課税事業者選択届出書（法９④）	免税事業者（基準期間の課税売上高が1,000万円以下の者）が課税事業者となることを選択する場合	適用課税期間の初日の前日*01)
	消費税課税事業者選択不適用届出書（法９⑤⑥⑧）	課税事業者の選択をやめる場合	適用をやめようとする課税期間の初日の前日*02)*03)

*01) 新規開業した事業者等は、開業した課税期間の末日までに提出すればその課税期間から課税事業者を選択することができます。
詳しくは教科書消費税法Ⅱ基礎完成編Chapter６を参照してください。

*02) ２年継続適用した後でなければ、不適用届出書を提出することはできません。

*03) 調整対象固定資産の購入を行っている場合には、一定期間の提出制限があります。詳しくはChapter14を参照してください。

	届出書	提出が必要な場合	提出期限
簡易課税制度の選択	消費税簡易課税制度選択届出書（法37①）	簡易課税制度の適用を受ける場合	適用課税期間の初日の前日*03)*04)
	消費税簡易課税制度選択不適用届出書（法37⑤⑥⑦）	簡易課税制度の適用をやめる場合	適用をやめようとする課税期間の初日の前日*02)
課税期間の特例の選択	消費税課税期間特例選択・変更届出書（法19①三～四の二）	課税期間の短縮を選択する場合又は短縮した課税期間を変更する場合	適用期間の初日の前日
	消費税課税期間特例選択不適用届出書（法19③④⑤）	課税期間短縮の適用をやめる場合	適用をやめようとする期間の初日の前日*02)
任意の中間申告の選択	任意の中間申告書を提出する旨の届出書（法42⑧）	任意の中間申告制度を適用しようとするとき	適用を受けようとする6月中間申告対象期間の末日まで
	任意の中間申告書を提出することの取りやめ届出書（法42⑨）	任意の中間申告制度の適用をやめようとするとき	適用をやめようとする6月中間申告対象期間の末日まで
確定申告期限の延長の選択	消費税申告期限延長届出書（法45の２①②）	消費税の確定申告書を提出すべき法人（法人税の申告期限の延長の特例の適用を受ける法人）が、消費税の確定申告の期限を１月延長しようとするとき	特例の適用を受けようとする事業年度終了の日の属する課税期間の末日まで
	消費税申告期限延長不適用届出書（法45の２③）	消費税の確定申告の期限の延長特例の適用を受けている法人が、その適用をやめようとするとき	消費税の確定申告の期限の延長特例の適用をやめようとする事業年度終了の日の属する課税期間の末日まで
その他	消費税課税売上割合に準ずる割合の不適用届出書（法30③）	承認を受けた課税売上割合に準ずる割合の適用をやめようとする場合*05)	適用をやめようとする課税期間の末日

*04) 新規開業した事業者等は、開業した課税期間の末日までに提出すればその課税期間から簡易課税制度を選択することができます。
詳しくはChapter11を参照してください。

*05) 適用を受けるときは承認申請が必要ですが、やめるときは税務署長の判断によらず届出書の提出のみでやめることができます。

2. 届出の事実に該当することとなったことを通知するための届出

	届出書	提出が必要な場合	提出期限
納税義務者に関して	消費税課税事業者届出書（法57①一）	基準期間における課税売上高又は特定期間における課税売上高が1,000万円超となった場合	速やかに
	消費税の納税義務者でなくなった旨の届出書（法57①二）	基準期間における課税売上高が1,000万円以下となった場合	速やかに
	消費税の新設法人に該当する旨の届出書（法57②）	納税義務が免除されない新設法人に該当することとなった場合	速やかに
	消費税の特定新規設立法人に該当する旨の届出書（法57②）	納税義務が免除されない特定新規設立法人に該当することとなった場合	速やかに
事業の改廃等	事業廃止届出書（法57①三）	課税事業者が事業を廃止した場合	速やかに
	個人事業者の死亡届書（法57①四）	課税事業者である個人事業者が死亡した場合	速やかに
	合併による法人の消滅届出書（法57①五）	課税事業者である法人が合併により消滅した場合	速やかに
	法人の消費税異動届出書（法25）	法人の納税地に異動があった場合	遅滞なく
	輸出物品販売場廃止届出書（規10の１①）	輸出物品販売場に係る事業を廃止した場合	直ちに
	適格請求書発行事業者登録簿の登載事項変更届出書（法57の２⑧）	適格請求書発行事業者登録簿に登載された事項に変更があったとき	速やかに
	適格請求書発行事業者の登録の取消しを求める旨の届出書（法57の２⑩）	適格請求書発行事業者の登録の取消しを求める場合	提出があった日の属する課税期間の末日の翌日以後効力を生じる

3 承認

理論

承認とは、**原則的な規定**のなかから選択適用する際に、**所轄税務署長の判断により、適用の可否が左右されるもの**をいいます。

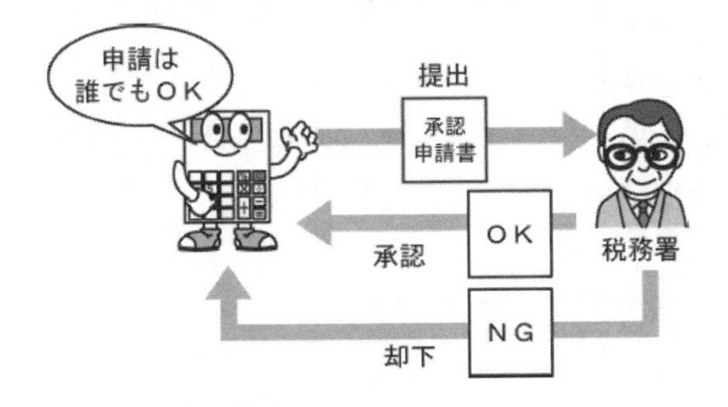

承認には、次のようなものがあります。

	申請書	承認が必要な場合	承認申請期間、効力発生時期等
国内取引	消費税課税売上割合に準ずる割合の適用承認申請書（法30③、令47）	課税売上割合に代えて課税売上割合に準ずる割合を用いて共通して要する仕入税額控除を計算しようとする場合	承認を受けた日の属する課税期間から適用*01)
	消費税課税事業者選択（不適用）届出に係る特例承認申請書（法９⑨、令20の２）	課税事業者選択届出書又は選択不適用届出書を災害等により適用を受けようとする課税期間、又は、受けることをやめようとする課税期間の初日の前日までに提出できなった場合	災害等がやんだ日から２ヵ月以内に申請
	消費税簡易課税制度選択（不適用）届出に係る特例承認申請書（法37⑧、令57の２）	簡易課税制度選択届出書又は選択不適用届出書を災害等により適用を受けようとする課税期間、又は、受けることをやめようとする課税期間の初日の前日までに提出できなかった場合	災害等がやんだ日から２ヵ月以内に申請

*01) 承認を受けた課税期間からの即時適用となります。

	申請書	承認が必要な場合	承認申請期間、効力発生時期等
国内取引	災害等による消費税簡易課税制度選択（不適用）届出に係る特例承認申請書（法37の２、令57の３）	災害等の生じた課税期間等について簡易課税制度の適用を受けることが必要となった場合、又は、受ける必要がなくなった場合	災害等がやんだ日から２ヵ月以内に申請
	適格請求書発行事業者の登録申請書	適格請求書発行事業者の登録を受けようとする事業者	税務署長が登録をした日から効力を生じる
輸入取引	課税貨物の引取りに係る消費税額の納期限の延長に関する承認申請書（法51、規25）	課税貨物に係る消費税の納期限を延長しようとする場合	課税貨物を引取る日、又は、課税貨物を引取る月の前月の末日まで*02)

*02) 詳しくは教科書消費税法Ⅱ基礎完成編Chapter15を参照してください。

4 許可

理論

許可とは、**特別な規定**のなかから選択適用する際に、**所轄税務署長の判断により、適用の可否が左右されるもの**をいいます。

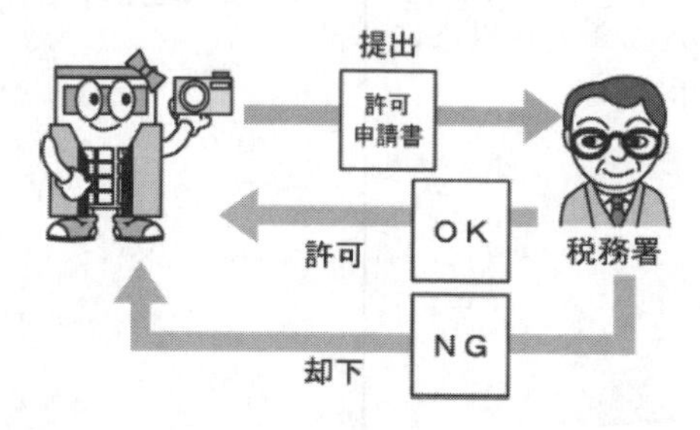

許可には、次のようなものがあります。

申請書	許可が必要な場合	許可申請期間
輸出物品販売場許可申請書（法８、規10①）	輸出物品販売場を開設しようとする場合	開設しようとする日の前日

索　引

あ行

か行

さ行

た行

な行

は行

ま行

や行

ら行

本書の発行後に公表された法令等及び試験制度の改正情報、並びに判明した誤りに関する訂正情報については、弊社WEBサイト内の『**読者の方へ**』にてご案内しておりますので、ご確認下さい。

https://www.net-school.co.jp/

なお、万が一、誤りではないかと思われる箇所のうち、弊社WEBサイトにて掲載がないものにつきましては、**書名（ＩＳＢＮコード）と誤りと思われる内容**のほか、お客様の**お名前及び郵送の場合はご返送先の郵便番号とご住所**を明記の上、弊社まで**郵送またはe-mail**にてお問い合わせ下さい。

＜郵送先＞　〒101－0054
東京都千代田区神田錦町3－23 神田錦町安田ビル３階
ネットスクール株式会社　正誤問い合わせ係

＜e-mail＞　seisaku@net-school.co.jp

※正誤に関するもの以外のご質問、本書に関係のないご質問にはお答えできません。
※**お電話によるお問い合わせはお受けできません。**ご了承下さい。

税理士試験　教科書
消費税法Ⅲ　応用編　【2025年度版】

2024年12月７日　初版　第１刷

著　　　　者　ネットスクール株式会社
発　行　者　桑原知之
発　行　所　ネットスクール株式会社　出版本部
〒101－0054　東京都千代田区神田錦町3－23
電　話　03（6823）6458（営業）
ＦＡＸ　03（3294）9595
https://www.net-school.co.jp
執筆総指揮　山本和史
表紙デザイン　株式会社オセロ
編　　　　集　吉川史織　安倍淳
ＤＴＰ制作　中嶋典子　石川祐子　吉永絢子
有限会社ドアーズ本舎　長谷川正晴
印刷・製本　日経印刷株式会社

ISBN 978-4-7810-3842-1